SAATLERİ AYARLAMA ENSTİTÜSÜ
Ahmet Hamdi Tanpınar

Dergâh Yayınları   : 28
Türk edebiyatı-roman :   1

Saatleri Ayarlama Enstitüsü'nün yayın hakları Dergâh Yayınları'na aittir.

Ahmet Hamdi Tanpınar

SAATLERİ AYARLAMA ENSTİTÜSÜ

Bihakk-ı Hazret-i Mecnun izâle eyleye Hak
Serimde derd-i hıredden biraz eser kaldı

İzzet Molla

DERGÂH YAYINLARI
Ankara Cad. Nu: 60/6 34110 Sirkeci / İstanbul
Tel: (212) 520 46 96 - 520 46 97 Fax: (212) 520 46 95
www.dergahyayinlari.com   E-posta: bilgi@dergahyayinlari.com

Birinci Basım: 1961 (Remzi Kitabevi), 2.b. Şubat 1987,
3.b. Temmuz 1992, 4.b. Ekim 1995, 5.b. Mayıs 1998, 6.b. Ekim 1999,
7.b. Eylül 2000, 8.b. Eylül 2002, Dokuzuncu Basım: Mayıs 2004
ONUNCU BASIM: Ekim 2005

ISBN: 975-7462-37-3

Basım Yeri : A Ajans Reklamcılık Filimcilik Matb. San. ve Tic. Ltd. Şti.
Peykhane Cd. Cami Sk. No: 57 Çemberlitaş / İstanbul

Cilt : Güven Mücellit & Matbaacılık San. ve Tic. Ltd. Şti.
Küçükayasofya Cd. Akbıyık Değirmeni Sk. Kapı Ağası İşhanı No: 33/C
Sultanahmet / İstanbul

BİRİNCİ BÖLÜM
BÜYÜK ÜMİTLER

I

Beni tanıyanlar, öyle okuma yazma işleriyle büyük bir ilgim olmadığını bilirler. Hattâ bütün mütalâalarım, çocukluğumda okuduğum Jul Vern ve Nik Karter hikâyelerini ortadan çıkarırsanız, Arapça ve Farsça kelimelerini atlaya atlaya gözden geçirdiğim birkaç tarih kitabıyla, Tûinâme, Binbir Gece, Ebu Ali Sinâ hikâyeleri gibi eserlerden ibarettir. Daha sonraki zamanlarda, enstitümüz kurulmadan evvel işsizlikten evde çocukların mektep kitaplarına zaman zaman göz attığım gibi, bazen bütün günümü geçirdiğim Edirnekapı veya Şehzadebaşı kahvelerinde gazeteleri hatme mecbur kaldığım zamanlarda ufak tefek tefrika parçaları ve makaleleri de okudum.

Adlî Tıpta müşahede altında bulunduğum zamanlarda tedavime çalışan, sonraları da bana o kadar iyiliği dokunan Doktor Ramiz'in psikanalize dair neşrettiği etütleri de bu arada sayabilirim. Bu kadar mühim işlerle uğraşan bu âlim zatın hakkımda gösterdiği teveccühe lâyık olabilmek için bu kitapların ve makalelerin bir satırını bile atlamadığıma sizi temin edebilirim. Fakat başlangıcını bilmediğim çok mühim meseleler üzerinde yazılmış bu eserler ne benim edebî zevkime, ne de anlayışıma hiçbir tesir yapmadılar. Sadece Doktor Ramiz'le uzun sohbetlerimizde –daima o söyler ben dinlerdim– yetkisizliğimi örtmeğe yaradılar. İnsan çocukluğunda aldığı terbiyeyi unutmuyor. Babam ilk zamalarda Emsile ve Avamil gibi

Arapça sarf ve nahiv kitaplarından gayrı, sonraları mektep kitaplarının dışında kitap okumanın aleyhinde idi. Belki bu sansürün veya tahdidin yüzünden ben düpedüz her türlü okumayı reddetmiştim. Bununla beraber hayatımın bir safhasında ufak bir eser yazmağa muvaffak oldum. Fakat bunu, daima kötü gördüğüm bir benlik dâvası için –yani etrafa, "Bak bizim Hayri İrdal kitap yazmış!" dedirtmek için– yazmadığım gibi, kuvvetli, önüne geçilmez bir istidat zorladığı için de yazmış değilim. Şimdi lâğvedilmiş olan, daha doğrusu Halit Ayarcı'nın tam zamanında müdahalesiyle daimî tasfiye hâlinde bulunan enstitümüzün yayınları arasında çıkan bu eseri hangi maksatla, hangi şartlarla, nasıl ve niçin yazdığımı ilerde anlatacağım. Şu kadarını söyleyeyim ki, saatçilerin pîrî Şeyh Zamanî Hazretlerinin hayatını ve keşiflerini anlatan bu eserin gördüğü rağbeti doğrudan doğruya, enstitümüzün kurucusu, aziz velinimetim, büyük dostum, beni hiçten bugünkü şahsiyetime eriştiren Halit Ayarcı'nın yüksek meziyetlerine borçluyum. Zaten hayatımda iyi, güzel, faydalı ne varsa hepsi onun, bir otomobil kazasının üç hafta evvel aramızdan alıp götürdüğü o büyük adamındır. Bunu ispat için, vaktiyle yanında çalışmış olduğum Muvakkit Nuri Efendiye dair anlattığım şeyler ve saatçiliğe dair kendisine verdiğim izahatla birdenbire Şeyh Ahmet Zamanî Efendiyi bulduğunu –belki enstitümüz kadar büyük bir icat– ve onun Dördüncü Mehmet zamanında yetişmesi icap ettiğini keşfettiğini söylemem yeter sanırım.

Bu iki dikkat ve keşifle bir zamanlar parlak şekilde kutlanan saat bayramlarımızın ağırlık merkezi bir hamlede teşekkül etmiş oldu. Bu kitabın muhtelif dillere tercüme edilmesi, dışarda ve içerde o kadar ağır başlıkla ve ehemmiyetle tenkit edilmesi de gösterdi ki, rahmetli dostum Halit Ayarcı ne Ahmet Zamanî Hazretlerinin yaşamış olması lüzumunda, ne de yaşaması icap eden asrı seçerken hiç hata etmemiştir. Bana gelince, esas fikri kendime ait olmasa bile, imzamı taşıyan bu eserin on sekiz dile tercüme edilmiş olması, bu dillerin gazetelerinde tenkit edilmesi, Van Humbert gibi bir âlimin sırf benimle tanışmak ve Ahmet Zamanî'nin kabrini ziyaret etmek için Hollanda'dan buraya kadar gelmiş olması, diyebilirim ki, hayatımın en önemli hâdiselerinden biridir.

Vâkıa bu sonuncusu epeyce sıkıntılı oldu. Ecnebi bir âlimle, tercüman vasıtasıyla dahi olsa, bu kadar çetin bir bahiste konuşmak ve hiçbir suretle yaşamamış bir adama bir mezar bulmak zannedildiğinden güç şeylerdir. Birincisinden gazetelerin dediği gibi "dervişçesine tavırlarımız ve lâubaliyane, hattâ tiryakice ahvalimiz" bizi kurtardı. İkincisinde ise, ecdadın mahlâs kullanmak itiyadı imdadımıza yetişti.

Edirnekapı ve Eyüp mezarlıklarında, Karacaahmet meşherinde birkaç gün dolaştıktan sonra, bir Ahmet Zamanî Efendi nasıl olsa bulunacaktı. Nitekim bulduk da. Bir ölünün şahsiyetinde yaptığım bu küçük onarmadan pek o kadar müteessir değilim. Hiç olmazsa bu sayede adamcağızın kabri tamir edildi, adı tanıtıldı. Şöhret, âfet olduğu kadar da vesile-i rahmettir. Kabrinin fotoğrafları Hollanda'dan başlayarak bütün dünya gazetelerinde, tabiî daima baş ucunda bir elim taşa dayanmış olarak ve öbür elimde pardösüm, şapkam, gazateler filân, bizzat ben bulunmak şartıyla, neşredildi.

Bugün bunları düşündükçe yalnız bir şeye üzülüyorum. Kitabım hakkında o kadar iyi şeyler yazan, beni dünyaya tanıtan, günlerce peşimde dolaşan Van Humbert'in bu mezara dayanarak bir resim aldırmasına müsaade etmedim. Her ricasında, "Siz n'olsa hıristiyansınız, ruhu muazzep olur!" diye reddeder, ancak sağ tarafımda durmasına müsaade ederdim. Fakat, düşünülürse beni de mazur görmek mümkündür. Herif beni aylarca sıkıntıya sokmuştu. Oh olsun! Ne diye durup dururken gelir, elâlemin rahatını kaçırırlar. Biz kendi âlemimizde yaşayan insanlarız! Her şeyimiz kendimize göredir. Bununla beraber ilerde görüleceği gibi Van Humbert benden öcünü aldı.

Evet, ne okumaktan, ne yazmaktan hoşlanırım. Bu böyle iken bu sabah önümde koca bir defter, hâtıralarımı yazmağa uğraşıyorum. Hattâ bunun için her gün olduğundan daha erken, saat beşte kalktım. Kadın hizmetçilerimiz, erkek aşçımız Arif Efendi –tek kusuru Bolulu olmamasıdır, gayet güzel yemek pişirir– evimize eski bir hanedan çeşnisi vermek için bin bir müşkülâtla arayıp bulduğumuz Arap kalfa Zeynep Hanım –ne garip, çocukluğumda zencisi o kadar bol İstanbul'a şimdi siyahî insan ithalât malı gibi giriyor–, hulâsa Villâ Saat'i ellerinin emekleriyle ve iyi niyetleriyle çeviren insanların hiçbiri uyanmamışlardı. İster istemez sabah kahvemi kendim pişirdim. Sonra koltuğuma gömülerek, hayatımı düşünmeğe, unutulması, bahsedilmeden geçilmesi veya değiştirilmesi icap eden şeyleri ayıklamağa, behemehal yazılacakları derinleştirmeğe, hulâsa bir yazıdan ve bilhassa hâtırat cinsinden bir yazıdan samimilik denen şeyin istediği bütün sıkı şartları göz önünde tutarak, hâdiseleri zihnimde sıralamağa çalıştım.

Çünkü ben Hayri İrdal, her şeyden evvel mutlak bir samimilik taraftarıyım. İnsan her şeyi açıkça söylemedikten sonra neden yazı yazsın? Bu cinsten kayıtsız ve şartsız bir samimilik ise behemehal bir süzme, eleme ister. Siz de kabul edersiniz ki, her şeyi olduğu gibi söylemek mümkün değildir. Sözü yarıda bırakmaktansa, vaktinde iyi tasarlamak, okuyucu ile behemehal anlaşacağınız noktaları seçmek gerekir. Çünkü samimiyet tek başına olan iş değildir.

Bütün bunlara bakıp hakikaten hayatımı, mühim, anlatılması behemehal lâzım gelen bir şey sandığıma, ona olduğundan fazla bir değer verdiğime inanmayınız. Öteden beri Cenab-ı Hakk'ın insanlara bu hayatı yazmak için değil, iyi kötü yaşamak için bahşettiğine inananlardanım. Zaten yazılmış şekli mevcuttur. Nezd-i İlâhî'deki nüshasından, kaderimizden bahsediyorum.

Hayır, hâtıralarımı yazmaktan kastım kendimi anlatmak değildir. Sadece şahidi olduğum birtakım vak'aların unutulmamasına yardım etmektir. Bir de üç hafta evvel toprağa gömdüğümüz aziz insanı anlatmak ve anmak.

Ben insanların en naçizi ve mânasızı, karımın, vaktiyle enstitümüzün kurulmasından evvel hakkımda kullandığı dille, en sünepesi, hakikaten büyük, icat dehasıyla doğmuş bir adamı tanıdım. Yıllarca yanı başında yaşadım. Çalışma şeklini gördüm. Fikrin kafasında nasıl tutuştuğuna, nasıl birdenbire büyüyen bir ağaç gibi dal budak salıp âdeta bütün vücudunu kavradığına ve oradan hayata yayıldığına şahit oldum. Asrımızın belki en büyük, en faydalı müessesesinin, Saatleri Ayarlama Enstitüsü'nün onun gözlerinde birdenbire beliren bir parıltıdan bugünkü yahut dünkü hâline gelişini gün gün hayatımın bir parçası gibi yaşadım. Hattâ kendimi methetmek gibi gülünç bir hâle düşmeden, diyebilirim ki, talih ve tesadüf, bu Hayri İrdal zavallısına bütün acizlerine rağmen, bu müessesenin kuruluşunda mühim bir rol oynamayı nasip dahi etti.

Bana öyle geliyor ki, gördüklerimi ve işittiklerimi yazmak, gelecek nesillere karşı en büyük vazifemdir. Kaldı ki müessesemizin tarihçesini benden daha iyi yapabilecek tek insan, Halit Ayarcı, artık aramızda değildir. Dün akşam yine onun masamızdaki yerini boş gördüm. Karımın dolmuş gözlerle bütün yemek müddetince bu boş sandalyeye bakışını bir türlü unutamayacağım. Sanki etrafındaki her şeye yabancı idi. Nihayet dayanamadı, peşkiri ile gözlerini silerek masadan kalktı, odasına kapandı. Eminim ki bütün gece ağlamıştır. Hakkı da var, Halit Ayarcı benim velinimetimse, onun da en büyük dostu idi. Zaten bu hâtıraları yazmak fikrini bende, biraz da onun bu çok yerinde olan kederi uyandırdı.

Kendi kendime, yatağımda uzun zaman düşündüm. "Hayri İrdal, dedim, çok şey gördün, geçirdin. Yaşın ancak altmış olduğu hâlde birkaç insanın ömrünü birden yaşadın. Sefaletin, bir köşeye atılmış olmanın her türlü acısını tattın. İkbalin merdivenlerinden çevik ve çâlâk çıktın. Hiçbir zaman ve hiçbir kuvvetin halledemeyeceği meselelerin halloldu. Bütün bunlar hep onun Halit Ayarcı'nın sayesinde oldu. Seni mezbeleden o çekip çıkarttı. Hayatın için, düşüncen ve rahatın için hakikî düşman olan her şeyi ve herkesi o sana dost yaptı. Etrafında sade çirkinlik, fakirlik, sefalet gören bir adam iken birdenbire insana lâyık birtakım asil zevk ve saadetlerin bulunduğunu duydun ve insan ruhunun asilliğini anladın. Yakın sevgisini öğrendin. Karın Pakize'yi bile asil yüzü ile o sana tanıttı; çocuklarını Cenab-ı Hakk'ın sana azap çektirmek için gönderdiği birtakım biçareler zanederken birdenbire ve onun sayesinde evlât sahibi olmanın nimetlerine kavuştun. Bu kadar iyi, temiz, büyük, her mânasıyla büyük bir dostun hâtırası için hiçbir şey yapmayacak mısın? Onun unutulmasına, hâtırasının, bir yığın alayın, iftiranın altında kaybolmasına razı mı olacaksın? Düşün bir kere, Halit Ayarcı'yı tanımadan evvel hayatın ne idi? Şimdi nesin? Düşün, Edirnekapı'daki evi, her gün kapını yoklayan, yahut yolunu kesen alacaklıları, bir dilim ekmeğin peşindeki çırpınışlarını... Sonra bugünkü rahat ve saadetini düşün!.."

II

Halit Ayarcı'yı tanımadan evvelki hayatım, dedim. Fakat gerçekten buna bir hayat denebilir mi? Eğer yaşamak kelimesinin mânası her şeyden mahrum olmak ve ıstırap çekmekse, her an küçülmek ve bunu nefsinde her lâhza duymaksa, bir türlü aşamayacağı bir çemberin içinde durmadan çırpınmaksa, süphesiz ben de, benimkiler de en derin şekilde yaşıyorduk. Yok, bu kelimenin içinde biraz ruh ve imkân genişliği, birtakım hakları duymak, o içten sevinmeler, dışa karşı bir parçacık güven, etrafınızla müsavi şartlar içinde rahat bir karşılaşma filân varsa, o zaman iş çok değişir. Dikkat ediniz ki, bir şeyler yapmaktan, insanlara faydalı olmaktan hiç bahsetmedim. Zaten Halit Ayarcı'yı tanıyana kadar bu cinsten bir zevkin farkında bile değildim. Bugün ise hayatımın bir gayesi var. Arkamda az çok beni hatırlatacağına inandığım bir iş bırakıyorum. On yıl müddetle dünyanın en yeni, en faydalı müessesesinin müdür muavinliğini yaptım. Değil çoluk çocuğuma, uzak yakın bütün akrabama, eş ve dostuma, hattâ insan hâli, vaktiyle kalbimi kıranlara bile iyilik ettim, iş buldum, refaha kavuşturdum. Bu meselede sade enstitümüz memurları için –ki yarısı benim ve Halit Ayarcı'nın akrabasıdır, çünkü enstitü kurulur kurulmaz kadrosunun müsavi şekilde mühim yerlerden tavsiye edilenlerle hısım ve akrabamızdan teşkil edilmesine Halit Ayarcı büyük bir isabetle karar vermiş ve bu kararı hiç şaşmadan takip etmiştik–, Suadiye tarafında yaptırdığımız mahalle ile şehrimizin imarına yaptığımız hizmeti hatırlamak kâfidir sanırım.

Bilmem enstitümüzün daha ilga kararından çok evvel matbuatta aleyhinde başlayan ve ilga kararından sonra büsbütün şiddetini arttıran hücumlardan burada bahsetmeğe lüzum var mı? Hayat ne kadar gariptir? On sene evvel her yaptığımızı beğenen, öven, geniş teşkilâtımızı dünyaya bir örnek gibi gösteren gazeteler, vaktiyle o kadar dostum olan, gerek resmî kokteyllerimize, gerek basın toplantılarımıza can atan gazeteler şimdi aleyhimize yazmadıklarını bırakmıyorlar.

Evvelâ teşkilâtın genişliğinden ve lüzumsuzluğundan bahsettiler. İşsizliğin alabildiğine yürüdüğü bir memlekette bu kadar insana iş bulmuş olmamızı hiç hesaba katmadan, üç müdürlüğün, on bir şube müdürlüğünün, kırk yedi daktilo ve iki yüz yetmiş bir kontrol memurunun çokluğunu durmadan başımıza kaktılar. Sonra, sanki bir saatte yelkovan, akrep, zemberek, pandül, mil hakikaten yokmuş ve hakikaten zaman dediğimiz şey, saat, dakika, saniye ve sâliseye ayrılmazmış gibi bu şube müdürlüklerinin adlarıyla alay ettiler. Daha sonra bu müdürlüklerde on sene ehliyetle çalışan, işlerinin içinde pişip yetişmiş memurlarımızın tahsillerini, ihtisas ve selâhiyetlerini ele aldılar, nihayet bir zamanlar o kadar beğendikleri neşriyatımıza insafsızca hücum ettiler.

Başta benim yazdığım "Şeyh Ahmet Zamanî ve Eseri" adlı kitap olmak üzere bütün çalışmalarımızı delik deşik ettiler. Sâlise şubemiz şefinin –küçük baldızımın kocası– o kadar dikkatle ve emekle yazdığı "Lodos Rüzgârlarının Kozmik Saat Ayarları Üzerindeki Tesiri", dostum Doktor Ramiz'in "Saat ve Psikanalizm", "Saat Karakterolojisinde İrdal Metodu", Halit Ayarcı'nın "Sosyal Monizm ve Saat", "Saniye ve Sosyete" adlı kitaplarının kapakları sanki çok gülünç şeyler, yahut tehlikeli vesikalarmış gibi günlerce gazetelerin ilk sayfalarında acayip başlıklar altında teşhir edildi.

Bunlarla da kalmadılar, şehrimiz halkını o kadar sevindiren, eğlendiren ve müessesemize bütün ilmî ve içtimaî faaliyetlerini kolaylaştıracak imkânları sağlayan vidolu, zamlı, tenzilâtlı ikramiyeli ve kollektif rakit ceza sistemimizi ele alarak, bizi düpedüz sahtekârlık ve dolandırıcılıkla vasıflandırdılar. Halbuki Halit Ayarcı ile karım Pakize'nin bitmez tükenmez vidolu tavla partilerini seyrederken, can sıkıntısından bulduğum bu nakit ceza sistemini bir zamanlar nasıl alkışlamışlardı.

Büyük bir maliyecimiz bu ceza sistemini maliye tarihinde gerçek bir buluş addettiğini resmen bildirmiş ve bundan sonra adımı Doktor Turgot, Necker ve Schacht'la beraber anmakta hiç tereddüt etmeyeceğini her fırsatta tekrarlamıştı.

Hakkı da vardı. Şu itibarla ki, şimdiye kadar halkı mükellef kılan para işlerinde memnuniyetsizlik daima esastır. Hele bu bir ceza şeklinde olursa, daima insanı rahatsız eder. Bizim nakit cezamız ise hiç böyle değildi. Suçlu, kontrol memurumuzdan bunu işitir işitmez, evvelâ şaşırıyor, sonra işin mantığındaki sağlamlığı anlayınca, tebessüme başlıyor, tatbikattaki ciddiliği görür görmez, gülmekten katılıyordu. Kaç kişi memurlarımıza bilhassa ilk günlerde "Aman ne olur, bir kere de bizim eve gelin, bunu karım behemehal görsün, işte adresim" diye kartını uzatmış, ayrıca otomobil parasını da vermişti.

Nakit cezamızın dayandığı esas, şehre ait umumî saatler başta olmak üzere, açıkta bulunan saatlerden biriyle uymayan her saatten alınan beş kuruştan ibaretti. Fakat bu saat ile bir başka saatin arasında da ayar farkı varsa bu sefer ceza iki misli oluyordu. Böyle komşu olan saatlerin sayısı çoğaldıkça ceza da hendesî nispetle artıyordu. Tam saat ayarı haddizatında imkânsız olduğu için —bu, saatlere mahsus bir ferdî hürriyet meselesidir, bittabi o zaman bunu açıklıyamazdım—, hele kalabalık bir yerde yapılan tek bir kontrolda epeyce miktarda bir para tahsili mümkündü.

Kaldı ki, biz bu karışık hesaba bir de ilerilik ve gerilik farkı ilâve etmiştik. Herkes bilir ki, bir saat ya geri kalır, yahut ileri gider. Bu işin üçüncü şekli yoktur. Bu da tam ayar imkânsızlığı gibi umumî bir kaidedir; meğer ki durmuş olsun. Fakat burada iş şahsîleşir. Benim nazariyem şudur ki, insanlar kâinatın sahibi olmak üzere yaratıldıkları için, eşya onlara uymak tabiatındadır. Meselâ, benim çocukluğumun geçtiği Abdülhamit devrinde cemiyetimiz neşesizdi. Başta padişahın asık yüzünden gelen ve halka halka etrafa yayılan bu neşesizlik eşyaya da sirayet etmişti. O zamanın vapur düdüklerinin acılığını, hüznünü, keskinliğini benim yaşımda olanların hepsi bilir. Halbuki hâdiselerin lutfuyla birdenbire o kadar gülecek şey bulan bugünkü hayatımızda vapur düdüklerinin, tramvay seslerinin neşesine bakın!

Saatler de böyledir. Sahiplerinin mizaçlarındaki ağırlığa, canı tezliğe, evlilik hayatlarına ve siyasî akidelerine göre yürüyüşlerini ister istemez değiştirirler. Bilhassa bizim gibi üst üste inkılâplar yapmış, türlü zümreleri ve nesilleri geride bırakarak, dolu dizgin ilerlemiş bir cemiyette bu sonuncusuna, yani az çok siyasî şekline rastlamak gayet tabiîdir. Bu siyasî akideler ise çok defa şu veya bu sebeple gizlenen şeylerdir. Hiç kimse ortada o kadar kanun müeyyidesi varken elbette durduğu yerde, "Benim düşüncem şudur" diye bağırmaz. Yahut gizli bir yerde bağırır. İşte bu gizlenmelerin, mizaç ve inanç ayrılıklarının kendilerini bilhassa gösterdikleri yer saatlerimizdir.

Sahibinin en mahrem dostu olan, bileğinde nabzının atışına arkadaşlık eden, göğsünün üstünde bütün heyecanlarını paylaşan, hulâsa onun hararetiyle ısınan ve onu uzviyetinde benimseyen, yahut masasının üstünde, gün dediğimiz zaman bütününü onunla beraber bütün olup bittisiyle yaşayan saat, ister istemez sahibine temessül eder, onun gibi yaşamağa ve düşünmeğe alışır.

Fazla teferruata girmeden şurasını da işaret edeyim ki, saat kadar derin şekilde olmasa bile bu benimseme ve uyma keyfiyeti bütün eşyamızda vardır. Eski şapkalarımız, ayakkabılarımız, elbiselerimiz gün geçtikçe bizden bir parça olmazlar mı? Onları sık sık değiştirmek isteyişimiz de bu yüzden değil midir? Yeni bir elbise giyen adam az çok benliğinin dışına çıkmışa benzer: Kendinden uzaklaşmak, ona bir değişikliğin arasından bakmak ihtiyacı, yahut "Ben artık bir başkasıyım!" diyebilmek saadeti.

İddia edebilirim ki, –rahmetli Halit Ayarcı müessesemizin aleyhine çıkmak korkusu ile bu cins iddialardan sakınmamı bana şiddetle tavsiye ederdi; fakat mademki bu vesayet artık yoktur, ben rahatça iddia edebilirim– eski bir şapkadan ve ayakkabıdan sahibinin bütün huyunu, alışkanlıklarını, hayatındaki aksaklıkları, hattâ ıstıraplarının çeşidini görmek mümkündür. Hizmetçilerimize hemen evimize gelir gelmez bir kat elbise, bir iki eski gömlek, boyunbağı, hiç olmazsa ayakkabılarımızdan birini hediye etmemizin hikmeti de bu olsa gerektir. Bizi hiç tanımayan bu insan birdenbire elbisemizin içine girdiği, kunduramızla yürüdüğü için, âdeta onun gizli zoru ile bize yaklaşır, farkında olmadan bizim –itiyat ve düşüncelerimizi benimser. Bunu ben kendi nefsimde iki defa tecrübe ettim.

Türlü Meslekler Bankası'dan atılmama ve o kadar felâkete düşmeme sebep olan müdür Cemal Bey, vaktiyle bana bir kat eski elbise hediye etmişti. Cemal Beyle aramızda büyük mizaç farkları vardı. O aksi, titiz, kibirli, insanları küçük düşürmekten hoşlanan, her şeyi ciddî mizanlara vuran bir adamdı. Benim uysal, sade geçim derdi ile meşgul benliğimin tam zıddı bir tabiat. Vâkıa onun bu taraflarını pek benimseyemedim. Bu benim için imkânsızdı. Fakat tek zaafı, refikasına karşı beslediği sevgi sanki bu elbiseden bana geçti. Üzerime giydiğimin haftasında sıkı Müslüman terbiyeme, üç çocuk babası olmama, Pakize gibi her cihetle bana üstün bir kadının kocası bulunmama rağmen, Selma Hanımefendiye delicesine âşık oldum. Bankadan ayrıldım, seneler geçti, bu elbise üstümde lime lime oldu. Fakat bu sevgi yakamı bırakmadı.

İkinci elbiseyi bana enstitümüzün ilk kuruluş günlerinde o zamanki kıyafetimle müesseseye gelemeyeceğimi düşünen Halit Ayarcı hediye etmişti. Sırtıma daha ilk geçirdiğim günde bütün varlığımın değiştiğini gördüm. Birdenbire ufkum, görüş zaviyem genişledi. Hayatı onun gibi bir bütün olarak mütalâaya alıştım. Değişme, koordinasyon, çalışmanın tanzimi, zihniyet değişikliği, üst düşünce, ilmî zihniyet gibi tabirlerle konuşmağa, kendi isteksizliğime "zaruret", "imkânsızlık" gibi adlar koymağa, şarkla garp arasında ölçüsüz mukayeseler yapmağa, ciddiliğinden kendim de ürktüğüm hükümler vermeğe başladım. Onun gibi, insanlara "Acaba ne işe yarar?" diyen bir gözle bakıyor, hayatı kendi teknemde yoğuracağım bir hamur gibi görüyordum. Bir kelime ile onun cesareti ve icat kudreti bana aşılanmış gibiydi. Sanki bu elbise değil bir büyü idi. Hattâ Cemal Beyin refikası Selma Hanımefendiyi bile artık erişilmesi imkânsız bir varlık gibi görmüyordum. Bittabi bütün bunlar Halit Ayarcı'da olduğu gibi pürüzsüz geçmiyordu. Yumuşak ve uysal, merhametli, sefaleti tatmış tabiatım ikide bir işe karışıyor, lafımı kesiyor, kararlarımı değiştiriyordu. Hulâsa birbiri arasından düşünen, karar veren, konuşan bir adam olmuştum. Rahmetli Halit Ayarcı'ya bunu anlattığım zaman gülmüş, sonra büyük bir iyi kalblilikle, "Böyle olması hususî bir çeşni veriyor, devam edin!" demişti.

Yine bu meseleyi münakaşa ettiğimiz günlerden birinde söylediği şeyleri burada kaydetmeden bir türlü geçemeyeceğim:

– Aziz Hayri İrdal, demişti, söylediğiniz son derecede doğrudur. Bütün büyük adamların maiyetlerinde çalışanlara daima elbiselerini ve öteberilerini vermeleri bu yüzdendir. Roma imparatorları, krallar, büyük diktatörler hep kendileri gibi düşünsünler diye eşyalarını dostlarına hediye ederlerdi. Hattâ Osmanlı hükümdarlarının, vezirlerinin kürk ve kaftan ihsan etmeleri de bu yüzden olsa gerektir. Siz, farkında olmadan tarihin büyük bir sırrını, bir çeşit psikolojik mekanizmayı keşfettiniz!

Şüphesiz doğru söylüyordu. Unutmayın ki bu keşif de onun elbisesi sırtıma geçtikten sonra olmuştu. Evet, o keşif dehasıyla doğmuş adamdı ve ben de onun kıyafetine büründüğüm için bunu keşfetmiştim.

Biz yine saatlere dönelim. Burada Doktor Ramiz'in "Saatlerir Psîkanalizi" adlı enstitümüz neşriyatından o çok mühim etütten de bahsetmek isterdim. Fakat büsbütün ilmî ve çok ayrı mahiyette birtakım istitratlarla bu hâtıraları ağırlaştırmaktan korktuğum için bunu yapmayacağım. Kitap mevcuttur. İsteyen daima müracaat edebilir.

Doktor Ramiz'le aramızdaki fark –burada yalnız onun bana söylediklerini naklediyorum– benim umumî psikoloji ve sosyoloji metoduyla işi ele almama mukabil, onun meseleyi bütün psikanalizciler gibi cinsiyet, libido ve refulman noktalarından ele almasındadır. Umumî ve hususî psikoloji ve bilhassa sosyoloji hakkında hiçbir fikrim olmamasına rağmen işin böyle olmasına ben de memnunum. Beni daima ciddiye almak lutfunu gösteren Doktor Ramiz bu düşüncelerinin sonunda benim büyük bir idealist olduğumu da ilâve etmişti. Bu meseleyi beraberce münakaşa ettiğimiz karım ise, saat ve zaman gibi insanla o kadar yakından alâkalı olan bir meselede cinsiyet tarafını büsbütün ihmal edişimin sadece idealistliğimden gelemeyeceği, işin başka ve daha ciddî, hattâ uzvî ve sıhhî sebepleri de olması icabettiği fikrindedir.

Hangi bakımdan olursa olsun arada bir ilerilik, gerilik farkı bulunduğu aşikârdır ve bu fark mühim bir farktır. Bu itibarla saatleri geri kalanlardan aldığımız nakit cezaya iki kuruş zam yapmamızı herkes gayet tabiî buldu. Hattâ ekseriyetin hoşuna gitti. Böylece hem geriliğe lâyık olduğu cezayı veriyor, hem de ileri düşünüşün hakkını teslim ediyorduk. İnsan yaratılışı tam bir eşitliğe razı olamaz. Ufak tefek imtiyazların teşvikine de muhtaçtır. Diyebilirim ki, bizzat iyilik dahi, ancak ceza görmesi ve ayıplanması icap eden bir kötülüğün bulunmasıyla kabildir. İleride sık sık adı geçecek olan rahmetli hocam Muvakkit Nuri Efendi tasavvuftan bahsederken "her şeyin zıddıyla maruf ve mümkün olduğunu" söylerdi. Halit Ayarcı benim bu ceza zammı teklifimi bilhassa bu noktada mühim bularak kabul etmişti.

Bulduğum nakit ceza sisteminin üçüncü özelliği de, tekrarlanan cezalardan yaptığımız yüzde ondan yüzde otuza kadar tenzilâttı. Bilindiği gibi suçlar –dünyanın her cins kanun ve örfünde– tekrarlandıkça cezaları artar. Bu ise suçlu ile vâz-ı kanun arasında bir nevi yarış ve hattâ inada sebep olur.

Birinci cürüm için söylemiyorum. Çok mümkündür ki, ilk işlenen cürüm ilk evlenme gibi insanda mutlak bir pişmanlık hissi uyandırsın. Fakat insanlık hâli ikincisinden sonra başlayan ceza artışlarında karşı tarafı ümitsizliğe düşüren bir nevi açık arttırma manzarası bulunduğu aşikârdır. İşte biz nakit cezalarımızda yüzde ondan başlayarak yedinci ve sekizinci tekrarda yüzde otuza kadar inmek suretiyle bu tabiî neticeyi ve onun aksülâmellerini önlüyorduk. Böylece vidolu ve kollektif olan ceza sistemimiz aynı zamanda bir nevi müessese ilgisi kazanıyordu. Kaldı ki işin içinde ticarî bir taraf da vardı. Hasılatını belediyemizin bize bırakmak lutfunda bulunduğu bu ceza sistemimizle bir nevi ticaret yapıyorduk. Hangi ticarî müessese devamlı müşterilerine ufak bir ikramda bulunmaz? Öteden beri mevsim sonu tenzilâtlarına alışık olan ve ancak bu suretle ticaret erbabının kârı hakkında küçük bir fikir edinebilen İstanbul halkının böyle bir şeyden memnun olacaklarını peşin olarak tahmin etmekle hiç hata etmemiştim. Kaldı ki, yarı resmî bir müesseseden böyle bir şey pek beklenemezdi. Bu itibarla halkın hoşuna gitmesi ve rağbeti arttırması çok mümkündür.

Nitekim öyle oldu. Bir türlü inanamadıkları, bir latife zannettikleri bu tenzilât işini bizzat görebilmek için halkımız birbirinin koluna girip ayarsız saatleri ellerinde bürolarımıza hücuma veya kontrollarımızı yoldan çevirip kendileri için ceza yazdırmağa başladılar. Halkın kendi isteğiyle hattâ güle güle verdiği bu nakit ceza modası birdenbire şehri sardı. Artık çocuklara oyuncak filân almağa ihtiyaç kalmadı. Sevimli küçükler, büyüklerin neşesine iştirak edebilmek için en güzel, en iç gıdıklayıcı vasıtayı bulmuşlardı.

Şurasını da söyleyeyim ki, sade İstanbul ahalisi değil, civar köyler, hattâ biraz uzakça şehirler halkı da bu işe merak sardırdılar. O kadar ki, tenzilâtlı nakit cezanın ve bilhassa ceza abone karnelerinin ilk tatbik aylarında Demiryolları İdaresi bazı hatlarda ilâve seferler yapmağa mecbur oldu. Haydarpaşa ve Sirkeci garları her gün, "Aman şunu bir görsek", yahut "Olur şey değil, hakikaten de doğruymuş..." diyen ve gülen, kırılasıya gülen insanlarla dolup boşalıyordu.

Taşradan gelen halkın sabırsızlığı o dereceye vardı ki, kontrol memurlarımızın mühim bir kısmını Anadolu tarafında Pendik'ten, Trakya cihetinde Çatalca'dan başlayarak yakın istasyonlara ve bizzat şehir garlarına tahsise, hattâ bu yüzden kadromuz yetişmediği için Saat Ayar İstasyonlarımızdan ve köyler için gençler arasından seçtiğimiz Ayar Ekiplerimizden personel almağa mecbur kalmıştık.

Müessesemizin hudut haricindeki şöhretinin mühim bir kısmını da bu nakit ceza sisteminin yaptığını söylemek doğru olur. Birkaç seyyah vapuru yolcularının, yol üstünde kaptanlarını seyahat programlarını değiştirmeğe mecbur ettiklerini ve İstanbul'da bir hafta kalıp hepsinin ellerinde birkaç tenzilâtlı ceza makbuzu yollarına devam ettiklerini, hattâ bu seyyahlar içinde birçoğunun Halit Ayarcı ile yahut benimle mülâkat yapmadan İstanbul'dan ayrılmadıklarını, şehrimizin muhtelif dükkânlarında satılan fotoğraflarımızın âdeta yağma edildiğini elbette gazetelerde okumuşsunuzdur.

Burada son zamanlarda müessesemiz hakkında yapılan bütün haksızlıkları teker teker sayacak değilim. Bu hâtıralar ilerledikçe okuyucularım onları görecekler ve nasıl bir gadre uğratıldığımıza kendileri hüküm vereceklerdir. Yalnız şahsıma ait bir noktaya da burada işaret etmekten vazgeçemeyeceğim.

Metih veya zem, Saatleri Ayarlama Enstitüsü'nden bahsedilirken daima bir hakikat unutulmuştur. O da bu müessesenin benim şahsımla, hattâ mazimle olan sıkı bağlılığıdır. Müessesemizin Halit Ayarcı'nın teşebbüs kudretinden, velut düşüncesinden çıktığını hiçbir zaman inkâr edecek değilim. O her mânasıyla benim velinimetim, büyük dostum oldu. Fakat Saatleri Ayarlama Müessesesi'ndeki vaziyetim hiç de dışardakilerin zannettikleri ve sık sık ima ettikleri gibi, öyle sadece bir âletin, uysal bir vasıtanın alâkası değildir. Halit Ayarcı onu düşüncesinden bulduysa, ben de bütün hayatımda onu doğuran tesadüfleri, hattâ büyük ıstıraplar pahasına yaşadım. O hayatımın bir meyvasıdır.

Bu hâtıraların birinci vazifesi, gerek rahmetli Halit Ayarcı'nın ve gerek müessesenin aleyhindeki isnat ve iftiraları red ise, birincisinden hiç de aşağı kalmayan ikinci vazifesi de bu küçük, fakat mühim hakikati belirtmektir.

III

Yukarda hayatımın sıkıntılarından birkaç defa bahsettim. Hâtıralarım ilerledikçe okuyucularım ömrüm boyunca ihtiyaç ve mahrumiyetin âdeta ikinci bir deri gibi vücuduma yapışmış olarak dolaştığımı göreceklerdir. Fakat hiç de saadet denen şeyi tatmadım diyemem.

Fakir düşmüş bir ailede doğdum. Buna rağmen çocukluğum epeyce mesut geçti. Fakirlik, içimizde etrafımızda ahenk bulunmak şartıyla –ve şüphesiz muayyen bir derecesinde– zannedildiği kadar korkunç ve tahammülsüz bir şey değildir. Onun da kendine göre imtiyazları vardır. Benim çocukluğumun belli başlı imtiyazı hürriyetti.

Bu kelimeyi bugün sadece siyasî mânasında kullanıyoruz. Ne yazık! Onu politikaya mahsus bir şey addedenler korkarım ki, hiçbir zaman mânasını anlamayacaklardır. Politikadaki hürriyet, bir yığın hürriyetsizliğin anahtarı veya ardına kadar açık duran kapısıdır. Meğer ki dünyanın en kıt nimeti olsun; ve bir tek insan onunla şöyle iyice karnını doyurmak istedi mi etrafındakiler mutlak suretle aç kalsınlar. Ben bu kadar kendi zıddı ile beraber gelen ve zıtlarının altında kaybolan nesne görmedim. Kısa ömrümde yedi sekiz defa memleketimize geldiğini işittim. Evet, bir kere bile kimse bana gittiğini söylemediği hâlde, yedi sekiz defa geldi; ve o geldi diye biz sevincimizden, davul zurna, sokaklara fırladık.

Nereden gelir? Nasıl birdenbire gider? Veren mi tekrar elimizden alır? Yoksa biz mi birdenbire bıkar, "Buyurunuz efendim, bendeniz artık hevesimi aldım. Sizin olsun, belki bir işinize yarar!" diye hediye mi ederiz? Yoksa masallarda, duvar diplerinde birdenbire parlayan fakat yanına yaklaşıp avuçlayınca gene birdenbire kömür veya toprak yığını hâline giren o büyülü hazinelere mi benzer? Bir türlü anlayamadım.

Nihayet şu kanaata vardım ki, ona hiç kimsenin ihtiyacı yoktur. Hürriyet aşkı, –haydi Halit Ayarcı'nın sevdiği kelime ile söyleyeyim, nasıl olsa beni artık ayıplayamaz, kendine ait bir lugatı kullandığım için benimle alay edemez!– bir nevi snobizmden başka bir şey değildir. Hakikaten muhtaç olsaydık, hakikaten sevseydik, o sık sık gelişlerinden birinde adamakıllı yakalar, bir daha gözümüzün önünden, dizimizin dibinden ayırmazdık. Ne gezer? Daha geldiğinin ertesi günü ortada yoktur. Ve işin garibi biz de yokluğuna pek çabuk alışıyoruz. Kıraat kitaplarında birkaç manzume, resmî nutuklarda adının anılması kâfi geliyor.

Hayır, benim çocukluğumun hürriyeti, hiç de bu cinsten bir hürriyet değildir. Evvelâ, burası zannımca en mühimidir, onu bana hiç kimse vermedi. Bu sızdırılmış altın külçesini birdenbire kendi içimde buldum. Tıpkı ağaçta kuş sesi, suda aydınlık gibi. Ve bir defa için buldum. Bulduğum günden beri de küçücük hayatım, fakir evimiz, etrafımızdaki insanlar, her şey değişti. Vakıâ sonraları ben de onu kaybettim. Fakat ne olursa olsun bana temin ettiği şeyler hayatımın ne büyük hazinesi oldular. Ne dünkü sefaletim, ne bugünkü refahım, hiçbir şey onun mucizesiyle doldurduğu seneleri benden bir daha alamadılar. O bana hiçbir şeye sahip olmadan, hiçbir şeye aldırmadan yaşamayı öğretti.

Lüzumsuz hiçbir şeyin peşinde koşmadım. Hiçbir ihtirasın peşinde beyhude yere emek sarf etmedim. Hiçbir zaman sınıfımızın birincisi veya ikincisi, hattâ yirmincisi olmak istemedim.

Fatih Rüştiyesi'ndeki sınıfımızın kalabalık mevcudu bana, etrafımdaki yarışı en geri sıralardan, isterseniz buna kıral locası deyin, seyretmek imkânını verdi. İnsan işlerine uzaktan bakmayı oradan öğrendim.

Arkadaşlarımın çoğu gibi mektebe lalalarla, uşaklarla gitmedim. Ne yeni, süslü elbiselerim, ne su geçmez potinim, ne sıcak paltom vardı. Daima diz kapaklarım yamalı, daima dirseklerim biraz dışarıya fırlamış gezdim. Hiç kimse mektebe giderken bin türlü sıkı tembihle beni öpmedi, ne de akşam üstü yolumu dört gözle beklediler. Hattâ eve ne kadar geç gelirsem etrafımdakiler o kadar rahattı. Bununla beraber mesuttum. Bütün bu şeylerin yokluğuna karşılık hayatı ve sokağı kazanmıştım. Mevsimler, insanlar, hayvanlar, eşya en munis, en değişik yüzleriyle benimdiler.

Günde iki defa Edirnekapı ile Fatih arasındaki yolu en uzun zaman içinde, her adımı ayrı ayrı hayaller peşinde atarak, gider gelirdim. Vakıâ on yaşlarıma doğru bu mesut hayatı bir ihtiras bulandırdı. Dayımın sünnet hediyesi olarak verdiği saatle hayatımın ahengi biraz bozulur gibi oldu. Bir ihtiras ne kadar masum olursa olsun yine tehlikeli bir şeydir. Bununla beraber mesut yaradılışım onun hayatımı büsbütün çığırından çıkarmasına mâni oldu. Bilâkis ona bir istikamet verdi. Yani hayatım onunla şekil aldı. Belki de bana hürriyetin asıl kapısını o açtı.

IV

Babam istediği kadar doğum günümü eski bir kitabın arkasına 16 Receb-i Şerif, sene 1310 diye kaydetmiş olsun, asıl Hayri İrdal'ın doğum tarihi bu saatin elime geçtiği gündür diyebilirim. Onu mavi kurdelesiyle –yengemin kordon parasından kurtulmak için bulduğu çare!– yastığımın üstüne koydukları günden itibaren hayatım sanki daha başka türlü, daha çok derin, daha gayeli oluverdi. Bu küçük saat, evvelâ etrafını temizlemek, kendi hayat sahasını lâyıkıyla benimsemekle işe başladı. Hiç olmazsa onun gelişiyle o zamana kadar benim diyebileceğim ne varsa hepsi birdenbire ikinci plana geçti. Yine dayımın hediyesi mukavvadan iki şerefeli minarem –kendi çocuklarına başka türlü, isterseniz bugünkü tabirleriyle modern ve lâik hediyeler seçen dayım, belki de babamın kayyum olması ve evimizin Mihrimah Camii'nin yanı başında olmasından bana bu cins hediyeler verirdi– evimizin taşlığında o kadar dikkatle bütün mahalle çocukları hep beraber yaptığımız büyük uçurtma, camiin şurasından burasından aşırdığım kurşun parçalarını leblebiciye satarak tedarik ettiğim Karagöz takımım, bir başkasının olduğunu bile bile her serbest olduğum anda Edirnekapı mezarlıklarında, surlarda bin türlü münasebetsizliğine tahammül ederek otlattığım komşumuz İbrahim Efendinin huysuz keçisi, hulâsa etrafımdaki her şey benim için mânalarını kaybettiler.

Korkarım ki, bu hâtıraları okuyanlar, bu yazdıklarıma bakarak o güne kadar saat görmediğimi, yahut evimizde hiç saat bulunmadığını zannedecekler. Hayır, tam aksine olarak evimizde birkaç saat birden vardı.

Herkes bilir ki, eski hayatımız saat üzerine kurulmuştur. Hattâ sonraları Muvakkit Nuri Efendiden öğrendiğime göre Avrupa saatçiliğinin en büyük müşterisi daima Müslümanlar ve onlar içinde en dindarı olan memleketimiz halkı imiş. Günde beş vakit namaz, ramazanlarda iftar, sahur, her türlü ibadet saatle idi. Saat Allah'ı bulmanın en sağlam çaresi idi ve bu sıfatla eskilerin hayatını idare ederdi.

Adım başında muvakkithaneler vardı. En acele işi olanlar bile onların penceresi önünde durarak cebinden, servetlerine, yaşlarına, cüsselerine göre altın, gümüş, sadece savatlı, kordonlu, kordonsuz, kimi bir iğne yastığı, yahut kaplumbağa yavrusu kadar şişkin, kimi yassı ve küçük, saatlerini besmeleyle çıkarırlar, sayacağı zamanın kendileri ve çoluk çocukları için hayırlı olmasını dua ederek ayarlarlar, kurarlar, sonra kulaklarına götürerek sanki yakın ve uzak zaman için kendilerine verdikleri müjdeleri dinlerlerdi. Saat sesi bu yüzden onlar için şadırvanlardaki su sesleri gibi hemen hemen iç âleme, büyük ve ebedî inançların sesiydi. Onun, kendisine mahsus, hayatın her iki buudunda genişleyen hassaları vardı. Bir taraftan bugününüzü ve vazifelerinizi tâyin eder, öbür taraftan da peşinde koştuğunuz ebedî saadeti, onun lekesiz ve ârızasız yollarını size açardı.

Evimizde, üst katın sofasında babamın her başı sıkıldıkça satmağa kalkıştığı; fakat anlatacağım sebepler yüzünden bir türlü satamadığı büyük ayaklı duvar saati vardı. Duvarlardaki küçüklü büyüklü yazı levhaları, yerdeki hasırlar, onların serin ve rutubetli kokusuyla, oda ve merdiven kapılarındaki kalın perdelerle beraber evimize küçük bir mescit hâli veren bu saat babama dedesinden miras kalmıştı.

İnsan kötülemekten hoşlanan bazı komşularımız, bilhassa o huysuz keçinin sahibi İbrahim Bey, bu saati babamın daha evvel kayyumluğunu yaptığı ahşap bir mescitten buraya getirdiğini iddia ederlerdi. Onların rivayetine göre mescidin yandığı gece babam birçok kurtarılan eşya ile, bilhassa yazı levhalarıyla beraber bu saati de eve getirmişti. Konsolun üzerindeki deve kuşu yumurtası, tavana asılı Mekke süpürgeleri ve kapı perdeleri de onlara göre bu eşyadandı.

Zavallı babam, bir türlü önüne geçemediği bu iftiraya üzülür, günlerce ağzını bıçak açmazdı. İnsanlar niçin yalan söyler ve iftira ederler? Benim naçiz kanaatıma göre, iftira sade çirkin değil, aynı zamanda gülünç ve âciz bir şeydir de. İnsan tabiatı iktizasınca birbirlerini kötülemek isteyenler sadece düşmanlarının hayatlarına baksınlar, yeter. Çünkü her insanın hayatında hiçbir muhayyilenin icat edemeyeceği kadar aksaklık vardır, ve bu aksaklıklar o insanla beraber yetişmiş, büyümüş şahsî, nevi kendine mahsus şeylerdir. Kul kusursuz olmaz, sözü sırf bu gerçek için söylenmiş bir sözdür. Bu hikmetin gösterdiği yoldan gidip karşımızdakini tanımağa çalışacağımız yerde iftiraya kalkmak, âdeta pazar malıyla giyinmeğe benzer. Ben, kendim hep böyle yaptım. Onun içindir ki, bu hâtıraları okuyanlar hiçbir yalan ve iftiraya tesadüf etmeyecekler, sadece birtakım şimdiye kadar gizli kalmış hakikatleri öğreneceklerdir. Belki bu hakikatleri naklederken ufak tefek onarmalarda bulunduğum olacaktır. Fakat bu kendimi vazifelendirdiğim hâtırat yazarlığının icaplarındandır.

Babamın birçok kusarları vardı ve zavallı hiçbirini gizlemezdi. İlk karısını ve ondan olan çocukları zar zor beslerken şer'î mahkeme kararıyla evimizde birkaç gün için, o da ücretini vererek, misafir kalan bir kadıncağızla, hem de kocasından boşandığı günün haftasında, kaşla göz arasında evlenmesi bu zaafların en iyi misalidir.

Asıl kötüsü, anneme o kadar bağlı olan babam bu kadıncağızla, onu zengin zannettiği için evlenmişti. Halbuki kadın parasızdı. Babama evimizdeki misafirlik bedelini ve bazı mahkeme masraflarını ödemek için ikide bir koynundan çıkarıp gözümün önünde açtığı büyükçe kesedeki mecidiyeler meğer bütün serveti imiş. Buna rağmen babam bu kadını boşamadı, ömrünün sonuna kadar iki evli yaşadı. Bütün bunları rahmetliyi ayıplamak için söylemiyorum. Evlenme merakı bizim ailemizin ezelî derdidir. Ben kendi hayatımda bunu tecrübe ettim.

Evet, babamın da, herkes gibi, komşularımızın pek haklı şekilde istismar edebilecekleri bir yığın zaafı vardı. Fakat hırsızlık, hem de bir cami eşyasını almak... Velev ki vakıf malı olsun ve yanmış bir camiden gelsin! Hayır, bu babamın asla yapacağı iş değildir.

Zaten bu saatin büsbütün başka bir hikâyesi vardı. Babamın dedesi, Bâb-ı Âli memurlarından Tevkiî Ahmet Efendi, Mısır meselesi zamanında bir iftira yüzünden başının çok sıkıştığı, hattâ hayatının bile tehlikeye girdiği bir sırada, kurtulursa bir cami yaptırmayı nezretmişti. İşler düzelip de rahat bir nefes alınca derhal işe koyulmuş, fakat parası yetmeyecek korkusuyla camiin arsasını aldıktan sonra geriye kalan para ile doğrudan doğruya binaya başlayamamış, yaptıracağı camie vakıf olmak üzere Edirnekapı'da uzun zaman bütün aile, ahır ve hizmetçiler kısmında oturduğumuz büyük konakla, bir iki akar daha satın almıştı.

Paranın geri kalan kısmıyla da camiin hasırlarını, kilimlerini, kapının yanına koyacağı büyük saati, duvarlara asacağı yazı levhalarını, kandillerini tedarik etmişti. Böylece teferruatı hazırladıktan sonra, adamcağız tam camiin inşasına başladığı sırada yeniden azledilmiş ve bir daha yakasını sıkıntıdan kurtaramadığı için temelleri kazılan camiin inşası kendiliğinden geri kalmıştı.

Kendisine hayratının ne zaman biteceğini soranlara: "Takriben gelecek sene inşallah!" diye cevap verdiğinden dolayı, eşi dostu ömrünün sonuna doğru onu Tevkiî yerine Takribî Ahmet Efendi diye anmağa başlamışlar. Ahmet Efendi ölürken oğlu Numan Beye bu camiden bahsederek, "Benim borcumdu, fakat eda edemedim. Allah nasip etmedi. Şimdi senin üstüne borçtur. Onu behemehal yaptırmalısın!" vasiyetinde bulunmuş. Babasından oturduğu konaktan başka on para mirasa konmayan Numan Beyin hayatı bu vasiyet yüzünden büsbütün perişan olmuş, babasının nezrini yerine getirmek için konağın kendisine varıncıya kadar nesi var nesi yoksa hepsini satmış, fakat bir türlü inşaata başlayamamıştı. İşte ailemizin cami eşyası ile döşeli olan bu küçük evde yaşaması bu yüzdendi.

Evkafta oldukça iyi bir memurlukla işe başlayan ve ardı arası kesilmeyen talihsizlikler yüzünden küçük bir cami kayyumluğuna kadar inen babamın hayatını da dedesinin bu vasiyeti âdeta zehirlemişti.

Onun için babam, başına gelenlerin hemen hepsinden, içten içe biraz da alacaklısı addettiği bu saati mesul tutar ve onunla böyle her gün burun buruna yaşamaktan sıkılırdı. Artık unutulmuş olan cami hikâyesini tazelememek için bütün dedikodulara sessiz sadasız katlanır, bu hikâyeyi kimseye anlatmazdı. Hulâsa hayatının gizli ve tek meselesi, faciası bu saat olmuştu.

Gerek bu dedikodular, gerek sofaya verdiği o iç kapatıcı manzara yüzünden ben bu saatin düşmanı olmuştum. Halbuki güzel saatti. Kendi hâlinde, hiç kimsenin işine karışmadan, kervanını kaybetmiş bir mekkâre gibi başı boş, dalgın dalgın bir yürüyüşü vardı. Hangi takvimle hareket eder, hangi senenin peşinde koşar, neleri beklemek için birdenbire günlerce durur, sonra ağır, tok, etrafı dolduran sesiyle hangi gizli ve mühim vak'ayı birdenbire ilân ederdi? Bunu hiç bilmezdik. Çünkü bu bağımsız saat ne ayar, ne ıslah ve tamir kabul ederdi. O başını almış giden, insanlardan tecerrüt hâlinde yaşayan hususî bir zamandı. Bazen durup dururken üst üste çalmağa başlardı. Sonra aylarca yalnız rakkasının gidiş gelişiyle kalırdı. Annem onun bu ihtiyarî hâllerini hiç iyiye yormazdı. Ona göre bu saat ya bir evliya idi, yahut da onu iyi saatte olsunlar çarpmıştı. Bilhassa İbrahim Beyin vefat ettiği gece, belki de hemen hemen aynı sularda, haftalardır işlemeyen saatin birdenbire en derin sesiyle vurmağa başlamasından sonra bu korku hepimizin içine yerleşti. Annem o günden sonra ayaklı saatimizden hep Mübarek diye bahsetti. Bütün dindarlığına rağmen daha beşerî düşünen babam ise ona Menhus adını koymuştu. Menhus veya Mübarek bu saat çocukluğumun bir tarafını zaptetmiş gibidir.

Bu büyük saatten başka bir de küçük masa saatimiz vardı ki, babamla annemin yattıkları odada bir masanın üzerinde dururdu. Bu saat birincisi gibi dinî veya uhrevî değildi. Tam aksine olarak laik bir saatti. Hususî zembereği kurulunca saat başlarında o zamanın çok moda olan bir türküsünü çalardı. Radyo çıktığından beri çalar saatler ortadan kayboldu. Doğrusunu isterseniz ben birincilerini tercih ederim. Vakıâ sesi maazallah kapı gıcırtılarına benzeyen ve bütün gayretlerine, yahut gayretlerime rağmen hâlâ üç makamı tanıyamayan büyük baldızımın, sırf Halit Ayarcı'nın himmetiyle bu mühim müesseseye büyük ve şöhretli muganniye olarak girmesinden sonra, böyle bir fikri ortaya atmam hiçbir zaman doğru olmaz. Amma, ne yapayım ki, radyo münasebetsiz bir icattır. Hiç olmazsa çalar saat bütün gün alabildiğine şarkı söylemez, cin yutmuş gibi dans havaları tepinmez, felâket yağmuru havadisleriyle üzerinize çullanmaz, ve sizinki susturulduğu zaman behemehal komşularinki başlamaz. Bence radyo, aklımın erdiği kadarını söyleyeceğim tabiî, –aziz okuyucum bu fikirleri dinlerken, muntazam bir tahsil görmemiş, ömrü kahve peykelerinde geçmiş, ihtiyar bir adamdan geldiklerini hiçbir zaman unutma!– insanoğullarına lüzumsuz meraklar aşılamaktan başka bir şeye yaramaz. Bazen düşünürüm, ne kadar garip mahluklarız? Hepimiz ömrümüzün kısalığından şikâyet ederiz; fakat gün denen şeyi bir an evvel ve farkına varmadan harcamak için neler yapmayız? Ben bile bu yaşta işimle gücümle meşgul olacağım yerde radyo başına oturup saatlerce, bir kere bile gidip görmediğim, –tabiî sinemalardaki havadis filmleri hariç– futbol maçlarının, boks güreşlerinin hikâyesini dinliyorum.

Üçüncü saat babamın koyun saati idi, pusulalı, kıblenümalı, takvimli, alaturka ve alafranga, mevcut ve gayrimevcut bütün zamanları sayan acayip bir saatti bu. Tek bir kusuru vardı. O da muhtelif marifetlerini bir tek ustanın lâyıkıyla tanımasına imkân olmamasıydı. Nuri Efendi bile onu tam mânasıyla ve her yandan işletebileceğine kani değildi. Bir kere bozulunca kolay kolay tamir edilemiyordu. Yalnız orta katındaki odasında oturulan evler gibi saatin yarısı muattal dururdu. Babamın Nuri Efendi ile dostluğu bu yüzden sıklaşmıştı.

Sanatının tam ehli olan ustam bu saati tamirden o kadar bıkmıştı ki, sonunda babama kendi eliyle kurmasını bile menetmişti.

Görülüyor ki, dayımın hediyesi beni hiç de büsbütün gafil avlamamıştı. Daha doğrusu onun hayatımda dolduracağı yer kendisi gelmeden çok evvel hazırlanmıştı.

O yaşta bir saati olup da içinde ne vardır diye merak etmemek kabil midir? Hele insan, benim gibi çocukluğu boyunca ayaklı bir saatin âdeta bir büyü gibi zaptettiği bir evde yaşamış olursa! O zamana kadar azar, tekdir belâsı saatlere yalnız dışlarından bakmakla yaşamıştım. Onları sadece seyrediyor, varlıklarından lezzet alıyordum. Dayımın hediyesi ile beraber bende kendilerini yakından tanımak ve anlamak ihtiyacı başladı. Daha ilk elime aldığım gün zihnî hayatım birkaç merhaleyi birden atladı. Niçin? Neden? Ve nasıl? suallerinin hücumu içinde kaldım.

Dayımın hediyesinin elime geçtiğinden hemen birkaç hafta sonra bir daha hiçbir işe yaramayacak hiçbir zamanı saymasına artık imkân olmayan iğri büğrü maden parçaları, paslı veya parlak bir yığın enkaz hâline geldiğini söylemeğe lüzum var mı? Bu tecrübeden elimde iki şey kaldı. Her gördüğüm saati çözmek ve içine bakmak hevesi, bir de saatten gayrı şeye alâkasızlık.

O seneyi bu saat yüzünden, ertesi seneyi yolda bulduğum çok eski başka bir saat yüzünden aynı sınıfta geçirdim. Vâkıa üçüncü senenin sonunda daha ziyade babamın sızlanışlarına acıdıkları için bütün mektebin, hattâ semt halkının elbirliği eden yardımıyla rüştiyenin ikinci sınıfına atlayabildim; amma, bende de artık okuma hevesi kalmamıştı. Vaktimi daha ziyade Nuri Efendinin muvakkithanesinde geçirmeğe başlamıştım. Gariptir ki, bu devamsızlık mektep hayatım üzerinde epeyce müspet bir tesir yaptı. Hocalarımız beni öyle sık sık görmedikleri için kabahatlerimi de görmüyorlardı. Onun için rüştiyeyi bitirene kadar bir daha sınıfta kalmadım. Zaten artık mektebin Allahlık talebelerinden olmuştum. Bütün ömrüm boyunca her geçtiğim yerde beni karşılayan ve teşyi eden hazin baş sallamaları, kendisini gizlemeğe çalışan merhametli tebessümler, daha hoyratlarında yüzüme karşı hain gülmeler başlamıştı.

V

Sabahtan akşama kadar vaktimin çoğunu geçirdiğim Nuri Efendinin muvakkithanesinde ne bu baş sallamaları, ne o mânalı tebessümler ve kahkahalar vardı. Orada sadece saatler vardı. Her pencerenin önünde karşı karşıya işleyen minder saatleri, duvar boyunca dizilmiş zaman nöbetçileri hâlinde ayaklı saatler, sağ tarafta Nuri Efendinin sedirinin üstündeki asma saat, odanın her tarafında pencere içlerinde döşeme kenarlarında, sedir üzerinde, küçük raflarda tamir için getirilmiş, kimi yarı çözülmüş kimi parça parça, bazısı çırılçıplak, bazısı sadece üstü açılmış bir yığın saat vardı. Nuri Efendi gün boyunca bu saatlerle meşgul olur, gözleri yorulunca "Yap bir kahve!" diyerek sedire uzanır, bu taş oda içinde kabaran saat seslerinin içinde, belki de görmediği, hiç göremeyeceği, el dokunduramayacağı, sesini dinleyemeyeceği, dünyadaki bütün saatleri düşünerek dinlenirdi.

Nuri Efendi benim tanımağa başladığım zamanlarda, elli beş, altmış yaşlarında, orta boylu, zayıf, kuru, fakat dinç bir ihtiyardı. Ömründe hiç hastalık, hattâ ufak bir diş ağrısı çekmediğini söyler ve bunu Rumeli toprağından gelmesine yorardı. "Babam pehlivandı... Ben de gençliğimde epeyce güreştim." diyerek bu zayıf cüssede şaşılacak bir şey olan kuvvetli pazularını gösterirdi. Birisine kızdığı veya canı pek sıkıldığı zaman camiin avlusunda kim bilir hangi tamir zamanından kalmış kocaman bir taşı kucaklar, şuraya buraya taşırdı.

Uzun, dört köşe yüzü, beyaz, seyrek sakalı, büyük, kestane rengi çok yumuşak bakışlı gözleriyle insanın üzerinde garip bir tesir yapardı. Bu bakışlarla karşılaşanlar onu sadece iyilik yapmak için yaratılmış tasavvur ederlerdi. Hani o masallarda başınız sıkıldığı zaman yakıp imdadınıza çağırmak için size sakalından üç tel verip kaybolan ihtiyarlar gibi bir şey. Muvakkithaneye yerleştiğinden beri otuz beş sene geçtiği hâlde bir kere hiddet ettiğini, bir kere bağırdığını gören olmamıştı.

Nuri Efendinin konuşması çok tatlı idi. Tane tane, kelimelerine dikkat ederek, onları âdeta seçerek konuşurdu. Bilhassa saatçilik üzerine sohbetten çok hoşlanırdı. Tanıdıklarının bir kısmı onu büyük bir âlim, bir kısmı ise yarı evliya addederlerdi. Hakikatte pek az tahsil görmüş, ancak bir iki sene cami derslerine devam etmişti. Bunu kendisi de gizlemezdi. Sık sık, "Beni adam eden saatlerdir!" derdi.

Galiba semtin en iyi saatçisi idi. Fakat bir meslek adamından ziyade, işin zevkinde bir keyif ehli gibi çalışırdı. Kendisine saatlerini tamir için getirenlerle pazarlık etmez, ne verirlerse kabul ederdi. Yalnız saati bırakıp giderken, "Sakın haber göndermeden gelip almağa kalkma!" derdi. Bazen de "Acele yok ha! Acele istemem!" diye arkasından bağırırdı. Böylece kendisine emanet edilen saati bir kere açtıktan sonra bir cam kavanoz altına koyar, bazen haftalarca el sürmeden karşıdan seyreder, eğer işliyorsa zaman zaman üstüne eğilir, sesini dinlerdi. Bu hâlleriyle üzerimde bir saatçiden ziyade saat doktoru hissini bırakırdı.

Zaten saatle insanı birbirinden pek ayırmazdı. Sık sık, "Cenab-ı Hak insanı kendi sureti üzere yarattı; insan da saati kendine benzer icat etti..." derdi. Bu fikri çok defa şöyle tamamlardı: "İnsan saatin arkasını bırakmamalıdır. Nasıl ki, Allah insanı bırakırsa her şey mahvolur!" Saat hakkındaki düşünceleri bazen daha derinleşirdi: "Saatin kendisi mekân, yürüyüşü zaman, ayarı insandır... Bu da gösterir ki, zaman ve mekân, insanla mevcuttur!"

Bu cins benzerlikler üzerinde ısrar eden bir yığın sözü daha vardı: "Maden, kendiliğinden ayar kabul etmez. İnsan da böyledir. Salâh, iyilik, Hakk'ın bize lutufla bakışı sayesinde olur. Saat de böyledir." Nuri Efendide saat sevgisi bir nevi ahlâktı: "Bozuk bir saate, bir hastaya, bir muhtaca bakar gibi bakmağa alış!" ve Nuri Efendi hakikaten öyle yapardı. Diyebilirim ki en çok üzerine düştüğü saatler, hurda denebilecek kadar bozulmuş, atılması lâzım gelen, hattâ atılmış saatlerdi. Onlardan biri eline geçince çehresi âdeta yumuşardı: "Kalb işlemiyor artık. Beyinde de ârıza var", yahut; "Nasıl yürüsün biçare, iki ayağının ikisi de yok..." diye büsbütün beşerî bir dil konuşurdu.

Şurada burada tesadüf ettiği yaymacılardan bu cins bozuk saatleri satın alıp ötesini berisini değiştirerek tamir ettikten sonra fakir dostlarına hediye ederdi: "Al bakayım şunu! Hele bir zamanına sahip ol... Ondan sonrasına Allah kerimdir!.." sözü kendisine dert yananların –fakir olmak şartıyla– çoğuna cevabı idi. Böylece Nuri Efendinin sayesinde zamanına tekrar sahip olan insan sanki darıldığı karısı ile daha kolay barışabilir, çocuğu daha çabuk iyileşmiş, yahut hemen o gün borçlarından kurtulacakmış gibi sevinirdi. Bunu yaparken iki türlü sevap işlediğine inandığı muhakkaktı. Çünkü bir yandan yarı ölü bir saati diriltmiş oluyor, öbür yandan da bir insana yaşadığının şuurunu, zamanını hediye ediyordu.

Nuri Efendi böyle esaslı tadillerle yeniden zaman arabasına koştuğu saatlere o devrin silâhlarını kastederek hafif bir alayla "muaddel" adını verirdi. Çünkü bu saatlerde zemberek, tulumba, çarklar her biri ayrı fabrikalardan, ayrı işçiliklerden gelmiş olurdu. Bu cinsten bir saati eline alıp da evirip çevirirken, "Ne kadar bize benziyor... Tıpkı bizim hayatımız!" derdi. Bu Nuri Efendinin, sonradan Halit Ayarcı'nın verdiği isimle içtimaiyatçı tarafı idi.

Bu sözleri senelerden sonra Halit Ayarcı'ya naklettiğim gün, aziz velinimetim hakikî bir heyecana kapılmış, âdeta boynuma atılarak, "Siz büyük bir filozofla tanışmışsınız azizim!" diye bağırmıştı. Halit Ayarcı ile ilk tanıştığım günün, daha doğrusu gecenin hikâyesini bütün teferruatıyla ilerki sahifelerde yazacağım. Burada yalnız enstitümüzün, İstanbul halkını o kadar şaşırtan, düşündüren ve aynı zamanda güldüren sloganlarının Nuri Efendinin bu naklettiğim cümlelerinden doğduğunu derhal ilâve edeyim.

Ne gariptir ki, yıllar boyunca merhum üstadımın bu cümlelerini veya benzerlerini dinlemekle gençliğimi yok yere harcadığımı düşünmüş ve azap çekmiştim. Halbuki refaha, ikbale, insanın hakikî kıymetlerini yapan umumî hizmete onların sayesinde nail oldum.

Fakat elden ne gelir? Kör topal idadî tahsilimi –mektepten ve hocalardan elden geldiği kadar uzak kalmak şartıyla– bitirmeğe uğraştığım o yıllarda, Nuri Efendinin hiçbir açık geliştirme yapmadan insanla saat, saatle cemiyet arasında bulduğu yakınlıkları, onların üzerine kurduğu hayat ve cemiyet felsefesini nereden anlayacaktım? Çünkü Halit Ayarcı ve Doktor Ramiz'in sonradan bana söylediklerine nazaran bu hakikî felsefe idi. Şurasını da derhal kaydedeyim ki, Doktor Ramiz, Nuri Efendinin bu sözlerini Halit Ayarcı ile beni tanıştırdığı o günden çok evvel, hem de birçok defalar dinlediği hâlde ancak Halit Ayarcı onları beğendikten sonra kıymetlerini anladı. Doktor Ramiz daima biraz dalgındır. Kendiliğinden herhangi bir şeyi güç bulur. Hele umumî kanaatın dışına hiç çıkmaz. Nitekim bana karşı davranışları da böyle oldu. Daima dost ve mükrimdi. Sohbetimden hoşlanır, dertlerimi dinlemekten hiç bıkmaz, görünmezsem arar bulur, çoluk çocuğumun sıhhatini düşünür, bana ufak tefek yardımlar da ederdi. Halit Ayarcı ile tanışmama o vesile oldu. Fakat hiçbir zaman benim gerçek değerlerimi görmedi. Hakkımdaki kanaatı herkesin kanaatı idi. Yani bana ilk devirlerde hep bazı hususî meziyetleri de bulunan biçare bir meczup, kabiliyetsiz bir adam, bir hayat dışı gözü ile baktı. Ancak Halit Ayarcı'nın beni takdir ettiğini gördükten sonradır ki, hakkımdaki görüşü değişti ve bir daha methimi dilinden düşürmedi. Öyle ki elde mevcut dört eserinin indeksinde Freud'dan, Young'dan, Halit Ayarcı'dan sonra en çok zikredilen ad benim adımdır. Hemen hemen rahmetli hocam Nuri Efendi ve Şeyh Ahmet Zamanî ile bir ayarda geliyorum. Bana kalırsa bu kadarı da fazla idi. Ben böyle ilmî eserlerde adı geçecek adam olmadım. Tabiî insanlık hâli ben de onun bu iltifatlarını mükâfatsız bırakmadım. Daima ufak tefek ücret zamlarıyla kendisini korudum. Mamafih büsbütün haksızlık da etmeyelim. Uzun zaman beni tedavi eden Doktor Ramiz, okuyucuların ilerde görecekleri gibi hayatımın başka bir tarafı ile, Seyit Lûtfullah'a bağlı tarafıyla alâkalı idi.

Bu da gösterir ki, gerek Nuri Efendiyi gerek beni, daha doğrusu benim vasıtamla Nuri Efendiyi ve bittabi Nuri Efendinin arasından beni ve ikimizin arasından da saatin ve zamanın hayattaki fermanferma, insanüstü rolünü ilk anlayan ve takdir eden Halit Ayarcı'dır. Zaten onun belli başlı meziyetlerinden biri de, gizli kalmış kıymetleri bulup çıkarmasıdır.

Nuri Efendi ve Halit Ayarcı... İşte benim hayat mekiğim bu iki kutup arasında dolaştı. Birisini çok gençken, insanlara ve hayata gözlerim henüz açıldığı sırada tanıdım. Öbürü her şeyden ümit kestiğim, hattâ ömür defterimi tamamlanmış sandığım bir zamanda karşıma çıktı. Fakat bu ayrı meziyette, ayrı zihniyette insanlar bütün zaman ayrılıklarının üstünden hayatımda bir daha ayrılmamak şartıyla birleştiler. Ben onların bir muhassalasıyım. Tıpkı Nuri Efendinin o kadar dikkatle ve ayrı ayrı işçiliklerden gelmiş parçaları birleştirerek tamir ettiği, zaman kervanına kattığı hurda saatler gibi onlardan bir parça, onların "muaddel" bir halitası, terkip hâlinde eseriyim.

Nuri Efendi belki saat tamirinden ziyade saatlerin ayarında titizdi. Ayarsız saat bu halim selim adamı âdeta çileden çıkarırdı. Meşrutiyet'ten sonra bilhassa şehir saatleri çoğalınca "ayarsız saat göreceğim" korkusu ile muvakkithaneden çıkmaz olmuştu. Ona göre işlemeyen, kırılmış, bozulmuş bir saat hastalanmış bir insana benzerdi. Tabiatında mazurdu. Fakat ayarsız bir saatin hiçbir mazereti yoktu. O bir içtimaî cürüm, korkunç bir günahtı. İnsanları iğfal etmek, onlara vakitlerini israf ettirmek suretiyle hak yolundan ayırmak için şeytanın baş vurduğu çarelerden biri de Nuri Efendiye göre, şüphesiz ayarsız saatlerdi.

Nuri Efendi sık sık, "Ayar, saniyenin peşinde koşmaktır!" derdi. Halit Ayarcı'yı pek şaşırtan sözlerinden biri de bu olmuştu:

– Düşün Hayri İrdal, düşün aziz dostum bu ne sözdür? Bu demektir ki, iyi ayarlanmış bir saat, bir saniyeyi bile ziyan etmez! Halbuki biz ne yapıyoruz? Bütün şehir ve memleket ne yapıyor? Ayarı bozuk saatlerimizle yarı vaktimizi kaybediyoruz. Herkes günde saat başına bir saniye kaybetse, saatte on sekiz milyon saniye kaybederiz. Günün asıl faydalı kısmını on saat addetsek, yüz seksen milyon saniye eder. Bir günde yüz seksen milyon saniye yani üç milyon dakika; bu demektir ki, günde elli bin saat kaybediyoruz. Hesap et artık senede kaç insanın ömrü birden kaybolur. Halbuki bu on sekiz milyonun yarısının saati yoktur; ve mevcut saatlerin çoğu da işlemez. İçlerinde yarım saat, bir saat gecikenler vardır. Çıldırtıcı bir kayıp... Çalışmamızdan, hayatımızdan, asıl ekonomimiz olan zamandan kayıp. Şimdi anladın mı Nuri Efendinin büyüklüğünü, dehasını?.. İşte biz onun sayesinde bu kaybın önüne geçeceğiz. İşte enstitümüzün asıl faydalı tarafı... Muarızlarımız istediklerini söylesinler. Biz bu cemiyette en mühim işi yapıyoruz. Derhal büyük ve sıhhatli bir istatistik hazırlayın ve broşürleri bu hafta sonunda basalım... Daha doğrusu onu ben hazırlarım. Bu kadar mühim işi hiç kimseye veremem... Fakat siz de Nuri Efendinin hayatını anlatan bir kitap yazın. Şöyle Avrupalıca bir kitap. Bunu yalnız siz yapabilirsiniz ve vazifenizdir de... Bu adamı dünyaya tanıtmalıyız.

Bu kitabı yazamadım. Daha faydalı olması, müessesenin politikasına daha fazla yardım etmesi için onun yerine aynı fikirleri ve malzemeyi kullanarak *Ahmet Zamanî Efendi'nin Hayatı ve Eserleri*'ni yazdım. Acaba bu ustama bir ihanet midir?

Nuri Efendi bana fazla iş vermez, verdiği işin de behemehal yapılmasını istemezdi. Aceleye lüzum yoktu. O, zamanın sahibi idi. Ona istediği gibi tasarruf eder, yanındakilere de az çok bu hakkı tanırdı. Zaten o beni daha ziyade bir dinleyici olarak kabul etmişti. Ara sıra, "Oğlum Hayri! derdi. İyi bir saatçi olup olmayacağını bilmiyorum. Doğrusu, bunu senin hayrın için çok isterdim. Sen erken yaşta bir iş tutup ona kendini vermezsen büyük sıkıntılara uğrayabilirsin. Yaradılışın mütevazı insan yaradılışı... Hayata ve etrafa karşı yeter derecede dayanıklı değilsin. Seni ancak iş kurtarabilir. Yazık ki bu iş için lâzım olan dikkat sende yok. Fakat saatleri seviyorsun, onlara acıyorsun! Bu mühim bir şeydir. Sonra ayrıca dinlemek gibi bir hasletin var. Burası muhakkak. Dinlemesini biliyorsun, ki bu mühim bir meziyettir. Hiçbir şeye yaramasa bile insanın boşluğunu örter, karşısındakıyla aynı seviyeye çıkarır!" diye iltifat ederdi.

Nuri Efendi her yıl bir takvim neşrederdi. Büyük bir kısmı bir yıl evvelkinden olduğu gibi aktarılan bu takvimi kasım sonlarında yazmağa başlar, şubat ortasında Nuruosmaniye'de bir matbaaya benimle yoilardı. Bu işin gözümün önünde olması beni çok şaşırtırdı. Rumî, Arabî aylar, onların mevsimlerine aşılanmış daha başka daha eski yıl ve zaman bölümleri, güneş ve ay tutulmaları, en ince hesaplarıyla her gün için kaydedilen kuşluk, öğle, ikindi, akşam, yatsı saatleri, büyük fırtınalar, küçük, fakat onun hesabında çok mânalı rüzgârlar, gün dönümleri, şiddetli soğuklar, eyyamı bahur sıcakları, bu küçük cami odasında başında takkesi, alçak sedirinde sağ dizinin üstüne kâğıt tomarlarını dayayarak pirinç gibi rakam dizilerini sıralayan bu adamın kamış kalemiyle sarı pirinç divitinden, yavaş yavaş âdeta çok çeşitli bir rüya gibi doğarlar, sanki sırası geldikçe meydana çıkmak, dünyamızda hüküm sürmek için odanın bir köşesinde, ışığın en az uğradığı ve saat seslerinin en fazla yığıldığı bir tarafında toplanırlardı.

Onun bu takvime çalıştığı günlerde ben hakikî bir mucizeye şahit oluyormuşum gibi kendimi esrar içinde kaybederdim. Bir sene evvelki takvimi de aynı şekilde ömrümüzün bütün merhaleleriyle hazırladığını bildiğim için âdeta onun tarafından tanzim edilmiş bir dünyada, onun iradesinden çıkmış bir ışık içinde yaşadığımı zanneder ve rahmetli üstadıma biraz da korku karışan başka türlü bir hayranlıkla bağlanırdım.

VI

Vefa ile Küçükpazar arasında, bir yokuşun üzerinde harap bir medresede —âdeta bir baykuş gibi— oturan, Deli Seyit Lûtfullah, Şehzade Camii'nin biraz aşağısında, Burmalı Mescit taraflarında aşı boyalı, cephesi bitmek tükenmek bilmeyen bir konakta atlı arabalı muhteşem bir hayat süren Tunusluzâde Abdüsselâm Bey, Hırkaişerif'te Halvetî Dergâhı'nın arkasında oturan Avcı Naşit Bey, Vezneciler'de bir eczane işleten ve bu çok Müslüman semtin nadir Hıristiyan ileri gelenlerinden olan Eczacı Aristidi Efendi, Nuri Efendiyi sık sık ziyaret ederlerdi.

Abdüsselâm Bey, yirmi otuz odalı konağında bütün bir aşiretle yaşayan, çok zengin, insan canlısı bir adamdı. Evinin hususiyeti bir girenin yahut içinde bir kere doğmak gafletini gösterenin bir daha dışarıya çıkamamasıydı. Beyaz kolalı gömlekleri içinde daima kibar, zarif, bu eski İstanbul efendisi böylece farkında olmadan konağına imparatorluğun her köşesinden gelme, damat, gelin, birkaç yenge ve enişte, sayısız adette çocuk, belki bir o kadar da kaynana kaynata, ihtiyar hala, teyze, genç yeğen, sekiz on halayık yığmıştı. Babamın zoru ile birkaç defa hanımının ziyaretine giden annem, her defasında eve bu kalabalıktan başı dönmüş, yorgun ve bitkin dönmüştü. Çok küçükken bir defa da ben annemle gitmiştim.

Hotozlu, fistanlı, beyaz sadakor entarili, yahut açık dekolteleri bileklerine kadar inen ve orada dantelâlarla, kırmalarla kumaştan ve süsten bir dalgacık gibi kabaran her yaştan yirmîye yakın kadın ve bir o kadar çocuk içinde ne yapacağımı şaşırmış geçirdiğim o günü hiç unutamam. Dışardan bitmez tükenmez gibi görünen bu evin içinde insanlar âdeta üst üste yaşıyordu. Bu kalabalıkta keyfiyet itibariyle de hemen hemen aynı karışıklık vardı. Kendisi Tunus Beyinin yakın akrabası ilk karısı şerif sülâlesindendi. İkinci karısı saraydan çırağ edilmiş, Abdülhamit'le senli benli konuştuğu söylenen çok kibar bir Çerkesti. Bir kardeşinin karısı Hidiv ailesinden geliyordu, öbürününki bilmem hangi Kafkas kabilesinin reisinin kı-

37

zıydı. Gelinlerden her biri ya şöhretli müşirin, veya vezirin kızı, yahut da bir Arnavutluk beyinin torunuydu. Bu kadar karışık bir ailenin Abdülhamit devrinde bir yığın vesvese, vehim, dedikodu uyandırabileceğini düşünen Abdüsselâm Bey kardeşlerinden birinin kızını padişahın çok itimat ettiği hafiyelerden biriyle evlendirmeğe muvaffak olmuştu. Bu zat, kendisinin aza olduğu Şura-yı Devlet'te kâtip olduğu için evde ve dairede hemen hemen bütün gün onu göz altında bulundurabiliyordu. Sabah akşam lastik tekerlekli arabasında Abdüsselâm Beyle kardeşinin damadının beraberce Şura-yı Devlet'e gidip geldiklerini görmek onları tanıyanların pek hoşuna gidermiş. Asıl garibi damadın, çok sevdiği, velinimet addettiği Abdüsselâm Beyi böyle göz altında bulundurmaktan üzülmesine mukabil bir saat yalnız kalsa "yangın var!" diye bağıracak, bomboş bir tramvaya binse tek yolcunun yanına gidip oturacak, yahut vatmanın yanında ayakta duracak cinsten olan Abdüsselâm Beyin bu zarurî arkadaşlıktan pek memnun olmasıydı.

Abdüsselâm Beyi Mütareke yıllarında daha yakından tanıdım. Adamakıllı ihtiyarlamasına rağmen hâfızası az çok yerinde idi. O günleri bana anlatırken Ferhat Beyin bu çekingenliğine kahkahalarla gülerdi. Abdüsselâm Bey askerden döndüğüm zaman yalnızlığıma acımış, –anam, babam hepsi ölmüşlerdi– beni küçük kızı ile beraber oturduğu Bayezıt'taki evine almış, evlerinde yetişmiş bir kızla evlendirmişti. Evet Zeynep'le Ahmet'in anneleri ilk karım bu evde büyümüştü.

Abdüsselâm Beyin konağı Meşrutiyet'in ilânına kadar bu şekilde devam etti. Bu konağın kalabalığı ve masrafı hakkında bir fikir verebilmek için semtin iki bakkal, bir şekerci ve bir kasabının hemen hemen bu konakla geçindiğini söylemek yeter. Aristidi Efendinin eczanesinin belli başlı hasılâtı da bu konaktandı. Hürriyetin ilânından sonra, ayrı ayrı planlarda bir benzeri olduğu imparatorluk gibi, konak da yavaş yavaş dağıldı. İlk önce Bosna-Hersek, Bulgaristan, Şarkî Rumeli ve Şimalî Afrika arazisi ile beraber birader beylerle hemşire hanımlar ayrıldılar, sonra Balkan Harbi sıralarında küçük beylerin ve gelin hanımların bir kısmı evden çıktı. Sonuna doğru hemen hemen yalnız Ferhat Beyle –kardeşinin damadı– kendi çocuklarının bir kısmı kaldı. Ferhat Bey sonuna kadar Abdüsselâm Beyle beraber yaşadı. Onlar sabah akşam kendilerini Şura-yı Devlet'e götürüp getiren lastik tekerlekli arabanın siyah, yağız, Macar ve İngiliz kırması atları gibi birbirlerine alışıktılar. Son zamanlarda bu iki adamın birbiriyle konuşması sadece Ferhat Beyin Abdülhamit'e, haftada bir, konak ahvaline dair verdiği jurnallar üzerine idi.

Ferhat Beyin mahcubiyetten yüzü kızara kızara anlattığı bu hâtıralar sayesinde Abdüsselâm Bey, eski konağının iç yüzünü her gün yeni bir tarafından öğreniyor, nisbeten daha genç ve dinç yaşta, zengin, talihin alabildiğine yüzüne güldüğü, etrafında tam istediği cinsten cıvıl cıvıl, üst üste, Babil Kulesi kadar karışık, her dilden ve her kafada; fakat insan yakınlığının sıcaklığı ile dolu bir hayatın kaynaştığı o günleri âdeta yeniden yaşıyordu.

Fakat hemen her akşam gözlerimin önünde tekrarlanan bu canlandırma ve geçmişi yeni baştan yaşamada aksayan bir taraf vardı. Ferhat Beyi dinlerken Abdüsselâm Beyin gözlerini bulandıran mazi hasretine, garip, âdeta muzipçe bir parıltı, dudaklarının kenarında insan zaaflarıyla alay eden anlaşılmaz bir gülümseme karışırdı, ve bu hal Ferhat Beyi hikâyelerinde büsbütün şaşırtır, bir kat daha mahcup ederdi.

Bir gün eski Şura-yı Devlet azası sırrını bana açtı:

– Biçare damat bey, hakikaten bu işten fazla mahcup ve mustarip... Farkında değil ki, ben de her hafta kendisi için bir jurnal veriyordum...

Benim Nuri Efendinin muvakkithanesine gidip gelmeğe başladığım sıralarda Abdüsselâm Beyin konağında ancak otuz yedi insan kalmıştı. Bunlar da kendi çocuklarının dışında, talihin cilvesiyle, daha ziyade emektar hizmetçiler, kardeşlerinin uzak akrabaları, kime ait olduğu her gün yeniden münakaşa edilen ihtiyar teyzeler, halalar, yengelerdi. Abdüsselâm Bey bu hâle içten içe üzülüyor, gizlice daima temenni ettiğini söylediği hürriyetin evini böyle insansız, çocuk şamatasız bırakmış olmasını bir türlü anlamıyor, konağın gittikçe sırtında ağır basan masraflarını çok münasebetsiz bir yük buluyordu. Bu yükün altında, bütün bu uzak akraba, Abdüsselâm Beye, ara yerdeki esas cümleler silinmiş, bu yüzden mânası bir türlü çıkmayan bir metin gibi geliyor, onu şaşırtıyor, bununla beraber büsbütün yalnız kalmak korkusu ile bu beyhude kalabalığa yine dört elle sarılıyordu.

VII

Abdüsselâm Bey ise daha ziyade servetinin mühim bir kısmını şu veya bu şekilde tüketmiş, fakat dışarıya ve bilhassa yeğenlerine karşı sevgisi hiç değişmemiş, hâlâ küçük meraklarında ısrar eden, olmayacak şekilde sağa sola yardıma koşan, sükûneti de telâşı kadar latif, hattâ hafifçe komik bir operet amcasına benziyordu. Şahsiyetlerini yapan hususiyetler ve garabetler ne olursa olsun her ikisinin de çehreleri kuvvetli bir insan zeminine düşerdi. Seyit Lûtfullah'da bu zeminin kendisi yoktu. Onun acayip gölgesi doğrudan doğruya yalanın boşluğunda yüzüyordu. O maskenin, yahut ödünç kişiliğin kendisi idi. Çok hayalî bir piyeste asıl baş rolü, hakikatin tam inkârını üzerine alan aktör tasavvur edin ki, oyunun yarısında sahneyi, ödünç şahsiyetini günlük hayatında yaşamak için bırakmış olsun ve o kıyafetle ve karakterle şehre, sokağa, insanların arasına fırlasın. İşte bu küçük gruba bir yığın merakı, ihtirası aşılayan, onların kendi başlarına kalmış olsalar çok tabiî geçecek hayatlarını alt üst eden Seyit Lûtfullah bu çeşit bir adamdı. Onda yalanın nerede başladığı ve nerede bittiği bilinmezdi.

Ne söylendiği gibi Medineli, ne de seyitti. Hattâ asıl adı bile bu olmayabilirdi. Nuri Efendiye göre seyitliği vaktiyle Irak taraflarında nikâhlandığı bir kadından geliyordu. Aslen Bülûçtu. Memleketini çok gençken bırakmış, hemen bütün Şark'ı gezdikten sonra İstanbul'a gelmiş, Arap Camii'nde güzel ve yanık sesiyle okuduğu

Kur'ân'larla dikkati çekmiş, bu sayede Emirgân'da oturan çok zengin bir ailenin bahçıvanının kızı ile evlenmiş, hattâ bu sayede bir vâızlık bile koparmıştı. Bu ilk gelişinde kendisini tanıyanlar, mazbut, mutaassıp bir şeriatçi olduğunu, vaazlarında, münakaşalarında etrafı âdeta yıldırdığını anlatırlardı. Babamın söylediğine göre bu vaazlarda Seyit Lûtfullah hemen hemen insan hayatında ibadetten başka bir şeye müsaade etmez, yemekten, içmekten, konuşmağa kadar her şeyi yasak edermiş.

Bu ilk devre ancak üç yıl sürmüş, karısının ölümü üzerine her şeyi bırakarak yeniden seyahate çıkmış, ancak on sene sonra Meşrutiyet'ten iki yıl evvel, İstanbul'a dönmüş, o yıkık medrese odasına yerleşmişti. Fakat bu dönen Seyit Lûtfullah artık eski adam değildi. Gözlerinden biri akmış, ağzı hafifçe çarpılmış, bütün vücudu büyük hareketlerine zarar vermeyen, fakat onları bir türlü serbest de bırakmayan, her uzuv için ayrı, küçük, mânasız ve lüzumsuz bir yığın dar sahalı harekette kendisini dağıtan bir tik kaplamıştı. Sol kolunu durmadan araba çeker gibi ileriye geriye götürüyor, ensesini kulunç kırar gibi büküyordu. Sol ayağı ise her zaman için ağırdı. Meşin gibi esmer, çarpık yüzü ile uzun boyu yüzünden daha fazla göze batan kamburu ile Seyit Lûtfullah benim gördüğüm zamanlarda, insandan ziyade peşinden koştuğu defineleri bekleyen bir ecinniye benziyordu. Halbuki gençliğinde daha ziyade güzel sayılırmış.

Bu değişikliği gaip âlemle yaptığı mücadelelere yorardı. Ona göre Savuç Bulak'ta, bilmem hangi zaviyede misafir kaldığı zamanlarda behemehal bir huddam tedarikine çalışmış, fakat iyi saatte olsunların pek aksisine tesadüf etmiş olacak ki bu hâle gelmişti. Nuri Efendi ondan bahsederken, "Havass-ı Kur'ân böyledir, onunla oynayanlar işte bu hâle gelirler," der; fakat tek zaafı olan tecessüsü yüzünden, küfürle omuz omuza yürüyen bu adamdan bir türlü vazgeçemezdi.

Hemen herkesin Seyit Lûtfullah için ayrı bir fikri vardı. Aristidi Efendi onu bir şarlatan addeder, vücudundaki değişiklikleri daha ziyade eksik tedavi edilmiş bir frengiye yorar, yahut bu cinsten bir mirasın neticesi addederdi. Buna rağmen Abdüsselâm Beyin hatırı için, elindeki birkaç eski yazmadan getirdiği formülleri inanmadan tatbike çalışırdı. Abdüsselâm Bey ise eriyip tükenmiş servetinin telâfî imkânlarını bir taraftan Aristidi Efendinin lâboratuvarındaki çalışmalara bağladığı hâlde, öbür taraftan da Seyit Lûtfullah'ın gaipler dünyası ile olan münasebetini hiç gözden kaçırmaz ve meselâ hakikaten vaat ettiği gibi Kayser Andronikos'un hazinelerini bir gün bulacağına inanır, ayrıca eski bilgiler için kendisini tükenmez bir hazine addederdi. Çoktan İstanbullulaşmış, hattâ Arapçasını unutmuş bu Tunuslu'da eski Mağrip sadece hurafeleriyle devam ediyordu.

Bu devirlerdeki Abdüsselâm Beyi daima elinde bu iki atu ile en imkânsız ameliyelere girişen bir kumarbaz görmemek imkânsızdı.

Aristidi Efendinin eczanenin arkasındaki gizli lâboratuvarının bütün masrafı onun sırtında idi ve bu lâboratuvarda günün birinde altın yapılacağına gerçekten inanıyordu. Bu meselede Aristidi Efendi ile aralarındaki fark bu sonuncusunun bu gayeye ancak modern kimya ile erişilebileceğine inanmasıydı. Fakat Abdüsselâm Beyin hatırını kıramadığı için Seyit Lûtfullah'ın getirdiği büyü ve simya karışık formülleri de ister istemez denemeğe razı olmuştu.

Hakikatte bütün bu insanlar hakikat denen duvarın ötesine geçmek için birer delik bulmuş yaşıyorlardı. Abdüsselâm Bey hakikaten Seyit Lûtfullah'a inanıyor muydu? Burasını bilmem. Bana kalırsa inanmaktan daha mühim bir şeyle hareket ediyorlardı. Bu mühim şey üçü için aynı şekilde mühimdi. Onlar için "imkân" denen şeyin hududu yoktu. Her şeyin mümkün olduğu bir âlemleri vardı. Eşya, madde, insan, her şey bu hudutsuz imkânın eşiğinde, her an kendisini değiştirecek mucizeli kelimeyi, formülü, duayı, yahut ameliyeyi bekliyordu. Evet onların gördükleri, elleriyle yokladıkları, duyularına cevap veren şeylere herkes gibi inanmaktan başka hiçbir günahları yoktu.

İçlerinde en realistleri olan, fakat para sıkıntısı içinde yaşadığı için her cesur tecrübeyi mubah gören zavallı babam da son zamanlarda dedesinin vasiyetini yerine getirmek için bütün ümidini Seyit Lûtfullah'a bağlamıştı. Fakat dostları yine aynı para sıkıntıları yüzünden onu her şeyi fedaya hazır addettikleri için aralarına almazlardı. Bu yüzden hemen hepsine az çok düşmandı. Fakat ne saatini bedava tamir eden Nuri Efendiye, her zaman yardımını gördüğü Abdüsselâm Beye, ne de eline diline üşenmeyen Avcı Naşit Beye açıktan açığa düşmanlık edemediği, hattâ onları ne olsa yine biraz sevdiği için, bütün köşede bırakılmış insan hıncıyla Seyit Lûtfullah'a yüklenirdi. Ona göre Lûtfullah "yalancı esrarkeşin biri" idi. Orta yerde ne iyi saatte olsunlardan hazır bir huddam, ne define, ne de gaip âlemle herhangi bir münasebet vardı. Adamcağızın yüzünü böyle çıfıt çarşısına çeviren şey düpedüz esrarın, işretin, uzvî suiistimallerin neticesi olan felçti. Hakikatte onu zani, dessas, tembel, dolandırıcı addeden babam, bu noktada çok müspet düşünceli Aristidi Efendi ile birleşirdi.

Mamafih Lûtfullah, kendisi de esrar kullandığını gizlemezdi. Onun için esrar tehlikeli bir keyif vasıtası değil büyüğe, güzele, hakikate ermek için bir yol, kendi karışık lûgatince "tarîk" idi. Aklı ortadan kaldırmadan hakikate ermenin imkânsızlığını her zaman söyler, çok defa yarı mastor gezerdi. Böyle anlarında durmadan perdenin öbür tarafından bahseder, görünenin ötesinde insanı bekleyen lezzetleri anlata anlata bitiremezdi.

Onu dinlerken bir tarafı ile orada, bizim görmediğimiz o âlemde firuze saraylarda, altın, mücevher, sırmalı kumaşlar bin çeşit tadılmamış güzellikler arasında yaşadığına inanmamak zordu. Hattâ orda, o hazlar âleminde Aselban adlı bir de sevgilisi vardı. Tıpkı masallarda olduğu gibi hiç solmayan güller arasında, berrak havuzların başında bülbül sesleri, gül ve yasemin kokuları, serin su şakırtıları içinde kendisi kadar güzel cariyeleriyle saz sohbetleri yapıp eğlenen, yahut penceresinde tek başına oturup dostumuzu düşüne düşüne gergef işleyen bu sevgilinin güzelliğini hepimiz ezberden bilirdik. Aselban'ın geceden daha siyah saçları, yıldızlardan daha parlak bakışları, yaseminden beyaz teni, sülünlere haset ettirecek edalı yürüyüşü vardı.

Yazık ki, kendisini seven bu harikulâde sevgili ile tam visal şimdilik bir çeşit "emr-i muhal" idi. Evvelâ Kayser Andronikos'un hazinesi bulunacaktı. Bu definenin bulunması gaip âlemdekilerin, yani Aselban'ın ana ve babasının ve bilhassa çok hiddetli ve Aselban kadar güzel kardeşinin sevgiliye erişmesi için koştukları şarttı. Çünkü bu define bir tılsımdı. Haddizatında servete hiç ihtiyacı olmayan, yahut bütün ihtiyaçlarını gaipten tedarik eden Seyit Lûtfullah'ın bu define işi ile uğraşmasının tek sebebi işte bu şarttı. Onu çıkarttıktan sonra Aselban bizim gibi insan kılığına girecek, Seyit Lûtfullah hakikî çehresini alacak, yani güneş gibi bir şey olacak ve bu iki emsalsiz güzellik birbiriyle birleşecekler ve dünyamızda hakikî bir iktidar içinde mesut yaşayacaklardı.

Çöküntü anlarında bu işin bütün güçlüğünü, hattâ imkânsızlığını iyiden iyiye ölçmüş gibi meyus, biçare yaşayan Seyit Lûtfullah, büyük neşe ve iç açılış anlarında —yani mastor olduğu zamanlarda— kendisinin bizim gördüğümüz insan olmadığını, onu asıl çehresiyle kamaştırıcı güzelliği içinde görebilmemiz imkânsızlığını söylerdi. Anlattığına göre bu sır âleminde Aselban'ın dizleri dibinde yaşayan dostumuzun şimdi Amerikan filmlerinde seyrettiğimiz şark prensleri, Hint racaları gibi bir şey olması gerekirdi.

– Dün Aselban'la avda idik. Yüz tazı birden bizimle koşuyordu! Öyle ceylânlar, kaplanlar vurduk ki... Hele bir tanesi...

Bilhassa yerinden kımıldayamayacak kadar ihtiyar bir tazı ile ava çıkan avcı Naşit Beyin bulunduğu zamanlarda anlatılan bu av hikâyeleri bitmek bilmezdi.

Abdüsselâm Beyin yanında bu mesut hayat tasavvuru daha az hareketli ve daha cıvıl cıvıldı. Aselban'ın babasının sarayında hemen hemen bine yakın, melekler kadar güzel çocuk, onların bir iki misli kadar birbirini seven ve düşünen, birbirinden bir lahza ayrılmağa razı olmayan her yaştan hısım akraba bulunurdu. Abdüsselâm Bey bu kalabalığın ortasında kırk genç cariye ile birden keyif süren Aselban'ın babasının hayatını hakikaten kendinden geçerek dinlerdi.

Bu saadetin tek lekesi Seyit Lûtfullah'ın ancak Aselban'ın kendisini çağırdığı zamanlar oraya gidebilmesi idi. Bu davet olmazsa aylarca Seyit Lûtfullah bizim sefil dünyamızda, büründüğü paçavralar gibi perişan, oturduğu harabe kadar yıkık dolaşırdı. Böyle zamanlarda insanlardan kaçar, rast geldikleri ile titiz, huysuz, kavgacı olurdu. Lûtfullah'ın bu hiddetleri bir sar'a nöbeti gibi korkunç ve yıpratıcı idi.

O zaman garip bir gurur kendisini istilâ eder, ağzı köpüre köpüre elindeki kuvvetlerle düşmanını harap edeceğini, öldüreceğini söyler, etrafa hangi dilden olduğu pek bilinmeyen karmakarışık beddualar, lânetler yağdırırdı. "Ben... Ben ha... Ben... Şahıs benim ne olduğumu biliyor mu acaba?.. Şahıs biliyor mu ben kimim?.. Ben şahsın başına belâlar yağdırırım." Çünkü böyle zamanlarda Lûtfullah'ın karşısındaki adam dahi "o" veya "şahıs" olurdu, "Şahıs bilir mi ki ben onu kül ederim?.."

Hiddeti de esrar gibi bir nevi sarhoşluktu, ve bu anlarında Seyit Lûtfullah kendisini ölümün ve hayatın efendisi addederdi. Bu gurur Seyit Lûtfullah'ın bozuk kafasında çok acayip bir hayat ve ölüm felsesiyle beraber yürürdü. Hiddeti geçince Seyit Lûtfullah'ta büsbütün başka türlü bir yeis başlardı. "Evvelsi gün, düşmanlarım (gaip âlemdekiler tabiî) beni kızdırdılar. Birçok sırları ifşa ettim. Şimdi işler daha güçleşecek... Bize şimdilik kudretimizi göstermek menedilmiştir" derdi.

Mamafih babam bile onun bazı kuvvetlerine inanırdı:

– Herifte bir şeyler var... derdi. Olmasa, fırıncı Ahmet Efendiyi bu hâle koymazdı. Üç gecenin içinde, evi dükkânı yandı, bütün ailesi silme öldü. Şimdi kendisi Darülaceze'de...

Ve birdenbire bu meşum kudretten ürkerek yakasını çevirir, tükürürdü:

– İnsan değil, âfet... Maazallah başımıza taş yağdırabilir. Bu büyücüyü hükûmet ne diye içeriye tıkmıyor? Dün akşam gene bacağını sürükleye sürükleye Edirnekapı mezarlığına gidiyordu. Kim bilir kimin canına kıydı?

Seyit Lûtfullah'ın yüzünü duvara çevirerek konuştuğu huddamı ile baktığı falların doğru çıktığı, bazı asabî hastalıklarda nefesinin ve bilhassa elinin çok iyi tesir ettiği daima söylenirdi.

1906 yılında, şöhreti yavaş yavaş başladığı sıralarda, Abdüsselâm Bey çok kıymetli bir altın saati kaybettiğini sanmıştı. Nuri Efendi vasıtasıyla müracaat ettiği Seyit Lûtfullah kendisine, gaiple uzun müzakerelerden sonra o acayip Türkçesiyle:

– Saat hatunun sanduğunda, sanduk vapurun ambarında, vapur denizin ortasında... Hemen telgraf çekile... Feillâ (aksi takdirde)...

Cevabını vermişti.

Üç gün sonra vak'anın büsbütün başka türlü olduğu anlaşılmıştı. Yani, saat başka bir yeleğin cebinde, yelek gardrobun içinde, gardrop Abdüsselâm Beyefendinin ikinci hanımının Mısır'dan yeni getirttiği cariyenin odasında çıkmıştı. Fakat tesadüfe bakın ki, evden o günlerde memleketine gitmek üzere ayrılmış olan Ünyeli bir hizmetçinin arkasından çekilen telgrafa şu cevap alınmıştı:

"Kadın bulundu. Sandığında, pazar malı, âdi cinsten bir masa saati çıktı. Saat ve kadın emniyettedir. Emr-i devletlerine intizar olunduğu..."

Bütün teferruatta doğru olan ve yalnız esasta aldanan bu yanlışa denebilir ki, Seyit Lûtfullah İstanbul'daki bütün şöhretini borçlu idi.

Filhakika esasa ait olan bu küçük yanlış âdeta onun şaşırtıcı kudretini ölçmek imkânını veren bir zaviye idi. Ve bu zaviye sayesinde Seyit Lûtfullah'ın kerameti, kudret ve tasarruf derecesi geceleyin okyanuslarda çalkanan bir vapurun hakikî mevkii gibi çok sarih şekilde okunuyordu. Aradaki farka gelince zaten Seyit Lûtfullah iyi saatte olsunlarla tam işi görüleceğini hiçbir zaman iddia etmemişti.

Hulâsa bu yanlış, bilmem hangi camiin 999 penceresi gibi tek eksiğiyle zihinleri dolduran bir şeydi. İsabet tam olsaydı, birisi kalkıp onu pekâlâ tesadüfe yorabilirdi. Çünkü bütün teferruat ortadan kendiliğinden silinecekti. Halbuki bu ufak yanlış sayesinde elde edilen neticelerin hiçbiri ortadan kaybolmuyor; onun ışığında, saat, evden giden hizmetçi, vapurun ambarı, sandık, hepsi, büyük zahmetlerle alınan bir yolun menzilleri gibi aydınlanıyordu. İnsan işlerinde hatanın oynadığı büyük ve faydalı rolü bilmem bundan iyi gösteren misal var mıdır?

O tarihten itibaren Seyit Lûtfullah, Tunuslu konağının en devamlı ve en muteber misafiri oldu. Her dediğine inanıldı. Bu inanmada kılığının, kıyafetinin, yaşayış tarzının, oturduğu medrese artığının da ayrı ayrı payları vardı. Hayatını, kıyafetini biraz değiştirmesi için verilen nasihatlere eliyle çok tehlikeli bir karanlığı gösteren bir işaret yaparak, "Müsaade etmiyorlar" diye reddederdi. Abdüsselâm Beyin zorla kendisine hediye ettiği bir cübbe ile sarığı üç gün sonra konağa, "Müsaade edilmedi. Velinimet mazur görsün..." sözü ile iade etmişti. Seyit Lûtfullah bir masalı devam ettirmenin sırrını biliyordu.

Yatıp kalktığı medrese odasını da iyi saatte olsunların emriyle seçtiğini söylerdi.

Bu medrese artığı kadar insana her parçası ayrı ayrı dikkatlerle, emeklerle hazırlanmış hissini bırakan pek az yer gördüm. Birinci Mahmut zamanında küçücük camii ile beraber yapıldığı söylenen bu bina sanki bugünkü hâlini alabilmek için, daha mimarın içinden çıktığı günden itibaren ve çok muntazam bir plana göre yavaş yavaş yıkılmağa başlamıştı. Avlunun döşeme taşları ya kırılmış, yahut da ortasında alabildiğine büyüyen çınar tarafından sökülmüştü. Üç tarafındaki hücrelerin hemen hepsi –Seyit Lûtfullah'ın yattığı oda müstesna– kimi yarı yarıya, kimi büsbütün yıkılmıştı. Avlunun sol tarafında bulunan küçücük camiden sadece minarenin kapısı ile dört basamağı ayakta duruyordu. Onun yanı başındaki şirin mezarlık –içinde gene bu devre ait kalbur üstü dört beş kişi, cami ve medreseyi yaptıran Kahvecibaşı ile beraber yatıyorlardı– ayakta duran parmaklığı ile sokaktan ancak ayrılıyordu.

Medresenin bütün avlusu, mezarlık, camiin arsası olması lâzım gelen yer, her taraf kendi kendine bitmiş otlar ve ağaçlarla dolu idi. Bu ağaçlar içinde, devrilmiş sütunların altından fışkıran dal budak salanlar bile vardı. Fakat en garibi, insanı en fazla kavrayanı Seyit Lûtfullah'ın yattığı odanın tam üstünde biten, ince, zarif, rüzgârda âdeta oyadan yapılmış hissini veren servi fidanı idi. Bazı bulutlu havalarda arkasındaki kül rengi boşlukla çok hayalî bir şey gibi göze çarpan bu servi fidanı, sanki bütün bu terkibi sonsuz ve yenilmez tabiat namına zaptetmişe benzerdi.

Tepesinde sallanan bu acayip sorguçla bu medrese, uçurumun tam kenarında, yuvarlanmak için en son anı, son kararı bekleyen korkunç ve abes bir muvazene hissini bırakırdı. Seyit Lûtfullah bu harabenin tek odasında yere serilmiş bir şiltede yatardı. Oda rutubet içinde ve daima karanlıktı. Şiltenin etrafında, içlerine galiba öteberisini koyduğu birkaç büyük küp vardı. Bu acayip odada insana son derecede alışık bir kaplumbağa, –tabiî Aselban'ın hediyesi, ve bu yüzden de adı Çeşminigâr'dı– gelen gidenin bacakları arasında dolaşıp dururdu.

Söylediklerine bakılırsa bu medreseyi iyi saatte olsunların kendisine ikametgâh diye tahsis etmelerinin asıl sebebi civardaki hazine idi. Kayser Andronikos'un zamanından kalma bu definenin etrafında gaip âleminde yapılan mücadeleleri anlatmakla bitiremezdi.

Mamafih dostumuzun bana çok mahrem bir şekilde söylediklerine bakılırsa bu medrese hiç de öyle göründüğü gibi yıkık ve harap değildi. Bilâkis muhteşem ve aydınlık bir saraydı. Nasıl biz Seyit Lûtfullah'ın hakikî güzelliğini göremiyorsak bu sarayın ihtişamını da öylece göremezdik. Ancak define meydana çıktığı zaman bu saray da som altın sütunları, firuze ve elmas kubbeleriyle parlayacaktı. Zaten o zaman her şey yoluna girecekti. Aselban maddesiyle görünmeğe razı olacak, âşığı asıl çehresiyle ortada gezecek ve beraberce ebedî lezzetlerle dolu bir hayat yaşayacaklardı.

– İşte o zaman hükmüm bütün dünyaya geçecek, her istediğim olacak... derdi. Dünyadan haksızlığı, sefaleti kaldıracak, tam bir adaletle insanları idare edecekti. Çünkü bu acayip adamın âdeta müstakil bir cihaz gibi işleyen, hattâ zaman zaman da asıl kişiliğini yapan garip hareketlerini içten idare ettiği duygusunu bırakan bir adalet ve haksızlık dâvası da vardı.

Bu tarafından bakılırsa Seyit Lûtfullah ebedî hayata kavuşmak, namütenahî hazlar ve kudretler elde etmek için tesadüfün kendisine verdiği nimetleri istihkar eden, onları doğru dürüst yaşamayan bir adamdı. O büyük bir ruh ve idealistti. Hayatta "hep"i elde etmek için "hiç"in kısır çölünde yaşamayı tercih etmişti.

Doktor Ramiz, eski dostumun gariplikerini kendisine anlattığım zaman bilhassa bu nokta üzerinde durmuş, ve bu adalet ve haksızlık meselesinin Seyit Lûtfullah vak'asının anahtarı veya anahtarlarından biri olabileceğini bana defalarca söylemişti. Kafası tamamiyle ilmî metotlarla işleyen aziz dostum bir aralık bu yüzden Seyit Lûtfullah'ın Marx'ı okuyup okumadığını bile merak eder olmuştu. Sık sık "Marx veya Engels'i okumuş olması lâzım! Yazık ki tahkik etmemişsiniz" diye bana çıkışır ve benim:

– Biçare nerden bu mühim adamları okusun. Zavallı doğru dürüst Türkçe bilmezdi! kabilinden itirazlarımı da:

– Sizler daima böylesiniz... Ruhunuzu saran küçüklük duyguları içinde büyük değerlerimizi kaybedersiniz... Azizim vazgeçin bu huydan. Ben kat'iyen eminim ki Almanca biliyordu ve bütün sosyalist edebiyatı okumuştu. Aksi takdirde devrimizin büyük meselesi olan adalet ve haksızlık dâvalarını bu kadar kuvvetle benimsemez ve uğrunda böyle mücadele etmezdi. O bizim sosyalist mektebimizin başlangıcıdır, diye sustururdu.

Doktor Ramiz'in konuşması daima böyleydi. Bir nokta olarak başlar ve birkaç saniyede büyük bir çığ olurdu. Ben kendi hesabıma hafif bilgi dağarcığımla bu büyük âlimi hiçbir zaman açıkça tenkit cesaretini kendimde duymadım. Fakat ne yalan söyleyeyim, zavallı eski dostumun şahidi olduğum ömründe bu cinsten bir mücadele fikrini verecek mühim bir şeye de rastlamış değilim.

Aristidi Efendinin, Naşit Beyin, Abdüsselâm Beyefendinin ihtiraslari bu kadar sonsuz değildi. Aristidi Efendi, kayınbiraderi olan Heybeliada'daki ihtiyar bir papazdan Kayser Andronikos'un olsa olsa İmparator Adriyen olabileceğini iyice öğrendikten sonra bu define işine sadece ilmî bir mesele gibi bakıyordu. Ona göre seyit Lûtfullah'ın tereddütleri, gaip âleminden emir beklemeleri beyhude idi. Birkaç kazma ve kürekle derhal işe başlaması lâzım gelirdi. Fakat iyi saatte olsunların dünyasında her şeyin kendisine mahsus bir vakti ve erkânı vardı.

1909 yılının en büyük hâdisesi Aristidi Efendinin bir gece tek başına Kayser Andronikos'un hazinesini aramağa kalkması olmuştu. Fakat daha ilk kazmada definenin yeri, başındaki gizli mücadele devam etmek şartıyla, değişmişti. Beklediği altın dolu küpler, mücevherler, eski kumaşlar ve saray eşyası, hattâ yazma kitaplar, fildişi altın aziz heykelleri yerine iki üç kemikle dibinde Sultan Mahmut devrinden tek bir mangır sallanan boş bir kavanozun çıkması Aristidi Efendiye de ister istemez bu şüpheyi vermişti. Seyit Lûtfullah o geceden sonra, değil defineyi bulmak, sadece eski yerine getirebilmek için aylarca uğraşmağa mecbur olacağını söylediği zaman adamcağız üzüntüden, vicdan azabından az kalsın ölecekti. Tıpkı Abdüsselâm Beyin saat hikâyesi gibi bu yanlış ameliye de Aristidi Efendide Seyit Lûtfullah'a karşı olan son mukavemetleri kırdı.

Onun karşısında daima yüzünde taşımağa kendisini mecbur sandığı o cehalete karşı Avrupalıca müsamahalı tebessüme, bir nevi hurafevî korku karıştı ve dostumuzun karşısında ricat yolu kesilmiş bir ordu gibi daima perişan ve tereddüt içinde kaldı.

Seyit Lûtfullah'ın asıl istediği kâinatın sırrına, maddeye ruhen tasarruf etmekti. Altın imbikle değil, ruhla yapılır. Toprağın altında ondan çok ne var? Mesele el dokunmadan yapmaktır, derdi.

Bununla beraber Aristidi Efendinin eczanesinin arka tarafındaki gizli lâboratuvarda imbikler, körükler, her cinsten şişeler, korneler arasında yapılan tecrübelerde de öbürleri gibi hazır bulunuyor, eski yazmalardan çıkardığı formülleri Aristidi Efendiye veriyordu. Hattâ bu yüzden bu iki adamın arasında günlerce süren münakaşalar oluyordu.

Bu münakaşalarda Aristidi Efendinin münevver Avrupalı müsamahası ve sabrı ile, gaip âleme o kadar kuvvetle tasarruf eden Lûfullah'ın gurur ve alınganlığı tıpkı ateşte kaynayan büyük şişenin içinde ve etrafında dövüşen zıt kuvvetler gibi birbiriyle karşılaşırlardı. Birkaç defasına şahit olduğum bu tecrübelerden bende kalan tek hâtıra Lûtfullah'ın kullandığı ıstılahlardı. "Tathir, teşmi, teklis, tas'id, tezviç, tevlit, hal, akit (temizleme, mum veya muşamba hâline getirme, toprak hâline getirme, koyulaştırma, evlendirme, doğurtma, eritme ve bağlama)" gibi kelimeler hâlâ bile bana kuvvetli bir iradenin karşısında açılacak büyük imkân kapıları gibi görünür.

Bununla beraber bu kapılardan birinin bir gün, hem de en beklenmedik şekilde açıldığını hepimiz gördük. Abdüsselâm Beyin parası ile yapılan bu tecrübelerin bütün şerefini kendisine inhisar ettirmek isteyen Aristidi Efendi bir gece tek başına çalışırken imbik çatladı ve lâboratuvar ateş aldı. Bir saat sonra yetişebilen itfaiye ve mahalle tulumbacıları Aristidi Efendiyi yarı yanmış buldular. Bu 1912 yılı şubatında oldu ve onun ölümüyle imbikle altın yapma işi sona erdi. Küçük grup için yalnız define ümidi kalmıştı.

VIII

Niçin, Saatleri Ayarlama Enstitüsü'nün hikâyesini bu uzak hâtıralarla ağırlaştırdım? Neden bu mazi gölgeleri yüzünden yolum birdenbire değişti? Bunlar o cins şeylerdi ki, ne hakikatini, ne de gülünç tarafını bugünün insanı anlayamaz. Bana gelince, yaşı, geçmiş şeyleri tahayyülden ve hatırlamadan artık lezzet almayacak kadar ileri. Böyle de olmasa, Halit Ayarcı'nın hayatıma girdiği andan itibaren ben büsbütün başka bir insan oldum. Realitenin içinde yaşamağa, onunla mücadeleye alıştım. Evet o bana yeni bir hayat buldu. Bu eski şeylerden şimdi çok uzaktayım. İçimde, kendi mazim olsa bile o günlere karşı katılaşmış bir taraf var. Ne yazık ki, bu mazi dönüşünü yapmadan kendimi anlatamam. Ben yıllarca bu adamların arasında, onların rüyaları için yaşadım. Zaman zaman onların kılıklarına girdim, mizaçlarını benimsedim. Hiç farkında olmadan bazen Nuri Efendi, bazen Lûtfullah veya Abdüsselâm Bey oldum.

51

Onlar benim örneklerim, farkında olmadan yüzümde bulduğum maskelerimdi. Zaman zaman insanların arasına onlardan birisini benimseyerek çıktım. Hâlâ bile bazen aynaya baktığım zaman, kendi çehremde onlardan birini tanır gibi oluyorum. Şu anda Nuri Efendinin kendini yenmiş tebessümünü yüzümde dolaşıyor sanıyorum, biraz sonra Lûtfullah'ın yalanı benimsemiş bakışlarını kendimde bularak yaptığım işten ürküyorum. Bir başka defasında babamın ümütsiz kıskançlığı ve sabırsızlığıyla perişan oluyorum. Hattâ bu, kıyafetimde bile görülüyor. En meşhur terzilerde yaptırdığım elbiselerim sırtıma geçer geçmez bana Abdüsselâm Beyin kılığını veriyorlar. Daha dün gözlüklerimi değiştirmem icap edince, artık o cinsin modası geçmiş olduğunu bile bile Aristidi Efendininkine benzer bir altın gözlük aramadım mı? Belki de şahsiyet dediğimiz şey bu, yani hâfızanın ambarındaki maskelerin zenginliği ve tesadüfü, onların birbiriyle yaptığı terkiplerin bizi benimsemesidir.

Belki daha derin, daha kuvvetli bir şey, bu mirasları ikide bir aksatan o içten müdahalelerdir. Her hâlde bende olan budur. Bunu herkes için söyleyemem. Elbette benim gibi yaşamayanlar, kendilerini başka türlü, daha kuvvetle, daha saf şekilde bulanlar vardır.

Fakat ben onların hâtıralarını yazıyorum. Kendi hayatımı yazıyorum. Şurası da var ki, hayatımın ileriki safhaları, bana bu insanların tesirinden kurtulmak imkânını pek vermedi. Oğlumun dediği gibi, "hakikî çalışmanın nizamından" geçmedim. Onlar bende karmakarışık devam ettiler. Ahmet bana benzemiyor ve benzememek için de elinden geleni yapıyor. Hattâ kendini bu yüzden birçok imkânlardan mahrum etti. Liseyi bitirir bitirmez devlet hesabına tahsilin çarelerini buldu. Tıbbiyeyi bitirince mevkiimin ve servetimizin icabı olarak Amerika'da tahsilini tamamlamasını teklif edince derhal reddetti ve Anadolu'ya gitti. Hulâsa bana hiçbir şey söylemeden benden gelen her şeye sırt çevirerek yaşadı.

Oğlumun beni sevmediğini iddia edemem. Fakat bende kendi düşüncesine uymayan birtakım şeyleri beğenmediği birtakım şeylere düşman olduğu muhakkak. Buna rağmen gene içten içe onda yaşadığımı hissediyorum. Bir gün muayenehanesinde bir hastaya bakarken gördüm. Tıpkı benim bir saate bakışım gibi bir şeydi bu. Yahut da Nuri Efendinin... Çok temenni ederim ki, Nuri Efendininkine benzesin, çünkü iş, ona benden fazla hâkimdi.

Her ne olursa olsun mazim bugünkü vaziyetimden bana bütün bir mesele gibi geliyor. Ne ondan kurtulabiliyorum, ne de tamamiyle onun emrinde olabiliyorum.

IX

Bu hâtıraları bu kadar uzatmamda, dört sene evvel bir antikacı dükkânında bulduğum ve derhal satın alarak çalışma odamın, Villa Saat'ın verandasına ve mevsim çiçekleri ile dolu bahçesine açılan kapı penceresine taktırdığım eski parmaklığın da elbette bir payı vardır. Bu parmaklığın yıldız benekli, lâle motifleri arasından doğrudan doğruya mazime, o kadar ihtiyaç ve yoksulluk içinde; fakat o kadar rüyalı ve ümitli geçen çocukluk günlerime bakar gibi oluyorum. Seyit Lûtfullah için şunun bunun muvakkithaneye bıraktığı şeyleri o yıkık medreseye götürdüğüm zamanlarda bu parmaklığın önünde durur, onu uzun uzadıya seyreder, bir gün kendisi defineyi bulursa veya Aristidi Efendi hakikaten cıvayı altın yaparsa hisseme düşen kısımdan —vâkıa kimse böyle bir şey söylememişti ama, elbette benim de hisseme bir şeyler düşecekti— bütün duvarı ve mezarlığı, belki de camii tamir ettirmeyi düşünürdüm.

Talih ve tesadüf bana tam aksini yaptırmıştı. Büyüyünce ve elime para geçince bir başka camiye vakfetmeyi nezrettiğim büyük duvar saatimiz gibi bundan tam on iki sene evvel, çok sıkışık bir zamanımda, güpegündüz bütün yakalanma tehlikesini gözüme alarak, kendisini tutan son duvar parçası da koptuğu için olduğu yerde, Naşit Beyin çiftesiyle vurduğu kuşların kanadı gibi sarkan bu parmaklığı bir antikacıya otuz kâğıda satmıştım.

O zaman bu otuz kâğıt beni Andronikos Kayser'in bütün definesini elde etmişim veya Aristidi Efendinin imbiklerinde bütün dünyanın cıvalarını altın yapmışım gibi sevindirmişti.

O gün o para ile karım Pakize'ye ufak tefek hediyeler almış, büyük baldızımın —musıkî meraklısı olan— udunu bilmem kaçıncı defa olarak; fakat bu sefer derhal geriye alacağımdan emin olarak, tamire vermiş, dördüncü kere büyük bir cesaretle güzellik müsabakasına girmeğe hazırlanan ve bu iş için bize yeniden bitmez tükenmez masraf kapıları açan küçük baldızıma, genişçe ve asıl elbiseyi hiçbir suretle tutmayan, bu itibarla son derece göz alan ve binaenaleyh yüzde doksan dokuz kıraliçeliğini sağlayacağına Pakize'nin inandığı bir kemer tedarik edebilmiştim. Ayrıca da son iki lirasını eski ahbabım yaymacı Ali Efendiye vererek ondan üç akşam evvel semtimizdeki açık hava sinemasına çoluk çocuk girebilmek için rehin olarak bıraktığım komşumuz bakkal Hulki Efendinin saatini geri almıştım.

Geçici de olsa bu parmaklık evime çoktan beri görmediğim bir rahatlık ve genişlik getirmişti. Fakat ne olsa içimde bir keder vardı. Kendi mazime ve bilhassa çocukken yaptığım bir ahde ihanet etmiştim. Kaldı ki uzun zamanlar bu parmaklığın hemen arkasında yatan kocaman taş kavuklu adamın evliyalığına belki de yanı başında alabildiğine büyümüş dut ağacı yüzünden inanmıştım. Annemin son hastalığında iyileşmesi için her akşam ona gider dua eder, parmaklığın tam önünde mumlar yakardım.

Dört sene evvel, zaman zaman uğradığım antikacı dükkânlarından birinde, —tabiî artık bir şeyler satmak için değil, almak, Villa Saat'i süslemek için— depoyu gezerken birdenbire bu parmaklığı görmeyeyim mi? Eğer fiyatının birkaç misli artacağını bilmeseydim, derhal üstüne atılır, eski bir dost gibi kucaklardım. Fakat ne dersiniz! Hain Yahudi bütün gayretime rağmen işi yine anladı. Belki de hafifçe omuzumu dönmeme rağmen ellerimin nasıl titrediğini fark etmişti. Onun için bütün dikkatimle Hint işi bir rahle üzerinde yaptığım pazarlıktan sonra sorduğum suale, "Dokuz yüz lira... Çok iyi bir şeydir. Konya'dan geldi. Müzelik eşya..." cevabını verdi. Otuz lira ve dokuz yüz lira. Tam otuz misli bir fark. Âdeta oğlumun dediği gibi karesi! Nerde ise rakamların bu uygunluğuna aldanarak, "Peki! Siz eve gönderin..." diyecektim. Aklımı başıma topladım, yüz elliden tutturdum. O darıldı. Ben yüz altmışa çıktım. Bu sefer benim şakacı olduğuma karar verdi. Sanki her şerefesine ayrı bir merdivenden çıkılan bir cami minaresinde imişiz ve tam orta yerde buluşmak için kalın duvarların arasından birbirimizi gözleyebiliyor ve ona göre hareket ediyormuşuz gibi, o yavaş yavaş indi, ben adım adım çıktım. Fakat iyi hesaplıyamamış olacağım ki, Mandalin Efendi binden bir basamak üstte, dört yüz yetmiş beşte durdu kaldı. Belki de bu mağlûbiyetin intikamını almak için parayı verdikten sonra eğildim, hâlâ alt tarafından çocukken yaktığım mumların izi görülen parmaklığı öptüm. Artık bu mazi hâtırasına kavuşmaktan gelen sevincimi gizlemeğe lüzum görmedim. Hattâ daha ileriye gittim:

– Mandalin Efendi, dedim... Bugün hiç de iyi tüccar değildiniz. Müzelik olmasına müzelik olan, fakat, Konya'dan gelmediğini herkesten iyi, hem çok iyi bildiğim bu parmaklığı bana daha çok pahalıya satabilirdiniz...

Mandalin bir müddet yüzüme baktı, sonra kollarını uçacakmış gibi havaya kaldırdı:

– Ne yapalım paşam, oldu... Oldu... dedi. Sen sağ ol... Hepimiz sağ olalım... Öbür müşteriler var!..

Kahvecibaşı Camii'nin mezarlığının parmaklığını evime getirdiğim, hususî hayatıma mal ettiğim için beni belki ayıplayacak olanlar bulunur. Şüphesiz bundan ben de az çok müteessirim. İşin içinde insanı rahatsız eden bir taraf var. Fakat düşününce kendime teselli imkânları da bulmuyor değilim. Evvelâ ne medrese, ne cami artık ortada yoktur. Binaenaleyh parmaklığı mutlak surette iadeye mecbur olduğum bir sahibi mevcut değildir. Vâkıa bu parmaklığı yerinden sökmüş olmakla bu binanın toptan ortadan kalkmasına biraz da ben sebep olmuş olabilirim. Fakat ne kadar eski ve harap olduğunu yukarda anlattım. Ayrıca onu hangi zarurî şartlar altında yerinden söktüğümü de biliyorsunuz. Kaldı ki, bu harap binanın yerinde yapılan apartmanları görünce insan ister istemez teselli buluyor. Semt âdeta şenlenmiş. Bu gidişle birkaç yıl içinde modern bir mahalle kurulacak! Ben artık modern adamı, modern mimariyi, modern konforu seviyorum.

Mezarlığın ortadan kalkması, o canım yazılı, işlenmiş taşların, musluk taşı, ayna taşı, radyatör rafı gibi şeyler olması da beni o kadar üzmüyor. Kahveci Salih Ağanın evliya olmadığını çoktan biliyorum. Zaten ona yaptığım adaklara, yaktığım mumlara rağmen annemin yine ölmüş olmasını, evliya olsun veya olmasın onu daha o zamanlarda kendisine affetmemiştim. "Şehrin ortasında bir mezarlık eksik" diye bu yaşımda oturup ağlayacak değilim her hâlde! Modern hayat ölüm düşüncesinden uzaklaşmayı emreder!

Hem ne oluyor kuzum, kendi hayatımızı mı yaşayacağız. Yoksa ölüleri mi bekleyeceğiz?

Parmaklığın kendisine gelince, bu güzel sanat eserini ilk keşfeden, onun karşısında hayranlık duyan benim. Onun güzelliğini ben fark ettim. Onu antikacının dükkânında ben yakaladım. Herhangi bir anlayışsız ele düşmesini ben önledim. Hulâsa onu ben kurtardım. Kurtardığım şeyi kendi evimde emniyet altına almam, bir daha olur olmaz maceralara düşmemesini temin etmem kadar doğru bir şey olur mu? Sonra ondan benim kadar kim zevk alabilir? İnce arabeski arasından kendi mazisini, bütün o garip insan kalabalığıyla beraber kim seyredebilir?

Bu satırları yazarken ara sıra başımı kaldırıp ona bakıyorum. Bir kaç adım ötesindeki yazılı kavağın, sedre ağacının –onu da Boğaziçi'deki eski bahçeden söktürmüştüm– altında torunlarımın, en küçük kızımla Cenab-ı Hakk'ın altmışımdan sonra bana ihsan ettiği Halide ile beraber oyunlarını seyrediyorum. Ellerinde küçük renkli kovalar, kürekler, bahçenin kumlarını doldurup boşaltıyorlar. Yanıbaşlarında dadılarının, kızım Zehra'nın kendi çocukları için tutmak gafletinde bulunduğu o susak İsveçli kızla, benim Halide için bulduğum, şirin, güler yüzlü, balık etli, hafif buğday tenli Asiye Hanımın beklemesine rağmen iyice biliyorum ki, şu anda asıl onlarla meşgul olanlar, onları koruyanlar, neşelerini hakkıyla tadanlar büsbütün başka varlıklardı. Evet, neden yalan söyleyeyim, ben Nuri Efendinin, insan canlısı Abdüsselâm Beyi, hattâ Aselban'ın hediyesi yırtık cübbesiyle Seyit Lûtfullah'ın şu dakikada onlarla beraber olduklarına inanıyorum. Kim bilir belki de kısa entarisinin altından mavi donu o kadar zarif şekilde sarkan Halide'yi çiçek tarhlarından birinin ortasındaki güneş saaatine öyle düşe kalka götüren ve orada iki eliyle taşa abanarak düşünmesine sebep olan Nuri Efendinin kendisidir. Bu çocuğa Pakize'nin arzusu üzerine rahmetli Halit Ayarca'nın adını verdiğime ne kadar isabet etmişim. Gün geçtikçe ona benziyor. Küçük gül yaprağı yüzünde onun çizgileri peydahlanıyor, hattâ tabiatı bile yavaş yavaş o tarafa kayıyor. Onun gibi iradesini herkese kabul ettiriyor, hoşuna giden her şeyi istemeden elde ediyor.

Bu demektir ki, Seyit Lûtfullah'ın adlarımızın talihlerimiz üzerindeki tesirleri hakkında söylediği şeyler hiç de mübalâğalı değilmiş. Eminim ki, Halide'ye başka birinin adını verseydim, rahmetli velinimete bu kadar benzemezdi.

X

1912 yılı hayatımın en ıstıraplı yıllarından biri oldu. Bu yılın hemen başında Nuri Efendi öldü. Onun ölümü ile hayatımda bir yığın mesele çıktı. Daha cenazeden dönerken kendimi on yedi yaşıma rağmen işsiz güçsüz buldum. İki yıl evveline kadar zar zor idadî tahsilime devam etmiştim. Fakat bilhassa Seyit Lûtfullah'la dostluğum arttıktan sonra mektebin semtine bile uğramaz olmuştum. Şimdi kendimi ortada hissediyordum. Mektep, gençlik için daima ehemmiyetlidir. Her şeyden sarfınazar o yaşlarda ömrün en azaplı meselesi olan "Ne olacağım?" sualini geciktirir. Bırakın ki vaktinde yetişir, sonuna kadar sabreder, aktarmaları tam zamanında yaparsanız, içindekini behemehal bir yere götüren trenlere benzer. Ben bu trenden vaktinden çok evvel âdeta çölün ortasında inmiştim.

Etrafımda yavaş yavaş beni hedef alan, üzerimde yüksek sesle düşünen bir teşhis uğultusu, çok cömert ve insanî bir endişe başlamıştı. Annemin dilinden "Bu çocuk ne olacak?" sözü düşmüyor, komşular babamla her karşılaştıklarında söze, "Oğlanı ne yapacaksın?" sualiyle başlayorlardı. Kimisi behemehal okumam, kimisi bir sanat sahibi olmam lâzım olduğu fikrinde idi. Ve hepsi birden babamın bu işi her türlü zecrî tedbire baş vurarak halletmesini istiyorlardı.

– Bir iş tutacağı yok, bari şunu evlendirsen... fikrinde bulunanlar bile vardı.

Bu suali ben de kendi kendime soruyordum. Vâkıa meslek, iş, kazanç düşünmüyordum. Fakat gün ve zaman denen bir şey vardı ortada. Onu harcamak lâzımdı. O vakte kadar saatten başka bir şeye merak etmemiştim. Ondan da büyük bir şey anlamıyordum. Rahmetli Nuri Efendiden saat hakkında bir yığın malûmat edinmiştim. Fakat ciddî şekilde saatçiliğe yanaşmamıştım. Üstelik sakardım. Elimle gözüm beraber çalışmaktan uzaktı. Her ikisi birbirinden ayrı yaşıyorlardı. Yaradılıştan amatördüm. İş olarak üstüme aldığım her şeyden çarçabuk sıkılıyordum. İçimde birdenbire bir yol açılıyor ve ben elimdeki işten sessizce ona kayıyordum. Mektepte, Nuri Efendinin muvakkithanesinde, babamla yedi yaşımdan beri her Cuma ve Perşembe günleri gittiğimiz dergâhlarda bu hep böyleydi. Bununla beraber bir şey yapmam lâzımdı. Muvakkithanenin biraz ilerisinde ihtiyar bir saatçinin yanına çırak girdim. Adamcağız fakir ve işsizdi. Ekmek parasını güç çıkarıyordu. Bununla beraber beni kabul etti. Kendi tamir edeceğim saatlerin parasından bana birkaç kuruş vermeğe bile razı oldu. Fakat talihime dükkâna o günlerde müşteri uğramıyordu. Usta çırak sessiz sadasız karşı karşıya oturuyorduk.

Hiç de Nuri Efendiye benzemiyordu. Saat hakkında hiçbir fikri ve felsefesi yoktu. Bir gün Nuri Efendiden öğrendiğim şeyleri şöyle bir tekrarlayayım dedim, hiçbir şey anlamadı. Saat insana benzer, der demez, "Buraya bak, ben delilikten hoşlanmam!" cevabını verdi.

Öbür yandan Seyit Lûtfullah peşimi bırakmıyordu. Gaip âlemle münasebette benim yardımıma alışmıştı. İkide bir dükkâna geliyor, "Haydi kalk! Emir geldi. Etyemez'e gideceğiz!" diyor. Bana izin vermesi için ustaya rica ediyor, olmazsa onu cinlerle tehdit ediyordu. Etyemez, Eyüpsultan, Vaniköy, hulâsa bütün İstanbul bizimdi. Yarı topal bacağını sürükleye sürükleye, başında kirli sarığı, en ufak rüzgârda şişen cübbesi, o önde ben arkasında, karışık ve yamalı kıyafetimle dolaşıyorduk.

Buna rağmen iyi kötü ihtiyar adamın yanında birkaç ay çalıştım. Evet, Asım Efendi saatin felsefesini bilmiyordu; fakat saat tamirini biliyor ve insana bir şeyler öğretiyordu. Yazık ki, kötü bir hâdise beni dükkândan ayrılmağa mecbur etti. Günün birinde Seyit Lûtfullah dükkâna tamir için verilmiş saatlerden birini aşırdı. Hâdise ortaya çıkınca ben itham edildim. Saatlerce karakolda kaldım. Nihayet bir gün evvel onun dükkâna geldiği hatırlandı, çağırdılar. Adamcağız saati Andronikos Kayser'in hazinelerinin başında yakılacak tütsüyü satın almak için aşırdığını söyledi. Ve yok pahasına sattığı yeri de gösterdi. Bu işi huddamının ısrarıyla yaptığını, bu gibi define araştırmalarında behemehal çalınmış bir şeye lüzum olduğunu iddia ediyordu. Böylece asıl kabahatli meydana çıkınca ben salıverildim. Fakat biçareyi orada o hâlde bırakmak istemediğim için bir türlü gidemiyordum. Nihayet Abdüsselâm Beye haber vermeği akıl ettim. Onun yardımıyla esrarkeşlik ve hırsızlık cürümleri yüzünden mahkemeye gitmekten kurtuldu. Abdüsselâm Bey birkaç mecidiye ile saati satıldığı yerden tekrar satın aldı. Fakat Asım Efendi beni artık istemiyordu. Hakkı da vardı. Bu kadar münasebetsiz ve mesuliyetsiz dostları olan bir çırak daima tehlikeli bir şeydi.

XI

Bu saat hâdisesi evimizde karakoldakinden şüphesiz daha mühim ve benim için daha tehlikeli ve rahatsız edici akisler uyandırabilirdi. Fakat tam ertesi günü olan bir hâdise, aile hayatımızı kökünden sarstı, babamın hiddetine, annemin bitmek tükenmek bilmeyen şikâyet ve üzüntülerine büsbütün başka bir mecra verdi. Bu daima böyledir. Hâdiseler kendiliğinden unutulmaz. Onları unutturan, tesirlerini hafifleten, varsa kabahatlilerini affettiren daima öbür hâdiselerdir. Filhakika babamın benim yüzümden palas pandıras karakola çağırıldığının hemen ertesi günü halam öldü. Ve ikindiden biraz sonra tam gömülürken tekrar dirildi. Bu çift hâdise bütün aile hayatımızı alt üst etti. Babam onların tesirinden bir daha kurtulamadı.

Halam, babamın yeryüzünde tek akrabası idi. Belki de bu yüzden birbirlerine huy, mizaç, hattâ sıhhat itibariyle taban tabana zıt idiler.

Babam kanlı canlı, taş yese öğütür cinsten bir adamdı. Müthiş bir yaşamak, harcamak iştihası vardı. Kâinat onun için harman gibi satıp savrulacak bir şeydi, yahut da etrafı böyle hükmediyordu. Halam ise zayıf, çocukluğundan hastalıklı, kindar, içine kapanıktı. Babam çok dindar olduğu hâlde neşeli, saza, söze meraklı idi. Halam neşesiz, somurtkan, son derecede sofu, kibirli, alıngan, nefsine hakikî bir düşman muamelesi yapmaktan hoşlanan bir kadıncağızdı. Bu iki ayrı insan yalnız bir noktada birleşirlerdi. İkisi de sıkıntı içinde yaşarlardı. Daima hayalperest, olmayacak ümitler içinde yaşayan babam parasızlığı yüzünden sıkıntıda idi. Rahmetli kocası Süpürgeciler Kâhyası'nın oğlundan, Etyemez'deki konaktan başka birkaç han, hamam ve bir iki sarrafta işletilen para, bir yığın eshama konan halam ise hasisliği yüzünden yarı aç, yarı tok, kıt kanaat bir hayat geçiriyordu. Hattâ parasını yerler korkusuyla tekrar evlenmeğe bile cesaret edememiş, on altı odalı koca konakta yarı deli bir ahretlik ve kendisi kadar sofu, hasis, üstelik de dedikoducu ihtiyar bir kalfa ile yalnız başına bir baykuş gibi yaşamıştı. Kocasının ölümünün hemen haftasında işlerine biraz fazla karıştığı için babamın evine gidip gelmesini menetmişti. Onun için halamı ancak, bayram kandil gibi mübarek günlerde elini öpmek için evine gittiğimiz zaman görürdük. Bir de ramazanların ikinci haftasını camilere yakın diye bizim evde geçirmeği âdet edinmişti. Biz evine gittiğimiz zaman İstanbul'un en ucuz ikramlarını görür, envai nasihatlerle en ucuz cinsten hediyelerini alardık. O bize geldiği zamanlar ise ikramda en ufak bir kusuru kabul etmez, kıyametleri koparırdı. İki hizmetçisiyle beraber bu huysuz misafiri ağırlamak korkusu evimizi daha iki ay evvelinden sarardı. Filhakika bize gelir gelmez hayat görüşü değişen, iştahı açılan halamı bir hafta ağırlayabilmek, ancak şabandan itibaren başlıyan ve gittikçe ağırlaşan bir perhizle kabil olabilirdi. Fakat en gücü, bu bir hafta içinde halamın nasihatlerine, tenkitlerine tahammüldü.

Hakikatte ne babamı, ne de bizi severdi. Hattâ sevmediğini açıktan açığa göstermekten âdeta zevk duyardı. Onun bizim şahsımızda ve ailemizde hısım akrabadan daha ziyade mirasçıyı gördüğü muhakkaktı. Evcek, onun için, ölüm denen korkunç şeyin arkasında işleyen makinanın bir kolu, hattâ netice düşünülürse bütünü idik. Halam bir gün ölürse, mirası dolayısıyla, bizim için ölmüş olacaktı. Her hareketimizden mâna çıkarır, en iyi niyetli sözlerimizden bizi itham ederdi. Bize verdiği nasihatler de bu mevzuda olurdu. "Kimsenin ölümünü beklemeyin, en büyük günahtır!" sözü dilinden düşmezdi. Hakikatte –hiç olmazsa ilk zamanlarda– hiç kimsenin böyle bir düşüncesi yoktu. Babam kardeşine acır, hattâ mesut olmasını bile isterdi. Dul kaldığı zaman ahbabımız avcı Naşit Beyle evlenmesi için çok ısrar etmişti. Fakat çirkinliğine iyiden iyiye kani olan halam, bu fikre hiç yanaşmamış, "Ben paramı yedirecek adam aramıyorum" demişti. Hakikatte bu evlenme tasavvurunu babamın bir dolabı addediyordu. Bilhassa tam bu fikir ortaya atıldığı zaman babamın benimle Naşit Beyin kızını –çok küçük yaşlarımıza rağmen– nişanlamış olması bu düşünceyi onda uyandırmıştı.

Bir defasında bir hastalığı esnasında babam vizite parasını kendi cebinden vererek bir doktor götürmüştü. O gün, "Acele etme! Nasıl olsa hepsi sana kalacak!" diye babama bağırdığını ve ikisini beraber kovduğunu evde hemen herkes sık sık hatırlardı.

Son zamanlarda işleri epeyden epeye bozulduktan sonra babamın, halamın mirasına tek kurtuluş ümidi olarak bakmağa başladığını inkâr edemem. Kaldı ki, halamın sıhhati, takip ettiği sıhhat rejimi sayesinde –az yemek, hiç kımıldamamak, daima parasını düşünmek vesaire– adamakıllı bozulmuş, ahlâkı da büsbütün kötüleşmişti. Babama hiç rahat vermiyor, çok yakın addettiği mirasına karşılık ondan akla gelmez fedakârlıklar istiyor, her vesile ile adamcağızı azarlıyor, hırpalıyordu. Hulâsa halam yavaş yavaş babam için bir kardeş olmaktan çıkmış, bir dert hâline gelmişti.

Sona doğru halamın yarı vücudu işlemez olmuştu. Bu yarısı işlemeyen vücutla onun yaşamakta ve bilhassa kendisine eziyet etmesinde devam etmesini babam bir türlü anlayamıyor, bunu ancak kendisine karşı tâ çocukluktan beri beslediği zalim hislere yoruyordu. Bir kelime ile, babama göre halam sadece ona inadından yaşıyordu. Etyemez'deki konakta akşama kadar bu yatalak kadının her türlü cefasını çektikten sonra her eve dönüşte:

– Hiç imkân var mı? diyordu. Bu hâlde bir insan hiç yaşayabilirmi? Menhus bana düşmanlığından yapıyor. Ama Allah büyüktür...

Bu söz de gösterir ki; bu işte babam kendini doğrudan doğruya mazlûm addediyordu.

Nihayet mukadder gün geldi. Deli ahretlik iki gözü iki çeşme babama, halamın vefatı haberini getirdi. Babam acele ile konağa gitti. Lâzım gelen tedbirleri aldı. Namazı Lâleli'de kılındı. Defin işlerini komşumuz İbrahim Beye havale eden babam namazdan sonra konağa el koymak ve herhangi bir şeyin kaybolmasını önlemek için doğrudan doğruya Etyemez'e dönmüştü. Zannıma göre bu işte en büyük hatası da bu olmuştu. Birdenbire miras ve mal kaygısına düşmemiş olsaydı, evvelâ halam vaktinde gömülmüş olacak, yani tekrar dirilmesi ihtimali azalacaktı. Sonra da böyle bir şey vâki olsa bile babamı başı ucunda meyus ve perişan, iki gözü iki çeşme ağlar, yakasını yırtar görmesi elbette ki çok başka türlü tesir ederdi. Halbuki iş tam aksine olmuştu. İbrahim Bey babamın bu iş için verdiği paradan kendisine de bir şeyler arttırabilmek için Süpürgeciler Kâhyası'nın gelinini âdeta bir fakir cenazesi gibi kaldırmıştı.

Diğer taraftan aileden kimse bulunmadığı için yanına gömüleceği rahmetli zevcinin mezarı güç bulunmuş, geç kazılmış, araya bir yığın gecikme ve uygunsuzluk girmişti. Neticede tam kabir açılıp da kapağı ortadan kesilen tabut indirileceği zaman halam birdenbire etrafın ölüm sandığı laterjik uykudan uyanmış, ve öyle herhangi bir vaziyetten şaşıracak bir mahlûk olmadığı için, tabutun kapağını zorla kaldırarak etrafa bakmış, "ve daima mütehallik olduğu cevdeti kariha sayesinde" durumu bir lahzada kavrayarak cenazede tek yakından tanıdığı Etyemez imamına: "Haydi çabuk, beni eve götür..." emrini vermişti.

İbrahim Beyin anlattığına göre cenazede bulunan kalabalığın büyük kısmı korkudan kaçtığı için, tabutun Merkezefendiden tekrar eve getirilmesi hayli güç olmuş. Hattâ halam kaçamayacak kadar korkanları azarlamasaymış, bu iş biraz imkânsızlaşırmış. Filhakika ilk iş olarak imamdan, kazıcılardan birinin orada çukurun yanında bıraktığı paltomsu şeyi isteyerek sıkı sıkıya örtündükten sonra yarı beline kadar dışarda, yarı belinden gerisi içerde, oturduğu bu garip sedyenin içinden bütün harekâtı halam kendisi idare etmiş, evvelâ Etyemez'deki konağa kadar kendisini taşayacak olanlarla sıkı bir pazarlık etmiş –halbuki "Getirdiğiniz gibi götürün!" de diyebilirdi ve ondan daha ziyade bu beklenirdi!– hattâ şehre girdikten sonra ilk rast geldikleri poğaçacı dükkânından karnını doyuracak bir şeyler bile aldırmış.

Böylece çöreklerini yiye yiye âhiretten dönen bu acayip ölünün arkasına sokakta her rast gelen takıldığı için halam vaktiyle gelin olarak girdiği eve âdeta birkaç mahallenin, hattâ bütün semtin yarı halkını peşinden sürükleyerek, tam bir zafer alayı ile dönmüş.

Bu esnada babam, olan bitenden habersiz, hizmetçileri sindirmiş, kardeş hakları namına zaptettiği evde kömürlükte gömülü olanlara kadar, yükte hafif pahada ağır ne varsa hepsini meydana çıkarmış, odanın ortasına yığmış, cepleri halamın başının ucundaki çekmecedeki mücevherler, tahviller ve altınlarla dolu, "Daha ne kaldı acaba?" der gibi etrafına bakınıyormuş. Bense tâ çocukluğumdan beri merakımı çeken; fakat bir türlü şöyle yakından dokunmak fırsatını bulamadığım yemek odasının saatini sökmüş, harıl harıl tamire uğraşıyordum.

Kapıyı halama ben açtım. Yere indirilen tabuttan, kendini çıkarmaları için kısa birkaç emir verdi. Tarihin kaydettiği meydan muharebelerini kazanan hiçbir kumandan şüphesiz kapısının önünde tabuttan indirilen bu kadın kadar soğukkanlı olamazdı. Soğukkanlı ve heybetli. Tarih kitaplarında resimlerini gördüğüm kayserler gibi bir şeydi bu. Yazık ki, halam, bana o anda kendisine karşı duyduğum hayranlığı anlatmak fırsatını vermedi. Hattâ alkışlamak imkânı bile bırakmadı. Kapıdan beni iterek girdi ve yüzüme bile bakmadan:

– Nerde o baban olacak herif?.. diye sordu.

Korkudan, heyecandan, hayranlıktan atan çenemle yukarıyı işaret ettim. Yanındakilere, "Beni yukarı götürün! Çabuk..." diye emretti. Fakat onları beklemeden, hiç kimsenin yardımı olmadan kendi kendine merdivenleri çıktı. Herkes bir kat daha şaşırmıştı. Kötürüm halam, öleceği beklenen, ölen halam, yardımsız yürüyor, koşa koşa merdivenlerden çıkıyordu.

Babamı ikinci evlenişinden sonra pek sevmezdim. Hangi hâllerinin yapmacık, hangilerinin doğru olduğunu bilmediğim için de sızlanışlarına çokluk acımazdım. Bununla beraber o günkü hâlini hiçbir zaman unutamam. Birkaç saat evvel cennetteki mekânına gönderdiğini sandığı huysuz ve hasis kardeşini böyle sırtında kefen, karşısında görür görmez, adamcağızın korkudan, şaşkınlıktan âdeta dili tutulmuştu. Yüzü muşamba gibi sararmış, bütün vücudu ile titriyordu. Aralarında hiçbir karşılıklı konuşma olmadı. Halam yalnız, "Aldıklarının hepsini çıkart!" dedi.

Babam:

– Hoş geldin kardeşim... diye bir şeyler kekelemek istedi ve titreyen elleriyle ceplerine, koynuna doldurduklarının hepsini teker teker çıkardı. Beş dakika sonra küle basılmış sülük gibiydi. Bütün aldıklarını hattâ fazlasıyla vermişti. Fazlasıyla, çünkü istikbal için beslenen ümidi dahi oracığa bırakmıştı. Büyük bir dikkatle hareketlerini takip eden halam babamın canından başka geriye alınacak bir şeyi kalmadığını anlayınca olduğu yerden:

– Haydi, şimdi git! dedi. O budala oğlunu da al götür, o kalabalık da defolsun... Safinaz, sen benim yatağımı yap! Bir ıhlamur kaynatın bana... Çabuk olun, çok üşüdüm... Dışarda soğuk var...

Biz baba oğul çarpılmış gibi evden çıktık.

İtiraf edeyim ki, bu garip hâdise benim üzerimde babama yaptığı tesiri yapmadı. Halam şüphesiz bize karşı çok büyük bir haksızlık etmişti. Fakat ben hiçbir zaman hak diye kendime ait bir şeye inanmadım. Bütün mazlûm doğmuşlar gibi başıma gelen talihsizliğin neresinden ve ne pahasına kurtulursam kâr sayardım. Mesele yalnız bir hak anlayışı değildir. Daha karışıktır. Hayatımı düşündükçe –yaşım buna müsaittir– daima kendimde seyirci hâleti ruhiyesinin hâkim olduğunu gördüm. Başkalarının hâlini, tavırlarını görmek, onlar üzerinde düşünmek, bana kendi vaziyetimi daima unutturdu.

O gün de şüphesiz böyle olmuştu. Halamın tekrar dirilmesiyle kaybettiğimiz şeylerden ziyade gözümün önündeki şeyler beni yakalamıştı.

Fakat dahası var. Eğer babam eve dönmek için bir kira arabasına binmeğe razı olacak kadar perişan olmasaydı, ailem içinde böyle işitilmedik ve görülmedik bir hâdise vuku bulduğu için sevinirdim bile.

Halamın o heybetli hâli, onun karşısında babamın o garip duruşu arabada bizim hesabımıza dövüne dövüne günün olan bitenini babama anlatmağa çalışan İbrahim Beyin şaşkınlığı öyle sevinilmeyecek hattâ gülünmeyecek şeylerden değildi. Asıl garibi evcek bütün selâmetimizi bağladığımız, seneler boyunca beklediğimiz, ümitlendiğimiz bu mühim hâdiseden, dünyanın en büyük harfleriyle, en keskin ışık reklamlarıyla halamın vefatından, bir an, baba oğul el koyduğumuz konaktan, Süpürgeciler Kâhyası'nın servetinden kocaman bir saat rakkasının cebimde kalmasıydı.

Evet, babam ne derse desin, ben halamın mirasından hissemi almıştım. Bir ara İbrahim Bey babamın yüzüne korka korka bakarak: "Bütün kabahat bende oldu" diye hayıflandı. "İşi daha çabuk tutabilirdim."

Babam yavaşça başını kaldırdı:

– Üzülme İbrahim Bey... Takdiri İlâhi böyleymiş... diye mırıldandı ve arkasından ilâve etti:

– O zaman asıl fenası olurdu... İnşallah ibret alır da dedemizin vasiyetini o yerine getirir. Şimdi sıhhatte artık...

Pek az insanın başına gelen bu hâdiseden sonra babam bir daha düzelmedi. Ne dilindeki ağırlık, ne de ellerindeki titreme geçti. Artık talihe karşı hiçbir mücadelede bulunmak hevesi kalmamıştı.

Herkes hayatının bir devrinde şu veya bu şekilde talihinin şuuruna erer. Babam, ve hepimiz, onunla en zalim şekilde karşılaşmıştık. Babam bunu o kadar iyi biliyordu ki, bütün bu olan biten şeylerde kendi sabırsızlığının, kendi ihtiyatsızlığının payını bile düşünmeğe lüzum görmüyordu. Garip bir sükûnete kavuşmuştu. Kendi köşesinde sessiz sadasız oturan bir adam olmuştu. Yalnız ara sıra, bilmem niçin sofanın duvarına astığı ve bir daha oradan kaldırılmasına razı olmadığı saat rakkasına bakar ve sonra acayip ve mazlûm bir gülüşle gülümseyerek yerinden fırlardı.

Bütün ömrünce o kadar çok konuşan, kızan, bağıran, şüphelenen sızlanan adamın böyle birdenbire susması, her şeye sükûnetle katlanması beni hâlâ bile düşündürür.

Her insan, ne kadar müspet yaradılışta olursa olsun ölümünden sonra tekrar dirilmeyi düşünür, özler. Bu hayat dediğimiz mihnetler silsilesinin çok ileri zamana, müpheme atılmış bir mükâfatı gibidir. En müsait ve daima kazanacak kâğıtlarla oynanan bir oyun gibi, yeniden, âdeta baştan aşağı beğenmemek, inkâr etmek, değiştiğinden dolayı sevinmez için kalmışa benzeyen küçük bir mazi şuurundan başka her şeyi, her tarafı değişmek, güzelleşmek şartıyla tekrar yaşamağa başlamak insanlığın elbette vazgeçemeyeceği bir hulyadır.

İşte halam milyonda bir insana ancak nasip olabilen bu saadeti tattı. Vâkıa bu, bâsübâdelmevt filân gibi tabirlerden beklenildiği şekilde tam ve yeniden bir doğuş olmadı.

Ebedî uçurumun başından o kadar beklenmedik şekilde döndüğü zaman dahi, yine bildiğimiz halamdı. Fakat tâ içinde, çok mühim bir şey değişmişti. Bu değişme, isterseniz bu ihtilâl veya inkılâp –halamın hayatı dediğimiz ve evcek, hattâ bütün tanıdıklarca kabul ettiğimiz düzeni bozduğu için ona bu son isimleri de verebiliriz– kanaatımca şu üç esaslı noktada toplanır:

Evvelâ halam, muvakkat ölümünden sonra kendisini o hasta ve mecalsiz hâlinde dahi âhiretten geriye getiren vücudunu bir daha eskisi gibi hor görmedi. Ve onu elinde olmayan kusurlar yüzünden –çirkinlik, biçimsizlik, yaşlılık gibi– haksız yere mahkûm etmedi. Hattâ bu vücudun dünya dediğimiz bu kör döğüşünde tek dayanağı olduğunu iyice kafasına koydu ve kadrini bildi.

İkinci değişiklik serveti hakkındaki düşüncelerinde oldu. O kadar bağlı olduğu, kendisini sadece bir bekçi sandığı bu serveti birkaç saat için olsa bile kardeşinin, yani kendisi için ne kadar aziz olursa olsun bir başkasının ellerinde ve cebinde, böyle kolayca sahip değiştirmiş gördüğü andan itibaren, onun kendi şahsıyla olan münasebetlerinin yeni baştan ve yeni bir statükoya göre düzenlenmesi,ihtiyacını duydu. O zamana kadar, "Her ne pahasına olursa olsun saklayacağım ve arttıracağım!" diyen ve evinin kömürlüğünü bir banka kasasına çeviren halam sanki o gün, "Hayır, ne saklayacağım, ne de arttıracağım. Oturup çıtır çıtır yiyeceğim!" kararını verdi.

Sanki o zamana kadar parasına göz koyduğunu sandığı insanlara düşman olan halam, birdenbire ihanetine şahit olduğu bu servetin kendisine düşman olmuştu.

Mutlak barış taraftarları ne derlerse desinler, bu düşmanlık hiç de ayırıcı bir şey olmadı. Bilâkis o zamana kadar birbirine zıtmış gibi ayrı kutuplarda yaşayan, yahut ayrı ayrı mevcut olmakla kalan iki şey, para ve halam, bu düşmanlık yüzünden birleştiler. Böylece muvakkat ölümüyle her şeyi birden bırakan halam, mucizeli dirilişiyle her şeye birden ve başka şekilde sahip oldu. Mezarın başından evine kadar ve o acayip şartlar içinde yalnız kendi iradesiyle ve etrafının iradesini yenerek gelen halam —çünkü bütün o kalabalık, bir ölüyü gömmenin rahatlığını, elbette onun tekrar dirilmesine ve kendisini evine kadar getirmeğe mecbur etmesine tercih ederdi— bu macerada yaşama denen şeyin tadını almıştı. İnceden inceye serpilen kar arasından yumuk yumuk gülen o mart güneşi, sur dışının o sert rüzgârı, etrafında gittikçe artan, âdeta uğuldayan kalabalık, yol boyunca yeniden kavuştuğu insan çehreleri o zamana kadar içinde uyuyan bir yığın şeyi kırbaçlamıştı. Hayat denen bir şey vardı. Paralı parasız insanlar yaşıyorlardı. Kızıyorlar, gülüyorlar, ağlıyorlar, alâkadar oluyorlar, seviyorlar, ıstırap çekiyorlar, fakat yaşıyorlardı. Kendisi niçin yaşamayacaktı? Hele bütün etrafın haset ettiği imkânlar elinde iken... Hulâsa evine gelirken hayatı, evinde de babamın ceplerinden ve koynundan zorla çekip çıkarttığı servetini bulmuştu.

Nihayet üçüncü değişiklik bizzat uzviyetinde olmuştu. Korku, ölümden kurtulmak sevinci, servetine kavuşma telâşı halamın kötürümlüğünü, sakatlığını yenmişti.

Netice? diyeceksiniz. Netice şu oldu: Şehrin hemen üçte biri tarafından zafer arabasında bir Sezar gibi evine getirilen halam uzun ve deliksiz bir uykudan sonra ertesi sabah sapasağlam yatağından fırladı. İlk işi imamı çağırtmak ve ona merhumun bütün elbiselerini, geçmiş hayatında hâtıra diye sakladığı şeyleri vermek oldu. Sonra bir arabaya binerek tek başına iş adamına gitti; ve onu da peşine takarak Beyoğlu'nun en iyi terzilerini ziyaret etti. Günlerce giyimiyle, kuşamıyla meşgul oldu. Bunlar yapılırken bir taraftan da Süpürgeciler Kâhyası Konağı temizlendi, tamir edildi, badanalandı ve baştan aşağı yeniden döşendi. Hattâ lastik tekerlekli siyah bir kupa arabası dahi alındı.

Arabanın geldiği gün eve bir uşak, bir erkek ahçı, yeni yeni oda hizmetçileri de girdi. Ve onların girdiği gün halam ahretle bütün alâkasını kestiğini göstermek için Safinaz Hanımdan ahret kardeşliği unvanını geri aldı. Ve kadıncağız bir kira arabasında iki sandı-

ğı ve cebindeki beş on kuruşla evden ayrıldı ve onun yerine, insan
oğlu daima insana muhtaçtır, bir hafta sonra avcı Naşit Bey hala-
mın ikinci kocası ve hepimizin eniştemiz sıfatıyla, kızı ve oğlu ile
beraber konağa yerleşti. Altı ay sonra da karı koca sıhhı vaziyetle-
rini düzeltmek için Viyana'ya gittiler. Dönüşlerinde Naşit Bey İtti-
hat ve Terakkî'ye mebus oldu. Biraz sonra halamın servetiyle ge-
nişçe bir ticarete girdi.

Bütün bu işlerde bizim saat rakkasından başka tek kazancımız
Safinaz Hanım olmuştu. Beşiktaş'taki akrabasında bir müddet otu-
ran Safinaz Hanım parasını bitirince birdenbire eski velinimetinin
bir kardeşi bulunduğunu, onun Edirnekapı'da dört odalı, küçük, ku-
tu gibi güzel, rahat, temiz bir evde yaşadığını hatırladı, içi boşalmış
sandığını cebinde kalan son çeyreği ile bir kira arabasına atarak
kalkıp bize geldi.

XII

Aristidi Efendinin ölümü altın arama işine son vermişti. Hala-
mın yeniden dirilmesi ve ölmesi ile miras ümitleri kapanıyordu.
Böylece elimizde son ümit olarak Seyit Lûtfullah ve onun arayaca-
ğı define kalmıştı. Münasebetsiz bir hâdise bu ümidi de hiç beklen-
medik bir zamanda kül etti.

Seyit Lûtfullah son zamanlarda Yemiş İskelesi taraflarında kü-
çük bir camide haftanın muayyen günlerinde va'zetmeğe başlamış-
tı. İşte bu vaazlardan birinde adamcağız birdenbire o zamana kadar
herkesten gizlediği mühim bir hakikati açıklamak ihtiyacını duy-
muştu.

Ortalığın gittikçe karıştığını, İslâm âlemini tehdit eden maddî ve
mânevî tehlikeleri, iyice sayıp döktükten sonra bu işlerin böyle gi-
demeyeceğini, bunlara son verecek Mehdi'nin gelmesi yaklaştığını
söylemiş ve vaazın nihayetinde son müjdeyi de vererek, "O Mehdi
benim!" demişti. "O Mehdi benim, fakat daha huruc etmedim. Fa-
kat yakında edeceğim. O zaman hepiniz etrafımda olacaksınız..."

Müphem bir zamana talik edilmekle beraber oldukça sarih olan bu müjdede Seyit Lûtfullah'ın o gün aldığı esrar miktarının elbette mühim bir hissesi vardı. Fakat böyle de olsa hükûmet, hele o zamanda, yani Mahmut Şevket Paşa'nın henüz öldürüldüğü, İstanbul'un bin türlü siyasî huzursuzlukla çalkandığı bir günde bunu hiçbir surette hoş göremezdi.

Bereket versin ki, esrarın dalgası geçtikten sonra, bilhassa ilk soruşturmada daha sarih konuşmak imkânını buldu. Aşelban'dan, Andronikos Kayser'in hazinelerinden, bu hazinenin başında iyi saatte olsunların yaptıkları muharebelerden, kendisine musallat olan huysuz ve hain, bir nevi beşinci kol kılıklı huddamdan epeyce bahsetti. Belki, bu Mehdilik fikrinin de onun haince bir telkini olduğunu söyledi. Böylece asıl kabahatlinin şimdilik hiçbir hükûmet ve zabıta kuvveti tarafından ele geçirilmesi imkânı olmayan huddamı "Abdazah" olduğu tespit edilince kendisine daha hususî bir muamele yapmak ihtiyacı hâsıl oldu.

Lûtfullah'ın tevkifinin hemen akşamında babam, ben, Abdüsselâm Bey, Nuri Efendinin yerine muvakkitlik yapan Ispartalı Sadi Efendi, polis müdüriyetine çağrıldık. Biz ifademiz alınsın diye koridorda beklerken, halamla evlendiğinden beri hiç görmediğimiz Naşit Bey geldi. Fakat ne gelişti bu...

Bu gelen hiç de tanıdığımız babacan, yüzünden sadece para sıkıntısı ve yaşamak zevki, yahut hasreti akan Naşit Bey değildi. Bütün varlığından bir vakar ve büyüklük taşıyordu. O zamana kadar hep düşük gördüğümüz bıyıkları dünyaya meydan okur gibi sivrilmiş, üzüntü ile kısık gözlerine tuhaf bir sertlik, baktığı şeyi delen ve ötesine geçen bir dikkat gelmişti. Sırtındaki eski avcı ceketini atmış, bal rengi pardösüsü, altın saplı bastonu ile ağır ağır, tanığı olduğumuz hâdisenin, yani oraya kadar gelişinin ehemmiyetini herkese anlatan adımlarla yürüdü. Önümüzden birkaç yüz bin liralık servetin ve İttihat ve Terakkî nüfuzunun bir remzi gibi gururla geçti ve Abdüsselâm Beyin de bulunduğu odaya girdi.

Beş on dakika sonra ikisi birden çıktılar. Babam bu vesile ile eski dostunda yeni eniştesini tebrik etti, saadet diledi. Ben, elini öpüp alnıma koydum. Hey gidi günler. Büyükçekmece yollarında ısrarla bana kızını ne vakit alacağımı soran, "Bir iki sene sonra behemehal damadımsın!" deyip de başka bir şey demeyen adam şimdi öpmek için elini bana âdeta zorla verdi ve geriye aldıktan sonra tekrar eldivenlerini geçirmeden evvel mendili ile bir iyice sildi, temizledi. Mamafih onun ve biraz da Abdüsselâm Beyin bulunmaları işleri kolaylaştırdı. Bu kadar mühim adamlarla konuştuktan sonra bizim gibilerin ifadelerini almak birdenbire lüzumsuz bir iş, hattâ çekilmez bir angarya gibi göründü. "İcabında yine çağırırız" sözüyle evlerimize gönderildik.

İki gün sonra da Seyit Lûtfullah, "esrarkeş ve meczup taifesinden, melekâtı akliyesine sahip olmayan, fakat bugünlerde serbest kalması da tehlikeli görülen" bir adam sıfatıyla Sinop'a gönderildi.

Seyit Lûtfullah'ın gittiği günün akşamı bir emniyet memuru evimize bir sepet içinde Çeşminigâr'ı getirdi ve iyi bakmamızı sıkı sıkıya tembih etti. "Hoca efendi kitaplarını beraber götürdü!" diyordu. Böylece Andronikos'un hazinelerinden de hissemizi almış olduk.

Fakat Çeşminigâr Safinaz Hanım gibi vefalı çıkmadı. Bizim evi bir türlü beğenmedi. Safinaz Hanımın, evin, etrafı seyredip tek nefes alacak yeri olan cumbanın önünden kalkmamasına mukabil, o hemen her fırsatta evden kaçtı. Semtte dolaşmadığı yer kalmadı. Hemen her gün ya biz, yahut komşulardan biri, Mihrimah Camii'nde, yahut komşu bahçelerden birinde veya bir araba atının ayakları dibinde buluyorduk.

Çok dikkat ettim, masallar adla başlar. Ceketinize veya boyunbağınıza eskiliği veya güzelliği yüzünden bir ad verin, derhal hüviyeti değişir, bir çeşit şahsiyet olur. Çeşminigâr'a mahalleli, belki de asıl ismini yadırgadığı için Emanet adını vermişti. Ve bittabi hiçkimse Emanet'in kaybolmasına razı olmuyordu. Mahallede herkes onun yüzünden âdeta gözü yerde dolaşıyordu. Bizde hasbî işlere verilen o büyük dikkat sayesinde, mutlaka bir yerde yakalıyorlar, koşa koşa eve getiriyorlar ve bizi azarlayarak Emanet'i teslim ediyorlardı. Böylece küçük, dışardan bakılınca verimsiz teşebbüslerle semtin coğrafyası hakkında tam bir fikir edindikten sonra bir gün tamamiyle ortadan kayboldu. Bu ağır haberi ben âdeta korka korka Seyit Lûtfullah'a bildirdim. Fakat Sinop kalesinden aldığımız cevap hakikaten şaşırtıcı idi. Safranlı mürekkeple ve kargacık burgacık bir yazı ile yazılan bu mektupta siyasî menfi, Çeşminigâr'ın Sinop'ta gelip kendisini bulduğunu, bu itibarla endişelerimizin beyhude olduğunu, kendisinin sıhhatte olduğunu, Seyit Bilâl civarında Ümmi Gülsüm hazinesini aramakla meşgul olduğunu; yakında bulacağını, o zaman bütün istediklerinin tahakkuk edeceğini söylüyor, bu vaziyet karşısında artık ihtiyacı kalmadığı Andronikos Kayser'in hazinelerini bana hediye ediyordu. "Sabah akşam buluştuğumuz ve sohbet ettiğimiz, beraberce seyrana çıktığımız Aselban seni dünya kardeşi yaptı. Ve sana Andronikos Kayser'in hazinelerini kardeşlik hediyesi verdi. Amma sen de kadrini bilmelisin. Hazine şimdilik Kız Kulesi altında olmakla, çıkarılması emri muhal gibi görünür, amma pek yakında duamız ve tertibatımız berekâtıyla çıkarılması eshel bir mahalle naklolunacağından zerre kadar endişe olunmaya. Amma ihtiyatla hareket gerektir. Feillâ..."

Böylece her şeyi kaybettikten sonra aşağı yukarı hepsini buluyor, yeni baştan servet ve kudrete sahip oluyorduk.

XIII

Seyit Lûtfullah'ın nefyinden sonra benim için, tekrar, ne olacağım meselesi meydana çıktı. İster istemez tekrar saatçi dükkânına gittim. Eski ustam, mâni ortadan kalktığı için beni sevinçle karşıladı. Fakat ben artık eski Hayri değildim. Nuri Efendinin muvakkithanesinde saatin sırrına hayrânlıkla, aşkla baktığım günler geçmişti. Araya başka örnekler girmişti. Seyit Lûtfullah'ın mektebinden geçmiştim. Hayat kelimesi ile çalışma kelimesi arasında kafamda hiçbir münasebet kalmamıştı. Hayat benim için iki eli cebinde uydurulan bir masaldı. Akşama kadar ihtiyar ve romatizmalı bir adamın dizleri dibinde oturup, onun şikâyetlerini dinleye dinleye çalışmak hoşuma gitmiyordu. Günün birinde mili, lupu ve dükkânın anahtarını önüne bıraktım. Cebimde bir gün evvelki gündeliğimden kalan beş on para ile sokağa fırladım. İlk solukta surlara kadar uzandım. Her şey birdenbire düzelmiş gibi mesuttum. O akşamı, Şehzadebaşı tiyatrolarından birinde geçirdim. Islık, alkış, kahkaha, satıcı sesi, sahne ışığı ve bilhassa o günlerde yeni meşhur olmağa başlayan bir Ermeni kızının baygın bakışları ve biberli sesi bana yeni bir ufuk açtı. Fakat en hoşuma gideni her gün sokakta, kahvede karşılaştığım bu adamların sahnede, ışığın ve bozuk mızıka gürültüsünün ortasında başka hüviyetlerle yaşamaları idi. Bu âdeta canlı bir rüya idi. O gece kararımı verdim. Üç gün sonra tuluat kumpanyalarından birinde idim.

Tabiî bana hiçbir mühim rol vermediler. Yaptığımızın fevkalâde bir iş olduğunu da hiç zannetmiyordum. Buna rağmen bu 1913 yılı, hayatımın en harika devri oldu. Gün baştan aşağı benimdi. Akşama doğru bir suikast hazırlar gibi yavaş yavaş tiyatroda toplanıyorduk. Sonra bir hay huydur başlıyordu. Davul, zurna, klârnet sesleri dışarda gecenin artık bizim olduğunu ilân ediyor, sahne ikinci bir dünya gibi hazırlanıyordu. Perdenin öbür tarafında müşteriler toplanıyor, ayak sesleri, gürültüler, çığlıklar, itişmeler, sabırsız ıslıklar salaşı kökünden sarsıyor, nihayet perde açılıyordu. Halk arasından ilk kantoları seyrediyorduk. İhtiyar kadın göbeği fincan gibi oynuyor, halk işin maskaralığını bile bile, belki de böyle olduğu için memnun, alkışlıyor, ıslık sesleri kumaşlar gibi yırtılıyordu.

Her şey fakir, eski, biçare ve hasisti. Fakat ben Seyit Lûtfullah'ın mektebinden geldiğim için bütün bu fakir ve biçare şeyler sırf yalan olduğu için kendiliğinden bana güzel görünüyordu. İlk giydiğim, Üçüncü Napolyon devri asılzadesinin pantalonu üç yerinden yırtıktı. Âşık olduğum kadın, daha iyisi kontes, ferah ferah annemi doğurmuş olabilirdi, fakat ne ehemmiyeti vardı? Mesele o anda adımın Hayri olmaması, gerçeğin dışında bulunmamda idi. Bu tek mânasıyla kaçıştı. Yalanın sihirli çizgisi içinde idim ve bu bana yetiyordu.

Neler oynamıyorduk? Repertuvarımızda her türlü şaheser vardı. Hiçbir Don Kişot bizim kadar cesaretle ve iç rahatı ile yeldeğirmenlerine hücum etmemiştir. Yazık ki üçüncü ayında tiyatromuzda sıkı bir tensikat başladı. Ben kadro haricinde kaldım. Bu sefer Kadıköyü'ndeki bir kumpanyaya girdim. Kuşdili'nde küçük bir salaşta oyunlarımız başladı. Vâkıa kazancım mühim bir şey değildi. Yol parasını güç çıkarıyordum. Fakat bu sefer kumpanya yeni ve şöhretsiz olduğu için kadınlar gençti ve ben hepsine, istisnasız, âşıktım.

Son vapurların yalnızlığında onların hayali ile bir evvelki yolculardan arta kalmış tahtakuralarını yüklenerek İstanbul'a dönüyordum. Şurası da var ki, bu sefer talihim biraz daha açıktı. İkinci, üçüncü derecede roller alabiliyordum.

Üçüncü merhale yine Kadıköyü'nde, bu sefer bir operet oldu. Alaturka ile alafranga arasında sallanan bir musikîde sesimi tecrübe ettim. Hüzzam, Hüseyni, babamla her perşembe akşamı ve cuma günü devam ettiğimiz tekkelerde beraberce okuduğumuz makamların bütün programı bu musikîye sığabiliyordu. Müdürümüz yalnız bir şey hususunda titizdi. Tek gözlüğünün camının temizliği! O pırıl pırıl yandıkça sanki dokunduğu her şeyi güzelleştiriyordu.

Operetten sonra bir orta oyunu, orta oyunundan sonra Abdüsselâm Beyin ısrarıyla girdiğim Darülbedayi tiyatrosu, Antuan'ın hiçbir şey anlamadığım dersleri... Beni bu acayip dünyadan yorgunluğunun bir türlü anlayamadığım bu kargaşalıktan Birinci Dünya Harbi kurtardı. Onunla sanki ilk defa ayağım toprağa bastı. Fakat çok geç kaldığımı hissediyordum.

İKİNCİ BÖLÜM
KÜÇÜK HAKİKATLER

I

Terhis olup da İstanbul'a döndüğüm zaman şehri, insanlarını değişmiş buldum. Her şey fakir, biçare ve alt üsttü. Babam harp içinde ölmüştü. Üvey anam evde tek başına yaşıyordu. Kapıdan girer girmez bu dört yılın beyhude geçtiğini daha ilk anda anladım. Evde hiçbir şey değişmemişti. Sofanın ve odaların kapısında daha yırtık, daha renkleri atmış, fakat dışarıya karşı yine eskisi kadar kapalı aynı perdeler sarkıyor, duvarlarda aynı levhalar asılı duruyordu. Sofadaki eski hasırın son parçası her adımda dağılmağa hazır, etrafı küf, rutubet kokusu ile dolduruyor, Mübarek daha tozlu, Kafkas çöllerinde hastalanmış bir çöl devesi gibi bitkin, kendi köşesinde hiçbir nizama girmeyen bir zamanı sayıklıyordu.

Daha ilk adımı atar atmaz, gerçekten baba evine, çocukluğuma, ilk gençliğime, ne derseniz deyiniz, döndüğümü anladım. Halbuki ben bu dört seneden neler beklemiştim? Şimdi ise içimde aynı hayat isteksizliği, her şeyi aynı umursamamak vardı.

İlk günler o kadar üzücü olmadı. Üvey anam şefkat için doğmuştu. Acınacak derecede yalnızdı ve bu yalnızlığı içinde benim düşünceme yapışarak yaşamağa öyle alışmıştı ki, geldiğim gün sevincinden ölecek sandım. Dört sene, o zaman oldukça geniş olan bahçenin her meyvasından o sıkıntı içinde ayrı ayrı reçeller kurmuş ve saklamıştı. Bunu ilk kahvaltımda gördüm ve şaşırdım. "Şu erikten ye... Yaptığım zaman baban sağdı... Bu vişneyi evvelki sene yapmıştım... Sana sakladım... Yok canım, bozulmuş olur mu hiç?... Bu kayısı da o senenin a, olur mu, bir kere tadıver..." Böylece dört

77

ayrı mevsimin reçellerini bir günde tatmağa mecbur olmuştum. Kadıncağız durup durup ağlıyor, boynuma sarılıyordu. Beni güzel, kahraman, becerikli buluyor, yaptığım büyük işlerin hikâyesini dinlemek istiyordu. Gelecek hakkında korkularımı anlatmağa kalktıkça sözümü kesiyor, "Hiç olur mu? Senin gibi adam! İşsiz kalır mısın hiç?" diyordu. Ben de yavaş yavaş buna inanmağa başladım.

Durmadan iş arıyordum. Fakat İstanbul'da benim gibi terhis edilmiş on binlerce genç adam vardı. Vapurlar her gün esirlikten dönen yüzlerce insan getiriyordu. Bir türlü iş bulamıyordum. İlk aylar, birikmiş maaşlarımın verdiği nisbî bir rahatlık içinde geçti. Bir uçuruma uzatılmış bir kalas üzerinde yürür gibi sade tehlike ve muvazeneden ibaret bir hayat yaşıyordum.

Tekrar mazinin ağına düşmemek için eski tanıdıklardan hiçbirini görmüyordum. Zaten Abdüsselâm Beyden başkası kalmamıştı. O kadar sevdiğim bu adamcağızı dahi görmemek için, o günlerde sık sık gittiğim Harbiye Nezareti'nin yolunu değiştirmiştim. Şehzade Camii'nin, Direklerarası'nın arkasından gidip geliyordum.

Fakat o gelip beni buldu. Bu, dönüşümün üçüncü ayındaydı. Bir sabah evimizin önünde, erkenden bir araba durdu. Pencereden yavaşça baktım. İçinden Abdüsselâm Beyin indiğini gördüm. Kapıda, "Nerede bu hayırsız oğlan!" diye soruyordu.

Yukarıya çıkmadı. Aşağıda taşlıkta giyinmemi bekledi. Arabasına alıp Soğanağa'da yeni taşındığı konak yavrusu evine götürdü.

Eski konak, debdebe, arabalar, atlar, hizmetçiler, her taraftan akan refah bu yeni evde şimdi hâtıra bile değildi. Ne de eski kalabalık vardı. Biçare adam küçük kızı, damadı, onların çocukları ve bir de karısı ölmüş olan Ferhat Beyle yapayalnız oturuyordu. Bir iki ihtiyar emektar, iki hafta sonra —beni ilk yapılacak iş bu imiş gibi— evlendirdiği yetiştirmesi Emine beraberlerinde idi.

İlk önce ikinci katta kendi odasına çıktık. Üzerinde küçük Hint işi bir çekmece duran bir sedire beni oturttu. Çekmecenin üstünde zarf zarf mektuplar, her birinin yerini ayrı ayrı bildiği, zarfından çıkarıp bana uzatıp gösterdiği fotoğraflar vardı.

Ona, iş bulmak için çektiğim sıkıntımı anlattım. Bana hak verdi. Beraberce aramayı vaat etti. Fakat iş yoktu. Abdüsselâm Beyin eski tanıdıkları ya ortadan çekilmişler, yahut da adamcağıza ehemmiyet vermeyecek derecede değişmişlerdi. Birkaç gün sağa sola gidip geldikten sonra tahsilimi tamamlamama karar verildi. Onun ve bilhassa Ferhat Beyin teşvikiyle Posta Telgraf Mektebi'ne girdim. Mekteplerin hemen hemen bomboş olduğu, neredeyse araya simsar koyarak, mükâfat vaat ederek öğrenci aradıkları bir zamanda, hiç olmazsa dışardan en mütevazısı gibi görünen bu mektebi acaba neden seçmiştiler? Hakikat şu ki, beni o kadar sevmelerine rağmen hakkımdaki düşünceleri değişmemişti. Mamafih Abdüsselâm Beye bunun için mühim başka sebepler de gösteriyordu. Tahsil kısa idi. Talebeye ufak bir geçim parası veriliyordu. Ayrıca da telgrafçılığın saatçiliğe benzediğine hükmetmişti. Bu hükmü, belki alıcı ve verici âletlerin tıkırtı ile çalışmasından geliyordu. Belki de sadece işin içinde âlet denen şeyin bulunması yüzündendi.

– Senin için bir şeyler kurcalamak lâzım geldiğine göre iyi kötü bu merakını bu işte tatmin edersin... diyordu.

Mektebe yazıldıktan, yani kendime ait şöyle böyle emniyetli bir istikbalin eşiğine ayak bastıktan sonra, bir gün Abdüsselâm Beye benim behemehal Emine ile evlenmem lâzım geldiğini söyledi. Zaten evinden çıktığım yoktu. Kendisi sabah akşam bunun için ısrar ediyordu. Evlenme işi bu yakınlığı rahatlaştıracak, tabiî kılacaktı.

Madem baba oğul gibiyiz... Emine ile bu baba oğulluk bir düğüm daha kazanacaktı. Emine benden iyisini bulamazdı. –Hakikatte bulurdu. Bulması lâzımdı. Zavallı Emine!– Benim de şimdilik ondan iyisini bulmam oldukça güçtü. Arada yabancılık denen şey, binaenaleyh alışma güçlüğü falan da yoktu. Yeni ve parasız evlileri o kadar korkutan ev açmak, geçim sıkıntısı, yalnızlık gibi şeyler de –Abdüsselâm Bey bu yalnızlık kelimesinin üstünde bilhassa duruyordu– Soğanağa'daki evde hep beraberce oturacağımıza göre kendiliğinden ortadan kalkıyordu. Böylece hem iki taraf için Allah'ın emri yerine gelecek, hem ben rahat edecektim. Üstelik, –burasını tabiî söylemiyordu– bu sıkıntılı zamanda, çarşı diliyle işlerin kesat gittiği günlerde, zarurî olarak ev kadrosuna, hattâ ısrar ettiği gibi üvey annem gelirse iki kişi birden ilâve etmiş olacak, senelerdir o kadar aksi giden talihinden bu suretle öc alacaktı.

Üvey annem gelmedi. Babamla o kadar mesut olduğunu sandığı evi terk etmek istemiyordu. İnsanların saadet anlayışları da gariptir. Kitaplara bakarsanız, kendilerini dinlerseniz, insanoğlunun esas vasfı akıldır. Onun sayesinde diğer hayvanlardan ayrılır. Beylik sözüyle, hayata hükmeder. Fakat kendi hayatlarına teker teker bakarsanız bu yapıcı unsurun zerre kadar müdahalesini göremezsiniz. Bütün telâkkileri, hususî bağlanışları hep bu aklın varlığını yalanlar, üvey annem, Soğanağa'daki evde bizimle beraber oturmayı, "Bir başkasının evinde benim ne işim var? Haydi, senin hakikî annen olsam neyse... Sana bile bir bakıma yabancı sayıldığıma göre..." gibi bir sebeple reddetseydi aklım elbette yatardı. Fakat senelerce uzakta bekledikten sonra bir sığıntı gibi girdiği, hiçbir zaman hakkıyla benimsenmediği, o kadar yıl bir yatalağa baktığı, bir gün yüzü gülmediği evimizi, geçmiş saadetleri adına bırakmayacağını söylemesi beni âdeta çıldırtmıştı. Bu aklın, mantığın, her şeyin dışında, Abdüsselâm Beyin beni o kadar ısrarla kendisine damat yapması, Emine'nin sevine sevine benimle evlenmesi kadar gülünç, budalaca bir şeydi. Bununla beraber böyleydi. Üvey annem evimizde mesut olduğunu sanıyordu. Babamla evlendikten sonra bu evin dışında yaşadığı yıllarda bir gün bu eve girebilmek saadetini gözünde öyle büyütmüş, bu işin imkânsızlığı kendisini öyle kavramıştı ki, en az müsait, saadet denen şeyden en uzak şartlar altında girdiği bu evi şimdi bırakamıyordu.

Sadece düşünceye ait, zan üzerine kurulmuş bu saadet hâtırası o kadar kuvvetliydi ki, sonunda Abdüsselâm Bey bile hürmet etmeğe mecbur kaldı.

Emine, şirin, saf ve her şeyden evvel iyi insandı. Hayat karşısında şaşılacak bir cesareti vardı. Ömrü küçük bir kuş gibi Abdüsselâm Beyin evi denilen kafeste geçmişti. Dünyası orada tanıdığı insanlardan ibaretti. Evlendiğimiz zaman, kapıdan ilk çıktığı gün adımları sendeleyecek, korkup tekrar geri dönecek kadar bu evin dışındaki şeyler için yabancı ve tecrübesizdi. Buna rağmen, galiba her şeyi, her tecrübeyi kendisinde yaradılıştan hazır bulanlardan olacak ki, hiçbir şeyi yadırgamadı. Hiçbir vaziyette şaşırmadı. Sonuna kadar sağlam, cesur, neşeli kaldı.

İlk yıllarımız çok mesut geçti. Mektebi bitirdikten sonra evvelâ Posta Telgraf'tan çıktım. Sonra Abdüsselâm Bey bir dostu vasıtasıyla bana Tünel İdaresi'nde bir iş buldu. O zamana göre iyi kazanıyordum. İlk çocuğumuzun yaşamamasından başka bir derdim yoktu. Bir de kendimize ait bir hayatımız olmaması... Evde her şey rahat, bol ve emniyetli idi. Fakat hür ve kendi başımıza değildik.

Abdüsselâm Beyin insan sevgisi bütün evdekiler gibi bir an peşimizi bırakmıyordu. Gece yarısı sofada veya yandaki odalarda bir ayak sesi, hafif bir öksürük işitse yardımımıza koşmak için bunu bir fırsat bilen Abdüsselâm Beyin yanında söz geçirebildiği herhangi bir insanın bir dakika tek başına kalmağa hakkı yoktu. İş zamanları hariç ben hemen hemen yalnız ona aittim. Sabahleyin kahvaltımızı beraber yapardık. Evden çıkarken akşam hangi kahvede kendisini bulabileceğimi söyler ve benden bir saat evvel oraya gelirdi. O zaman emekliye ayrılan Ferhat Bey de tabiatiyle beraber bulunurdu. Akşam üstü beraber eve döner, daima bir bahane bulup geciktirdiği yatma saatine kadar bir arada otururduk. Buna mukabil asıl damadı, küçük kızının kocası, evin bütün erkekleri adına gezer, tozar, hattâ zaman zaman karısını alıp çıkardı.

Emine ile ilk fırsatta evden ayrılmağa karar vermiştik. Hattâ Emine birkaç defa eski eve uğramış, az çok, üvey annemin mesut mazisine hürmet etmek şartıyla nasıl nizam vereceğini tasarlamış, hattâ ilk iş olarak sofadaki hasırları sökmüş, atmış, hikâyesini benimle evlenmeden çok evvel işittiği halamın saatinin rakkasını yerinden kaldırmış, tavan arasında bir yere saklamıştı.

– Neden beğenmiyorsun, anlamıyorum?.. Çok güzel, kutu gibi bir ev... Görürsün, cennet yaparım!.. Hele bir şu muhabbet esirliğinden kurtulalım.

Emine, şimdiki sinema dilini hiç bilmeden, Abdüsselâm Beyin evindeki hayatımıza bakarak kendimize "muhabbet esiri" adını vermişti.

Bize böyle ayrılmayı düşündüren sadece yalnız Abdüsselâm Beyin insan sevgisi değildi. Yavaş yavaş ihtiyar adamın düştüğü sıkıntı da bizi rahatsız ediyordu. Elinde avucunda olanların hepsi satılmış, kalanlar da rehinde idi. Ve Abdüsselâm Bey para sıkıntısını hiç kimseye fâş etmeden borçla yaşıyordu. Ne damadının, ne Ferhat Beyin, ne de benim masrafı paylaşmamızı bir türlü kabul ettirememiştik. O kadar neşeli tabiatı yavaş yavaş bozulmuştu. Dalgın ve düşünceli idi. Yanında kimse olmadan sokağa adım atmayan adam şimdi zaman zaman, borç para bulmak için gizlice sokağa çıkıyordu. Emine ile ben bu vaziyette ona daha fazla yük olmayı istemiyorduk.

Fakat projemizi bir türlü tatbik edemedik. Tam bizim kendisine kararımızı açacağımız günlerde damadı kendisini Anadolu'da bir yerde bir memuriyete tâyin ettirmek fırsatını buldu. Abdüsselâm Bey uzun münakaşalar, itirazlar, şikâyetlerden sonra ister istemez karı kocanın evden ayrılmasına razı oldu. Ayşe Hanımefendi, evden ayrılacağı zaman ikimize birden, "Babam size emanet!.. dedi. Zaten sizin de babanız sayılır..." Kocası da karısının yanında hemen hemen aynı şeyleri söyledi. Fakat o uzaklaşınca birdenbire: "Allah sabır versin sizlere" diye ilâve etti. Çarnâçar biz kaldık. İhtiyar adamı yalnız bırakamazdık. Kaldı ki, bu son zamanlarında candan birinin bakmasına hakikaten muhtaçtı. Vücudu gibi hâfızası da zayıflamıştı. Hemen her şeyi unutuyor, her şeyi birbirine karıştırıyordu.

Çamlıca'da oturan büyük oğluna, Anadolu'da bulunan ortanca oğluna vaziyeti bildirerek babalarını yanlarına almalarını rica ettim. O kadar iyiliğini gördüğüm bu adamcağız için yapabileceğim tek şeydi bunlar.

Ortanca oğlu hiç cevap vermedi. Yalnız o şeker bayramı babasına bir tebrik telgrafı çekmekle, bir de çocuklarının resimlerini göndermekle yetindi. Çamlıca'da oturanı, yine eskisi gibi küçük kardeşiyle beraber bayram tebrikine geldiği zaman bir fırsatını bulup işin imkânsızlığını anlattı. "Karım bana yemin verdirdi. Yapamam" diyordu.

– Bari yardım edin, dedim. Parası yok, borç içinde. Kazandığımın hepsini veririm, zaten gizli olarak da sarf ediyorum. Fakat korka korka... Çünkü benden para kabul etmek istemiyor. Bu gidişle borçlu çıkarsınız...

Fakat o inanmıyordu:

– Sen babamı bilmezsin... diyordu. Muhakkak vardır. Kim bilir nerede gizlidir!

– İyi ya... dedim. Babanıza bir şey olursa hepsi mahvolur. Ayrıca Emine ile biz töhmet altında kalırız. Yazık değil mi bize? Gelin babanızla beraber oturun. Malınıza mukayyet olun!..

Omuzlarını silkti. Zaten babası odaya girmişti. Giderken beni kapıda uzun uzun süzdü: "Sana emniyetim var..." dedi. Fakat bakışları hiç de emniyet eden adamın bakışları değildi. İçime garip bir korku girdi.

O yılın kurban bayramından sonra Ferhat Bey de evi terk etti. Kadıköyü'nde dul bir kadınla evlenmişti. O da öbür damadı gibi bize, "Allah sabır versin... Allah kolaylık versin!.." dedi ve arkasından ilâve etti: "Aklınız varsa siz de benim gibi yapın!"

Abdüsselâm Beyin evinde biz karı koca ihtiyar adamla tek başımıza kalmıştık. Burmalı Mescid'in arkasındaki konakta bir aşiret kadar kalabalık oğul, torun, hısım ve akraba içinde yaşayan adam, kendisine her suretle yabancı iki insanın elinde ölecekti. Bu onun sakınılmaz kaderiydi.

Bütün hayatım boyunca dikkat ettim. İnsanın daima en çok korktuğu şeyler başına geliyor. Aristidi Efendinin imbiğin patladığı gece yanarak ölümünden sonra bir gün muvakkithanede idim. Herkes kazaya dair bir şey anlatıyordu. Şimdi hatırlamadığım birisi de onun bu cinsten bir kazadan her zaman korktuğunu garip bir tesadüf gibi söylemişti. O zamana kadar hiç ağzını açmadan konuşmayı dinleyen Nuri Efendi birdenbire elindeki saati bırakarak:

– Bana kalırsa bu hiç de garip değildir. Belki tabiî umurdandır. Hâl yoktur, mazi ve onun emrinde bir istikbal vardır. Biz farkında olmadan istikbalimizi inşa ederiz. Aristidi Efendi bu tecrübelere başladığı anda âkibetini hazırlamıştı. Ölümü kendisinde hazırdı. Bunu bilmiş olmasına niçin hayret ediyorsunuz? demişti.

Abdüsselâm Bey de insan sevgisiyle, belki de insanlara fazla düşkünlüğü, hısım akraba sevgisiyle kendisine bu yalnızlığı hazırlamıştı. Şüphesiz bu sevgi olmasaydı etrafındakiler kendisinden böyle kaçmayacaklar, yalnızlığı bu kadar duymayacak, böyle perişan olmayacaktı.

Ertesi senenin şeker bayramı eve hiçbir akraba uğramadı. Fakat her kandil ve bayramda olduğu gibi damat, gelin, torun, yaşayan, belki de yaşamayan bütün akrabalar için, hepsinin yaşına ve mertebesine göre yine hediyeler alındı. Bu iş için lâzım gelen parayı nasıl ve nereden bulmuştu? Bunu hiç kimse bilemezdi.

Düzine ile ipek mendiller, kravatlar, gömlekler, kızlar için belki de ucuz cinsten mücevherler, erkek çocuklar için saatler, eski emektarlar için alınmış entarilikler üst üste, paket paket odasına dizildi. Ve biçare ihtiyar sırtında eski redingotu, daima temiz kolalı gömleği, gözlerinde daima parlak gözlükleri, bir eli her zaman için biçimli kesilmiş sakalında ve gözleri karşısındaki saatte, sokaktaki her gürültüye kulağını kabartarak, her an kapı zilinin çalındığını sanarak üç gün, her adım sesinde geleni karşılamak için ayağa kalkarak bekledi.

Bu bayram günlerinde yine eskisi gibi bütün akrabayı doyurabilecek bollukta ve gelmeyeceklerine emin olduğumuz bu insanların zevklerine göre yemekler pişiyor, sofra bir lahzada kurulmağa hazır duruyordu. Dördüncü günün akşamı, hakiki bir yeis içinde:

– Emine kızım, dedi. Şu paketleri kaldırın... Çocukların odasına koyun!.. Geldikleri zaman alırlar!

Bu oda Abdüsselâm Beyin evinin bir nevi deposu idi. On bir çocuk beşiği, bir yığın mânasız hayat artığı, Abdüsselâm Beyin muhtelif zifaflarına şahit olmuş birkaç karyola, konsollar, aynalar, eski oyuncaklar, sandıklar, hulâsa konak satılıp da bu sekiz odalı eve taşınıldığı zaman kızının ve damadının eskiciye vermelerine bir türlü razı olmadığı türlü eşya burada tozlar içinde, birbirinin üstüne yığılmış beklerdi. Abdüsselâm Bey, içinde hiçbir çocuğun doğmadığı, büyümediği bu odaya "çocukların odası" adını vermiş ve garibi şu ki bu ad tutmuştu da. Belki de bu adın sihri yüzünden bu odaya garip bir hava sinmişti. Yavaş yavaş herkes evin kaybolmuş hayatının orada toplandığına inanmıştı. Orası birikmiş ayrılıkların, üst üste yığılmış ölümlerin, hâtıra ve unutulmaların odasıydı. Yaşayanlar bile orada kendi çocukluklarının, ilk gençliklerinin ölümünü seyrediyorlardı. Büyük odanın ortasında daha ziyade karaya vurmuş gemi gibi bir yığın eşya hep onları hatırlatırdı. Hulâsa bu oda Abdüsselâm Beyin kalbi gibi bir şeydi. Bu iyi ruhlu adamın yanında bizi o kadar huzursuz kılan şeyin ne olduğunu ancak bu odaya bir kere olsun girenler anlayabilirdi. Çünkü bu üst üstelik, yarattığı zaman dışılıkta, eşyanın kayıtsızlığını yok etmişti. Onun içindir ki anahtarı daima kapının üzerinde durduğu hâlde hiç kimse içeriye girmezdi.

Sağlam aklına, neşeli tabiatına rağmen efendisinin hayatındaki ıstırapları âdeta benimseyen Emine ise bu odanın önünden bile geçmek istemezdi. Karım içinde büyüdüğü bu evi bütün psikolojik derinliğiyle benimsemişti.

Odaya o girmedi. Onun yerine paketleri istemeye istemeye ben taşıdım. Karanlıkta adımlarım bütün bu eski, sahipsiz eşyaya takıla takıla, sofadan gelen ışıktan birdenbire canlanan büyük bir aynada hiç de bana benzemeyen silik bir hayali seyrede ede birkaç defa gidip geldim. İçimde garip, sebebini bilmediğim bir korku vardı.

Nereden geliyordu bu? Ve ne acayip şeydi? Durup dururken birdenbire nasıl kavramıştı bütün varlığımı? Halbuki sevinç delisi olmam lâzım gelen günleri yaşıyordum. Karım gebe idi ve doğumu bekliyorduk. Arada sırada gülerek bana, "Çok gürültü yapıyor... Galiba kız olacak!" diyordu. Hiç durmadan tepinmesinden şikâyet ediyor, "Nasıl' başa çıkacağım?" diye şimdiden ve şüphesiz yalancıktan tasalanıyordu. Abdüsselâm Bey bile bütün kederlerine rağmen bu işin sevinci içinde idi. İkide bir bana, "Kaç gün kaldı, sorsana!" diye ısrar ediyordu. Sonra bir evvelki cevabımızı hatırlayarak parmaklarıyla hesaplıyordu. Epeyce zamandır evde çocuk doğmamıştı. "Yeniden büyük baba olacağım..." sözü dilinden düşmüyordu.

Sıra biraz kenara konmuş son paketlere gelince, gözleriyle mânalı mânalı bakarak, "Onlar dursun" dedi. "Onların sahibi behemehal gelecek..." Emine'nin yüzü kıpkırmızı kesildi ve odadan çıktı. Abdüsselâm Beyin çehresinde artık seyrekleşen tebessümlerinden biri belirmişti.

– Ferhat Beye sormadınız mı? Niçin refikasını buraya getirmedi de kendisi Kadıköyü'ne gitti? Hep beraber yaşardık. İnsan bu kadar yıllık evini bırakıp gider mi?

– Hanım, baba evinden çıkmıyormuş... Çıkmayı istemiyormuş!..

Abdüsselâm Bey yüzüme dik dik baktı:

– Ne diye öylesini aldı? Fakir, kimsesiz bir şey bulamadı mı?

Birdenbire şaşırdım. Ve biraz evvelki korku, daha canlı, daha keskin şekilde içime yerleşti. Artık bu insan sevgisini, yalnızlık korkusunu geçiyordu. İşin içine daha mühim şeyler giriyordu. Kendimizi iradesizliğim yüzünden bir biçareye teslim etmiştik.

Zehra'nın doğuşu, Abdüsselâm Beyin hısım akrabası tarafından unutulmuş olmasından duyduğu ıstırapları birdenbire hafifletti. Çocukların odasından evin en mükellef beşiği çıkarıldı. Takribî Ahmet Efendi ailesinin son torunu ilk uykularını gümüş zırhlı ve sedef kakmalı, bir dekovil kadar büyük, ağır ve ceviz oymalı bir beşikte uyudu. Tabiî Abdüsselâm Bey daha ilk günden itibaren başının ucundan ayrılmadı. Konağın eski âdeti üzerine çocuğa benim yerime o ad verdi. Ve yanlışlıkla benim annemin adı olan Zahide adını vereceği yerde kendi annesinin adı olan Zehra'yı verdi.

II

İşte, birbirinin peşini bırakmamış felâketler dizisi bu mânasız yanlışlıklarla başladı. İhtiyar adam evvelâ bu yanlışlığa bizim kadar

86

güldü, sonra müteessir oldu, kendini ithama başladı. Sonuna doğru bu teessür hakikî bir vicdan azabı hâline girdi. Kendisini âdeta çocuğumuzu bizden çalmış sanıyordu. Bu iş için muhakkak ahrette kendisine hesap sorulacaktı. Diğer taraftan da bu ad benzerliği yüzünden "valide" diye çağırmağa başladığı Zehra'ya bir kat daha bağlandı. Çocuğun istikbalini düşünmeğe başladı. Ve mevcut servetini kızıma bağışlayan vasiyetnamelerle evin içi doldu. Günde kaç vasiyetname yazardı? Burasını Allah bilir. Son üç sene içinde evin her tarafı, halı, kilim, yastık altları, masa gözleri, çekmeceler, onun vasiyetnameleriyle doldu. Biz Emine ile her gün birkaç tanesini yırttığımız hâlde yine ölümünden sonra kucak dolusu vasiyetname çıkmıştı. Hemen hepsinde biçare ihtiyar "servet-i mevcudesini" "validesi Zehra Hanıma" terk ettiğini söylüyor ve bizim onun tahsil ve terbiyesine son derecede dikkat etmemizi şiddetle istiyordu.

"Annesi kerimem Emine Hanım ile, babası oğlum Hayri Efendinin tahsil ve terbiyesine itina etmeleri ve yetişip evlenene kadar..." diye devam eden, bitip başlayan bu vasiyetnamelerde kendi kızımızı müşfik ihtiyar bize emanet ediyordu.

Anadolu harbi çoktan bittiği, mühim bir kısmı İstanbul'da olduğu için ölümünü haber alanlar ertesi günü eve gelmişlerdi. O akşam hemen herkesin elinde bu vasiyetnamelerden birkaçı vardı. Tabiî vasiyet hükümden sâkıttı. Ve tabiatiyle biz sadece evden çocuğumuzu ve şahsımıza ait eşyayı alıp çıkmağa çoktan razıydık. Nitekim öyle yaptık. Fakat aradan birkaç gün geçince hava değişti. Abdüsselâm Bey çoğu tutarı kadar mühim meblâğlara rehine verilmiş bir yığın ufak tefeği kızımın üzerine geçirmek için bazı tedbirlere müracaat etmiş, ayrıca bir iki notere de vasiyetname bırakmıştı. Öyle ki işlerin tanzimi için mahkeme kararı zarurî oldu.

Bu arada hemen bütün verese bizi, ortada miras denecek bir şey olmamasına rağmen babalarının zihnini kendilerinden çalmakla, ihtiyar ve hâfızası bozulmuş adamı "Kızımız senin annendir!" diye kandırmak, bu olmayacak şeye "türlü desiselerle inandırmakla" itham ediyordu.

Yine kendimizi müdafaa için, "Son zamanlarda rahmetli hiç de muvazenesine sahip değildi!" deyince bu sefer velinimetimize hakaretle, hâtırasını tezyifle itham ediliyorduk. "İftira!" diyorlardı. "İftira ve nimet-nâşinaslık, nankörlük..." diyorlar ve hemen arkasından sözlerimizi kendi dâvaları için yoruyorlardı: "Gördünüz mü? diyorlardı, nasıl itiraf ediyorlar?"

Yârabbi, ne kadar çok hisseli eşya vardı, ve ne kadar çok resmî muamele zarureti ortaya çıkmıştı. Rahmetli nerede altıda bir, yedide, hattâ onda bir hissesi satılan arsa, mülk varsa hepsini almıştı. Kim bilir, belki de bugünün arsa ve mülk fiyatlarının etrafındaki kazancı düşünerek yapmıştı bunları. Çekmeceler senet doluydu. Ve her senede mukabil birkaç borç senedi çıkıyordu. Bu emlâk, akar değil, pul koleksiyonu gibi bir şeydi. Karşısına çıktığımız hâkimlerin çoğu evvelâ koskoca adamın ahretliğinin kızını "kendi annesi" zannetmesine hafifçe gülümsüyorlar, biraz sonra verese tarafından yapılan kandırıcı aydınlatmalarla kötü niyetimizden şüphelenmeğe başlıyorlardı. Ben dilimin döndüğü kadar:

— Efendim, merhum şakacı adamdı. Evlâdı gibi sevdiği kızımla bu tarzda latife ederdi... diye anlatmağa çalışınca:

— Üç yaşındaki çocukla latife edilir mi? diye azarlanıyordum. Hem evlâdı gibi diyorsunuz! Hem de anne diye şaka ettiğini söylüyorsunuz. Birinden birini seçin!

— Seçecek vaziyette olan ben değilim ki... Rahmetli ikisini birden kabul etmişti.

— Vasiyetnamelerin bazıları altı aylıkken başlıyor... Bu nasıl iştir. Altı aylık çocuk latifeden ne anlar? diyorlardı.

— Anlamaz, anlamaz, ama herkes yine yapar. Çocuklarla konuşurken hangimiz dilimizi, sesimizi değiştirmeyiz?.. Sade çocukla değil kedi veya köpekle oynarken bile ya kendimizi onun seviyesine indirir, yahut onu kendi seviyemize çıkarırız.

— Rahmetli bu işte ortalama bir had bulmuştu... Tarafeyn müsavî, fakat zıt vaziyetlerde idiler...

Hukuk ıstılahlarına yavaş yavaş alışıyordum:

– Peki, burası böyle diyelim! Ya çocuğun, yani validesinin rahmetliye "oğlum" demesini nasıl izah edersiniz? Şahitlerin ifadeleri sarih... Vefatını müteakip hep "oğlum nerede?" diye ağlarmış...

Filhakika doğruydu. Zehra'yı da kendisine "oğlum!" demeğe alıştırmıştı. Kız iki gözü iki çeşme, oğlunu arıyordu. Yine vaziyeti aydınlatmağa çalışıyordum.

– Efendim, öğretmişti... Bütün gününü beraber geçirirdi. Zaten bütün işler hep oradan gelmiyor mu? Biçare son zamanda yaşı dolayısıyla pek sağlam düşünemiyordu...

Böyle vaziyetlerde kimseyi incitmeden konuşmak ne güç oluyordu. O kadar sevdiğim adam için bunaktı, diye avaz avaz bağırabilsem nasıl rahatlayacaktım. Bunak olmasaydı evin içini ancak firavun ailelerinde görülen bu garip ana-oğul, baba-ana hikâyesiyle doldurur muydu? Neticede zaten hükümsüz olan vasiyetname bir kere daha iptal ediliyor, ben ayrıca mahkeme huzurunda münasebetsiz münasebetsiz konuştuğum, velinimetimin hâtırasına hürmetsizlik ettiğim için tazir ediliyordum.

Velinimet, baba, miras kelimeleri içinde boğulacağıma iyice inandığım bir günde iş biter gibi oldu. Fakat bitmedi. Efkârıumumiye safhası başladı.

III

Vasiyetnamenin reddi küçük muhitimde derin bir akis uyandırmıştı. Bütün tanıdıklar, yahut mühim bir kısmı, beni ve bilhassa kızımı meşru bir haktan mahrum edilmiş addediyorlardı. Mahallede, ticarethanede –o zaman Tünel şirketinden ayrılmış, hususî bir müessede çalışıyordum– herkes bana karşı yapılan haksızlığa isyan ediyor ve kendi mizacına göre tepkiler gösteriyordu. Bir kısmı bana ve kıza acıyorlardı. Bir kısmı da bizi unutuyor, birkaç kuruş için yahut "dünya malı için" babalarının son isteklerine hürmetsizlik eden vereseye kızıyorlardı. Bir diğer kısmı da bu kadar mühim bir serveti göz göre göre kaybettiğim için sünepeliğime, budalalığıma hükmediyorlardı. Abdüsselâm Beyin mirası bu münakaşalarda, konuşanın ruh hâline ve görüş zaviyesine göre, ya bir kalemde ortadan siliniyor, yahut bir çığ gibi büyüyor, yahut mesele dışı addediliyordu. Yalnız ahlâkî değerlere ehemmiyet verenler ise bu servetin adını bile anmıyorlar, sadece mukaddes olan bir isteği görüyorlardı. Buna mukabil insanın behemehal açıkgöz ve çakır pençe olmasını isteyenler benim beceriksizliğimi büyütmek için durmadan kaybımızın yekûnunu hesaplıyorlardı.

Her üç tarafın müşterek olduğu bir nokta vardı. Hiçbirisi bu işte beni dinlemiyorlardı. Hiçbirine, "Bu adamın zaten parası yoktu... Borçlu idi. Ben bir şey kaybetmiş değilim ki... Bırakın ki zaten istemem!" diyemiyordum.

Patronum bile bu umumî havaya katılmıştı. Durup dururken maaşıma beş lira teselli zammı yaptı.

Yukarıdan gelen bu acıma jesti etrafımdaki merhamet havasını bir kat daha arttırdı. Bazıları beni artık yediğim darbenin altından kalkamayacak derecede yıkılmış görüyorlardı. Bir akşam daireden çıkarken arkadaşlarımdan biri koluma girdi:

– Gel Hayriciğim, dedi. Şurada birkaç kadeh rakı içelim... Rakı her derde iyidir.

– İçelim, içelim, amma derdim olduğu için değil... Benim derdim yok. Zevk için içelim... Yalnız, istersen bize gidelim, evde içelim. Karımı bugünlerde yalnız bırakmak doğru olmaz...

Filhakika karım ikinci çocuğum Ahmet'e gebe idi. Fakat Sabri Bey sözümü yanlış anlamağa karar vermişti:

– Tabiî... Az şey mi geldi başınıza... Hakkı da var kadıncağızın...

Ve bütün ağırlığıyla bana yüklendi. Eve gelmek istemiyordu. Sıkıntı vermek hoşuna gitmezdi. İllâ ki beni meyhanede teselli edecekti. Belki bu miras meselesini iyice anlatmak fırsatını bulurum, ümidiyle razı oldum. Üstelik de kolumdan çıkacak karşıma oturacaktı. Sabri Bey bütün çirkinliğine rağmen karşıdan seyri insana rahat gelen bir kiloda idi.

Nitekim girdiğimiz meyhanede elimden geldiği kadar bu işteki vaziyetimi anlatmağa çalıştım:

– Bu adamı baba gibi severdim, dedim. Çok iyiliğini gördüm. Fazlasını beklemezdim, hakkım da yoktu. Kaldı ki, son altı yıl içinde parasızdı. Borçla yaşıyordu. Vasiyetname filân, bunaklığından doğan şeylerdi. Gerçekten mirasçısı olsaydım, uyku uyumazdım. O kadar borçluydu...

Daha buna benzer şeyler.

Sabri Bey birdenbire harekete geçti:

– Peki, bu kadar borcu nasıl yapabiliyordu?

– Şunu bunu rehine vererek... Ama daha başka borçları olduğuna da eminim...

Ve hakikaten inandırırım ümidiyle bir yığın izahat verdim. O hep başını sallıyor, aynı suale dönüyordu:

– İyi amma ona bu vaziyette nasıl borç veriyorlardı? Yani nasıl kandırıyordu?

Artık sabrım tükenmişti:

– Ne bileyim ben? Belki muayyen bir usulü vardı... Bir sistemi...

Sabri Bey bu sistem meselesinde bilhassa kulak kesildi. Belli ki kendisi de böyle bir sisteme muhtaçtı. Bu sihirli kelimeyi duyar duymaz ikinci şişeyi ısmarladı:

– Canım anlaşılmayacak bir şey yok bunda... Bir yığın tanıdığı vardı. Yahut beklediği bir miras... Tunus'ta, Cezayir'de, bir yerde arazi filân.

– Yok, yok, oralar uzak. Başka bir şey olmalı...

– Yahut da satmasına kıyamadığı, fakat herkesin, hiç olmazsa alacaklıların bildiği çok kıymetli bir şey, meselâ elmas...

Merakı muhayyilemi çözmüştü. Birdenbire gözümün önünden Seyit Lûtfullah'ın hayali geçti. O bana Kayser Andronikos'un hazinelerinden bahsederken, bizim saraya ait "Şerbetçibaşı" pırlantasının da bunların arasında bulunduğunu söylemişti.

Bana acıdığı için zorla soktuğu bu meyhanede şimdi benden, etrafı dolandırmak için metot öğrenmeğe kalkan bu budala ile neden alay etmeyecektim sanki?

- Farz et ki, Şerbetçibaşı Elması kendisinde olsun. "Satmıyorum, aile yadigârı. Çocuklarım satınca size borcumu öderler." gibi bir şey söylemiş olabilir pekâlâ!

Sabri Bey Şerbetçibaşı Elması'na iyice inandı.

- Doğru... dedi. Muhakkak öyle olmalı.

Ve üçüncü şişeyi ısmarladı. Bu sıcak yaz gününde terden yapış yapış, masaya abandı:

- Nasıl şeymiş şu Şerbetçibaşı Elması? diye sordu.

Gözleri meraktan parıldıyordu:

- Hiç gördün mü?

- Canım, uydurdum. Şimdi beraber uydurmadık mı? Yani bir tahmin olarak konuşmuyor muyduk?

- Fakat adını biliyorsun!..

- Farz et ki, çocukluğumda bir masalda dinlemiş olabilirim. Birisi böyle bir şeyden bahsetmiş olabilir. Elmas fikriyle beraber aklıma gelmiş olabilir. Aslı yok tabiî...

- Olmaz olur mu? Kaşıkçı Elması gibi bir şeydir muhakkak... Aynı büyüklükte, aynı kıymette... Öyle değil mi?

Tekrar kadehleri doldurdu. İçtik.

- Tabiî sana göstermiştir.

- Neyi?

- Şerbetçibaşı Elması'nı...

Birdenbire uyandım... Onunla alay edeyim diye başıma açtığım işi anlamıştım. Garsonu çağırdım. Paraları verdim. Cebimde kalan tek yirmi beşliği garsona uzattım. Sabri Bey hiç ses çıkarmadan kısık gözleriyle beni seyrediyordu. Belli ki soracağı bir yığın şey daha vardı. "Allahaısmarladık!" bile demeden kapıdan fırladım.

İçimde meselâ bir kolumu veya bacağımı kendi elimle kesmişim, nefsime, çoluk çocuğuma karşı daha büyük bir hata yapmışım gibi bir azap, o her şeyi alt üst eden karmakarışık korkulardan biri vardı.

Eve gelince Emine'ye vaziyeti anlattım. "O budalâ ile rakı içmeğe nasıl razı oldun?" diye azarladı. Sonra:

- Ehemmiyet verme, unut... Hem ne çıkar sanki! İnsan alay etmez mi?.. Sarhoşken her şey konuşulur... diye teselli etti.

Ertesi günü tatildi. Bütün günü evde, Abdüsselâm Beyin çocuklarının miras karşılığı olarak bize hediye ettikleri eski saatleri tamirle uğraştım. Halbuki askerden döndüğümden beri elimi saate sürmemiştim. Akşama doğru içime bir sükûnet geldi. Ben de "muhakkak unutmuştur" diye düşünüyordum.

Fakat ertesi günü yazıhaneye ayak atar atmaz Sabri Bey köşesinden kalktı, yanıma geldi ve kulağıma yavaşça:

– Elmas, diye fısıldadı. Kısık gözlerinde hep aynı parıltılı bakışlar vardı. Bana kim bilir neler anlatmak istiyordu?

Daha ertesi akşam, patron beni içeriye çağırdı. Şerbetçibaşı Elması'nın hikâyesini dinlemek istiyordu. Kendisine vaziyeti anlattım. Biraz inanır gibi oldu. Fakat Şerbetçibaşı Elması hikâyesi yayılmağa başlamıştı. Yavaş yavaş bütün tanıdıklar onu öğrendiler. Kime rastlasam:

– Yahu, hiç de bahsetmezsin! Böyle meraklı hikâye anlatılmaz mı?.. diye yakama yapışıyordu.

Yavaş yavaş semtteki kahvelerin önünden geçemez oldum. Elinde tavla pulu, zar, iskambil kâğıdı, domino taşı, bir yığın insan fırlıyorlar, beni yoldan çeviriyorlar: "Bir çay içmez misin?" diye zorla beni içeriye tıkıyorlar. Şerbetçibaşı Elması'nı anlatmamı istiyorlardı. Benim inkârım karşısında, namus ve kanaatkârlığıma hayran olan, yahut bu yüzden beni biçarelikle itham edenler ben ayrıldıktan sonra baş başa verip dedikodu yapıyorlardı.

Birdenbire herkes vaktiyle bir Şerbetçibaşı Elması'ndan bahsedildiğini şimdi hatırlıyor, eski zaman işlerini, elmas hikâyelerini bildiği kadar bu mevcut olmayan elmasın etrafında bir masal uyduruyordu. Karım da, ben de perişan hâlde idik.

İşte tam bu sıralarda Abdüsselâm Beyin senetli alacaklıları, yani ona rehinsiz borç verenler verese aleyhine dâva açmağa başladılar. Hemen hepsi de elmas hikâyesini biliyorlardı. Ve çoğu ona dayanarak gizlenmiş mirasla alacaklarının ödenmesini istiyorlardı.

Zarurî olarak beni de dâvaya kattılar.

IV

İlk önce sadece mütalâasına müracaat edilen bir şahit olarak dinlendim. Sonra birdenbire dâvanın ağırlık merkezi oldum. Evde ihtiyar adamla seneler boyu yalnız başımıza kaldığımız için her şey gibi bunu da ancak bizim bulmamız gerekirdi. Bu noktada Şerbetçibaşı Elması'nın elimizde bulunması hükmüne varmaları için birkaç adımlık bir mesafe vardı. Bir iki "muhtemeldir ki...", "binaenaleyh..." ile bu mesafe de elbette geçilecekti. Nitekim öyle oldu. Bir iki oturumdan sonra elmasın bizde bulunmasına tabiî bir şey gibi bakıldı. Kaldı ki, Abdüsselâm Bey vasiyetnamesinde, "Borçlarımın edasından sonra kalan servetimi", "bakiye-i servetimi" gibi tabirler kullanmıştı. Alacaklılarına yazdığı mektuplarda da buna benzer cümleler vardı. Bana gelince, ben bu elmastan açıkça bahsetmiştim.

Sabri Bey hakkımdaki tahkikatın olduğu gibi, mahkemedeki duruşmaların da belli başlı kahramanı oldu. İfadeleri zeytinyağı lekesi gibi genişliyor, büyüyordu. Hemen her yüzleşmede kendisine söylediğim yeni bir şey hatırlıyordu. Dâva boyunca bana olan muhabbetine rağmen hakikatin aydınlanması için insanüstü gayretler sarf etti. Birkaç celselik bir soruşturmadan sonra, başta ben olmak üzere herkes bu elmasın Saliha Sultan tarafından Şerbetçibaşı marifetiyle satın alındığını, onun ölümü üzerine hazineye girdiğini, daha sonra Birinci Abdülhamit'in bir gözdesine hediye ettiğini öğrendik.

Tabiatiyle ne bu Şerbetçibaşı'nın, ne de Saliha Sultan'ın kim olduğunu hiç kimse merak etmiyordu. Sadece elmasın kendisi asırlar boyunca ara sıra kaybolmak şartıyla elden ele geçiyor, nihayet Abdüsselâm Beyin ailesine geliyordu. Bana sordukları zaman:

– Hayır, dedim. Kayser Andronikos'un hazinesinde idi!..

Bu cevabım hiç hoşa gitmedi. İzahatım deliliğe vurma telâkkî edildi.

Alacaklılardan biri, halamın kocası Naşit Beydi. En yakın akrabam sıfatıyla ilk önce beni gözetmeğe çalıştı. Çok temkinli cevaplar verdi. Beni tanımıyordu, tanıyamazdı da. Hayır, Abdüsselâm Bey ona elmastan bahsetmemişti. Sadece, "İşlerimi düzelttikten sonra öderim" vaadinde bulunmuştu. "Zannettiğinizden fazla zenginim" demişti. Arada eski hukuk vardı. Hakikaten zengindi. Elmas meselesine gelince, böyle bir eski ailede bu cinsten bir hâtıranın bulunması elbette tabiîydi. Hattâ bulunmaması gayri tabiî idi. "Yüz elli senelik hanedan bu..." Bana gelince, iyi çocuktum. Öyle derlerdi. Bunu halam kendisine söylemişti. Fakat babam terbiyeme dikkat etmemişti. Para canlısı bir adam olduğu için başka hiçbir şeye bakmazdı. Hattâ halamı Naşit Beyle evlenmekten menetmiş, Seyit Lûtfullah'a büyüler yaptırmıştı. Halam Naşit Beyle evlenmeden evvel kendisine, "Hele bir evlenelim, muhakkak Hayri'yi kardeşimden kurtarırım!" demişti. Fakat babam bu evlenmenin olmaması için halamı benim yardımımla baygınlığından istifade ederek gömmeğe kalkınca benden nefret etmişti. O zamandan sonra adımı bile anmamıştı.

– Zaten aile itibariyle biraz para canlısıdırlar. Yalnız refikam cömerttir, insanî hislere sahiptir.

Burada tabiatıyla Takribî Ahmet Efendi Camii meselesi de ortaya çıkıyordu; hem de korkunç bir şekilde değiştirilerek. Babam, dedesinin bu cami için ayırdığı parayı yemişti.

Naşit Bey ikide bir mendilini çıkarıyor, gözlüklerinin camını temizliyor, sonra alnının terlerini siliyor ve sözüne devam ediyordu. Hiçbir şeyde acele etmiyor, yavaş yavaş konuşuyor, her şeyi tam vaktinde ve sorulduğu zaman söylüyordu. Fakat o tarzda söylüyordu ki, sözlerinin müphem kalan ucu ile hiç bahsetmek istemediğine, daima yemin edebileceği aile meselelerinden birinin üzerinde zarurî olarak yeni bir suale yol açıyordu. Nitekim tekrar halamın muvakkat ölümüne âdeta kendiliğinden dönmüştü. Sanki çok cilâlı bir satıh üzerinde yine iyi cilâlanmış herhangi bir şeyi ufak tefek dokunmalarla kaydırıyordu.

Neden bana düşmandı? Benden ne istiyordu? Niçin mahvıma

karar vermişti ve neden, nasıl bu kadar ustalıklı idi? Anlamak mümkün değildi. O konuşurken ben çileden çıkıyordum. Daha ağzını açmadan bütün vücudumda bir şeyler kaynıyor, kafamda her şey alt üst oluyordu. Zannederim ki soğukkanlılığı, hesaplılığı ve aleyhimde bu kadar kararlı oluşu beni bu hâle sokuyordu.

Sonra birdenbire değiştim. Birdenbire üzerimden büyük yükler, tabaka tabaka ağırlıklar kalkmış gibi hafifliyordum. Bütün bu garip ve mantıksız dâvanın devamı boyunca bundan korkmuştum. Bu ruh hafifliği, bu pervasızlık ve alâkasızlık Emine ile evlendiğim günden beri sıkı sıkı kapadığım bir kapının yeniden açılmasıydı.

Sanki Naşit Bey hesaplı konuşmalarıyla, temkinli düşmanlığı ile bu kapının arkasına sımsıkı dayanmış olan koruyucu meleği Emine'yi oradan uzaklaştırmağa muvaffak olmuştu. Son kelimeleri üzerine en gür sesimle haykırdım:

— Hayır, hayır, halam hakikaten vefat etmişti. Hattâ gömülmek üzere idi. Fakat hortladı. Paralarından ayrılmamak için hortladı. İnanmazsanız, bir resmini isteyin bakın! Son zamanlarda resim çıkartmağa merak sardırdı. Bakınız bu resimlere, yahut kendini çağırtın, görün, konuşun! Sözlerimin doğruluğunu anlarsınız!

Herkes şaşırmıştı. Fakat ne çıkar? Ben rahattım. Sakindim, hafiftim. Mademki herkesin ayrı bir hakikati vardı. Ve herkes zemin ve zamana göre onu yavaş yavaş yeniden yaratıyordu; ne diye ben kendimi yoracaktım?

Devam ettim:

— Huyuna gelince, beni yanına almak şöyle dursun, yüzümü bile görmek istemezdi. Kimseyi görmek istemez, kimseyi sevmezdi. Hasis, huysuz, hava ve hevesine mağlûp bir kadındı. Parasını çalarlar korkusuyla geceleri bu paranın saklı olduğu kömürlükte yatardı. Yalnız bir adama tahammül etti. Bu dolandırıcıya, bu harp zenginine... Hattâ onun sıska kızına bile tahammül etti.

Ve ilâve ettim:

— Bu kızı evvelâ bana verecekti. Fakat istemedim, beğenmiyordum. Naşit Bey o zaman benden parasızdı. Şimdi zengin oldu. Ve zengin olunca bana düşman oldu. Galiba halam ölünce bütün servetinin bana geçeceğini bildiği için...

Hâlâ bile hatırladıkça utandığım yüz kızartıcı şeyler bunlar. Fakat Naşit Bey yüzünden başka adam olmuştum. O dakikada yılan olup onu ısırmağa razıydım. Bunu yapamadım, fakat elimi ona doğru uzatıp haykırdım:

— Harp zengini... Sabun, şeker hırsızı, benden ne istiyorsun?

Tekrar aynı gürültü. Oturum tatil edildi. Naşit Bey ayrılmadan evvel bana tatlı tatlı gülümsedi. İstediğini hattâ fazlasıyla yapmıştım.

On beş dakika sonra Adlî Tıbba gönderilmeme karar verilmişti. İşte Doktor Ramiz'i bu müessesede tanıdım. Beni odaya aldıkları zaman müdürün yanında idi. Hikâyemi herkesten fazla dikkatle dinledi, alâkadar oldu ve beni incelemeyi üzerine aldı. Müdürün yanından doğruca kendi odasına indik. O zaman Adlî Tıp, Dolmabahçe'nin müştemilâtından bir yerde bulunuyordu. Doktor Ramiz'in odası alt katta idi. Tek penceresi bahçe duvarına bakan dar, sefil bir oda. Duvarlardan birinde musluğu iyi kapanmayan bir lavabo vardı. Odaya girer girmez doktor ellerini yıkamağa başladı. Ben bir kenarda talihimi düşünüyordum.

Dolmabahçe'ye gelirken denizi görmüştüm, sonbahar güneşinin yaldıza boğduğu mavilik, yavaş yavaş alışmağa başladığım talihimle arama, birdenbire uyandırıcı bir şey gibi girmişti.

İçim alt üsttü. Karım, çocuklarım, evim bana olduklarından daha çok uzakta, erişilemeyecek şeyler gibi görünüyorlardı.

Bir an, bütün dâvanın devamı boyunca korktuğum şey tekrar aklıma geldi. Ya karımı da bu işe karıştırırlarsa? Hâkim şimdiye kadar onu garip şekilde dışarda tutmuştu. Bu bir ümitti. O hâlde bu ithamın ciddiliğine inanmıyordu. Öyleyse ne diye beni buraya göndermişti? Hayır, bekliyordu. Emine'yi de bu korkunç ağa sokacaklardı. Tevkif edildiğimden beri on gün geçtiği hâlde, karımın taşlıkta boynuma sarılışı gözlerimin önünden gitmiyordu. Gözlerinin altı, yanakları adamakıllı çukurlaşmıştı, sesi bozuktu. Elleri sıcak sıcaktı. Tek pencerenin önünde, duvarın dibinde tozlu ve sefil, âdeta sürünen mevsim sonu çiçeklerine bakarak düşünüyordum. Bir arı dikine bana doğru geldi. Benden bir karış ötede pencerenin pervazına mecalsiz kondu. İçerden, hiç işitmediğim cinsten acayip ıstırap çığlıkları geliyordu. Ramiz Bey ellerini yıkamış, çantasından çıkardığı kolonya ile bir kat daha temizleniyordu.

Kapı vuruldu, bir hademe artan çığlıklarla beraber içeriye girdi:

– Salim Bey ölüyü açacağız diyor... Gelmeyecek misiniz?..

Ben kemiğime kadar titredim. Ramiz Bey kolonyalı ellerini havada sallayarak kuruturken cevap verdi:

– Hayır, ben burada meşgulüm. Mideyi kaynatsınlar... Ben sonra gelir bakarım.

Sonra bana döndü:

– Bir zehirleme vak'ası var da... Daha doğrusu şüpheleniyoruz.

Tekrar çantasını ele aldı, bu sarı meşin, dışardan kilitli, içerden güzel ve epeyce teşkilâtlı bir çanta idi. Sonradan öğrendim ki, dostum üstünde hiçbir şey taşımaz, hepsini bu çantaya kor ve her açılıştan sonra behemehal kilitlerdi. Çıkarttığı cıgara paketinden bir tane bana ikram etti. Bir de kendisi aldı. Ben kibrit aradım, yoktu. O ikimizinkini de yaktı. Hâlâ bekleyen hademeye kahve ısmarladı.

Otuz yaşlarında, hafif sarı esmer, tıknazlığa doğru gidebilecek yapıda, ortadan uzun boylu, genç bir adamdı. Büyük, dalgın bakışlı, çok siyah gözleri vardı. Bununla beraber ilk bakışta insan ne bu gözleri, ne de düzgün sayılacak yüzünü görebiliyordu. Ramiz Bey kendisiyle ilk karşılaşan insan üstünde daha ziyade anlaması güç bir aksaklık duygusu bırakıyordu. Sonradan, kendisine iyice alışınca, bu duygunun ileriye doğru çıkık alnı ve kemikli yüzün düzgün mimarisiyle bütün çizgileri kaçmak istiyormuş gibi birdenbire bitiveren cenenin arasındaki uygunsuzluktan geldiğini anladım. Bu kaçış hâlindeki çene onun yüzünü hiç de tabiî şekilde bitirmiyordu. Sesi de böyleydi. Garip ve açık aksanlarla başlıyor, sonra bir çeşit mırıltıda âdeta izini karıştırmak ister gibi kayboluyordu. Nedense bu çehre, bu ses bana daima gayri muntazam kavislerle yapılmış helezonları hatırlatıyordu. Tahsilini yaptığı Viyana'dan yeni dönmüştü. İyi doktor olduğunu, çok parlak diplomalar aldığını sonradan herkesten öğrendim. Ayrıca psikanalize merak etmiş ve bir müessesede bir iki sene bu metotla çalışmıştı.

Daha o gün Doktor Ramiz'in bu tedavi sistemine, hastası çıkınca tatbik edilecek bir usulden ziyade bütün dünyayı ıslah edecek tek vasıta, ancak dinlerde görülen o tek kurtuluş yolu gibi baktığını anladım. Ona göre bu yeni ilim her şeydi. Cürüm, cinayet, hastalık, ihtiras, parasızlık, sefalet, talihsizlik, sakat doğma, düşmanlık, hulâsa insan hayatını bizim irademizin dışında cehennem yapan şeylerin hiçbiri yoktu. Yalnız psikanaliz vardı. Hepsi dönüp dolaşıp ona geliyorlardı. O hayat muammasının biricik anahtarı idi.

Dönüşünde kendisine bu mucizeli manivelâ ile bütün memlekete mihver değiştirtecek bir mevki ve imkân vermedikleri için hemen herkese ve her şeye dargındı. Kendisini tanıdığım zamanlarda bu dargınlık şahsiyetinden dalga dalga akıyordu.

Bu dargınlığı besleyen şey ise Doktor Ramiz'in bilhassa içtimaî meselelere olan büyük ilgisiydi. Öyle ki, onunla birkaç saat konuştuktan, şikâyetlerini, tahlillerini, gelecek için düşündüklerini dinledikten sonra, insanların yalnız hakkıyla yapabilecekleri işle meşgul oldukları bir dünyada yaşamanın nasıl bir saadet olabileceğini düşünmemek, böyle bir dünyayı özlememek imkânsızdı.

Daha o gün Doktor Ramiz'in hoşnutsuzluk denen şeyin tâ kendisi olduğunu anladım. Çok zengin bir sözlüğü vardı. Gençlik, memleket meseleleri, umumî terbiye, istihsal ve bilhassa hareket gibi kelimeler dilinden düşmüyordu. Hiçbir şeyin üzerinde duramayan, ancak zarurî bir şekilde bir iş yaparken veya şikâyet ederken mesut olan insanlardandı. Bu yüzden çok güzel bir mesleği, cemiyet içinde bir yeri olduğu hâlde kendisini biçare, her hakkı yenmiş, gelecek için ümitsiz sanıyordu.

Belki beni de kendisi gibi bir sınıf dışı, bir gayri memnun zannettiği için sevmiş, himayesine almıştı. Viyana'dan döndüğü günden beri herkese dargın, hemen hemen, yapayalnız yaşıyordu.

İlk önce ikimiz de ayakta umumî vaziyeti konuştuk. Ben başımdaki dertten kurtulmak şartıyla dünyayı gül gülistan görmeğe çoktan hazır olduğum için başlangıçta sözlerinden pek bir şey anlayamadım. Fakat sonra yavaş yavaş düşüncelerine ayak uydurmasını öğrendim. Memlekette hiçbir şeyi beğenmiyordu. Zihniyet eskiydi. Kendisi gibi, benim gibi (!) gençlere kâfi derecede yer ve imkân verilmiyordu. Sadece ikimizin vaziyetini mütalâa etmek bunu anlamağa yeterdi. Benim gibi adama yapılır muamele miydi bu? Kendisine gelince memlekete döneli iki sene olduğu hâlde henüz ona doğru dürüst psikanaliz metodunu tatbik etmek fırsatını bile vermemişlerdi. Geldiğinden beri ilk defa hasta yüzü görüyordu. Bereket versin benim vaziyetim "vak'a" olarak mühimdi. Yani ben ona kâfi bir teselli olmuştum. Halbuki Avrupa, bilhassa Viyana ve hele Almanya hiç böyle değildi. Oralarda ihtisasa hürmet vardı ve psikanaliz gündelik ekmek gibi bir ihtiyaçtı.

Kahvelerimiz gelince o masanın başına geçti. Beni de karşısına oturttu. Tekrar çantasını açtı. Cıgara paketini çıkardı. Birer cıgara yaktık, paket çantaya kondu. Kilitlendi.

– Beni burada hiç sevmezler... diye tekrar söze başladı. O kadar eski metotla çalışıyorlar ki... Zaten yerim değil. Mecburî hizmet müddetimi geçiriyorum. Nasılsa sizi bana bıraktılar. Müdür evvelden vaat etmişti. Münasaip bir vak'a çıkarsa... demişti.

Birbirimizin ezelden kısmeti olduğumuz nasıl belliydi!

Bu izahattan sonra bir müddet daha Viyana'ya ve diğer Alman memleketlerine döndük. Oraların intizamına, hayatın rahatlığına beraberce hasret çektik.

Kahvelerimiz bitince kalktı, fincanları önümüzden uzaklaştırdı:

– Şimdi anlatın bakalım?..

İlk sözü bana bıraktı. Ona evvelâ kısaca vak'ayı anlattım. Sonra bütün hayatımı anlatmamı istedi. Ben söyledikçe önündeki bir kâğıda not alıyordu. Bilhassa çocukluğumun üstünde fazla duruyordu. Hemen her söylediğimi birkaç defa tekrarlatıyordu. "Mübarek"ten pek hoşlanmıştı. Ona dair bir yığın sual sordu. Evimizin ayaklı saatini hep annemin verdiği adla anıyordu.

– Nasıl bir şeydi bu?..

– Büyük bir ayaklı saat... Çok iyi cinsten. Eski İngiliz işi. Mecit zamanında alınmış. Fakat bozuk. Evde karım tavan arasına kaldırdı. Ama yine isterseniz görmek mümkün... Güzel sesi var.

Ve gözlerine satın alır ümidiyle bakıyordum. Böyle bir şey hiç de fena olmazdı. Tevkifhanede iken yanı başımdaki odada yatan kalantor bir Yahudinin Lizbon'da çürüğe çıkarılmış bir gemiyi Benderbuşirli bir İranlıya sattığını, hattâ komisyonculuk bedelini peşin olarak aldığını gardiyanlardan duymuştum. Bunu ben de pekâlâ yapabilirdim. Nihayet dayanamadım:

– Ucuz veririm... dedim. İsterseniz gidelim, görelim!

Bu da şüphesiz bir kârdı. Yüreğim ağzımda konuşuyor ve içimden kendi kendime düşünüyordum: "Ah bir merak etse de eve kadar gitsek, Emine'yi doya doya görsem, taşlıktaki tulumbadan o su çekse ben yüzümü yıkasam, Zehra ile çocuk türküleri söylesem..."

– Bozuk dediniz değil mi?

· – Bozuk... Daha doğrusu bakımsız!

Bir müddet düşündü:

– Tabiî öyle olması lâzım...

Neden öyle olması lâzımdı? Burasını pek anlıyamadım. Nuri Efendiye göre bir saatin işlemesi, hattâ hiç durmaması lâzımdı. Omuzlarımı silktim. Bizim meseleye gelmeyecek miyiz? Hayır gelmeyeceğiz, gelemeyeceğiz; çünkü Doktor Ramiz saatten sonra babama geçti. Babamdan sonra anneme, annemden sonra Nuri Efendiye... Bütün tanıdıkları merak etti. En sonunda bir türlü yapılamayan Takribî Ahmet Efendi Camii'nin hikâyesinde karar kıldı.

– Bu camiden evde çok bahsediliyor muydu?

– Hayır, dedim. Yahut pek az. Babam eline biraz para geçmesini ümit etti mi ondan bahseder, sonra lafını ettirmezdi. Hattâ onu hatırlattığı için saate biraz düşmandı.

– Hangi saat?

– Büyük saat işte...

– Mübarek'e mi? Adıyla söylesenize şunu! Bir adı olan şey adıyla anılır, diye beni azarladı.

Ben bu hakikati unuttuğuma müteessir, o kendiliğinden bir vecize bulduğundan memnun, tekrar Mübarek'e döndük. Durmadan bir şeyler soruyor, ve ben başıma geleceklerden habersiz hatırladıkça anlatıyordum:

– Bir gece hep beraber otururken saat birdenbire çalmağa başladı. Babam son derece öfkelendi. "Anladık! diye bağırdı. Sen de biliyorsun ki, param yok. Şimdilik imkânsız. Evi zor geçindiriyorum... Eski zaman değil ki. Ne diye sıkıştırırsın beni!"

– Bunu Mübarek'e mi söylemişti?

– Evet. Yani, galiba... Bilmem!

– Öyle olacak... Çok enteresan bir vak'a... Son derece tipik ve nadir bir vak'a. Size teşekkür ederim, bilhassa teşekkür ederim...

Bu hâle girdiğim için teşekkür ediyordu.

– Aynen söylüyorsunuz değil mi?

Baştan aşağı irade ve dikkat kesilmiş, yüzüme bakıyordu. "Muhakkak bir rapor yazacağım kongreye..."

– Bir daha söyleyin bakayım?

Aynen tekrarladım.

– Çok mühim ve az görülmüş bir vak'a. Âdeta tabu olmuş ve etrafında çeşitli kompleksler yaratmış. Mamafih emsali var.

Ve bana Cava'da, yahut başka bir adada eski bir topun evliya gibi ziyaret edildiğini, çocuksuz kadınların üstüne çaput bağladıklarını anlattı. Ben lafı değiştirmek ümidiyle:

– Bizde de vardı, dedim. Eski Mahmudiye Gemisi öyle idi. Hani Üç Ambarlı dedikleri. Geceleri gizlice Sivastopol muharebesine gider tabyaları topa tutar, sabahları dönermiş. Babam hatırlıyordu. Selimiye Kışlası kadar büyükmüş içi...

– Sizin evde mi? diye sordu.

Dalgın mıydı? Beni iyice deli mi sanıyordu? Yoksa, daha korkuncu...

– Hayır, hayır... diye haykırdım. Bizim memlekette, İstanbul'da demek istiyorum...

Ve deli olmadığımı anlatmak için tasrih ettim:

– Hiç koskoca zırhlı eve girer mi? Böyle bir şeyi almak için Ayasofya kadar yer lâzım.

– Ayasofya mı?

Ettiğim hatayı anladım:

– Yani söz timsali söylüyorum, dedim, ve araya başka bir şey sokmasına müsaade etmeden tekrar hikâyeyi anlattım.

Sözlerimi büyük bir ciddiyetle dinledi. Not aldı. Yine teşekkür etti. Sonra fikrini söyledi:

– Bu da çok enteresan, fakat aynı değil. Benim dediğim başka...

Bir taraftan konuşuyor, bir taraftan çantasından çıkardığı çakı ile tırnaklarını temizliyordu. Bitirince bana da ikram edecek sandım; fena olmayacaktı. Birdenbire düştüğüm bu vaziyette bir şeyle oynamak, meşgul olmak en iyisiydi. Fakat çakıyı bana uzatmadı, işi bitince tekrar çantaya koydu. Buna mukabil ikimiz de bol miktarda kolonyalandık. Sonra sıra cıgara paketine geldi. Artık dayanamadım.

– Doktor, dedim. Şunları yanınıza alsanız...

Ve korkudan ödüm patladı. Hafif gülümsedi:

– Böylesi daha rahat...

Doktorun rahat anlayışı, üvey annemin saadet anlayışından farksızdı. Ah, insanoğlu!

– Siz çok can adamsınız, Hayri Bey... Keşke Viyana'da iken tanışsaydık!..

Ve bittabi bir anda Viyana'ya gittik. Doktor Ramiz'in baş sevgilisi şehir benim meselemin yerine geçti. Sonra en ümit edilmez anda döndük.

– Anneniz Mübarek'e çok ehemmiyet verirdi değil mi?

– Galiba...

– İyi hatırlayın...

Tekrar gözlerini gözlerime dikti.

– Belki... dedim. Yani, saat tuhaf bir saatti. Acayip hâlleri vardı.

İsterseniz bir çeşit keyfî, yahut da ihtiyarî çalışması vardı. Belki de bozuk olduğu için böyleydi. Her hâlde her yaptığı şey bize acayip görünürdü.

Ben konuşurken yüzü âdeta sevinçten parlıyordu. Başını sallaya sallaya beni dinledi. Sonra aldığı notları okudu.

– Tuhaf, acayip hâl, ihtiyarî, keyfî, yaptığı işler... Öyle değil mi? Çok enteresan.. Sonra?..

– İşte böyle...

Artık sıkılmıştım. Muayenem ne olmuştu? Hiç ondan bahsetmiyordu.

– Evet, dinliyorum, anneniz?

– Sonunda âdeta korkmağa başlamıştı ondan... Malûm ya eski zaman insanları, cahil kadın.

– Bu işte eski, yeni yoktur. En iptidaî insan ile aramızda hiçbir fark olamaz. Şuur hayatı yahut şuuraltı hayatı her yerde birdir. Psikanaliz...

Ve böylece hayatımda o kadar çok işiteceğim kelimelerden biri dudaklarının arasından bir lahzada fırladı, lop yumurta gibi önüme oturdu.

Ayağa kalktı:

– Yarın yine devam ederiz. Şimdi sizin istirahatinize bakalım! Yatağınız geldi mi?

– Karım yollayacak, dedim.

– O hâlde iyi, dedi. Burada, bu odada yatarsınız. Koğuşta sıkılırsınız, çok rahatsız olursunuz. Ben müdürle bir konuşayım.

Sıkıntı içinde idi:

– Burada beni sevmezler. Lafımı da hiç dinlemezler. Ama, mademki hastamsınız...

– Ben hasta değilim doktor. Her şeyi biliyorsunuz artık. Ben hasta mıyım?

Dinlemeden odadan çıktı.

Bir müddet sonra arkasından bakarak düşündüm.

Sonra musluğa koştum ve yüzümü yıkadım. Bu konuşma beni

yormuştu. Doktorun giderken açık bıraktığı kapıdan soğuk bir rüzgârla beraber deminki sesler, daha keskin, daha korkunç geliyordu. Ne oluyordu? Hakikaten bir deli mi bağırıyordu? Yoksa bir hasta mı? Adam, ölü açılacak demişti. Acaba açtılar mı? Belki de şimdi kapatmışlardır! Doktor kapıyı kapatmamıştı. Onu da kapatmamış olabilirlerdi; fakat niçin açıyorlardı? Birdenbire içimde çılgın bir kaçma arzusu peydahlandı. Korka korka kapıdan çıktım. Koridorda, geldiğimi tahmin ettiğim tarafa doğru yürüdüm. Ben yürüdükçe çığlıklar artıyordu. Kendi kendime bu taraf değil dedim. Fakat sesler beni âdeta kendilerine doğru çekiyordu. Yarı açık bir kapının aralığından konuşmalar geliyordu. Başımı şöyle bir uzattım. Bütün vücudum zangır zangır titreyerek geriye çekildim. Hayır, daha kapatmamışlardı. Tekrar geriye döndüm. Koşa koşa odaya girdim. Kapıyı kapattım. Sandalyeme büzüldüm.

Biraz sonra Doktor Ramiz geldi. Yüzü sevinç içindeydi.

– Oldu... dedi. İlk önce müşkülât çıkarttı. Fakat kendisine sizin daha ziyade benim sahamı alâkadar eden bir hasta olduğunuzu anlatınca razı oldu.

– Ama doktor, ben hasta değilim... Allah rızası için... Size anlattım.

Tekrar gözlerini gözlerime dikti. En katî sesiyle:

– Hastasınız... diye kesip attı. Psikanaliz çıktığından beri hemen herkes az çok hastadır.

– O hâlde dışardakilerden farkım ne?

– O başka şey... Ben sizden mesulüm.

– Şimdi ne olacak?

– Tedavi edeceğiz. Zaten öyle mühimce bir iş değil. Bu işte teşhis hemen hemen tedavidir. Yani muntazam devam edilirse birkaç senede biter.

Çıldıracaktım. "Birkaç sene..."

– Rapor!.. Doktor, karım hasta. Yüzünden belli, hasta. Beni buradan bir an evvel çıkarın.

– O ayrı şey, dedik ya!

105

Sonra sözü değiştirdi. Geceleri burada yatacaksınız, rahat edersiniz. Etrafta dolaşmayın. Fazla şey de düşünmeyin. Yalnız cıgara yasak! Geceleri cıgara içmeyeceğinizi müdüre vaat ettim.

O gittikten biraz sonra bir komşu, yatağımı ve yiyeceğimi getirdi. Emine kendi gelememiş, fakat hiçbir şeyi unutmamıştı.

Ertesi günü, daha ertesi günü Doktor Ramiz hep benimle meşgul oldu. Bu sefer rüyalarımı merak etmişti. Kim bilir, belki de yaradılış icabı pek rüya görmem. Fakat herkes gibi benim de az çok korkulu ve garip sayılabilecek rüyalarım vardı. Hatırımda kalanları teker teker anlattım.

Dördüncü günü tedavi usulümüz değişti. Odanın perdeleri indirildi. Ben bir kanepenin üzerine yüzüm duvara çevrik yattım. Artık sual sormuyordu. Sadece hatırıma gelenleri anlatmamı istiyordu. Ve ben durmadan konuşuyordum. Onu aldatmak için konuştuğumu zannede ede konuşuyordum. Fakat yavaş yavaş halka daralıyordu. Düşüncem sanki karanlık bir mahzen olmuştu. Hiçbir yere kımıldamak imkânı olmayan bir mahzen. Sonra birdenbire bir yerde bir kelime, bir hâtıra, tıpkı bir pencere açılmış gibi parlıyordu. Ve ben oraya doğru yürüyordum. Bu iki saat kadar sürdü. Perdeler açılınca kendimi gerçekten bitkin buldum. Ve bu sonuna kadar günlerce böyle devam etti.

Ben sabırsızlıktan, üzüntüden çıldırıyordum. Emine hiçbir şeyi unutmuyor, ya kendisi geliyor, yahut birisini bulup yolluyordu. Rahatım yerinde idi. Kendime boş saatlerimde epeyce iş de bulmuştum. Başta müdür olmak üzere birkaç kişinin saatini tamir etmiştim. Müdür yavaş yavaş bana alışmıştı. Ara sıra odasına çağırıp benimle birkaç çift laf ediyordu. O daha ziyade Şerbetçibaşı Elması'na merak sarmıştı:

– Hani öyle bir şey benim de elime geçse doğrusu, ha... Adına bakılırsa ceviz büyüklüğünde bir şey olmalı... Olağan işlerdir, Hayri Bey... Siz birkaç gün daha sabredin. Ramiz Bey raporunu versin!

Ve tam kapıdan çıkacağım zaman birdenbire duruyor, yeleğinin ceplerini karıştırdıktan sonra bir saat uzatıyordu:

– Az kalsın unutuyordum... Hanımın saati! Çoktan beri iyi işlemiyor... Şuna bir baksanız...

Ertesi günü hademe "bir arkadaşın" saatini getiriyordu. Bazılarını tamir ediyor, bazılarını da âlet yokluğundan sadece hastalığını teşhis ederek sağlık veriyordum. Bu arada benim psikanalizim bütün hararetiyle devam ediyordu.

Benimle konuşurken Ramiz Beyin adı geçtikçe müdürün gözlerindeki parıltıdan şüphelendiğim için vaziyetim hakkında herhangi bir şey söylemeğe cesaratim kalmamıştı. Bu kadar iyi bir adam için fenaya yorulacak bir söz nasıl ağzımdan çıkardı? Bununla beraber zaman geçiyordu. Ve ben gerçekten bunalmıştım. Emine günden güne daha hâlsiz ve biçare idi. Tevkifimden beri beni âdeta sırtında bir yük gibi taşıyordu. Daha muhakeme başlar başlamaz işime son vermişlerdi. Nerde ise parasızlık da başlayacaktı. Müesseseye girdiğimin onuncu günüydü ki, Doktor Ramiz birdenbire konuşmayı kesti:

– Bu devre artık bitti! dedi.

Odanın içinde birkaç kere dolaştı. Sonra önümde durdu. Bir eliyle omuzuma dokundu:

– Evet! Hastalığınız anlaşıldı, dedi. Sizde tipik bir baba kompleksi var. Babanızı beğenmemişsiniz... Bu o kadar mühim değil. Reşit olmak için belki de en kısa yoldur. Fakat siz daha mühim bir şey yapmışsınız...

İhtiyarsız ellerimi oğuşturdum. Şakaklarım ter içinde idi:

– Doktor lutfet!..

– Hacet yok! dedi. Hastalığınızı buldum. Zaten hayatınızı dinlerken bulmuştum. Rüyalarınızdan ziyade hayatınızdan belliydi. Fakat bugün daha vuzuhla gördüm. Teşhisimde yanılmama imkân yok.

Ben canım ağzımda dinliyordum:

– Neymiş doktor?..

– Mühim bir hastalık... Fakat daha kötüsü de olabilirdi. Merak etmeyin, kolaylıkla önlenecek bir şey... Tipik, fakat zararsız...

Tekrar uzaklaştı. Odanın öbür ucunda bir iskemleyi âdeta siper alır gibi önüne çekti. Onun arkalığına dayanarak ilâve etti.

– Demin de dedim ya... Siz babanızı beğenmiyorsunuz... Beğenmemişsiniz.

– Aman doktor!..

– Dinleyin, dinleyin... Beğenmedikten sonra kendiniz onun yerine geçeceğiniz yerde, kendinize durmadan baba aramışsınız... Yani reşit olamamışsınız. Hep çocuk kalmışsınız! Öyle değil mi?

Yerimden fırladım. Bu fazlanın fazlasıydı. Düpedüz iftiraydı, hainlikti, zalimlikti, beni bir kalemde insanlığın dışına çıkarmaktı.

– Hiç aklımdan geçmez. Geçmedi de. Saçma, budalalık! Ne diye bir başka baba arayayım? İstesem de istemesem de onun oğluyum... Babamı nasıl inkâr ederim?

– Maalesef böyle... Hem bütün ömrünüzce böyle devam etmiş... İşleriniz, şahsiyetiniz bu yüzden durmadan karışmış...

Şaşkın şaşkın etrafıma bakındım. Hiçbir yerden bir yardım gelemezdi. Kurtarırsam, kendimi kendim kurtaracaktım. Bütün kuvvetimi topladım:

– Bak doktor! dedim. Benim hiçbir şeyim yok. Sadece talihsizim. Başıma durmadan münasebetsiz işler gelir. Bu talihsizlik daha beni nereye kadar götürecek, bilmiyorum. Bu sefer de başıma mânasız bir iş geldi. Lüzumsuz yere konuştum. Ağzımdan bir kelime çıktı. Onun etrafında bütün bir masal uydurdular. Mahvıma kadar gittiler. Ben maalesef kendim başladığım bir yalanın kurbanıyım. Bunu nasıl yaptım? Niçin yaptım? Bilmiyorum. Fakat bu iş böyle... Bir gevezelik... Başka bir şey değil. Belki burada bütün insanlıkla birleşiyorum. Hepimiz kendi masallarımızın kurbanıyız. Fakat benimki başka türlü oldu. Karımın, çocuklarımın hayatında, kendi hayatımda onun cezasını çekiyorum... Anla beni! Bana insanlar yüklendiler, başka bir şey yok ortada...

Kabil olsa yerde sürünecek, ayaklarına kapanacaktım. Konuşmam boyunca içimden kendimi hep bu vaziyette görüyordum. Bir şeyleri öpmek, yalvarmak, aşağılaşmak, onda hemen herkesi ve bütün talihi inandırmak istiyordum.

108

O da durmadan, "Sakin olun, Hayri Bey!" diyordu. Ve ben devam ediyordum:

– Yalan. Anlayın, küçücük bir yalan. Bir şaka!

Daha kendime gelmiş bir hâlde anlatmağa çalışıyordum:

– Aradan bu yalanı çıkarın, hiçbir şey kalmaz, kurtulurum. Hasta filân değilim. Hasta arıyorsanız var!.. Karım hasta! Hem korkuyorum, çok hasta. Yüzü berbattı geçen gün... Evden ayrıldığım gün o kadar değildi! Fakat ben, kendim, benim bir şeyim yok. Sağlam adamım.

Ah o andaki sesim! Nasıl tanıyordum bu sesi ve hıçkıran bütün vücudumu. Bütün ömrümde kaç defa rüyalarımdan kulaklarımda hep aynı gözyaşlarıyla ıslak bu sesle ve içimde bu korkunun tâ kendisiyle uyanmıştım. Korku... Korku ve insan, korku ve insan talihi, insanın insana hücumu, o hiç yere düşmanlık. Fakat neyi aldatabilirdim, kime anlatabilirdim? İnsan neyi anlatabilir? İnsan insana, insanlara hangi derdini anlatabilir? Yıldızlar birbiriyle konuşabilir, insan insanla konuşamaz.

Hele Ramiz Beyin bunları anlamağa, hattâ dinlemeğe hiç niyeti yoktu. O hastalığımla, daha doğrusu kendi teşhisiyle alâkadardı. Hem babamı ne diye inkâr edeyim?

– Sakin olun!.. dedi. Maalesef beğenmiyorsunuz. İnkâr değil, beğenmemek. İşler sizde çok karışmış... Evvelâ Mübarek işi karıştırmış. Hikâyesi dolayısıyla evde âdeta muhterem, mukaddes bir yer almış. Evin içinde kıymetler alt üst olmuş... Babanızı ikinci dereceye atmış...

– Saat mi? Biçare bir şey!.. Eski, ihtiyar bir saat... Aile yadigârı.

– Gördünüz mü? Biçare, eski, ihtiyar... Ondan hep insanmış gibi bahsediyorsunuz. Sözünüze dikkat edin! Biçare dedikten sonra, eski dediniz... Yani evvelâ bir insandan bahseder gibi bahsettiniz... Farkına vardınız, eski dediniz! Eşya oldu. Bu sefer gönlünüz razı olmadı, ihtiyar sıfatını kullandınız... Notlarını karıştırdı. İlk günlerde, "tuhaf", "acayip hâller", "keyfilik", "ihtiyarilik", "yaptığı işler" tabirini kullanmıştınız!

– Yani?

– Yani çocukluğunuz bu saatin eve getirdiği hava içinde geçmiş... Babanız bile onu kıskanmış... Anneniz Mübarek adını verdiği hâlde babanız "Menhus" adını koymuş, nasıl oldu da parçalamadı şaşıyorum. Çünkü babanız sizden evvel tehlikeyi görmüş...

– Parçalamak değil amma, satmak istiyordu...

Doktor sevinçle yerinden fırladı. Dâvasının bir ispatını daha vermiştim.

– Yani evden uzaklaştırmak istiyordu.

Başımı eğdim, yalan değildi. Babam bu saate âdeta düşmandı. "Bana hiç rahat vermiyor ve menhus evimi âdeta zaptetti..." deyip duruyordu.

Yeniden kuvvetlerimi topladım. Yeniden anlatmağa çalıştım. Başka ne yapabilirdim?

– Doktorcuğum lutfet! Bunlar mâkul şeyler değil. Adamcağız ağzından iki kelime kaçırdı diye... Saat kıskanılmaz... Eşya kıskanılır mı hiç? Başkasında olsa anlarım. Kendi malını insan kıskanmaz, belki beğenmez, bıkar, atar, satar, yakar, mahveder, amma...

– Sonra Nuri Efendi, Seyit Lûtfullah, Abdüsselâm Beyler gelmiş.

– Nuri Efendi ustamdı, dünyanın en iyi adamıydı. Lûtfullah biçare bir meczuptu, söyledikleri yaptıkları beni eğlendirirdi. Masal gibi hoşuma giderdi. Abdüsselâm Beye gelince çok iyiliğini gördüm.

– Evet amma, hepsinin muayyen bir devresi var. Ayrı ayrı zamanlarda peşlerinden gidiyorsunuz.

Yavaş yavaş içimde bir telâş başlamıştı. Acaba böyle miydi? Muhakkak ki, hepsine ayrı ayrı bağlanmıştım. Doktor Ramiz birdenbire büsbütün amansız kesildi:

– Çocuğunuzun adını Abdüsselâm Beyin vermesini ne ile izah edersiniz?

Tekrar ellerimi uzattım. Akıl ve mantığa, o tek selâmet yoluna dönmesi için yalvardım:

– İnsaf doktor, insaf... Nezaket meselesi, evinde oturuyordum. İyiliğini görmüştüm. Velinimetimdi... Teberrüken, teyemmünen, eskilerin dediği gibi takdisinimet için, ne derseniz deyin...

– Yani bir kelime ile size babalık etmişti. Siz de içinizden bunu kabul etmiştiniz... O kadar kabul etmiştiniz ki, adamcağız kızınıza kendi anasının adını veriyor.

– Bu da benim kabahatim mi? O verdi, yanlışlık...

– Tabiî... Bu rolü ona siz aşıladınız!.. Telkin meselesi. Siz kuvvetli adamsınız Hayri Bey, kuvvetli bir hasta yahut...

Artık bütün mukavemetim kırılmıştı. Nerdeyse yalnız ona bakacak, ona şaşıracaktım. Nasıl muhakeme esnasında günlerce herkese şaşırdımsa, "Nasıl oluyor da böyle düşünebiliyorlar!" diye hayret ettimse... Galiba bizi benzerlerimizin karşısında her gün birkaç defa çıldırmaktan bu hayret kurtarır.

Cıgaramı söndürerek ayağa kalktım:

– Bu kadarı fazla değil mi doktor? dedim. Vâkıa babama pek hayran değildim. Acayip tabiatları vardı. Huysuzdu, fazla konuşurdu, kendisini idare edemezdi. Hulâsa pek öyle sevilecek, hürmet, riayet edilecek bir adam değildi. Yahut talihsiz adamdı. Ama yine babamdı. Sevmesem bile acırdım. Öyle iyi, mazlûm tarafları da vardı ki... Onun üstüne bir başkasını aramak... Hem zavallı adamın ölümünden şu kadar yıl sonra. Hem ben kendi annem değildim ki kendime başka baba seçeyim...

O eliyle işaret ederek oturttu.

– Doğru, doğru... Fakat ne yapalım ki, vâkıa bu. Sözlerinizin kendisi de bunu gösteriyor. Rahmetli pek öyle sevilecek, hürmet, riayet edilecek adam değildi, demediniz mi? Halbuki bir baba daima sevilir, hürmete şayan görülür. Bu ister istemez böyledir. Bakınız, babanızı kıskanmıyorsunuz, normal vaziyette baba kıskanılır. O zaman iş değişirdi. Babanızı kıskanmadınız.

Neyini kıskanacaktım zavallının?

Her ağzımı açışta doktorun gülüşü daha mânalaşıyordu.

– Kıskanmadınız! Çünkü onda meziyet bulmadınız. Telâşa lüzum yok. Bu cins şeyler herkeste bulunur. Siz biraz fazla bu iş üzerinde gecikmişsiniz. Baba olamamışsınız... Baba olunca geçer...

– Baba olamadım 'mı? İki çocuğum var... Hem ikincisinin adını ben koydum... İnsaf edin! Ahmet'in adını ben koydum.

– Abdüsselâm Bey öldüğü için... Mamafih sonuncu babanızın ölümü ile size bir nevi istiklâl ve olgunluk gelmiş olabilir. Mesele şimdi bu kompleksin neticelerinden kurtulmanızda. Zaten şuur altında bir hâdise olduğu için kendi kendisi kaldıkça ehemmiyetsiz bir şeydir. Ehemmiyetsiz ve hattâ tabiî bir şey. Bilhassa bugünkü cemiyetimizde. Çünkü içtimaî şekilde bu hastalık hemen hepimizde var. Bakın etrafa, hep maziden şikâyet ediyoruz, hepimiz onunla meşgulüz. Onu içinden değiştirmek istiyoruz. Bunun mânası nedir. Bir baba kompleksi değil mi?.. Büyük, küçük hepimiz onunla uğraşmıyor muyuz?.. Şu Etilere, Frikyalılara bilmem ne kavimlerine muhabbetimiz nedir? Baba kompleksinden başka bir şey mi?

Tekrar ayağa kalktım. Kaçmak istiyordum. Fakat kahvelerimiz gelmişti. Yerime oturdum.

– Bu günlük bu kadar yetmez mi? diye yalvardım.

– Hayır, oturun ve beni dinleyin! Siz de bilirsiniz ki psikanaliz... Boynumu büktüm, kollarımı açtım.

– Doktor nerden bileceğim ben onu? Ben cahil bir adamım. Hayatımı on defa dinlediniz. Doğru dürüst okumadım. Babam kâfi derecede sert değildi. Beni okutamadı.

Birdenbire durdum. Yine kendimi ele vermiştim. Babamı beğenmediğimi gösteren sözler söylemiştim. Sözü değiştirmek istedim.

– İyi kötü biraz saatten anlarım, işte o kadar!..

Ve tabiî saat der demez evvelâ "Mübarek" sonra rahmetli Nuri Efendi, yani ikinci babam hatırıma geldi, sustum. Bu baba kompleksi korkunç bir şeydi. İnsana ağız açtırmıyordu.

Bereket versin doktor beni dinlemiyordu. Zaten pek az dinlerdi.

– Malûm malûm... Buralarını biliyorum. Ama üzülmeyin. Okumuş olsanız bir şey mi çıkardı sanıyorsunuz? Psikanaliz bilmedikten sonra, hepsi bir...

Bir müddet düşündü. Çantasını açtı. Cıgara paketini çıkardı. Bir tanesini bana ikram etti, bir de kendisi yaktı. Tekrar paketi çantaya koydu, kilitledi.

"Niçin cebine koymaz!" diye yeniden sinirlendim. Sonra kendime kızdım. Dünyanın en gülünç hastalığına tutulmuşum, bir de elâlemin işine karışıyordum.

Doktor Ramiz yüzüme âdeta şefkatle baktı.

– En iyisi işe baştan başlamaktır. Ben size kısaca öğretirim. Psikanaliz...

İnsaf, merhamet, yangın var... Hayır, psikanaliz...

İlk ders akşama kadar sürdü. Akşamüstü Doktor Ramiz bana Almanca basılmış bir konferansını bırakarak gitti. Gece yatağımı odaya serdim. Başıma gelenleri düşünmeğe başladım. İkinci hafta bitiyordu. Hâlâ rapordan eser yoktu. Üstelik de yeniden tahsile başlamıştım. Broşürü elime aldım. Zehir gibi Almanca idi. Hoş Türkçe olsa ne anlayacaktım? Belki rüyama girer de keşfederim diye yastığımın altına koydum.

Ertesi günü sabahleyin "ziyaretçiniz var" dediler. Karımdı. Yüzü daha solgunca, yanakları daha çöküktü. Meraklı gözlerle bana bakıyor, gözyaşlarını zorla tutuyordu. Onu teselli için neşeli göründüm.

– Bitmiyor mu? dedi.

– Hayır, dedim. Yeni başladık. Dün ilk dersi aldım.

– Ne dersi? Delirdin mi?

– Bayağı ders işte. Psikanaliz öğreniyorum!

Vaziyeti kendisine kısaca anlattım. Emine'nin bulanık gözlerine rağmen yüzünde beliren tebessümü seyretmek iç yıkıcı bir şeydi.

İşin komiğini anlıyor, fakat gülmeğe cesaret edemiyordu.

– Deli mi bunlar? dedi. Hiç yoktan başımıza bu iş gelsin...

Sonra beni teselli etti:

– Öyle hastalık olmaz. Aldırma! Ha hı de, şu raporu al!.. Yalvar, akıllı görün, deli ol, ne yaparsan yap!.. Buradan çık!

O gün Ramiz Bey rapora hiç yanaşmadı. Bilâkis psikanaliz hakkındaki izahat devam etti. Fakat bu sefer benzetmelerle işi anlatmağa başladı. İş büsbütün karışmıştı. Hem anlamadığımı biliyor, hem de bir şeyler anladığımı sanıyordum. Bir ara, bir akşam evvel bıraktığı kitaptan bahsetti.

— Biraz baktınız mı? dedi.

— Nasıl bakayım? Ben Almanca bilmem ki... Bilsem de bu yüksek ilim...

— Ha, evet... dedi. Unutmuşum. Zarar yok, ben size anlatırım.

Bereket versin bu sefer araya, o broşürdeki konferans vesilesiyle tanıdığı Alman kızının hâtırası girdi. Oradan onun arkadaşı olan hastabakıcıya geçtik. İkide bir çanta açılıyor, cıgara paketi çıkıyor, sonra tekrar kapanıyordu. Biraz sonra tabiî sıra İngiliz çakısına geliyor, çanta tekrar açılıyor, o aranıyor, tırnaklar temizleniyor, daha sonra kolonya şişesi çıkıyor, eller temizleniyordu. Ve genç kızlar tünel kayışı gibi biri öbürünü tanıştırarak gözümüzün önünden akıyordu. Saat ikiye doğru Doktor Ramiz, "İşim var!" diye gitti.

Daha ertesi günü doğrudan doğruya rüyalarımızla meşgul olduk. Bu sefer doktor, Almanya'da hiç kadın tanımamış gibi davranıyordu. Buna mukabil yorgun ve sinirli idi. Gözlerinin altı halka halka mordu. Hiç uyumamış olacaktı. Belki de yorgunluğu ve sinirliliği yüzünden anlattığım rüyaları hiç beğenmiyordu. Beni babasını beğenmeyen, her rast geldiği yerde kendisine baba arayan adamların görmesi icap eden rüyaları görmemekle itham ediyordu.

— Nasıl olur? diyordu. Sizin gibi bir zat, hastalığına uygun bir tek rüya görmüş olmasın! Bari bundan sonra biraz gayret etseniz...

İşte bu son cümle tedavimde yeni bir merhalenin başlangıcı oldu. O gün akşama kadar sustu, beni âdeta görmemezlikten gelerek, odanın içinde sinirli dolaştı, sonra birdenbire kararını vermiş gibi karşıma geçti, en ciddî sesiyle:

— Sizden hastalığınıza daha uygun rüyalar görmenizi istiyorum. Anladınız mı? dedi. Bütün gayretinizi sarf edip öyle rüyalar görmeye çalışın! Evvelâ sembollerden kurtulmalısınız. Babanızı rüyanızda kendi çehresiyle gördünüz mü iş değişir, her şey düzelir...

114

– Ben her zaman babamı kendi çehresiyle görürüm. Zaten öyle görmedim mi babam olmaz, başkası olur.

– O kadar kolay değil. Bu işler siz farkında olmadan olur. Onun için iradenizi toplayıp, babanızın büründüğü sembollerden kurtulmağa çalışın. Onlar ortadan kalkınca babanızdan kurtulmak kolaylaşır. Yani babanızdan gelme aşağılık duygusundan... Size bu hafta görmeniz lâzım gelen rüyaların listesini veriyorum.

Ve elime bir kâğıt parçası uzattı.

– Doktor, isteyerek rüya görülür mü hiç? Reçeteyle rüya... İmkânsız.

– Bu müspet bir ilimdir, dostum! Burada itiraz olmaz.

Bütün bunlar avukatımın deliliğimi mutlaka ispat etmem icap ederse baş vurmam için öğrettiği uydurma ateş oyununa hiç ihtiyaç kalmadan, daha esaslı şekilde, yüzde yüz emniyetle deliliğe doğru gitmekti. Ne yapayım ki, bu sayede bir yığın hasta, katil, eroin düşkününün bulunduğu koğuştan kurtuluyor, günümü Doktor Ramiz gibi terbiyeli, zeki, âlim, insancıl ve iyi niyetli bir adamla geçiriyor, istediğim kadar, yahut onun istediği kadar, cıgara, kahve içiyordum.

Bu kadar iyiliğe karşı ben de elbette küçük bir karşılıkta bulunmayı isterdim. Yatmadan evvel elimden geldiği kadar babamı düşünüyor, onu hayatımın her safhasında hatırlamağa çalışıyordum. Fakat inadına babam hiç rüyama girmiyor, yahut hep Doktor Ramiz'in sembolleriyle karşıma çıkıyordu. Kâh çok dar ve yıkılmağa hazır bir köprü, kâh bozuk, her tarafı çamur birikintileri dolu bir kaldırım oluyor, bazen simsiyah bir vapur hâlinde, ben küçük bir kayıkta çalkanırken üzerime geliyordu. Ve ben tabiî, doktorun emrini yerine getirememek korkusuyla derhal sıçrıyarak uykudan uyanıyor, tekrar gözlerimi sımsıkı kapayarak onu asıl çehresiyle düşünmeğe başlıyordum. Bu tecrübelerden adamakıllı yorulup da uyku basınca, yani doktorun sözüyle kontrol imkânı kalmayınca büsbütün başka türlü rüyalar başlıyordu.

Hakikatte âkıbetimiz ve bilhassa Emine'nin sıhhatindeki perişanlık düşüncemi zaptetmişti. Uykuda veya uyanık onunla meşguldüm. Doğrudan doğruya içinde bulunduğum vaziyetin aksi olan karmakarışık, sefil ve sıkıntılı hayallerden sonra, daima onun solgun yüzüne ve şikâyet, serzeniş dolu gözlerine bakarak uyanıyordum. Doktor Ramiz bütün bunlara kızıyor:

– Size en yeni ve şahsî metodu, kendi bulduğum metodu tatbik ediyorum. Buna "Dirije rüya" metodu adını verdim. Evvelce görülmüş rüyalarla hastalığı teşhisten sonra hastanın rüyalarını sıkı bir kontrolle idare ederek onu tedavi etmek metodu... Bu metodu bana siz ilham ettiğiniz hâlde şimdi hiç gayret etmiyorsunuz. Ne kadar acayip insansınız! Hiç iradeniz yok mu? Hep bugünle mi meşgul olursunuz? Biraz da bütün hayatınızı düşünün.

Yazık ki bunun için yeter derecede iradeli değildim. Zaten hiçbirimiz değildik. Halbuki irade her şeydi. Hiç olmazsa Doktor Ramiz'e göre irade, psikanalizin yanı başına konabilecek hayatı tıpkı bir kralın kıraliçesi gibi onunla paylaşmağa lâyık tek şeydi. Bütün büyük filozoflar ondan bahsederlerdi. Ve tabiî hemen arkasından bir yığın isim geliyordu. Bir yığın isim ki iradenin ta kendisi idiler: Nietzsche, Schopenhauer... Ve Doktor Ramiz bütün bunları behemehal okumuş olduğuma inandığı için hepsinden bana üstü kapalı misaller veriyor, sonra kitaplardan aldığı bu misalleri günlük hayata, kendi hayatına, benim hayatıma, memleket meselelerine tatbik ediyor ve oradan tabiatıyla Alman musıkîsine geçiyorduk. Doktor Ramiz'e göre –sonradan Almanya'da okuyanların çoğunda bu hâli gördüm– Beethoven'i hemen hemen bizim sokağın arkasında oturan bir adam gibi behemehal tanımaklığım lâzım geliyordu. Wagner'e gelince o mutlaka ikimizin de akrabasıydı. Çok defa Dokuzuncu Senfoni'nin korosu ile veya Tenhauser'in marşıyle biten konuşmalardan sonra doktorun ferdî hâtıraları başlardı. O da bitince doktor birdenbire ayağa kalkar, tıpkı mutlak boşluğun karşısına dünyayı yaratmak iradesiyle dikilen bir tanrı gibi karşıma geçer, yokluktan her şeyi çekecek büyük ve sihirli kelimeyi tekrar ederdi:

– İrade... derdi. Anladınız ya! İrade... Her şey bu kelimededir.

Ve beni, tevdi ettiği bu sırla baş başa bırakmak için çantası ve pardösüsü kolunda, ıslıkla demin söylediği marşı veya koroyu tekrarlayarak odadan fırlardı.

Ve ben yalnız odada başım iki elimin arasında şaşkın ve budala "Beethoven, Nietzsche, irade, Schopenhauer, psikanaliz..." diye tekrarlardım. Ah kelimeler, isimler ve onlara inanmanın saadeti... Bir gece rüyamda bir arslanı üzerime saldırırken gördüm. Bereket versin bir yerime dokunmadan geçti. Çocukluğumda, ne Şerbetçibaşı Elması'nın hırsızı, ne miras kaçırıcısı ve Doktor Ramiz'in hastası olmadığım o mesut zamanlarda, sabah kahvaltımızı yaparken herkes o gece gördüğü rüyayı anlatırdı. O zamanlar yapılan tabirlerden arslanın "adalet"i temsil ettiğini öğrenmiştim. Rüyamdaki arslan bana dokunmamıştı. O hâlde kurtulacaktım. Sabahleyin Doktor Ramiz'i bu müjde ile karşıladım ve rüyamı anlattım. İlk önce hoşuna gitti:

– Evet...

– Sonra yanımdan geçip gitti. Bana hiç dokunmadı.

Yüzü birdenbire değişti:

– Yalnız bu kadar mı?

– Tabiî... Korkudan derhal uyandım. Hattâ biraz da sevinerek. Çünkü rüyada arslan görmek adalet veya hükûmet kudretidir...

Fakat o dinlemedi:

– Yazık! Büyük fırsat kaybetmişsiniz... Çok yazık!

Biraz düşündükten sonra ilâve etti:

– O arslana kendinizi yedirtecektiniz.

Tüylerim diken diken oldu:

– Aman doktor...

– Evet böyle... Yahut öldürüp postuna girmeliydiniz. Hulâsa onda kaybolmalıydınız ve yine ondan doğmalıydınız. O zaman her şey hallolurdu. Masallarda dikkat etmediniz mi? Hep kaybolurlar... Kaybolmak, yani ölmek, sonra tekrar dirilmek... Bir kompleksten kurtulmak için bundan daha emin çare yoktur. Fakat yapamadınız... Yapamadınız. Bu fırsatı kaçırdınız!

Hakikî bir yeis içinde ellerini oğuştura oğuştura odanın içinde dolaşıyordu:

— Yapamadınız... Bütün gayretlerimi mahvettiniz. Tekrar doğacaktınız, halbuki olduğu gibi kaldınız...

Ben elimden geldiği kadar teselliye çalıştım:

— Üzülmeyin doktor, bu gece gayret ederim. Zaten doğru dürüst gitmemişti, belki bu akşam yine gelir.

— Nafile, bu beceriksizlikle... Hiç zahmet etme!

Sonra tekrar gözlerini gözlerime dikti ve aşikâr bir yeis içinde:

— Azizim, dedi, birbirimizi beyhude aldatmayalım! Sen iyi olmak istemiyorsun... Hiç gelir mi bir daha? Giden gelir mi hiç!

Hakkı vardı. Arslan da babam gibi başına geleceği anlamış olacak ki, bir daha rüyama girmedi.

Bununla beraber arslan sayesinde biraz ferahladım. Bir gün sonra bana:

— Arslan adalettir, demiştiniz, o ne demektir? diye sorunca ona eski tabirnamelerden bahsettim.

Eskiler de rüya tabirlerine çok ehemmiyet verirlerdi. Amma sizinki gibi değil... Hiç uymuyor...

— Demek bizde de rüya anahtarları var?

— Hayır, hayır, anahtar değil... Bayağı kitap! Her görülen şeyin karşılığı yazılı.

Doktor Ramiz bize ait şeyleri çok severdi, fakat güçlükle, sanki birkaç senelik bir gurbetten değil de, iki ayrı hayatın arasındaki boşluktan gibi hatırlardı. Tabirnameleri, "Öyle ya öyle ya!" diye hatırladı ve derhal başını sallamağa başladı:

— Azizim, bizim bu eskiler, tükenmez hazine...

Niçin eskilerden bahsederken başımızı sallarız? Bu bir âdet mi, gelenek mi, yoksa yeni bir hastalık mı?

O gün akşama kadar tabirnamelerden bahsettik. Viyana'ya bir kongre için bu hususta bir rapor yazacaktı. Benim böyle şeyleri bildiğimi söyleyerek yardımımı istedi. Gözünde birdenbire değişmiş, ben adlî bir iş için müşahedeye alınan bir hasta, o doktor olmaktan çıkmış, bayağı iki iş arkadaşı olmuştuk. İkide bir sırtıma vuruyor, bu işi başarmak icap ettiğini söylüyordu.

Ayrılırken o akşam için hangi rüyaları görmekliğim icap ettiğini sordum. Anlamamış gibi yüzüme baktı... "Rapor..." dedi. "Raporu yazın! Kongre yakın!"

Bu rapor tabiî yazılmadı. Fakat yeni dostumun önünde mühim bir etüt sahası açılmıştı. Eski tıp, cefir, ilm-i menafiülaza, ilm-i havas, ilm-i simya, ilm-i huruf, hulâsa, tiyatro diliyle, Seyit Lûtfullah'ın bütün repertuvarı, sahaflarda öbek öbek yığılan yazma ve basma kitapların yarım ve biçare bilgileri onun için birdenbire çok mühim şeyler olmuştu. İşin garibi bunların hepsini benim vasıtamla öğrenmek istemesiydi.

– Canım doktor, kitapları var bunların... Şöyle Bayezıt'ta Sahaflarda bir dolaşsanız sekiz on liraya kıyamet kadar toplarsınız!

– Evvelâ siz anlatın bir kere... Tabiî kitap da alınacak. Amma ilim ağızdan nakledilir. Bak ben psikanalizi nasıl birkaç günde size öğrettim...

Bereket versin ki, bu arada yargıç dosyayı ciddiyetle okumuş ve ifademin Abdüsselâm Beyin damadının ve kızının ifadeleriyle aynı olduğunu görmüş, hiç olmazsa dâvanın bana ait kısmında kâfi derecede kanaat edinmişti. Doktor Ramiz'in, önünde açılan yeni etüt sahaları uğrunda hakkımda vereceği raporu tamamiyle unuttuğu ve belki de en mucizeli şekilde iyileştiğime karar verdiği bugünlerden birinde beraatime daha doğrusu dâva dışı kalmama karar vermişti.

İyilikler de kötülükler gibidir. Beraber gelirler. Bu kararın bana tebliğ edildiği günün gecesinde ben de Doktor Ramiz'e beğendirebileceğim cinsten, şöyle dörtbaşı mamur, binaenaleyh her hatırladıkça kafamı zehirleyecek ve kendi kendimden şüphe ettirecek bir rüya görmeğe muvaffak olmuştum.

V

Rüyamda Aristidi Efendinin eczanesinin arkasındaki laboratuvarında idim. Nuri Efendi, Seyit Lûtfullah, Abdüsselâm Bey, onun büyük oğlu, belki bütün tanıdıklarım, Doktor Ramiz, hep beraberdik ve ayakta Aristidi Efendinin tecrübelerini takip ediyorduk. Fakat burası hakikaten eczanenin laboratuvarı mıydı, yoksa "çocukların odası"nda mıydık? Vâkıa bütün o aynalar, konsollar, beşikler, üst üste yığılmış eşyanın hiçbiri ortada yoktu. Bununla beraber onların hepsi orada idiler. Ve orası hem laboratuvar, hem "çocukların odası" idi. Zaten benimle beraber bulunanlar da ortada yoktu. Fakat orada olduklarını, hep beraber olduğumuzu biliyordum. Hep birden, bir akşam yarım aydınlıkta içeriye girdiğim zaman kendi yüzümü içinde gördüğüm için o kadar acayip şekilde şaşırdığım ve korktuğum o büyük aynaya bakıyordum. Çünkü inbik bu aynanın kendisi idi, yahut onun içinde kaynıyordu. Toprak rengi bir külçe köpüre köpüre durmadan kendi üstünde dönüyor, ince kükürt rengi damarların filizlediği siyahımsı bir bulut gibi inbiğin tâ yukarılarına çıkıp iniyordu.

Yanı başımdan bir ses:

– Nerdeyse ayrılacaklar... Aman dikkat... diye bağırdı ve hep birden gittikçe artan bir dikkatle, bu köpüren, kendi üstünde canlı bir mahlûk gibi toparlanıp dönen çamur ve toprak rengi buluta bakıyorduk.

Birdenbire Seyit Lûtfullah'ın sesini işittim.

– Tamam... Tamam... Oldu!..

O zaman inbiğin üstü yemyeşil bir ışıkla aydınlandı. Siyah bulut aşağıya bir çamur gibi çökmüştü. Onun üstündeki kükürt rengi ışığın ortasında yavaş yavaş o açık bahar bulutlarına benzeyen henüz kıvamsız bir şekil peydahlanmağa başladı. Ben korkudan yüreğim ağzımda aynanın içine girecekmişim gibi eğile eğile bakıyordum. Seyit Lûtfullah durmadan:

– Tamam... Tamam! Şimdi, şimdi... diyor ve o acayip dualarını okuyordu.

Ve ben, olacak şeyi biliyormuşum gibi kalbim ağzımda:

– Yapmayın! Bırakın, yapmayın! diye yalvarıyordum.

Birdenbire beyaz bulut değişti. Emine'nin başı, saçları kükürtlü rüzgârda yarı tutuşmuş gibi dudakları solgun ve gözleri apaçık göründü. Bana, "Kurtar beni!.." diye bağırıyordu. Ben aynaya, yahut inbiğe doğru atılmak için çırpınıyordum. Fakat bir türlü kımıldanamıyordum, sanki her tarafımdan yüzlerce el beni tutuyordu, belki de hiç tutan yoktu, sadece olduğum yerden bir yere kımıldıyamıyordum. Dehşetten, sevgiden, ümitsizlikten, acımaktan yarı çılgın uğraşıyor, yalvarıyordum.

Emine durmadan: "Kurtar beni, kurtarın beni!" diye bağırıyordu ve Seyit Lûtfullah:

– Bu kadar zahmetten sonra nasıl olur? diye cevap veriyor, sonra: "Dur... Dur..." diye bana saldırıyordu.

Hepsi bana sarılmıştı. İnbiğin içinde Emine, gözleri korkudan açık saçları alev alev tutuşmuş, yalvarıyordu. Ben muttasıl çırpınıyor, ona doğru gitmek istiyordum. Fakat Seyit Lûtfullah çengel gibi elleriyle beni yakalamıştı. Ne kadar çok eli vardı ve nasıl sıkı tutuyordu, her yanımdan âdeta mengenelerle sıkıştırılmış gibiydim. Nefes alamıyor, boğulacak gibi kıvranıyordum. "Bırakın beni... Bırakın!" diye yalvarıyor, onlarla boğuşuyordum. Ve biliyordum ki, bırakmayacaklar, onu hiçbir zaman kurtaramayacağım... Buna rağmen uğraşıyor, çırpınıyordum. "Gitti, mahvoldu. Bırakın beni!" diyordum.

Ve hakikaten aynadaki hayal gittikçe değişiyordu.

Biraz sonra, üzerime dikilmiş, korkudan alabildiğine açık iki gözden başka bir şey kalmadı. Durmadan savrulan, kendi üstüne dönen en çiğ tirşe rengi bir ışığın arasından bana bakan korku, hayret ve itham dolu iki büyük göz, "Bütün bunlar senin yüzünden oldu!" diyen Emine'nin gözleri...

O zaman, işte bütün o gördüklerimden daha korkunç bir şey oldu. Müthiş bir rüzgâr her şeyi savurmağa başladı. Başımızdan dam bir lahzada uçtu, duvarlar kendiliğinden devrildi ve biz bu rüzgârda savrulmağa başladık.

Biraz sonra kendimi karanlık gecede bir bayırdan aşağıya inerken buldum. Yanımda Doktor Ramiz vardı. Koluma girmiş, bir şeyler söyleyerek beni çekiştire çekiştire yürüyordu. Aşağıda uçurumun dibinde bir ev ışıklar içinde parıl parıl parlıyordu. Fakat yolun çok uzun olduğunu, eve erişsem de bunun hiçbir şeye yaramayacağını biliyordum. Bununla beraber, âdeta koşarcasına yürüyordum. "Biraz daha gayret, doktor, biraz daha..." diyordum. Birdenbire yanı başımızda bir gölge belirdi; bu gittikçe büyüyen gölge Seyit Lûtfullah'ın kaplumbağası idi. Korkunç bir şeydi bu. Karanlıkta iyi mayalanmış bir hamur gibi, su gibi, rüzgâr gibi yavaş yavaş kabarıyor, büyüyor, etrafı kaplıyordu. Hiçbir şey onun büyümesine mâni olamazdı. Milyonlarca çekirgenin yapacağı bir hışırtı ile her lahza biraz daha kendi içinden büyüyordu. Dişlerim birbirine vura vura, "Büyüyecek, büyüyecek, yerin ve göğün kendisi olacak!" diye söyleniyordum. Bu korku ile uyandım.

Ter içindeydim. Dişlerim birbirine kenetli, bir müddet olduğum yerde, yalnız kalbimin gürültüsünü dinleyerek etrafa bakındım. Daha sabah olmamıştı. Garip bir sessizlik vardı. Koca bina, her şeyi inkâr eden bu sessizliğin içinde, ölü bir suda çalkanan bir gemi enkazı gibi sessiz sadasız yüzüyordu. Bununla beraber ne olsa ayaklarım yere basmıştı. Bütün o kadar dehşetle yaşadığım şeyler rüya idi. Bir cıgara yaktım. Bir iki nefesten sonra yataktan çıktım. Masanın başında bir sandalyeye oturdum. Kendi kendime bir daha tekrarladım: Rüya imiş. Fakat Emine'nin yüzü ve çığlıkları aklımdan gitmiyordu. Bakışlarını görmemek ister gibi gözlerimi kapadım. Birdenbire bir acı ile uyandım. Ağzımdaki cıgara sonuna gelmiş, dudaklarımı yakmıştı. Onu yere attım, terliklerimle üzerine bastım, sonra yine gözlerimi kapadım.

Bir el omuzuma dokundu. Hiçbir şey anlamadan yüzüne baktım. Doktor Ramiz'in hademesiydi. "Saat on!" dedi. Müdür beni istiyormuş. Hep aynı korku içinde giyindim. Vereceği kötü haberden o kadar emindim ki, adama "Niçin?" demek, bir şeyler sormak aklımdan geçmiyordu. Yüzüne bile bakmıyordum. Her şey bitmişti.

Yukarda müdür bana gülerek kararı okudu. Doğrudan doğruya serbest bırakılmamı söylüyorlardı. Ben muttasıl ona, "Eve dönüp de ne yapacağım?" der gibi bakıyordum. "Emine'yi kaybedecek olduktan sonra..." İçimde, hemen o anda, çoktan beri sargılı, iyiliğe gitmediği çok iyi bilinen bir yarayı kendi elimle açacakmışım, onun ümitsiz manzarasıyla ve dehşetiyle karşılaşacakmışım hissi vardı. Müdür sonunda:

– Neniz var? diye sordu.

– Hiç dedim. Korkuyorum. Artık her şeyden korkuyorum.

Babacan bir adamdı. İnsan işlerini biliyordu:

– Hepsi geçer... Bu işten kurtuldunuz ya, ehemmiyet vermeyin!

Ve bana ayak üstünde kendi hikâyesini anlattı:

– Biz heyetten raporu çoktan göndermiştik!

Aşağıda Doktor Ramiz sevinçten boynuma sarıldı:

– İşlerimize dışarda devam ederiz! diyordu. Zaten tedaviniz bitmiş gibiydi. Birkaç seans daha yaparız, olur biter. Şu raporu da hazırlarız!

Birdenbire tepem attı:

– Hangi rapor? diye bağırdım.

– Canım, bizim kongre raporu... Tebliğ denen şey. Tabirnameler için...

Heyhat!

Eşyamı benimle beraber hazırladı. Eve kadar otomobille beraber gelmekte ısrar etti. Ne kadar iyi insandı! Şu anda benden fazla sevindiğine hiç şüphe edilemezdi. Buna rağmen altı hafta yerinden kımıldamamış, bir türlü başından beri vaat ettiği öbür raporu vermemişti.

Şimdi bütün bunları unutmuş, bir çocuk gibi seviniyor, ikide bir gelecek zamanlardaki dostluğumuz namına projeler kuruyordu. Yazık ki bu sevinci lâyıkıyla paylaşamıyor, hiçbir sözüne cevap veremiyordum. O konuşurken, ben hep gördüğüm rüyayı düşünüyordum.

Sona doğru çılgın bir sabırsızlık beni yakaladı. Hep, "Bir an evvel, bir an evvel!" demeğe başladım.

Yolda rastladığımız her şeyi, herkesi bu rüyanın içime iyice yerleşmiş havasında görüyordum. Onun arasından geçerek, onun âdeta bir başka parçasını yaşayarak mahallemize ve sokağımıza geldim, onun dehşetiyle kapıyı çaldım.

Emine'nin sevincini gördüğüm âna kadar bu hep böyle devam etti. Denebilir ki, asıl onu görünce uykudan uyandım. Karım biraz zayıflamıştı. Ellerinde ve boynunda hep aynı sıcaklık vardı. Bununla beraber karşımdaydı. Ve her zamanki neşesiyle, açık kalbiyle gülüyordu. Bu gülüş bana kaybettiğimi sandığım her şeyi bir lahzada iade etti.

Yukarı çıktığımız zaman Doktor Ramiz birdenbire: "Mübarek!" diye haykırdı ve eski yerinde tertemiz, pırıl pırıl, bütün azametiyle kurulmuş aile yadigârına doğru koştu.

Ben, "Hayırdır inşallah!" der gibi karıma baktım.

O, gülerek:

– Ne yapayım, dedi. Başımıza öyle şeyler geldi ki artık ben de bu işlere inanmağa başladım. Geçen hafta indirdim. Fena da olmadı hani; yeri âdeta boş duruyormuş!

Doktor Ramiz, bizi unutmuştu. Zehra'nın ayakta, öpmesi için elini uzatmasını beklediğinden habersiz, yere çömelmiş eski saatimize bakıyordu. Yüzünde en büyük hasretine kavuşmuş insanların sevinci vardı. Emine biraz öteden sessiz bir tebessümle bir ona, bir bana bakıyor: "Bunu da nereden buldun?" der gibi işaretler yapıyordu. Ben, tekrar omuzlarımı silktim ve bu yeni gelen amcanın dalgınlığından istifade ederek kızımı bilmem kaçıncı defa tekrar kucakladım. Her şey yerli yerindeydi.

VI

Emine'nin neşesi ve cesareti yavaş yavaş bozulmuş sinirlerimi düzeltti. Acayip maceramızı unutmağa başladım. Bilhassa o korkunç rüyanın tesir ve korkuları gitmişti. Bu rüyayı, günlerce süren münasebetsiz ısrarıyla bana musallat eden Doktor Ramiz'e karşı hiddetim bile yavaş yavaş geçti. Hususuyla Emine'yi muayene edip de, hiçbir şeyi yok, dediği zaman içimde ona karşı sadece minnet vardı.

İlk günlerim tabiatıyla iş aramakla geçti. Daha muhakeme başlar başlamaz çalıştığım yerde işime son verdiklerini söylemiştim. Bir gün mektepteki hocalarımdan birine rastladım. Beni Fener Postanesi'nin müdürüne yolladı... "Orada bir açık varmış!" diyordu. Hakikaten bu yer açıktı. Emrim geledursun hemen o gün işe başladım. Maaşım, eski kazancımı tutmuyordu. Fakat ehemmiyeti yoktu. Ufak tefek kısıntılarla her şey yoluna girebilirdi. Hürriyete, evime, çocuklarıma, doğru dürüst yaşayan insanların dünyasına yeniden kavuşmuştum. Hattâ Doktor Ramiz bile acayip merakları, birbirini tutmaz hareketleriyle artık eskisi gibi beni rahatsız etmiyordu. Zaten daha serbest kaldığımın haftasında beni öyle garip bir âleme sokmuştu ki, orda herhangi bir hareketin aksaklığını görmek imkânsızdı.

Burası Şehzadebaşı'nda, boş zamanlarında vakit geçirdiği büyükçe bir kıraathaneydi. Aziz dostum, ben Adlî Tıpta iken, bu kıraathanelerdeki bütün ahbaplarına, türlü meziyetlerimi, eski âlemimiz hakkındaki bilgimi, saat tamirindeki maharetimi öyle övmüş, maceramı o kadar yana yakıla anlatmış, bilhassa hastalığım hakkında o kadar çok ve mühim tafsilât vermişti ki, daha ilk adımımı atar atmaz bütün kahve sevinç çığlığı ile doldu. Âdeta eski bir dost ve günün kahramanı gibi karşılandım. Doktor Ramiz masamızın önünden her geçeni durduruyor ve beni, "Hakikî bir baba psikozu geçirdi, meslek hayatımın en mühim hastası budur." diye takdim ediyor, sonra tekrar izahata başlıyordu.

– Şimdi hastalığını da, tedavisini de biliyor. Yaman adamdır. Mükemmel bir kültürü vardır. Sonra iradesi... Bu irade sayesinde öyle bir rüya gördü ki!.. diye sırtımı uzun uzun sıvazlamalarla devam eden bu izahat hakikaten garipti.

Doktor neredeyse sözlerini, "Haydi kalk! Amcanın karşısında biraz yürü bakayım!", yahut, "Hani yeni şiir ezberlemiştin, onu okusana canım!" diye bitirecekti.

İlk önce buna çok sıkıldım ve bayağı neticelerinden korktum. Fakat hayır, burası gerçekten garip bir yerdi. Hiçbir şeye hayret edilmiyor, hiçbir şeyin üzerinde fazla durulmuyordu. Burada insan, olduğu gibi, bütün hususiyetleriyle, kabahatleriyle, sakatlıklarıyla kabul ediliyordu. Ve bunlar ne kadar çok olursa o kadar hoşa gidiyordu. Fakat bu affedilmek değildi. Aksine hiçbir şey unutulmaz, hattâ her zaman için hatırlanırdı. Gerçekte onlar, pasaportlarda o kadar dikkatle kaydedilen ve isim, doğuş tarihi gibi şeylerin ötesinde insanı herhangi bir karışıklığa artık meydan vermeyecek şekilde tâyin eden ayırıcı ve değişmez çizgilere benzerdi. Yıllardan sonra bu kahvede tanıdıklarımızdan birini bir vekil sandalyesinde gördük. Korkulacak derecede muvaffakiyetli bir politika adamı olmuştu. Fakat bu acayip kahvede onu tanıyanlar kendisine hâlâ aynı gözle bakıyorlar, adı söylenince aynı şeyleri hatırlıyorlar, aynı hükümleri tekrarlıyorlardı.

Bütün hususiyetini, sonunda iflâs eden sahibinden alıyordu. Ömründe bir gün bile ciddî görünmek zahmetine katlanmamış olan bu adam İstanbul'un hemen yarısını tanıyordu. Zaten dost olmak için bir kere görmesi kâfiydi. Bu sayede kıraathanesini bir nevi kulüp yapmıştı.

Son derece sevimli, iri yapılı, güzel bir adamdı. Acayibi, yaşanabilecek tek diyar gibi seçmiş olmasaydı, birinci sınıf bir iş adamı olabilirdi. Kendisine mahsus eski ile yeni arasında bir dil, hemen hemen o kadar yapmacık bir kıyafet ve başta Frenk taklidi sivri bir sakalla bir çehre uydurmuştu. Bu yapma çehre ve kıyafet ve yapma dille, her işin dış tarafında kalmak şartıyla sabahtan akşama kadar dünyanın en akla sığmaz hikâyelerini anlatıyordu. Hiçbir şey bulamazsa kendi hayatının hiç bahsedilmemesi lâzım gelen taraflarını naklederdi. Zaten bir cam kavanozda imiş gibi âdeta göz önünde. yaşardı. Hemen daima âşıktı ve sevdiği kadınları bir başkasının beğenip sevmesine imkân olmayacak cinsten seçtiği için çok defa evlenmek zaruretinde kalır, binaenaleyh daima sırtında bir boşanma dâvası ile yaşardı.

Kahveye her cins ve meşrepten insan geliyordu. Zengin mirasyedi, müflis veya tutunmuş tüccar, şöhretsiz şair, gazeteci, ressam, yüksek memur, satranç ve dama ustaları, eski pehlivanlar, bir iki Darülfünun hocası bir yığın talebe, aktörler, musıkîşinaslar, hulâsa her meslekten adam... Küçük gruplara ayrılmış olmalarına rağmen hemen hepsi yine beraber yaşar gibiydiler. Herkes bir defa rast geldiğiyle ikinci gün senli benli olurdu. Hiç kimsenin öbüründen saklı bir sırrı yoktu. Kirli veya temiz bütün çamaşırlar ortada idi. Herkes onları istediği gibi evirip çevirir, koklar, münasip bulduğunu etrafına ehemmiyetle gösterirdi. Her fazilet, her biçarelik, hattâ reziletler bile burada aynı soğukkanlılıkla, hattâ icap ederse bir çeşit şefkatle muhakeme ve kabul edilirdi. Pederasti, aşırı çapkınlık, küçük veya büyük para dalaveresi âdeta adımlarınıza dolaşacak şekilde ortada idi.

Başta kahve sahibi olmak üzere bütün gedikli müşterilerin burada takılmış hususî adları, hayatlarından sanki büyük bir dikkatle seçilmiş ve kendileri görülür görülmez hatırlanan ve hatırlatılan bir iki hikâyesi vardı.

Bu insanların çoğunu bütün ömrümce gördüm. Bazılarını işlerinde, bazılarını evlerinde tanıdım. Bir kısmı sonradan benim yanımda, yani Saatleri Ayarlama Enstitüsü'nde çalıştılar. Hepsi iyi kötü, işinde, gücünde, haysiyetli insanlardı, yahut böyle görünmek için yapmayacakları fedakârlık yoktu. İçlerinde daha o zamanlar bile mühim işlerde bulunanlar vardı. Böyle olduğu hâlde bu vaziyetten hiçbiri sıkılmaz, hattâ hepsi az çok hoşlanırdı. Bazıları sanki birdenbire unutulmaktan korkuyorlarmış gibi, bu cinsten takılmaları kendiliklerinden tahrik ederlerdi.

Bu kahvede neler konuşulmazdı? Tarih, Bergson felsefesi, Aristo mantığı, Yunan şiiri, psikanaliz, ispritizma, alelâde dedikodu, çıplak hikâye, korkunç veya meraklı macera, günlük siyasî hâdise, birbiriyle sarmaş dolaş, biri öbürünü yarıda bırakarak, çok yüklü, beraberinde her rast geldiğini taşayan bir bahar seli gibi kabarık bu konuşmada beyhude ve şaşırtıcı, akar giderdi. Tabiî hiçbirinden

127

tam bahsedilmezdi. Hepsi çok uzun bir uykudan, bir çeşit ölümden sonra hatırlanır gibi bu kahveye gelirdi. Büyük İskender veya Annibal, Kant'ın imperataif'leri, bu sayıklamağa benzer konuşmada sadece günlük hayatı uyuşturmak için icat edilmiş şeylerdi. Zaten en sıhhatli vak'a bile söyleniş tarzı için anlatılırdı. Birbirlerini o kadar fazla dinlemişlerdi ki, hepsi anlatılanı aşağı yukarı evvelden bilirdi. Burada konuşma yalnız kendisi için, konuşanların kabiliyetleri içindi ve daha ziyade sevilmiş bir eserin, yahut oyunun tekrarına benzerdi ve sohbet, bir ortaoyunu gibi evvelden tâyin edilmiş şartlarla devam ederdi. Hep aynı kelimelerle müdahale edilir, aynı yerlerde gülünür, macera oradakilerden birkaçı arasında geçmişse, alâkadarlar aynı yerlerde tamamlayıcı sözü alırlardı. Anlatan, daha yeni tafsilâta girerse, söz derhal kesilir, "Bunu yeni uydurdun!" denirdi. Mamafih bu yeni şekil ve parça gelecek programda aynı dikkatle aranırdı.

Bu konuşmalarda tekrar şarttı ve kimseyi yormazdı. Aksine olarak alışık çehresiyle gelmeyen şey yadırganırdı. Bunun dışında, hakikaten yeni bir fikir veya meselesi olanların sözü ilk defalar sadece nezaket ve biraz da tecessüs yüzünden dinlenirdi ve daima uyanık olan muhit muhayyilesi onu şakaya en çok müsait tarafından yakalayana, yahut kendi seviyesine indirene kadar öyle kalırdı. Bütün ciddî şeyler böyleydi. Bir kere alelâde çapkınlığa, Karagöz şakasına, pederasti hikâyesine veya ortaoyunu taklidine indirildikten sonra kabul edilirdi. Zaten bu cins ciddî şeylerden bahsedenler, hususî bir isim altında tanınırlardı. Onlar Nizamıâlemcilerdi. Dünyayı düzeltmek zahmetini üstlerine alan bu aristokratların altında daha geniş bir tabakaya "Esafil-i Şark" adı verilmişti. Onlar kültürden, medeniyetten bu kahvedeki müşterek hayata yarayacak kadarını almakla yetinen günlük hazların ve geçim sıkıntısının veya çaresizliklerinin dışında yalnızca komiğin, aksayanın üzerinde zararsızca durmakla yetinenlerdi. Nihayet üçüncü bir tabaka, Şiş Taifesi gelirdi. Şiş, hiçbir inceliği olmayan, şehir hayatına intibak etmemiş, yahut kaba insiyaklarını yenememiş insanlardı. Şiş Taifesi'nden bir insan kavga edebilirdi, bir Esafil-i Şark veya Nizamcı ancak Şiş'liği tutarsa kavga ederdi. Binaenaleyh, Şiş'lik biraz da iptidaîlik mânasına geliyordu. Ve yalnız bu taife, belki de kalabalık olduğu için Yarım Şiş diye kendi içinde de ayrıca sınıflanırdı.

İlk bakışta ortaoyununun, tulûatın, Karagöz'ün, meddah hikâyesinin bir kalıntısı gibi gelen bu garip kalabalık ve onun hayatı başlangıçta beni sıktı. Hele muayyen bir hastalıkla ve birtakım olmaz şeylerle damgalı olarak aralarına girmiş olmaktan büsbütün ürkmüştüm. Daha üçüncü günü bana ciddiyetle Mübarek'in hatırını soranlar olmuştu. Nerdeyse "Evli mi, bekâr mı?" diye merak edeceklerdi. Abdüsselâm Bey, Seyit Lûtfullah, Nuri Efendi gibi bu semtte yaşamış, hele son ikisini birçoğunun şahsen tanıdıkları adamların hâtırası ise daha ilk adımımda tazelenmişti.

Kayser Andronikos'un hazinesinin Lûtfullah tarafından sureti hususiyede bana hediye edilmiş olması, benim malım bulunması ise hiçbir suretle gözlerinden kaçmasına imkân olmayan bir vak'a idi. Hulâsa, hiç istemeden, peşinde koşmadan bütün bir şöhret benim için evvelden hazırdı. Hiçbir cemaat tarafından bu kadar hararetle kabul edilemezdim. Doktor Ramiz'in beni ilk getirdiği günün haftasında, huzurumda, hangi sınıftan olduğum keyfiyeti münakaşa edildi. Sıkılganlığım, daima kendi işlerimle meşgul oluşum, bütün bu konuşmaları ciddî telâkkî etmeyişim tabiatıyla beni Nizamlık yapıyordu. Sonradan Emine ölüp de hayatım iyice mihverinden çıkınca bu payeyi kaybettim. Ve yavaş yavaş Esafil-i Şark arasına girdim. Hakları da vardı!

Böylece sınıfım tâyin edildikten sonra bana verilecek lakap üzerinde düşünüldü. Fakat bu o kadar kolay olmadı. Birkaç celseye ihtiyaç oldu. Nihayet hastalığım, yani baba psikozu dolayısıyla "Öksüz" adı üzerinde ittifak edildi. Fakat benim hikâyem çoktu. Naşit Beyin birdenbire ölümü, halamın hikâyesini canlandırdı. Halamın onun acısıyla kendisini dervişliğe vermesi, o zamanlar kadınlar arasında şöhret kazanan bir şeyhe bağlanışı ve serveti dolayısıyla en gözde müridi olması bu şöhreti birkaç sene muhtelif fâsılalarla besledi. Kaldı ki, halam benim bu acayip kalabalıkta unutulmama razı değilmiş gibi sonunda âşıkane nefesler bile yazmağa başladı. Hakikatte hayatımın her tesadüfü bu şöhrete yardım ediyordu.

Daha ikinci haftasında Bedesten'de ayarcılık eden çok temiz ve iyi kalbli bir adam, Aristidi Efendinin altın hikâyesine merak sarmıştı. Elinde sahaflardan satın aldığı bir yazma, peşimden ayrılmıyor, muttasıl bana bu sanatın sırrını soruyordu. Şerbetçibaşı Elması ise hemen her günün başlıca mevzuu idi. Kahvenin sahibi sade kahvesini eline alır almaz, "Bu gece, Cenab-ı Hakk hayra tebdil eylesin, âlem-i menamda, bana altın bir tepsi üzerinde Şerbetçibaşı Elması'nı sunuyorlardı." diye uydurma bir rüyaya başlıyor ve elmasın tarifini yapıyordu. İkinci defasında bu rüya değişiyor, elmasın bulunduğu tepsiyi bir "Bânu!" getiriyor, üçüncüsünde Bânu, Câdu, yani halam oluyordu.

Yavaş yavaş bu hayata ben de alıştım. Ne kadar hafif ve rahattı. Uysal kalabalık insana başta kendisi olmak üzere her şeyi unutturuyordu. İşimden çıkar çıkmaz bir soluk oraya uğruyor, daha ilk adımda, sanki bir başkası oluyor, günlük üzüntülerden uzak, yalnız şakadan bir âleme giriyordum. Burada yarım saat evvel veya sonraki hayatıma âdeta bir başkasının imiş gibi bakıyordum. Adım bile değişmişti, orada Hayri değildim, Öksüz'düm.

Doktor, gününün bütün boş saatlerini bu kıraathanenin masalarından birinde çantasını açıp kapayarak, tırnaklarını temizleyerek, hayattan ve memleketteki tembellikten şikâyet etmekle, psikanaliz anlatmakla, yahut etrafı dinlemekle geçiriyordu. Hemen her şeyle alâkadardı. Ve bir ucu içtimaî tenkide bağlanmak şartıyla her fikir onun için sevimli, kabule değerdi; öbür ucu zaten elinde idi ve kolaylıkla Freud'a, Jung'a bağlayabilirdi. Bütün bu acayip şeylerden sıkılıp sıkılmadığını kendisine her sordukça bana:

– Deli misin! diye cevap veriyordu; bundan daha enteresan etüt mevzuu olabilir mi? Bana mesleğimi asıl sevdiren bu kahve oldu. Buradaki insanları nerede bulabilirim? Kaldı ki, topluluğun kendisi de ehemmiyetli! Sosyal-psikanaliz için bundan iyi yer bulunmaz.

Bak, mâzi nasıl devam ediyor; şaka, ciddî onu nasıl yaşıyorlar...
Hepsi hayallerinde büsbütün başka bir âlemde yaşıyor. Topluluk
hâlinde rüya görüyorlar.

Bir başka defasında yine aynı mesele için şöyle konuştu:

– Bu kadar aydın bir kalabalığı nerede bulabilirim? Hepsi ihtisas
sahibi insanlar... Hepsi memleket meselelerinin içinde ve sade
onunla yaşıyorlar. Hiçbir gazetede bu kahve kadar havadis bula-
mazsınız. Göreceksiniz, hâtıra defterimi neşrettiğim zaman göre-
ceksiniz, bu adamlardan neler öğrendiğimi hep günü gününe oku-
yacaksınız...

Doktorun memleket meseleleri ve aydın konuşmalar dediği şey
hakikatte alelâde dedikoduydu. Fakat onun âlim bakışlarında iş ta-
biatıyla değişiyordu.

Daha sonraları, enstitüye alınması hususunda o kadar ısrar etti-
ğim Yangeldi Asaf Bey dolayısıyla –ilerde görüleceği gibi Asaf
Bey, Tamamlama Büromuzun şefi oldu– bütün bu işlerden bahse-
derken Halit Ayarcı'ya Doktor Ramiz'in bu fikrini söyleyince, aziz
velinimetim:

– Bana kalırsa bu çalışma hayatına tam intibak etmemekten ge-
len bir şeydir, demişti. Hayat, kendi şeklini yaratmazsa böyle olur.
Bu kahve hakkında sizi dinlerken ben, çoğunu tanıdığım bu insan-
ları hep bir çeşit aralıkta yaşıyorlarmış gibi düşündüm. İsterseniz
onlara kapının dışında kalanlar da diyebiliriz. Muasır zamana gire-
memiş olmanın şaşkınlığı içinde yarı ciddî, yarı şaka, tembel bir
hayat! Öyle bir mâzi falanla pek alâkası olmasa gerek!

– Amma hepsinin bir işi vardı! diye yaptığım itiraz üzerine:

– Her iş, iş değildir. İş evvelâ bir zihniyet ve zaman telâkkisidir.
Enstitümüz kurulmadan evvel memlekette hakikî iş hayatı olabile-
ceğine inanmanıza hayret ediyorum. Çalışmak ancak muayyen dü-
zeniyle olur... Siz ki, bu kadar tecrübelisiniz, bu enstitünün kurul-
masında o kadar himmet ettiniz, buna nasıl iş diyebilirsiniz! diye
beni paylamıştı.

Enstitümüz kurulmadan evvel hakikaten bir çalışma hayatımız

var mıydı, yok muydu? Bunun hakkında katiyetle hiçbir şey söyliyemem. Bu hâtıraları yazmağa başladığımdan beri içimde birçok değişiklikler oldu. Artık, tasfiye hâlindeki enstitümüze eski gözle baktığımı iddia edebilecek hâlde değilim. Bana şimdi müessesemiz, memlekette iş hayatını kurmaktan ziyade bazı işsizlerin kendilerine iş bulmasına yardım etmiş gibi görünüyor. Bunu söylemekle toplum hayatına büyük faydalarımız olduğunu inkâr etmiyorum; fakat aradan geçen zamanla yavaş yavaş yaptığımız işe hiç olmazsa başka zaviyelerden de bakılabileceğini söylemek istiyorum. Bu, belki de para ve refah dolayısıyla ona artık muhtaç olmadığım içindir. Araya menfaatlerimiz girmeyince hâdiseleri elbette başka türlü, daha realist bir gözle görmeğe, hakikaten daha uygun şekilde anlamağa ve yorumlamağa başlarız. Belki de bu, oğlum Ahmet'le birkaç gün evvel aramızda geçen münakaşanın neticesidir. Hâtıralarımı yazdığımı öğrenir öğrenmez bir gün neşredilir korkusuyla soyadın. değiştiren oğlumun bu müessese aleyhindeki fikirleri beni bu düşüncelere götürmüş olabilir.

Her neyse, Halit Ayarcı'nın iş hakkındaki fikirlerini tam mânasında kabul etmemekle beraber, bu kahvede tanıdığım insanlar için en iyi teşhisi onun koyduğunu zannediyorum. Hakikaten buradaki hayat, asıl kapının dışında bir hayattı. Ve onu yaşayanlar, o şekilde, yani hiç içeriye girmeyi düşünmeden, yahut da bir ayakları daima eşikte, yaşıyorlardı. Hiçbir mesele yoktu ki eninde sonunda bir kaçış, bir kurtulma vesilesi olmasın! Neden kaçarlardı, niçin kaçarlardı? Hiçbir mukavemetleri yok muydu? Yoksa hakikaten her şeye yabancı, her şeye kayıtsız mıydılar? Hayır, burada her şey biraz afyon, biraz uyku ilâcıydı.

Şüphesiz işin içine menfaat girince her şey değişiyordu ve menfaat bu kahvede hiç de ikinci derecede kalan bir şey değildi. Her gün bir yığın para kavgasına, bitmez tükenmez hesaplara, bazen haftalarca süren fiskoslu konuşmalara şahit oluyorduk. Bunları öğrenememiz için behemehal gözlerimizin önünden geçmeleri lâzım değildi. İlgililerden birisi veya her şeyin aslını bilen kahve sahibiyle yarım saatlik bir konuşma yeterdi. Ve bütün bu hesaplar, fiskoslar, bazen çetin kavgalarda biten anlaşmazlıklar uysal dostlarımızı bile çok başka ışıklarda gösteren şeylerdi. Onlar sayesinde bu insanların son derecede hesaplı, hakkının on parasında bile dikkatli ve titiz, alabildiğine açıkgöz ve çakır pençe olduklarını bir kere daha anlardık.

Daha dün yapışık doğmuş ikizler gibi birbirinden ayrılmayan, yediklerinde, içtiklerinde daima beraber görünen iki dost, ertesi günü bir hesap yüzünden pençe pençeye geliyorlar, yahut aralarındaki eşit haklı kardeşlik bozuluyor, biri efendi, diğeri maiyet oluyor, günlerce, aylarca bu yeni vaziyet devam ediyordu. Bazı defalar bu, hiçbir gürültüsüz kendiliğinden olurdu. Para derhal gönüllüsünü bulur, karşılıklı vaziyetleri kendiliğinden kurardı. Bazen oldukça çetin ve değişik safhalardan sonra yeni bir muvazeneye varırlardı. Fakat hemen her şeklinde daima beklenmedik bir şey araya girerdi.

Bir defasında gedikli müşterilerden ikisini günlerce bir köşeye çekilmiş baş başa konuşur gördük. İkinci defasında pejmürde kılıklı bir adamcağız yanlarında idi. Üç gün sonra kalantor bir bey daha geldi, katıldı. O günden itibaren bu dört kişi birbirinden ayrılmaz oldular. Günde birkaç defa kahvede buluşup baş başa veriyorlar, yahut birbirleri için haber bırakıp gidiyorlardı. Hepsinin elinde bir çanta peydahlanmıştı. Bu, kış sonlarında oluyordu. Sonra birdenbire bahara doğru pejmürde adamın üstü başı değişti. Zarif, şık, daima gülümseyen ve daima uyanık bir beyefendi ortaya çıktı. İki ay evvel âdeta görünmeden gelip giden adam sanki bir radyo veya frijider reklamı gibi göze çarpmak için sağa sola selâm dağıtarak aramızda dolaşıyordu. Derken otomobille gidip gelmeğe başladı. "Şoför", "Bizim şoför" kelimeleri, sırasına göre munis ve yumuşak, yahut hiddetli veya canı sıkılmış ve hep bir imtiyaz ve içtimaî mevki ifadesiyle, daima bilmem kaç silindirin, şu kadar paranın ve saatte seksen kilometre süratin araya koyduğu fark ve imtiyazla ağzından düşmez oldu.

Her devrin ve yaşayışın kendisine göre bir insan tasarrufu vardır ki, bütün bir zihniyeti ve inkârı güç realiteleri ifade eder. Şoför ke-

133

limesi bunların şüphesiz en medenisi, en latifi, en iyisi ve en cemiyetlisidir. İki dudağın arasında bir öpüş taklidine benzeyen ve ilk hecede havaya bıraktığını ikinci hecede âdeta geriye alan bu kelimenin Türkçe'nin en mühim kazançlarından biri olduğuna bilmem dikkat ettiniz mi? Hangi şiveden söylenirse söylensin o daima mânalıdır.

Nihayet yazın başında hepsi birden kayboldular. O andan itibaren havadisler sızmağa başladı. Dostlarımız tanıdıkları girgin, para işlerini gayet iyi bilen bir avukatla adamcağızın çok çetrefil bir miras işini takip etmişlerdi. Şimdi kendi himmetleriyle muazzam servetine kavuşan bu zengin dostu eğlendirmeğe çalışıyorlardı.

Bunu öğrendiğimiz andan itibaren bir rasathane hoparlöründen herhangi bir yıldızla peykleri takip ediliyormuş gibi küçük, kısa, bazen teferruatlı ve uzun, günlük haberlerin bir daha sonu gelmedi. Bütün plajlar, gizli eğlence yerleri sanki bitişiğimizde imişler veya sanki aramızda yalnız bir camlı kapı ve tül perdeli bir pencere varmış gibi bize sırlarını açtılar. Bir nesil evvelin şiir ve hayal lûgatinden orta sınıfa geçmiş takma adlarla anılan genç, güzel kadınlar, tecrübesiz kızlar, ılık gazoz şişelerimizden ve yapışkan şurup bardaklarımızdan çıkıp karşımızda soyunmağa başladılar. Hemen her gün en kaba ve hoyrat hikâyelerden dinlediğimiz bu yaz cümbüşleri, teşrin yağmurlarına kadar sürdü.

Bir taraftan terden sırtımıza yapışmış fanilâlarımızı iskemlelerimizin arkalarına sürte sürte isiliklerimizi kaşırken, öbür taraftan da işittiğimiz bu hikâyeler sayesinde, ayışığında serin sularda yıkandık, loş plaj kabinelerinde seviştik, rüzgârlı ve ağaçlı tepelerde cins tekeler gibi boğuştuk. Sonra Beyoğlu barlarının hikâyesi başladı. Üst üste malî krizlerin bütün Avrupa'dan kovduğu yarı çıplak kızlar saksofon seslerinin dâüssılasında mayolarını ve sütyenlerinide âdeta gözlerimizin önünde attılar, yahut kürklerle, mücevherlerle giyindiler. Daha doğrusu birincileri attıkları için ikincileri giyindiler.

Emine'nin bir gece bütün tutum fikirlerini yenerek Zehra'nın entarisini ve Ahmet'in ayakkabısını düşünmeden gitmeğe razı olduğu bir eğlence yerinde, her zamanki çocuk saflığıyla, "Ayol, bunlar insan değil, melek" diye beğendiği sarışın ve kumral, buğday tenli kızlar, kadınlar da böylece kahvemizin mahremiyetine fokstrot adımlarla ve tango kıvranışlarıyla, dağılmış saçları kalçalarını döve döve, nefes nefese zafer çığlıkları atarak, genç küheylânlar gibi girdiler, tavla şakırtılarını, hayalimizde birbiri ardınca patlatılan şampanya şişelerinin gürültüsü örttü.

Kışın ortasına doğru bu çılgın eğlenceler birdenbire bitti. Kamera, tekrar bizim kahveye döndü. Bir gece dördü birden geldiler. Hepsi yorgun ve sinirli idi. Evvelâ bir köşede sessiz, sadasız münakaşa ettiler, cüzdanlar açıldı, senetler çıktı, tekrar cüzdanlara kondu. Sonra sesler birdenbire yükseldi. Rezil, alçak, dolandırıcı kelimeleri arabacı kırbaçları gibi şakırdamağa başladı. Yumruklar sıkıldı, "Ben sana gösteririm!" tehditleri duyuldu. Nihayet hepsi birbirine girdiler. Neticede mirasyedi ve iki arkadaşı avukatı sille tokat kahveden dışarıya attılar. Bir sene evvel o kadar haysiyetli ve kibirli tavırlarla bizi hiç beğenmeden aramıza gelen adam çamurlar içinden güçlükle kalktı. Bir tulumbacı gibi küfür ede ede yanağından sızan kanları sildi. Gözlükleri kırılmış olduğu için şapkasını ben bulup başına geçirdim.

İki hafta sonra aynı kavga mirasyedi ile iki arkadaşı arasında oldu. Bu sefer velinimet de aynı şekilde kahvenin kapısına bırakıldı. Fakat netice hiç de o gece sandığımız şekilde çıkmadı. Kahvemizin gedikli müşterileri olan iki ahbap çavuş daha ertesi sabah bize dert yanmağa başladılar. Birkaç gün sonra şikâyetleri ayyuka çıktı. Vâkıa bir sene adamakıllı eğlenmişlerdi amma, ellerinde hiçbir şey kalmamıştı. Hattâ mirasyedi, kendilerini sonradan bütün haklarından ıskata muvaffak olduğu çarpaşık bir şirket sayesinde birinin elinden baba evini, öbürünün elinden bilmem neredeki büyük ve işlek mağazasını almıştı. İkisi de şimdi beş parasızdılar. Üstelik elden çıkarılan bu mağazanın sahibi eğlence yerlerine kendi delâletiyle sürüklediği, düşmesine yardım ettiği kızlardan birine delice âşıktı.

Bütün bu işler mirasyedi ahbabımızın dünyanın en rahat, tatlı tebessümüyle bir gün gelip aramızda oturmasına mâni olmadı. İki saat kadar kahvenin sahibi ile baş başa konuştular. Eski dostumuz hiddetten kan başına sıçrayarak onu dinledi. Ertesi akşam elden çıkan mağazanın sahibi ile uzun bir tavla partisine tutuştular. Velinimet, dünyanın en masum çehresiyle zarları avucunda şakırdatarak fırlatıyor, arkasından tavlanın içine girecekmiş gibi eğiliyor, zarların dönüşünü takip ediyor, her düşeşte bir kere el çırpıyordu. On beş gün sonra müflis mağaza sahibinin sevdiği kızla evlendiğini işittik. Üç ay sonra da mucizelerin mucizesi! bir yavrusu dünyaya geldi. Bütün kahve halkını sevindiren bu haber üzerine epeyce münakaşalar yapıldı ve neticede âmme çoğunluğu ile çocuğa "Karışık!" adı verildi.

Bu hâdise, muhtelif ve beklenmedik safhalarıyla bizi aylarca meşgul etti. Sonra hemen arkasından gelen bir başkası yüzünden unutuldu. Trakya'nın bilmem hangi köyünde Balkan Muharebesi esnasında yere gömülen epeyce mühim bir parayı aramak için İstanbul'a iki Bulgar gelmişti. Bu adamlara bu kahvenin adresini kim vermişti? Hangi tesadüf bizimkilerin arasına onları atmıştı? Söylemeğe hacet yok ki, o bahar âdeta bir Kutup seyahati hazırlanıyormuş gibi bir sefer heyeti kuruldu, küçük bir çatana tutuldu. Kamp eşyası alındı. On beş yirmi gün her taraf arandı, tarandı. Biz arkada kalanlar halecanla, heyecanla hâdiseleri takip ediyorduk. Her gün haberlerin şekline göre bulunacak definenin miktarı değişiyordu. On bin altın diyorlardı. Sonra beş bine iniyor, yirmi bine, yüz bine çıkıyordu. Belki bütün yaz böyle geçecekti. Bereket versin ki, mahallî hükûmetin müdahalesiyle iş sona erdi. Dönüşte bittabi tekrar bir masraf kavgası oldu. Fakat hemen arkasından meşhur bir tarih üstadımız üç saat süren bir Hazreti Ali cenginin hikâyesine başladı ve onun heyecanlı safhaları arasında umumî barış temin edildi. O gece en yüklü gecelerimizden biriydi. Ben Emine'nin hastalığına rağmen Ramiz Beyin mezesi ve rakısı aynı derecede kıt ikramını kabul etmiş, eve gitmemiştim.

Filhakika o gece aramıza, kaybettiğimiz iki Bulgara mukabil bir

İsviçreli Alman müsteşrik katılmıştı. Adamcağız bu asil ve entellektüel muhite düştüğünden nasıl memnundu? Patates gibi sarı yüzünü geniş bir gülüş âdeta bir daha eklenmesi imkânsız denecek şekilde ikiye bölüyordu. Kıt Türkçesi, ne bütün konuşmaları takip etmesine, ne de hepimizle can ciğer dost olmasına mâni oldu. Şurası var ki, bizi tam zamanında bulmuştu; bir hafta sonra parası tükendi ve umum hesabına yaşamağa başladı. Biraz sonra mimarlıkla hayatını kazanmağa karar verdi ve sağ taraftaki masalardan biri onun bürosu oldu. Müşterileriyle orada pazarlık ediyor, orada herkesin gözü önünde bir sürü boş kibrit kutusundan mücessem planlarını yapıyor, değiştiriyor, ikmal ediyordu. Dünyada bundan daha pratik, daha akla uygun bir çalışma olamazdı.

Bu çalışma gözümüzün önünde tam dört sene sürdü. Hiçbir mimar onun kadar sabırlı, kanaatkâr, müşterisinin arzularına itaatli değildi. Sipariş sahibi, "Şu iki kibrit kutusunu oraya değil de, şuraya koysan n'olur?" der demez, Doktor Mussak bir an gözlerini yumuyor, düşünüyor, sonra kibrit kutularını bozup tekrar başlıyordu. Daha o zaman kâğıt üzerine çizilen planla böyle kaldırılıp konması daima kabil eşya vasıtasıyla yapılan maketin arasındaki büyük farkı anlamıştım. Çalışmalar hepimizin gözü önünde olduğu için sade ev sahibi değil, kahvedeki müşteriler, hattâ garsonlar bile işe karışıyorlar, Dr. Mussak'ın aynı ciddiyetle dinlediği ve çok defa kabul ettiği tekliflerde bulunuyorlardı. Bilmiyorum kooperatif evlerini icat eden kimdir? Fakat kollektif mimariyi bu arkadaşımızın bulduğu muhakkaktır. Yazık ki hiç beklenmedik bir kaza bu çalışmaya birdenbire son verdi. Dostumuz, Süleymaniye'de İbrahim Paşa sebiline yakın bir yerde yaptığı üç katlı eve merdiven koymasını unutmuştu. Ev iskeleleri alındığı andan itibaren birbiriyle alâkası olmayan üç kısma ayrılıyordu. Adlî Tıpta iken Doktor Ramiz'in bana psikanaliz öğrettiği günlerde, vâzıh olmak için şuur hayatını benzettiği birinci katı henüz boş, yahut, teşekkül etmemiş, yalnız kömürlüğü ile tavan arası mevcut büyük konak bile bunun yanında daha doğru dürüst, daha aklı başında bir bina gibi görünüyordu.

Şurasını da söyleyeyim ki o zamanlar beni çok şaşırtan, aklımın bir türlü almadığı bu iki bina ile Doktor Mussak'ın kibrit kutularından yaptığı planlar, sonradan çok işime yaradı. Enstitümüze yeni bir bina yapılması için karar verilince yapılan tekliflerin hepsini redderek işi kendi üstüme aldım ve bu iki tecrübenin sayesinde İstanbul halkının o kadar beğendiği, Enstitü binasını vücuda getirdim. Üç sene bütün dünyaca münakaşa edilen bu binadan ileride tabiatıyla bahsedeceğim. Yalnız şu kadarını söyleyeyim ki, bu binanın, asansör ve merdivenlerin çıktığı pilpâyeler ve sütunlardan başka bir şey bulunmayan, sadece üstü kapalı bir teras hâlinde bıraktığımız ikinci katı doğrudan doğruya bir taraftan Süleymaniye'deki eve, diğer taraftan da Doktor Ramiz'in yukarıda bahsettiğim izahatına bağlıdır.

Süleymaniye'deki evin vaziyeti aramızda çok münakaşa edildi. Bu evin merdivenle çıkılamayacak iki katına vazife aramak işini nedense biz üzerimize almış gibiydik.

Bu daima böyleydi. Ne kadar ciddî başlarsa başlasın burada her iş en beklenmedik neticelerle biterdi. Bu kahvenin bir adım ötesinde yüzde yüz gibi bakılan bir hesap, burada birdenbire en hafif ihtimal şekline girer, bir yığın gidip gelmeden sonra talihin bir alayı olurdu.

Hulâsa bu abes denen şeyin bataklığı idi. Ve ben farkında olmadan boynuma kadar ona gömülmüştüm.

Sanki çok tüylü, yumuşak bir yığın kol ve kanatlı, insanı âdeta bitmez tükenmez gıdıklamalar, kısık gülüşler ve haz baygınlıkları içinde sömürüp tüketen bir hayvanın eline düşmüşüm gibi bu mânasız âleme gömüldüm. Hiçbir şeyin birbirini tutmadığı ve her şeyin en şaşırtıcı şekilde birbirine bağlı olduğu bir dünyada, bilmediğimiz bir yerde kopan bir fırtınanın getirdiği enkazdan yapılmış bir panayırda imişim gibi yaşamağa başladım. Bu fırtına nerede kopmuştu? Hangi tuhaf ve zıtlarla dolu âlemleri yağma etmiş, yahut nasıl karmakarışık bir armadayı didik didik böyle savuşturmuş ki bize kadar getirip önümüze yığdığı şeylerin hiçbirini asıl kendi çehrelerinde tanımamıza imkân yoktu. Her şey bir hokkabaz şapkasından çıkar gibi birbirinin peşinden, birbirine takılı geliyordu. Bu yaşanırken çok rahat, sonradan üzerinde düşünülünce bir kâbus gibi sıkıcı bir şeydi.

Sanki bir deniz altı kovuğunda yürüyormuşum gibi bir türlü kavrayamadığım fikirler, bilgi kırıntıları ayaklarıma dolaşıyor, her kımıldandıkça köksüz asabiyetler, süreksiz ümitler, yersiz inançlar çürümüş yosunlar gibi kollarıma ve vücuduma sarılıyor, beni daha derinlere doğru çekiyor, gözlerimi her açtıkça ucunu bucağını göremediğim heyulâ dâvalar yarı karanlıkta üzerime saldırıyorlardı. Sonra hepsi birden bir mürekkep balığı gibi kendi savurdukları dumanın içinde kayboluyor, ve ben Doktor Ramiz'le, yahut Yangeldi Asaf Beyle karşı karşıya, başım biraz evvelki hengâmeyi dağıtan gür kahkahanın geldiği yere dönük, kulaklarımda farkına varmadan yokladığım derinliklerin ağırlığında gelen bir çınlama, bir uykudan uyanmış gibi hiçbir şeyi tanımadan etrafa bakıyordum.

– Evet, azizim. Bu işin çıkarı yoktur! Gençlik harekete geçmeli! Bu şark fatalizminden kurtulmalı!

Doktor Ramiz suratını bir kat daha asıyor. Yangeldi Asaf Beye bu emri bekliyormuş gibi, kollarıyla, ayaklarıyla daima dördünü birden işgal ettiği sandalyelerden şöyle bir toparlanıyor, ve bu kadar çetin hareketin derhal mükâfatını görmüş gibi, masaya çaprazlamasına dayadığı kollarının arasına başını gömüyor ve uyumağa başlıyordu.

Çünkü Yangeldi Asaf Beyin daima uykusu vardı, ve bu uyku dünyanın en güzel, en mâsum uykusuydu. O gözlerini kapar kapamaz, etrafımız tatlı bir mışıltı ile dolardı ve havada sanki yüzlerce melek hep birden maddesiz kanatlarıyla uçuşurlar, çok yavaş fısıltılarla kulağına ninni söylerler, uykusunun peteğini mâsum rüyaların balıyla doldururlardı.

O zaman içimde birdenbire bir şey burkulur, "Emine..." diye yerimden fırlar, eve koşardım. Emine hasta idi. Doktorların ilk önceleri ufak bir zayıflık dediği şey yavaş yavaş tehlikeli, neticesi sakınılmaz bir hastalık olmuştu. Bunu ben doktorlardan evvel biliyordum. Adlî Tıpta son gece gördüğüm o acayip rüyadan beri biliyordum. Kader imbiği gözümün önünde kaynıyordu, ve Emine'nin başı, yastığımın öbür ucunda, yüzümde, dudaklarımda, avuçlarımın içinde iken, yine her an benden biraz daha uzaklara çekiliyor, oradan bana büyük, açık gözleriyle bakıyordu. O istediği kadar konuşsun, gülsün, gelecek yollar için hayaller kursun, Zehra'yı gelin etsin, Ahmet'i Tıbbiye'den çıkartsın, daima bu baş çok uzaklarda yavaş yavaş siliniyor, gözleri uzaklardan bana, "Ne yaparsın, çaresi yok ki bu işin!" der gibi bakıyordu. Bu korkunç zalim bir şeydi. Emine yavaş yavaş, damla damla gözlerimin önünde ölüyordu. Ne ben, ne de kimse, hiç birimiz bir şey yapamıyorduk.

VII

Emine'nin ölümüyle son tutunduğum dal da kopmuş gibi büsbütün boşlukta kaldım. Kaybettiğim şey benim için o kadar büyüktü ki ilk önceleri bunu bir türlü anlayamadım. Ne de hayatımdaki neticesini ölçebildim. Sade içimde simsiyah ve çok ağır bir şeyle dolaştım durdum. Sonra bu haraplığa daha başka bir duygu, bir çeşit kurtuluş duygusu karıştı. Bir baskıdan kurtulmuştum. Artık Emine bir daha ölemezdi, hattâ hastalanamazdı da. Orada zihnimin bir köşesinde olduğu gibi kalacaktı. Hayatımda birçok şeyler daha beni korkutabilir, başıma türlü felâketler gelebilirdi. Fakat en müthişi, onu kaybetmek ihtimali ve bunun korkusu artık yoktu. Her an onun hastalığının arasından etrafa bakmayacak, o azapla yaşamayacaktım. Korku içimden doğru kabarıp büyümeyecek, dört yanımı kaplayamayacaktı.

Vâkıa evim yıkılmıştı, iki çocukla baş başa kalmıştım, çalışmanın lezzetini kaybetmiştim, hepsinden fenası, artık hiçbir şeye inanmıyordum. Fakat korkmuyordum da. Olabilecek şeylerin en kötüsü olmuştu. Artık hürdüm.

Emine arkamda olmayınca her akıntı beni sürükleyebilirdi. Kahve ve arkadaşlar en yakını idi. Daha haftasında kendimi orada, o kalabalığın arasında buldum. Cadde üzerindeki yan dükkânların arkasına düşen ikinci salonda bir elimde iskambil kâğıtları, öbüründe rakı kadehim, ağzımda cıgara, kulağım anlatılan hikâyede, hulâsa etrafımla en rahat bir alışverişte, konuşuyor, içiyor, eğleniyor buldum. Her şeyi unutmuş muydum? Hakikaten eğleniyor muydum? Şüphesiz hayır.

İçimde o zamana kadar duymadığım bir eziklik vardı. Bu korku değildi, acı değildi. Ancak kendisine ihanet eden insanların duyacağı bir azaptı. Bir ucu iğrenmede biten garip bir duygu. Böyle günlerden birinde idi. Bir ara gözüm karşıdaki aynada kendi hayalime erişti. İki yanına asılmış paltoların arasında kendi yüzümü o kadar memnun ve biçare, o kadar zelil ve her tarafa sürüklenebilir, her şeye mukavemetsiz ve her şeyden istifa etmiş gördüm ki, bir an billûrun beni kusacağını, kendi suratımı ayaklarımın ucuna fırlatacağını sandım. Fakat hayır, hiç de böyle olmadı. İkinci, üçüncü bakışta bu hayale de alıştım. Her şey müsavi idi.

İhtiyar bir kadın evde çocuklarımla meşgul oluyordu. Ben sabahleyin kalkabildiğim saatte işe gidiyor, işten kahveye geliyor, oradan Doktor Ramiz'le veya başkasıyla civar meyhanelerden birisinde akşamcılık ediyor, gece geç vakit eve dönüyordum. Bazen çocukları yatmış buluyor, sevine sevine kendim de yatıyordum. Bir gün daha geçmişti ve ben hesap vermekten kurtulmuştum. Fakat çok defa onları kedi yavruları gibi birbirine sokulmuş, birbirine yaslanmış, evin bir köşesinde beni bekler buluyordum. O zaman işte günün en korkunç tarafı başlıyordu.

İçimden geçenleri kendilerine sezdirmeden çocuklarımı kucağıma almak, gönüllerini yapmağa çalışmak, şaklabanlık etmek, gözyaşlarını kurutmak, güldürmek lâzımdı. Niçin bu kadar mahzundular? Niçin bu kadar çok ağlıyorlardı ve neden böyle musallattılar? Mevcut olmalarıyla hayatıma getirdikleri güçlükler kâfi değil miydi? Hürriyetimi sıfıra indirmeleri ve beni küçücük bir daire içinde bir dolap beygiri gibi durmadan dolaşmağa mecbur etmeleri yetişmiyor muydu?

Onları görür görmez içim merhametten parça parça oluyor, kendi iradesizliğime, .alihime kızıyor, başımı saatlerce duvarlara çarpmak istiyordum. O zaman işte Emine, evin bir tarafından çıkıyor, yavaşça yanıma yaklaşıyor, her vakit yaptığı gibi elleriyle omuzuma dokunuyor, "Kendine gel!" diyordu.

Ve ben kendime geliyordum. Kararlar, yeminler, ahitler, karanlıkta dökülen gözyaşları birbirini kovalıyordu. Fakat ne faydası vardı? Ne yaşadığım hayatı beğeniyor, ne yenisine gidebilecek kudreti kendimde buluyordum. Her şeyden düpedüz kopmuştum. Çocuklarıma karşı beslediğim acıma hissinden başka etrafımla hiç bir bağım yoktu.

Her şeye, herkese sadece katlanıyordum. Sokağa adımımı atar atmaz, kendimi bir yığın muvazaanın, gafletin esiri görüyordum ve bulunduğum yerden, yaptığım işten gayri her yer, bana erişilmez şekilde güzel ve harikulâde görünüyordu.

.Postanede elime geçen uzak yerlerden gelmiş her mektup zarfı, her kartpostal beni çıldırtıyordu. Peru, Arjantin, Kanada, Mısır, Kap, nerelerden gelmiyordu bu mektuplar? İki sokak ötede, tek bir odada tahtakurularıyla haşır neşir olan şu ihtiyar Yahudi kadının Meksika'da bir kardeşi vardı. Komşusu hahamın kızkardeşi Arjantin'de kürk ticareti ediyordu. Öte taraftaki Rum bakkalın oğlu Mısır'da idi. Yeğeni Chicago'da hocalık yapıyordu. Ve ben onlara gelen mektupların zarflarına bakar bakmaz, gözlerim kendiliğinden kapanıyor, etrafım değişiyor, kendim başka bir adam oluyordum. Kaçmak, her şeyi bırakıp gitmek!..

Fakat hayır, bütün bunları yapabilmek, kendisini alışkanlıklarının dışında denemek için başka türlü adam olmak lâzımdı. Koşmak, kımıldamak, atılmak, istemek, isteyişinde devam etmek lâzımdı. Bütün bunlar benim için değildi. Ben biçare bir gölge idim. Yanımdan biraz sürtünerek geçen her adamın peşine takılan, ondan ayrılır ayrılmaz, iki kedi yavrusu gibi birbirine sokulan, birbirinin kucağında gülen, ağlayan, bilhassa ağlayan iki çocukla çapaçul, biçare bir gölge... Gül! dedikleri yerde gülen, ağla veya konuş dedikleri yerde konuşan, ağlayan, enteresan buldukları zaman enteresan olan, yüzüne bakmadıkları gün mevcut olmayan biçarenin biri.

Bunları hatırlar hatırlamaz, oraya, kahveye, az çok benden başka türlü yaşayanların, kendilerini hiç olmazsa benim gibi göz hapsinde tutmayan insanların arasına gidiyordum. Onların yanında benim de hayatım oluyor, onlarla düşünüyor, onlarla beraber yaşıyordum.

Belki de böyle değildi. İşin aslında başka şeyler de vardı. Bu adamları tamamiyle beğenmiyordum. Aralarında sadece bir muhacir gibi yaşıyordum. Bir tipi gecesinde, ıssız dağ başında soğuktan ve yüklü rüzgârdan boğulmak üzere olan bir adamın sığındığı sıcak, bol gübre kokulu, atların tepişmesinin insan sesine, taze çay ve kahve kokusuna karıştığı o yarı ahır, yarı han odası yerlerden biri gibi onların arasına sığınmış, bu karışık ve yüklü havada ısınıyor, mesut oluyordum.

Şüphesiz bir gün bu beğenmemezlik, işlerin biraz müsait gittiği bir zamanda büyüyüp beni kurtaracağını zannettiğim o küçük noktada kaybolacak ve tamamiyle bu havaya teslim olacaktım. Daha şimdiden zaman zaman, "Ah! İşte güzel hayat! Rahat ve mesut... Ne adamlar!" demeğe başlamıştım bile.

Ahmet'in geçirdiği büyükçe bir hastalık beni kendime getirene kadar böyle yaşadım. Ancak onu da kaybetmek korkusuyla talihime razı oldum.

Bu esnada Doktor Ramiz altı seneden beri üzerinde düşündüğü projeyi fiile koymuş, Psikanaliz Cemiyeti'ni açmıştı. Kendisinden başka doktor bulunmayan yirmi bir azası içinde, hem de müessesenin müdürü sıfatıyla ben de vardım. Evet, şimdi itiraf edeyim ki, Saatleri Ayarlama Enstitüsü'ne müdür muavini olduğum zaman, hiç de bu cins işlerde tecrübesiz değildim. Daha evvel Psikanaliz Cemiyeti'nin müdürü ve hemen hemen ona benzeyen İspritizmacılar Kulübü'nün de muhasibi idim. Aziz dostumun, senelerce kirasını verdiği bir odada teessüs eden bu cemiyetin anahtarı, müdür sıfatıyla daima yeleğimin cebinde durdu. Ve kapısı ancak iki defa, verdiği konferanslar dolayısıyla gerek kendisine ve gerek umuma açıldı. Bu konferanslardan birincisinde Doktor Ramiz, dinleyicilerine beni, Türkiye'de tedavi ettiği ilk hasta sıfatıyla ve tüyler ürpertici izahatla takdim etti. İşte bu sayede, ikinci karım Pakize'nin dikkatini çektim. İkinci konferansta ise, yetmiş sahifelik taş basması bir tâbirnameyi başından sonuna kadar, ufak tefek izahlar mukayeselerle okudu.

Mevsim yazdı. Odaya açık pencerelerden dalga dalga sıcak bir rüzgâr giriyor, yüzlerimizi alazlıyor, bizi çok başka derinliklere çekip götürüyor ve sonra esneyerek, hatibin iyi niyetine teslim ediyordu. Bir arı, küçük cüssesinde birkaç dizel motörünün sesini bulmuş, durmadan başımızın üstünde vızıldıyor, havada üst üste çelik levhalar deliyor, onların aralarından geçerek Doktor Ramiz'in sesine sarılıp, onu örtüyordu.

İlk önce Yangeldi Asaf Bey arka sırada seçtiği yerinde uyumağa başladı. Fahrî müdür sıfatıyla hatibin bir basamak aşağısında, iki elim dizimde, ayakkaplarımın söküğü görülmesin diye gayretler ederek, terbiyeli terbiyeli oturduğum sandalyeden —Avrupa'da böyle yapılırmış, tabiî müdür sıfatıyla oturmam için söylüyorum, ayakkapların eskiliği için değil— onun iki kolunu işgal ettiği iki sandalyeden çektiğini, sonra tam önündeki umacı şapkalı kadının ensesine doğru dikkatle baktığını bir lahza görür gibi oldum. Sonra birdenbire başı bu şapkanın arkasında kayboldu ve binlerce melek kemanlarını dinliyormuş gibi ilâhî bir mışıltı başladı. Üçüncü sahifeye doğru bu mışıltıların, arının vızıltısıyla beraber teşkil ettikleri küçük, hafif ve serin çalkantılı körfezde bizim gruptan genç bir şairin rüyaları yelken açtı ve tek başına şiddetli bir geçmiş zaman deniz muharebesine girdi. Halatlar gıcırdıyor, ağızdan dolma toplar simsiyah gürlüyor, hücumlar, vaveylâlar arasında yangınlar büyüyordu. En ön sırada oturan kırklık bir hanım bu karışıklıktan derhal istifade etti ve şüphesiz gelirken cebine gizlediği bir düzine kadar ördek yavrusunu usulcacık yere bıraktı ve kendini onların vakvakları arkasında maskeledi. Onu biraz ötede bir başkası takip etti ve derhal bitmez tükenmez bir iştahla boşanan bir banyo oldu.

Onuncu sahifeye doğru evlerinde ve daha rahat şartlar altında uyumak için salonu terk edenler müstesna, hemen herkes uyudu. Hepsi uyur uyumaz hançeresinin müstait olduğu yahut tercih ettiği sesi derhal buluyor, derhal o ses ve hareket oluyor, onu bütün rahatlığıyla yaşıyordu.

Doktor Ramiz, bu kollektif ihanetle elinden geldiği kadar mücadele etti. Hiçbir zaman onu bu kadar kahraman ve vaziyete hâkim olma kararında görmemiştim. Sesi, Asaf Beyin mırıltılarının her lahza yeniden yetiştirdiği yumuşak otlar ve nebatlar arasında kükremiş bir aslan gibi fırlıyor, sağa sola en beklenmedik şekilde hücum ediyor, görünmez düşmanlarıyla boğuşuyor, atılıyor, yakaladığını boğuyor, boğamadığını sindiriyordu.

Yüzü ter içindeydi, elleriyle durmadan işaretler yapıyor, sanki yirmi ağızdan birden üzerine hücum eden horlamaları iterek, kakarak kendisine yol açmağa çalışıyor, kelimeler, dudaklarından kırbaç şakırtılarıyla çıkıyor, ateşli ökseler gibi dört yana fırlıyor, itfaiye hortumları gibi sağa sola uzanıyordu. Fakat, bir insan tek başına bu kadar çok, bu kadar terbiyeli, kaçmasını, değişmesini, sinmesini bu kadar iyi bilen bir düşmanla nasıl mücadele edebilirdi!

İki saniye evvel hakladığı, bir saniye sonra tekrar diriliyor, tekrar gölgede pusu başlıyor, ördek yavruları telâşlı telâşlı vaklıyorlar, delinmiş su borusu, bir kobra yılanı gibi ıslık çalıyor, banyo dünyanın bütün sularını döndüre döndüre boşaltıyor, imkânsız yokuşlarda kamyonlar vites değiştiriyor, en gürültülü tren kazaları birbirini kovalıyordu.

Ve Doktor Ramiz'in sesi, her an uyanık, her an tetikte her hâdiseyi anında karşılıyor, durmadan şekil değiştiriyor, yalvarıyor, vaat ediyor, tehdit ediyor, üst üste en beklenmedik nizamlar kuruyor, örfî idareler ilân ediyordu.

Ben, ellerim dizimde, ikide bir ağırlaşan göz kapaklarımı parmaklarımla açarak, onun bu gayretini seyrediyor, gösterdiği cesarete, kudrete, her an biraz daha hayran oluyordum.

— Dahî bir avrat rüyasında azgın bir deli görse iyi niyet değildir. Hemen tövbe ve istiğfar eyleye...

Yan tarafta, üçüncü sırada o zamana kadar farkına varmadığım genç kadın ağır uykusundan derin bir "oh" çekerek yerinde gerindi. Doktor Ramiz bu ilk ümit işaretine âdeta bir kurtarıcıya yapışır gibi yapıştı ve en gür sesiyle devam etti.

– Ve dahî bu mecnun er kişi ise ve çıplak ise ol avrat behemehal zina işler, zevci mukayyet ola...

Kırklık hanımın boynu birdenbire iri bir kumru oldu ve dem çekmeğe başladı. Ördek yavruları artık ortalıkta görünmüyordu. Hatip bu değişiklikten habersiz, devam ediyordu.

– Ve dahî bir er kişi rüyasında kendisini cümlesi uyur bir taifenin arasında görse büyük beşarettir, cümle ef'alinde fâilimutlak olur ve kimseye hesap verme zorunda bulunmaz.

Doktor Ramiz bu cümlenin verdiği hürriyetten istifade etti ve başını hemen oracıkta, boynunun üstünde eğerek o da uyumağa başladı.

VIII

Evlendiğimiz zaman Pakize'nin tiroit guddeleri henüz bozulmamıştı, binaenaleyh huysuz ve sinirli değildi. Hayat hakkında hiçbir fikri yoktu, binaenaleyh neşeli ve rahattı. Annesi ile babası henüz ölmemişlerdi. Hattâ böyle bir ihtimal kimsenin aklına gelmeyecek kadar sıhhatli, dinç görünüyorlardı. Bu itibarla kardeşleri henüz bizimle beraber yaşamağa karar vermemişlerdi. Ayrıca büyük baldızım musıkîye olan istidadını henüz keşfetmemiş, küçük baldızım sadece irade ve ısrarıyla dünya güzeli olabileceği fikrine düşmemişti. Ben, İspritizma Cemiyeti'nde tanıdığım Cemal Beyin sözüne uyup Fener Postanesi'ndeki vazifemden henüz istifa ederek, onun idare meclisi azası bulunduğu ve sonradan reisi olduğu Türlü İşler Bankası'na memur olmamıştım. Binaenaleyh elimde henüz güvenebileceğim bir işim vardı ve hayatımız emniyette idi. Üstelik Selma Hanımefendiye de henüz âşık olmamıştım.

Evet, bunların hiçbiri henüz olmamıştı. Onun için evliliğimizin ilk senesini küçük evimizde, Mübarek'in sakin bakışları altında, nisbeten rahat ve mesut geçirdik. Şüphesiz bu hayat, Emine'nin zamanındaki hayat değildi. İkinci karım hiç de ona benzemiyordu. Onun ciddiliği, saadeti kendi içinde bulan cömert yaratılışı, ne de sakin güzelliği vardı Pakize'de. Fakat gençti, kendisine göre neşeliydi, kendi âleminde yaşamasını biliyordu.

Hayatta sevdiği tek bir şey vardı, o da sinema idi. Pakize sinemanın sade terbiye değil, tatmin ettiği insandı da. Beyaz perdenin karşısında o kadar kendinden geçer, o kadar her şeyi bırakırdı ki, sonunda yaşadığı hayatla seyrettiği macerayı birbirinden ayıramaz hâle gelirdi.

Bir gün dünyanın en büyük ciddiyetiyle bana, eskisi gibi İspanyol dansını yapamadığını söylemişti. Bu evlendiğimizin ikinci yılında bir pazar sabahı oldu. O, yatakta, saçlarını yastığa dağıtmış, tembel tembel, kendisini kaldıracak bir vinç bekliyordu. Ben pencerenin önünde, ayakta, yataktan kalkmak hususunda daha atik, kahvaltı meselelerinde biraz daha sabırsız bir kadınla tesadüfen evlenmiş olmanın insana verebileceği saadetleri düşünüyordum. Birdenbire karım:

– Hayri! diye beni çağırdı. Sana bir şey söyleyeyim mi, ben galiba İspanyol dansını unuttum.

Pakize'nin danstan hoşlandığını bilirdim. Fakat İspanyol dansını bildiğini hiç işitmemiştim. Zaten doğru dürüst yürümesini bile bilmeyen, bastığı yeri görmeyen bir insandan bu pek beklenmezdi.

– Hayırdır inşallah! Hangi İspanyol dansı?

– Vallahi unutmuşum... Dün bir deneyeyim, dedim, bir türlü beceremedim. İnsan üç günde bildiği şeyi unutur mu?

– Ben senin İspanyol dansı ettiğini bilmiyorum.

– Canım unuttun mu? Geçen gün etmedim mi? Hani çok beğenmiştin? Gazinoda... Herkes alkışlamıştı. Sonra o zabit geldi...

Evlendiğimizden beri sinemadan başka yere gitmemiştik. Neden sonra anladım ki, karım, kendisini beraber seyrettiğimiz bir filmin artisti ile, Jeanette Mac Donald'la karıştırıyordu, onu kendisi sanıyordu. Birkaç gün sonra kırmızı sabahlıklarını aradı, benim süvari ceketimi bulamadığı için üzüldü. Beyaz saten tuvalet elbisesi ortada görünmüyordu, bu felâkete ağladı. Bir başka sabah daireye giderken boynuma sarıldı ve dikkatli olmamı tekrar tekrar tembih etti.

Kendisini bazen Jeanette Mac Donald, bazen Rosalinne Russel sanan, beni Charles Boyer ile, Clark Gable ile, William Powel ile karıştıran, bir gün evvel komşu kızını Martha Egerth'e benzettikten sonra ertesi gün pencereden, "Martha, kardeşim, nereye gidiyorsun böyle?" diye seslenen bir kadınla evlenmedinizse bu işin acayipliğini size anlatamam.

Filhakika çok güç bir şeydi bu. Her an tehlikeli yanlışlıklar oluyor, hesaplar karışıyordu. Bununla beraber işin eğlenceli, hattâ faydalı tarafları da vardı. Karım, dediğim gibi sinema ile tatmin oluyor, hayatımızın aksak taraflarına bakmıyordu. Vâkıa Adolf Menjou gibi en aşağı yüz otuz kat elbisem olduğu için artık düğmelerim dikilmiyordu. Fakat ceketimin dirsek yerlerinin çıktığını da pek fark etmiyordu. Gördüğü filmlerdeki her şey bizimdi, şatolar, elmaslar, bahçeler, asîl kibar dostlar... Bu itibarla bu akşamki yemeğe mutfakta yememizin veya hiç yememekliğimizin ehemmiyeti yoktu. Hulâsa onun da bir firar anahtarı vardı. Bununla beraber üzerinde düşünmemem imkânsızdı.

Hangi zemberek bozulmuştu ki böyle durmadan sürükleniyor ve orda kalıyordu? Acaba can sıkıntısı mı onu zaman zaman böyle çocuk yapıyordu? Böyle olsa bile yine de kendisinde esaslı bir şeyin, bir çeşit zeminin bu işe hazırlanması gerekirdi. Lodostan uyuyamadığım gecelerden birinin sabahında Pakize'ye yirmi dakika yatıp uyuyacağımı söyledim. Halbuki bir saat sonra eve gelecek komşularla pikniğe gidecektik. Pakize haklı olarak uyanamayacağımı söyledi. "Hayır, dedim, uyanırım. Hem göreceksin tam zamanında". Vâkıa daha beklediğimiz insanlar gelmeden Pakize'nin alabildiğine açtığı radyo ile on beş, yirmi dakika sonra uyandım. Karım buna çok şaşırdı. Laf olsun diye kim bilir kimden öğrendiğim o nadir tarih bilgilerimden birini yumurtladım: "Napolyon bunu her zaman yaparmış!" Söyler söylemez gözlerinden geçen küçük parıltıyı görerek pişman oldum. Fakat olan olmuştu. Daha o gün Pakize benimle Napolyon arasında mukayeselere başladı. Vâkıa Napolyon'u bilmiyordu ama, "Yusuf'u bilmeziz amma seni rânâ tanırız" fehvasınca, beni iyi biliyordu. Heybeli'nin çamları altında yalancı dolmalarımızı yerken veya hazmederken saatlerce büyük kumandanın da benim gibi sele zeytininden hoşlandığını, kovboy filimlerine bayıldığını, daima sağ tarafına yatarak uyuduğunu ve ancak sabaha karşı horladığını anlattı durdu. Bu henüz birinci kademeydi. Üç dört gün sonra benzeyiş bu sefer benim tarafımdan başladı: İhtiyat zabitliğimden kalma elbiselerim tavan arasından çıktı. Temizlendi, ütülendi, evvelâ yatak odamıza, sonra misafir odasına asıldı. Ertesi gün behemehal onları giymem için ısrara başladı. "Kendini unutturacaksın!" diye bana çıkıştı. Yarabbim bu budalalıkları yaparken ne kadar güzeldi. Sarışın yüzü nasıl tatlılaşıyordu. Nihayet sıra taç giymemiz merasimine geldi. Bayağı bu iş için sabırsızlandı. Bu ikinci, yahut üçüncü kademe oldu. Nihayet kendisini Joséphine Beauharnais sanarak üvey çocuklarını benimsedi ve ilk izdivacının mahsulleri addetmeğe başladı. Evet, çocuklarım benim ve Emine'nin çocukları olmaktan o gün çıktılar ve Pakize'nin oldular. Ben birdenbire üvey baba oluyordum. Bu defteri okuyanlar belki de bu işi latif bulabilirler. Fakat hayatıma getirdiği karışıklığı da inkâr edemezler. Hayır, Pakize'de aksayan bir taraf vardı. Bunu anladığım zaman kollarımın arasında sıktığım, hayatımın mesuliyetlerini paylaştığım insan bana imkânsız şekilde yarım ve sakat görünmeğe başladı. Selma Hanıma, o kadar budalaca âşık olmamın, Cemal Beyin peşine o kadar iradesizce takılmamın asıl sebebi elbette birazcık olsun Pakize'dir.

Annesinin, babasının birbiri ardınca ölümleri üzerine iş biraz değişti. Baldızlarım eve gelince karımın ayakları yere değdi. Fakat Pakize'de her inkılâp ters tarafından ve beklenmedik şekilde oluyordu. Bu sefer de hayatımızın mihveri kardeşleri oldu. Ben, kendisi, çocuklarım, ikinci, üçüncü planlara indik. Biri otuz beşinde, öteki yirmi sekizinde olan bu iki öksüze o kadar çok acıdı ki, asıl acınacak kendisi ile biz olduk. Ve ondan sonra yavaş yavaş Halit Ayarcı'ya tesadüfüme kadar gittikçe hızını arttıran bir sefalet başladı. Sanki dibi olmayan bir kuyuya indiriliyormuşum gibi her lahza biraz daha derine, biraz daha karanlıklara gömüldüm. Fakat daha evvel İspritizma Cemiyeti'ndeki hayatımı anlatmalıyım.

IX

İspritizma Cemiyeti hiç de Psikanaliz Cemiyeti'ne benzemiyordu. Orası şenlikli idi. Bitmez tükenmez münakaşalar, tecrübeler yapılırdı. Hemen her üç günde bir yukarı âlemden gelen tebliğler yayınlanır, onlar tefsir edilir, çok âlimane fikirler söylenirdi. Bir farkı da kadın azasının bolluğu idi. Medyum olanlardan başka sadece meraklı yedi sekiz kadın azamız vardı. Ben, cemiyetin muhasebecisi ve kâtibi sıfatıyla her akşam işten çıkınca uğrar, yazılacak yazılarımı yazar, boş zamanlarımda aidatı toplar, defterleri tutardım. İşte Cemal Beyi her an yeni ve beklenmedik hâdiselerle dolu bu muhitte tanıdım.

Cemal Bey itikadımca bir İspritizma Cemiyeti azası olacak insanların en sonuncusu idi. Böyle cemiyetler, daha ziyade beraberce yalan söyleyip, beraberce aldanıp hoşça vakit geçirmek isteyen insanların işidir. Cemal Bey ise kollektif yalandan hoşlanacak adam değildi. Yalan, onun için ferdî bir silâh, bazen da kendisini ve hayatını süslemek için müracaat ettiği bir vasıta idi. Öyle herkesin dut hasırı gibi, bir ucundan tuttuğu yalana tenezzül edemezdi. Zaten kendisi için her şeyi mubah gören bu asil ve mühim adam, başkasında yakaladığı en küçük kusuru bile affetmediği için karşısında öyle düpedüz yalan söylemek kabil değildi. O, her mânasıyla oyunu bozan adamdı. Siyasî hayatı da bu yüzden yarıda kalmıştı.

Bununla beraber muntazaman gelir, içtimalarda, tecrübelerde bulunur, dudaklarında hep aynı etrafını küçümseyen tebessüm, bizi muhtelif meselelerde aydınlatırdı. Bazı ruh meseleleriyle alâkadar olduğu, bu bahislerden hoşlandığı muhakkaktı. Ayrıca da cemiyetin azasından Nevzat Hanımefendiye hafifçe âşıktı.

Nevzat Hanımla olan alâkası cemiyete rağmen ilerlememişti. Bu genç ve güzel kadın kocasının öldüğünden beri cinsî hayata kapılarını sıkı sıkıya kapatmış gibiydi. Şişli'de ihtiyar kaynanasıyla beraber oturduğu büyükçe bir apartmanda masa tecrübeleri yaparak, ispritizmaya dair kitaplar okuyarak yaşıyordu. Bu yaşama tarzı az çok sıhhatini de bozmuştu. Daima yarım baş ağrılarından ve uykusuzluktan şikâyet ederdi.

Uykusuzluğun belli başlı sebeplerinden biri geç vakte kadar süren ispritizima tecrübeleri ise, bir başka sebebi de Murat'tı. Murat Nevzat Hanımın masa tecrübelerinde eve alışan bir ruhtu. Hemen hemen apartmanı karargâh ittihaz etmişti. El ayak çekilince mutlaka ortaya çıkar, camları siler, halıları silker, eşyanın yerini değiştirir, kitapları düzeltir. Nevzat Hanımın okumasını münasip bulmadıklarını yırtar, kaybederdi. Cemal Beyin Nevzat Hanıma verdiği çapkınca bir romanı daha ilk gecede yırttığını hepimiz biliyorduk. Ve bütün bu işleri âşikâr şekilde gürültü ile yapardı.

Murat'ın bir başka huyu da hayatını gizlemesiydi. Masa başında sıkıştırıldığı zaman bazen on sene evvel ölmüş Adanalı bir riyaziye hocası, bazen Kırım muharebesinde şehit olmuş bir nefer, bazen Nevzat Hanımın kocası Sezai Beyin ihtiyat zabiti iken tanıdığı bir mühendis olurdu. Fakat adı hiç değişmezdi. Kendisini hangi medenî hâl altında gösterirse göstersin bu vefalı ve işgüzar ve ahlâk prensiplerine son derecede bağlı ruh daima otoriteli ve daima kendi başına idi. Onun için çok defa masa tecrübelerinde kendisine sorulan suallere "Böyle şeyleri düşünmeyin!" diye aksi cevap verirdi.

Nevzat Hanımın hizmetçisiz kaldığı zaman evi Murat'ın muhafaza ettiğini, hattâ bazen kadıncağız çantasından anahtarını çıkarmadan onun kapıyı açtığını hepimiz bilirdik. Bazen bunu misafirlere yaptığı da söylenirdi. Bu yüzdendir ki Cemal Beyin pusulalarını ve ufak tefek hediyelerini götürdüğüm zaman kapıyı çalarken bayağı korkardım. Nevzat Hanım ise bundan bilâkis memnun olur, hattâ övünürdü. Bazen ona emniyet ederek anahtarsız sokağa çıktı-

151

ğı da vardı. Bu yüzden bir balo dönüşünde kapıda kaldığını kendi ağzından işittim. Kadıncağız, "Beni kıskanmağa ne hakkı var?" diye şikâyet ediyordu. "Bu yaştan sonra hürriyetime ne diye karışır?" Arkadaşlar içinde Murat'la telefonda konuştuklarını iddia edenler bile vardı. Bittabi arkadan bu mühim işin tafsilâtı geliyordu. Ve bu tafsilât, tabiatıyla maceranın sahibine göre değişiyordu.

– Çok boğuk bir ses... Sanki çok uzaktan geliyordu. Âdeta kilometrelerce derin sis tabakalarını delerek... Bununla beraber sözlerini işitiyordum. Daha doğrusu kendi içimde buluyordum. Ses çok mahzundu. Ancak ölenler böyle darılabilir, dargın konuşabilirdi!

Bu kahvedeki grubumuzun belli başlı bir uzvu olan genç bir şairin hikâyesi idi.

– İşitmekle sarih şekilde düşünmek arasında bir şey... diye tamamlıyordu. "Nevzat Hanım evde mi?" diye sorunca, bana, "Evde amma gelmeseniz iyi olur, çok rahatsız." cevabını verdi.

Zengin bir tüccar olan Şuayp Bey büsbütün başka türlü anlatıyordu:

– Telefon açılınca ömrümde ilk defa sessizlik denen şeyi duydum. Bu bizim tanıdığımız sessizlik değildi; başka bir şeydi. Sonra "Kimsiniz?" diye birisi adımı sordu. Ben adımı söyledim ve "Nevzat Hanımın bana vereceği kitabı sormak istiyorum" dedim. O zaman: "Bırakın kitabı filân da çabuk evinize gidin. Karınız bir kaza geçirdi. Koşun, durmayın!" Adını sordum, "Ben Murat'ım!" dedi ve telefonu kapattı. Sesi insanı azarlar gibiydi.

Şuayp Bey, anlattığına göre, eve gidince karısını merdivenden düşmüş bulmuştu.

Öbür hayatın derinliğinden bizim dünyamızın işleriyle bu kadar sıkı sıkıya alâkadar olan, karşısındakini azarlayan, uyandıran, nasihat veren Muratlara üç hafta sonra avukat Nail Bey bir başka Murat ilâve etti:

– Gayet garip bir şeydi bu! diyordu. İlk önce müthiş bir gürültü duydum. Düdükler ötüyor, çanlar çalıyor, sanki kıyamet kopuyordu. Sonra ses duydum. "Burası değil!" diyordu. Kapattım, bir daha açtım. Aynı şey tekrarlandı. Üçüncü defasında aynı ses: "Anlamıyor musunuz canım, hanımefendi gelemez... Meşgul..." diye cevap verdi. "İyi amma, dedim, apartman meselesini konuşacaktım. Çok mühim bir şey!" Ses bu sefer âşikâr bir şekilde şikâyet etti. "Tabiatını bilmiyor musunuz? Gelemez, işi var. Ruhlarla konuşuyor! Israr etmeyin!" Bu sefer ben: "Kimsiniz?" diye sordum. "Tanımadınız mı?.. Murat!" diye cevap verdi. Bütün konuşma esnasında çıngıraklar, çanlar, ziller, vapur düdükleri, hepsi devam ediyordu. Fakat asıl garibi Murat'ın sesinin alaydan âdeta katılmasıydı.

Yalnız Cemal Beyle ben, Murat'la telefonda konuşmadık ve Şişli'deki apartmanda karşılaşmadık. Doğrusunu isterseniz kendi hesabıma bundan hiç de şikâyetçi değilim.

İspritizma Cemiyeti'ndeki hayatım, Cemal Beye rastlamasaydım hakikaten eğlenceli olurdu ve hiçbir şey pahasına bu cemiyetten ayrılmazdım. Kim belkemiğinde tatlı bir üşüme ile yaşamasını sevmez?

Yazık ki Cemal Bey vardı ve yine daha yazık ki ben çok uysaldım. Üstelik ufak tefek kazançları ihmal edecek vaziyette değildim. Cemal Bey beni ilk günden itibaren benimsedi. Yani evvelâ kılık kıyafetime şaşırdı. Sonra şahsımı gülünç buldu. Yüzüme karşı, "Demek böyle adam olurmuş!" diye açıktan açığa hayret etti ve hemen arkasından hususî işine koşturdu. Ve bu sonuna kadar böyle devam etti. Cemiyete gelip de beni görür görmez aklına, yapılacak mühim bir işin gelmemesi imkânı yoktu. Söze: "Kuzum Hayri Bey... Eğer mümkünse..." diye en tatlı sesiyle başlar ve sonra bir lahzada iş değişirdi. Ayakları burnuma nişan almadan benimle konuştuğunu pek az gördüm. Konuşmanın kendisi de gerçekten acayipti. Tekrar dediğimiz şey onda bir çeşit hakaret vasıtasıydı:

– Yarın, saat on birde... Unutmazsınız değil mi?.. Evet, saat on birde, tam on birde, anladınız mı!

Ve bütün bunları her kelimeyi sanki beynim denen odun kütüğüne çakı ile kazmak istiyormuş gibi ince, sivri, insana baş dönmesi, bulantı verecek kadar dikkatli bir sesle söylerdi. İşte o zaman gözümde her şey perdelenir, farkında olmadan yumruğumu sıkardım. Bu çeneyi dağıtmak, bu krem içinde yüzen tombul yanağı, bu yolunmuş, itinalı kaşları birbirine geçirmek, mânasız bozuk bir gramofon plağı gibi parçalamak için ömrümün yarısını nasıl seve seve verirdim. Fakat bu ancak bir saniye sürer, hemen arkasından Selma Hanımın, kemeri bir lahza çözülse bir yığın ince, zarif, düz ve kavisli çizgi hâlinde dağılacak vücudu, sade üslûp ve eda bakışları, küçük tatlı kahkahaları hayalimde canlanır, hulâsa sabrın ucunda beni bekleyen mükâfatı düşünür, kendimi toplardım:

– Baş üstüne beyefendi.

Bazen doğrudan doğruya gideceğim terzinin, ayakkabıcının, büyük mağazanın, limanda vapurdan çıkışını bekleyeceğim ve eşyaları otomobile taşınırken yardım edeceğim, yahut bu eşyaları kendim taşıyacağım, zengin bezirgânın adını, adresini, hulâsa yapacağım işi bütün teferruatıyla söylerdi. O zaman iş tahammülsüz bir hâle gelir, hiddetten, iğrenmeden âdeta boğulurdum. Çünkü bu adları, adresleri, yapılacak işi bir kâğıda yazmak yetmezdi. Ayrıca da Cemal Bey'in karşısında, yedi sekiz defa okumak, tekrarlamak, onu unutmayacağıma, sıralarını bozmayacağıma kendisini inandırmak lâzım gelirdi.

Bütün bunlara sadece en sonunda, yahut bu defa olmazsa gelecek defa Selma Hanımı görmek ümidiyle katlanırdım. Bazen son bir müdafaa hissiyle dudaklarıma küçük, yarı mağrur, yarı alaycı bir gülümseme yapıştırır ve etraftakilere, "Görüyorsunuz ya, bu budaladan neler çekiyorum? Ama ben işin alayındayım, siz aldırmayın! Öyle tadını çıkarıyorum ki, bu işin..." mânasında güya yaptığım eğlenceli alaya onları da katan, kendime cürüm ve eğlence arkadaşı yapan bakışlar atardım.

Benim biçare, ürkek tebessümümün, yan bakışlarımın kim farkında idi? Orada, karşılarında Cemal Beyefendi, kendinden emin, kudretli, zalim, kırıcı hüviyetiyle her şeyi yangın kulesinin tepesinden seyreden otoritesi ve sevimsizliğiyle parlarken benim yüzümdeki değişikliği fener tutsam bile kimse göremezdi.

154

Hayır, Cemal Bey hiç sevimli değildi. İnsana şöyle bir sıcaklık aşılaması bir yana dursun, tahammül edilecek tek tarafı yoktu... Dostluğu kayıtsızlığından beterdi. Çok defa söyleyeceklerini yalnız bana işittirmek için koluma girdiği zaman bütün vücudumu acayip, felce benzeyen bir üşüme kaplardı. Bu herkes için aşağı yukarı böyleydi. Şuayp Bey, o yanına gelip oturunca elini kanapeden yavaşça çeker, toparlanır, Avukat Nail Bey olduğu yerde âdeta kakılırdı. Bu böyle iken yine herkes onu gözetir, sayar, ondan çekinir, hattâ hoş görmeğe çalışırdı. Diyebilirim ki, bu adamda bazı soğuk ve tehlikeli hayvanların avlarını büyüleyen ve kımıldamasına imkân vermeyen çekiciliği vardı. Bu kuvvetle şüphesiz, hiç olmazsa şer babında, çok büyük şeyler yapabilirdi. Fakat ileride anlaşılacağı gibi o da bir çeşit eksiklikle doğmuştu. Talih ve tesadüf etrafını sanki bu adamdan korumak istermiş gibi bu iradeye ne tam bir hedef, ne de kendisini toparlamak imkânını vermişti.

Hayatına girdikçe etrafına yaptığı tesiri daha iyi anlıyordum. Bir gün terzisi bana hesap defterini gösterdi. Rakamlar yıkıcı idi. Adam iyice yüzüme baktıktan sonra başını sallayarak, "Dün de şu iki yüz lirayı götürdüm. İstemişti..." diye parmağıyla son rakamı işaret etti, ve birdenbire gözümün önünde çıldırıyormuş gibi bir hiddet içinde, hesap puslasanı yırttı. Üç gün sonra Cemal Beyi sırtındaki elbisenin omuzunda, bana göre hiç de mevcut olmayan bir pot için adamı azarlarken gördüm ve zavallının sabrına şaşırdım. Görmeden inanılacak şey değildi bu. Adamcağız mahcubiyetinden omuzlarının arasında âdeta kaybolmuştu. Durmadan özür diliyor, ağzından, "Emredersiniz efendim!"den başka bir şey çıkmıyordu.

Gömlekçisi, ayakkabıcısı, sapkacısı, oturduğu katın sahibi hepsi aynı şekilde paralarını alıyordu. Zavallı ev sahibi iki seneden beri birikmiş kiraya mukabil birkaç yüz lira olsun behemehal koparmak kararıyla gittiği evde, ev sahipliği denen mukaddes vazifeye dair sıkı bir ders almış, ayrıca da banyonun fayanslarını değiştirmeyi, arka balkona bir camekân yaptırmayı vaat etmeğe mecbur kalmıştı. Keskin Boşnak şivesiyle durmadan, "Fayanslar..." diyordu, hanım efendinin ropdöşambrına uymuyormuş! Ve hakikaten bu talihsizlikten mustarip görünüyordu.

İspritizma Cemiyeti'nde Cemal Beyin otoritesine ehemmiyet vermiyen, hattâ böyle bir şeyin farkında bile olmayan tek insan Madmazel Afroditi idi. Afroditi, sımsıkı bir ten, her ağzını açışta bir ispirto alevi gibi parlayan otuz iki diş, uzun kirpikleri arkasında telkinleri bir ufuk gibi derinleşen bakışlar, konuştukça sizin boğazınızda düğümlenen İtalyan babasından kalmış ağdalı, hardal gibi sert ve dik, ve yine de son derecede tatlı bir ses, isteyerek çolpalaştırdığı hareketleriyle bir örümcek gibi dört bir tarafınızı saran eller, bir yığın cazibe ve dostluk, hulâsa belki de farkına varmadan hareket ve hücum hâlinde bütün kadınlıktı.

Afroditi'de her şey uzviyetinin bir nevi emri, ilhamı, hattâ gizleyememekten müteessir olduğu hediyeleriydi.

Afroditi Cemal Beyi görür görmez bir elini yanağına götürerek tıraş işareti yapar, "Yaktı..." diye arsız arsız bağırır, kaçar, ya benim çalıştığım odaya, yahut da kahve ocağına girer, sıkı sıkı örttüğü kapının arkasına dayanır, hardallı sesiyle gülerdi. Ancak kendisinde affedilebilen bu kışkırtıcı şaka bizi aldatmazdı. Onu Cemal Beyden böyle kaçıran şeyin bir türlü yenemediği bir tiksinme olduğunu hepimiz bilirdik. Zaten o da bunu gizlemezdi:

– Ne yapayım! Tahammül edemiyorum... derdi. Bu adamda çok kötü bir şey var. Ne olduğunu bilmiyorum.

Fakat Cemal Beye bunları görmezlikten gelir, daima kibar, daima üstten bakışlı, "Gençliğe ve güzelliğe affedilmeyecek kusur yoktur, ne yapsın biçare, terbiyesi kıt!" der gibi tavırlar alırdı. Hakikatte ise Afroditi'nin bu hâlleri onu sıkar, bir zırh gibi büründüğü haysiyetini zedelerdi. Cemal Bey haysiyetli adamdı. Haysiyeti, zenginin otomobili, generalin yaveri, polisin tabancası, bekçinin düdüğü gibi daima yanı başında, daima en göze çarpar yerde idi. Bu haysiyeti görmeden, ona dikkat etmeden, onunla karşılaşmadan ve onun tarafından rahatsız edilmeden Cemal Beyle münasebet kabil değildi.

Yirmi yaşında iken, annesinin ağır hasta olduğu bir gece, onun başı ucunda beklerken, elindeki kalemle masanın üzerine oynar gibi bir şeyler çizmeğe başlamış, hiç ehemmiyet vermediği bir hâdise, ertesi gece ve daha ertesi gece aynı saatte, yine farkında olmadan tekrarlanmıştı. Üçüncü gecenin sabahında Afroditi bu hâdiseyi olduğu gibi görmüş ve o zamana kadar başıboş eğleniyorum sandığı kâğıtlara dikkat etmiş, "Doktor değiştir!" cümlesini iğri büğrü çizgilerin arasından okumuş. İlk önce, aldırmak istememiş, sonra bir dosta açılmış ve bilhassa beraber yaşadıkları dayısının ısrarıyla doktoru değiştirmişler ve kadın ölüm tehlikesinden kurtulmuş.

O zamandan sonra ne vakit elinde kalem, başı boş birkaç dakika masa başında beklese kendiliğinden bir şeyler yazmağa başlamış. İlk önce kısa ve çok defa mânasız kelimeler, karışık cümleler hâlindeki bu yazılar gitgide genişlemişler, günün olaylarını, yahut aileyi veya genç kızı, hattâ şehrin hayatını alâkadar eden meselelere bağlı haber, açıklama gibi şeyler olmağa başlamışlardı. Uzun müddet birkaç dost arasında bu kabiliyetini denedikten sonra, etrafın ısrarıyla kendisini muayyen mevzular üzerinde toparlamayı öğrenmiş ve müsait cevaplar da almıştı.

Daha sonra geceleri sık sık yatağından önüne geçilmez bir kuvvetle sürüklenir gibi kalkmağa, masanın başına oturmaya ve sahifeler dolusu yazılar yazmağa başladı. Çok defa böyle geceleyip yazdığı şeyleri ne kendisi, ne de başkası okuyabiliyordu. Bazen de mânası doğru dürüst kavranmayan bir yığın başı boş kelimeler, isimler, hattâ rakamlar, birbirini takip ediyordu. Bu rakamların içinde en sık geçeni 17 ve 153 rakamları idi. Kelimeler çok defa İtalyanca, Rumca, Fransızca ve Türkçe oluyordu.

Afroditi'nin babası Cenovalı bir İtalyan'dı. Gençliğinde hayatına mal olması ihtimali bulunan mühimce bir hâdise yüzünden İzmir'e kaçmış, oradan İstanbul'a gelmiş, bir Rum kızıyla evlenerek burada yerleşmişti. İyi kuyumcu ve tenordu. Tünel civarında açtığı küçük dükkânı az zamanda tutunmuş, para, mülk sahibi olmuştu. Fakat aradan epeyce zaman geçtiği, hattâ adını bile değiştirerek yaşadığı hâlde kendisini emniyette addetmediği için ailesiyle münasebetini kesmişti. O kadar ki 1915 yılında öldüğü zaman etrafındakiler ailesinin Cenovalı olduğunu, orada bir anası, babası ve bir de kız kardeşi bulunduğunu ancak biliyorlarmış. İskaçeri'nin ölümü üzerine zaten dükkânda yetiştirdiği kayını işin başına geçmiş, Mütareke yıllarının değişiklikleri arasında dükkân birdenbire büyümüş, büyük bir mağaza olmuştu. Fakat Afroditi'nin babasının zamanındaki işçilik artık kalmamıştı. Bu geniş, zengin, işlerini en iyi ustalara gördüren mağazada, hâlâ onun yaptığı işlerin arandığı söylenirdi.

O yıllarda Afroditi ile annesinin belli başlı düşünceleri bu adamın hayatı; varsa eğer Afroditi'nin uzaktaki hısım akrabası idi. Genç kızı medyumlukta ilerleten bu merak olmuştu. Dostlarının yanında, yaptığı tecrübelerde zihnini yavaş yavaş eski ehemmiyeti gözünden kaybolan bu mesele üzerinde tutmağa başlamış ve nihayetinde kendisini gece yarılarında uyandıran, gündüzleri eline her kalem alıp gözünü yumdukça kargacık burgacık yazılarla varlığını anlatan kuvvetin, 1923'te kardeşini ve onun çoluk çocuğunu bekleye bekleye ölen halası olduğunu öğrenmişti.

Ondan sonra tebliğler büsbütün sarihleşmiş, ölü hala onları daha yakından sıkıştırmağa başlamıştı:

– Niye gelmiyorsunuz? Niye evimizde oturmuyorsunuz? Niçin mirasınızı aramıyorsunuz? diye üstlerine düşüyordu. Ben evlenmedim, yemedim içmedim, her şeyi size sakladım. Niye gelmiyorsunuz?

Kocasının adı ile, Cenovalı olduğundan başka hiçbir şey bilmeyen, elinde hiçbir vesika bulunmayan kadıncağız gittikçe ağır basan bu davete uyarak seyahate çıkmayı ilk önceleri hiç de akıllı bir iş gibi görmemişti. Fakat kızının ve etrafındakilerin ısrarı karşısında, "Hiç olmazsa şöyle bir gezmiş oluruz" diye yola çıkmışlardı. Ondan sonra en şaşırtıcı tesadüfler birbirini kovalamış, miras meselesi kolayca halledilmişti.

Ortada büyük bir servet yoktu. Miras dar, fakat uzun bir sokakta biri 17 numarada, öbürü 153 numarada iki evle ihtiyar kadının biriktirdiği beş on paradan ibaretti. Afroditi ile annesi bu iki mülkün parasından çok fazlasını bu yolculukta sarf etmişlerdi. Fakat tek başlarına ve bu kadar eşine rastlanmaz şartlar altında bu işi halletmeleri iki kadını son derecede şaşırtmış ve düşündürmüştü. Asıl hazini, ihtiyar halanın kardeşine bu evleri ve mobilyaları olduğu gibi saklamak için her türlü fedakârlığı yapmış olması, bir pansiyon işleterek, ömrünün sonuna kadar dantelâ örerek hayatını kazanması idi. Ayrıca da onlara bir yığın dantelâ bırakmıştı. Fakat bu biriktirme ve saklama merakı yüzünden evler de bakımsız kalmıştı.

Afroditi ile annesi bu kadar garip şekilde kendilerine gelen bu malları satmağa kıyamamışlar, ihtiyar halanın emrini tutarak İtalya'da kalmağa da gönülleri razı olmadığı için –zaten işleri İstanbul'da idi– evlere hafif bir tamir geçtikten sonra dönmüşlerdi.

O tarihten itibaren hala ortada yoktu. Afroditi her boş kaldığı anda masa başına geçiyor, eline bir kalem alıyor, kaşlarını hafif çatıyor, alnını geriyor, yüzü mermerdenmiş gibi kaskatı ve bütün çizgileri âdeta içeriye geçmiş, saatlerce şefkatli halanın tekrar konuşmasını bekliyordu.

Fakat hala görünmüyordu. Sanki üzerindeki ağır yükü attıktan sonra bu fedakâr ruh ölümün vaat ettiği hakiki istirahate çekilmişti. Hakkı da vardı. Bütün hayatını uzaktaki kardeşinin ve onun kaç tane olduklarını, yahut hakikaten mevcut olup olmadıklarını dahi bilmediği çocuklarının düşüncesine vakfetmiş, elinde avucunda ne varsa onlar için saklamış; onlara, "İşte eviniz, işte benim sizin için biriktirdiğim şeyler..." diyebilmek için gözleri yolda beklemişti.

Hayatta, yapamadığı bu vazifeyi ölümden sonra da unutmamış, sonsuz boşluk içinde, dayanacağı hiçbir maddî mesnedi olmayan iradesi yıllarca bu kardeşin peşinde dolaşmış, onları araya taraya Afroditi'nin genç kız yatağının başına kadar gelmişti. Bu kadarı onlara yetmeliydi.

Fakat Afroditi böyle düşünmüyordu. Birdenbire alıştığı ve bağlandığı bir iradeyi –İspritizma Cemiyeti'nde Afroditi'nin halasının adı İrade idi– daima etrafında hazır görmek istiyor ve bulamadığı için de ıstırap çekiyordu. Ona kâfi derecede teşekkür bile edememiş, bir kere olsun, "Niye bu kadar zahmet ettin, halacığım... Bilsen ne kadar üzüldük bu iş için..." diyememişti. Sonuna doğru bu minnet hissine ve ıstıraba bir nevi azap da karışıyordu:

– Bana ne mirastan? deyip duruyordu. Benim param var. Bizim için ne diye yorulur, ne diye evlenmez? Bu yapılır iş mi? Haydi bunları yaptı, şimdi ne diye görünmüyor?

Kanaatımca Afroditi'nin asıl istediği şey, halasını hiç olmazsa bir kere eline geçirip ona iyice bir teşekkür ettikten sonra, bütün bu zahmetlere beyhude yere katlandığını anlatmak ve belki de birdenbire kendisini unuttuğu için biraz paylamaktı. Fakat bu kadar şefkatli ve iradeli bir ruhun birdenbire vefasızlaşabileceğine de pek inanmadığı için:

– Bu işte bir şey var, diyordu. Ya bize darıldı, yahut da başına bir kaza geldi...

Ve halasına geniş ve tıka basa gidip gelişlerle dolu feza yollarında birdenbire sakatlanmış, her türlü hareket imkânından mahrum, bakımsız, olduğundan daha biçare tasavvur ediyordu.

– Belki de orada, evimizde kalmamızı istiyordu. Amma biz İstanbulluyuz! diyordu. İstanbul'a alıştık. Babam bile buradan gitmek istemezdi. Bütün ahbaplarımız burada...

Benim, biraz da Pakize'nin ve kardeşlerinin huysuzlukları yüzünden âdeta İspritizma Cemiyeti'nin demirbaşı olduğum günlerde Afroditi bu işe bir başka hal çaresi bulmaya yeni başlamıştı. İkide bir elbisesinin bir tarafını süsleyen halasının dantelâlarından birini iki parmağının arasında tutup bize göstererek:

– İnsan birisini bu kadar severse nasıl darılır? diyordu. Hiç darılabilir mi? Muhakkak yorulmuştur. Yahut da bizim yüzümüzden bu dünyada evlenemedi. Öbür dünyada birisini buldu ve evlendi.

Bu fikre biraz inanır gibi olduğu zamanlar Afroditi hakikaten mesuttu. O zaman gülüyor, şarkı söylüyor, beğendiği erkekleri kucaklayıp öpüyordu. Çünkü bu haşarı çocuk halasının kendileri yüzünden evlenmemiş olmasını kendisine bir türlü affetmiyor, onun yarım

kalmış hayatından içten içe kendisini suçlu tutuyordu. Ona göre bir kadının behemehal evlenmesi lâzımdı. Aksi tam bir felâketti. Bu yüzden benim halamın o yaşta evlenmiş olmasını beğeniyordu:
– Elbette! diyordu, elbette evlenecek... Herkes hayatını yaşamalı!

Ve sadece bizleri hiç düşünmeden evlenmiş olduğu için halamın bizlere karşı olan muamelesini, haksızlığını affediyor, hattâ hoş görüyordu. Ve evlenmemiş halasıyla benim, Naşit Beyin ölümünden sonra, şimdi üçüncü bir izdivaca hazırlandığını işittiğimiz halam arasında yaptığı bu canlılık ve irade mukayesesinde, kendisini mağlûp gördüğü için horozu dövüşte yenilmiş bir mahalle delikanlısı gibi üzülüyor, pis pis düşünüyordu.

On sekiz yaşından beri Beyoğlu'nun en çok aranan kızıydı. Türk, ecnebi kendi cemaatlerinden hemen hemen kalbur üstünde bütün İstanbul onu tanırdı. Her toplantıya çağrılır, her gittiği yerde beş on âşık bulurdu. Buna rağmen belki de hürriyetini sevdiği için bir türlü evlenmeğe razı olmuyordu. İyiden iyiye uyandığı hâlde, biraz evvelki rüyalarının havasından bir türlü sıyrılamadığı için yatağından çıkamayan bir insan gibi, o da hakikaten yirmi yaşına doğru çok gürültülü ve heyecanlı yaşadığı ve bütün tadını çıkardığı genç kız hayatını bir türlü bırakamıyor, aradaki beş sene içinde birçok şeyin esaslı şekilde değişmesine rağmen onu devam ettirmek istiyordu.

Her yaşta bir yığın erkek arkadaşı vardı ve hepsiyle aynı cömert dostluk içinde yaşıyordu. Hepsi ona büyülenmiş gibi bağlı ve hepsi de bu yüzden az çok biçare idiler. Fakat bir müddet sonra, kadınlığının ve güzelliğinin ne kadar tehlikeli bir silâh olduğunu bilmeyen bu genç kızdan ya büsbütün uzaklaşıyorlar, yahut da mustarip ve huzursuz onun etrafında her gün aynı mahremiyet ve cazibelerin tesiri altında kala kala ona alışıyorlardı.

Afroditi'nin macerası cemiyetteki kadın ve erkek bütün azanın devamlı konusuydu. O, Nevzat Hanımın Murat'ı gibi, bu topluluğun değişmez ve eskimez mevzularından biriydi. Bu o kadar böyle idi ki elime beş on para fazla geçsin diye aralarına katıldığım zaman bu cemiyetin daha ziyade bu ihtiyar kadınla Murat üzerinde konuşmak, onların mevcudiyetinden şüphe etmek, yahut onları kabul etmek için kurulduğunu sanmıştım.

Genç kızı, aralarındaki on yaş farka rağmen Dame de Sion'dan tanıyan (!) ve galiba hiç sevmediği hâlde son derecede sevdiğini iddia eden asıl medyumumuz Sabriye Hanımefendiye göre, mektep arkadaşı öyle medyum filân değildi ve hiç de olmamıştı. O sadece İtalyan sefaretinde genç bir kâtiple birkaç sene sevişmişti. Yine Sabriye Hanıma göre bu aşk İstanbul'un o zamanki kibar muhitini çok meşgul etmişti. Bütün ecnebi kolonisi ve onlarla münasebette olan Türk muhitleri son derecede güzel ve kibar buldukları İtalyan diplomatı yüzünden bu aşkı her safhasında takip etmişlerdi. Bütün mesele genç diplomatın birdenbire memlekete dönmesiyle başlıyordu. Afroditi sevgilisiyle bir daha buluşmak ve evlenme şanslarını son defa denemek üzere yapmağa karar verdiği bu seyahate annesini razı edebilmek için bu macerayı uydurmuştu. Miras meselesinin çarçabuk halli de bunu gösteriyordu. Bu iş daha evvelden hazırlanmıştı. Eğer bu cinsten bir yardım olmasa o kadar kısa bir zamanda böyle karışık işin halline imkân var mıydı?

Sabriye Hanımın hemen herkese ayrı ayrı anlattığı bu hikâye acaba işin asıl hakikati miydi? Burasını hiç kimse bilemezdi. Şurası muhakkak ki hakikat de olsa, ona inanmak cemiyet azasının hoşuna gidecek bir şey değildi. Çünkü Nevzat Hanımın Murat'ı gibi, Afroditi'nin halası da bu küçük topluluğun can kurtaranlarından biriydi. Bu masal, doğru veya yanlış, onlara lâzımdı. Onun sayesinde ölümün bilinmezi birdenbire canlanmış, aralarına girmiş, kendileriyle iş birliği etmişti.

Bu canlı ve son derecede meraklı macera şöyle dursun, hayat yollarını darlaştıran, teklifler, tembihler, hatırlatmalar, öğütlerle dolu şeylerdi. Bu tebliğleri bize dikte eden ruh, hiçbir akideyi incitmeden, sonunda yine mahiyeti meçhul kalan tatsız tuzsuz bir hakikatten bahsediyordu. Afroditi'nin halası ile Nevzat Hanımın Murat'ı ise bizim hayatımıza iyiden iyiye uzanan varlıklarıyla âdeta yanı başımızda idiler. Onlar hemen hemen bizim gibi yaşıyorlardı. Bir yalan olsalar bile mevcuttular.

Mürşidimiz bile bu işte hakikatin peşinde değildi. O sadece vâkıaların peşinde idi. Vâkıa, Afroditi'nin halası idi. Bu kadarı kâfi gelmeliydi! Bu sevimli ruhlar, karanlık ve karlı gecede, siz evinizde otururken birdenbire kapıyı çalan ve sobanızın önünde paltosunu ve boyun atkısını üzerlerindeki buzları çatırdata çatırdata çıkaran bir misafir gibi gelmiş, hiç de kendisinin olmayan bir âlemde içimizden birisine delâlet etmiş, ve böylece varlığını ve yaşadığı şartların kudretini gözümüzün önüne koymuştu.

Bunu romancı Atiye Hanım çok iyi anlıyordu. Onun için Sabriye Hanımın verdiği, akla yakın izahatı dinlemezdi bile. Afroditi'nin meselesinde öyle bir bedahet vardı ki inkâra kalkışmak beyhude idi. Zavallı kız, halası kendisiyle artık meşgul olmadığı için tacından, tahtından uzaklaştırılmış bir kıraliçe gibi meyus ve biçare aramızda dolaşıyor, sadece geçmiş kudretini hatırlayarak yaşıyordu. Bu portre belki yalnız Atiye Hanımın muhayyilesinden doğmuştu. Hakikî Afroditi'nin hiç de meyus bir hâli yoktu. Fakat Atiye Hanımefendi bir romancı sıfatıyla işi böyle alıyordu.

Zaten Atiye Hanım bu noktada da birdenbire, size herhangi bir itiraz fırsatı vermeden sözü çeviriyor, bilmem nedense derhal gençliğinde pek rağbet kazanmış olan *Kıraliçe Kristin* adlı bir filmi hatılıyordu. O zaman fikirleri biraz karışıyordu. Çünkü Atiye Hanımefendi bu filmi çok sevmişti. Kendi sanat hayatında bu film bir dönemeç yeri olmuştu. Çoktan beri tıpkı ona benzer bir *Kösem Sultan* yazmak istiyordu. İşte bu Kösem Sultan için, Afroditi'nin bugünkü hâli canlı bir örnek olacaktı.

Fakat bu kitabı yazması için daha epeyce beklemesi lâzımdı. Çünkü Atiye Hanım, henüz hayatının kendisine hazırladığı mevzuları bitirmemişti. Birbiri ardınca çıkardığı on altı romanı, bu yorulmaz erkek müstehlikini ancak on sene evvelki aşkına kadar getirebilmişti. Halbuki aradaki on sene içinde hiç olmazsa bir o kadar daha erkek harcamış, bu yüzden çok asil hislerle içlenmiş, üzülmüş, ıstırap çekmişti. Ve yaşamak onun için sevmek, sevişmek, erkek değiştirmek, ıstırap çekmek olduğuna göre, başından hiç olmazsa yeniden bir on altı cildi doldurabilecek maceralar geçmişti. Binaenaleyh Kösem Sultan romanı bir muddet daha bekleyecekti.

Böyle olması, Sabriye Hanımın anlattığı şeylere inanmamasını icap ettirmezdi. O halanın mevcudiyetinin lüzumuna kanidi. Yoksa, genç diplomata hiçbir itirazı yoktu. Hattâ bir romancı sıfatıyla bunun lüzumuna kanidi. Kaldı ki, kendi nefsinden biliyordu, dünyanın ölmüş ölmemiş bütün halaları bir araya gelse insan, böyle bir münasebet olmadan kalkıp İtalya'ya gidemezdi. Bittabi bütün bunları Sabriye'ye söylemenin hiç lüzumu yoktu. O biçare kız, ömrünün sonuna kadar kıskanmağa mahkumdu.

Meşrutiyet senelerinde Türkiye'ye hicret etmiş Lehistanlı bir Yahudinin torunu olan Madam Plotkin, Atiye Hanımefendinin tam zıddına olarak, Sabriye Hanıma inanıyordu. Fakat dedikoduyu hiç sevmediği için bu husustaki fikrini ancak, bahsi açıldı diye, ve yanında bulunanlara söylerdi. Madam Plotkin ayrıca hakikati de severdi. Bu itibarla bildiği bazı tafsilâtı da saklamazdı. Meselâ genç diplomatın evlendiği Brezilyalı dul kadını geçen sene kocası Mösyö Plotkin'le beraber Çekoslovakya'ya gittiği zaman Prag'da tanımıştı. O da Afroditi'yi pek severdi, amma doğrusu Brezilyalıyı daha güzel, daha *comme il faut* ve daha çok zengin bulmuştu. Sonra birdenbire yine sözü Afroditi'ye çevirirdi:

– Zavallı kızın hiç talihi yok! derdi. Bu sefer de Semih Beyi seviyor. Halbuki Semih Bey delicesine Nevzat Hanıma âşık...

O zaman Sabriye Hanım içini çekerek vaziyeti tasrih ederdi:

– Zavallı Semih Bey... derdi. Beyhude yere akıntıya kürek çekiyor. Nevzat Hanım, artık dünyada kimseyi sevemez. Ne onu, ne de başkasını... Amma erkek aklı, ne yaparsın!

Ve yan gözüyle, daima kibirli, daima dudaklarında küçümseyici tebessümü kendilerini dinleyen Cemal Beye hafiften bakardı. Bu an, Sabriye Hanımın kül rengi yanaklarını hafif bir kan dalgasının kapladığı, gözlerinde acayip parıltıların dolaştığı andır. Sonra incecik dudaklarını ısırır ve bir kutu kapatır gibi, sımsıkı kilitlerdi. Bu şüphesiz susmak için değildi. Muhakkak ki bu anlarda Sabriye Hanım içinden "Sevgilim, beni affet!" derdi. "Senden bu şekilde intikam almamalıydım!" Çünkü Sabriye Hanım Cemal Beye âşıktı.

Fakat İspritizma Cemiyeti'ne bunun için girmemiş, bu yüzden medyum olmamıştı. Bunun büsbütün başka sebebi vardı. O insan işlerine meraklıydı. Daha beş yaşından itibaren bir fareye benzeyen küçücük yüzünde alabildiğine açılmış gözleriyle ve alabildiğine delik kulaklarıyla evin içinde olan biten ne varsa hepsinin aslını öğrenmeğe çalışmıştı. Bu tecessüs çocukta belki üvey annesini babasından kıskandığı için başlamıştı. Belki de sadece böyle yaratıldığı içindi. Büyüdükçe bu merak ve tecessüsü de kendisiyle beraber büyümüş, sırasıyla sokağa, mahalleye, semte, oradan şehre, şehirden bütün hayata taşmıştı. Böylece otuzuna kadar yaşadığı dünyada olan bitenleri iyice öğrendikten ve bilhassa öğrenme cihazlarını adamakıllı kurduktan sonra öbür dünyaya merak sardırmıştı.

Nasıl ilim, dünyamızı iyiden iyiye tanıdıktan sonra diğer yıldızları hedef almışsa, Sabriye Hanım da şimdi öbür dünya ile, oradaki hayatla meşguldü. Tecrübe masası, İspritizma Cemiyeti bu gizli âleme açılmış pencerelerdi. Sabriye Hanımefendi pencereleri severdi. Evinde kaldığı zamanlar evin her iki sokağa açılan pencelerinden hiçbirini ihmal etmezdi. Şimdi ufku daha geniş, daha sonsuz bir pencerenin önünde idi.

Şurası da var ki Sabriye Hanım bunu yaparken dünyamızla alâkasını hiç de kesmiş olmuyordu. Öbür dünya Sabriye Hanıma göre buranın bir devamıydı. Yüzlerce tanıdık orada idi. Evet, hangi mesele ile meşgul olursa olsun ya alâkadarlardan biri, yahut en yakın müşahit, muhakkak bir veya birkaçı orada idi. İki dünya hakikatte birbirlerine çok yakındılar. Meselâ komşusu Zeynep Hanımın intiharı işinde, hakikati anlamak için öbür dünyadakilere müracaat âdeta zarurî olmuştu.

Bu intihar Sabriye Hanımı kökünden sarsmıştı. Zeynep Hanımı

çok sever ve beğenirdi. İyi, asil, kibar ve intiharı da gösteriyor ki talihsiz bir kadındı. Vâkıa kendisi gibi iyi bir mektepte okumamıştı, biraz kapalı yaşardı amma akıllı kadındı. Kocası zengindi ve kendisini seviyordu. Hiçbir meselesi yoktu. Öyle olduğu hâlde günün birinde, hem de tabanca ile intihar etmişti. Polis, işi asabî buhran diyerek kapatmıştı. Fakat sinir denen şeyi sadece başkalarının dalına binmek için bir vasıta gibi gören Sabriye Hanım böyle bir şeye inanmazdı. Zeynep Hanımın kocası aradan iki sene geçtiği hâlde hâlâ evlenmemişti. O kadar peşine düştüğü hâlde dışarda hiçbir münasebetini işitmemişti. Hep eski sessiz sadasız, kibar adamdı. Sırtından büyük bir yükü atmışa benzemiyordu. Meselâ, Allah göstermesin, böyle bir şey kendi başına gelse emindi ki bu Cemal Bey denen soğuk adam sevinirdi. Fakat Zeynep Hanımın intiharı hiçbir erkeği hafifletmişe benzemiyordu. Ne de yine bu erkeklerden herhangi birini tabiî kocasından başka, büyük bir teessüre düşürmemişti. Yine tanıdıklarından hiçbir kadın, ne sevinmiş, ne de vicdan azabı duymuştu. Nevzat Hanım, aynı apartmanda oturdukları hâlde hep aynı şaşkın, yeni doğmuş çocuk hâlini muhafaza etmiş, Atiye Hanım yazmakta olduğu romana sadece bu intiharı nakleden bir bahis ilâve etmekle kalmış –hangi romancı böyle bir fırsatı kaçırır?–, Selma Hanım yalancıktan biraz ağlar görünmüş- –o gün makyajı çok yerinde idi, gideceği yer de vardı... Hem son zamanlarda göz kenarlarındaki çizgilerden korkmağa başladı–, Seher Hanım ise bir ay sonra haber almıştı. Madam Plotkin kocasının vekâletini aldığı Çekoslovakya daki fabrikalardan gelecek mallarla o kadar meşguldü ki zaten böyle birşey aklına gelemezdi. O hâlde?..

Zavallı Zeynep Hanımın ölümüne sebep neydi? Bu intihar niçindi?

Bunun gibi ortada birçok halledilmemiş mesele vardı. Yüzlerce, binlerce insan, orada, öbür dünya dediğimiz büyük depoda, kendi sırlarının üzerlerine kapanmış, kıskanç ve sessiz bekliyordu.

İşte Sabriye Hanım onları konuşturmak istiyordu. İspritizmayı bunun için merak etmişti. Hâfızasındaki dosyaları tamamlamak, meçhulleri aydınlatmak için.

Fakat işin içine bir talihsizlik karışmıştı. Tecrübelere başlar başlamaz medyum olduğu anlaşılmıştı. Medyum olmak Sabriye Hanımın hiç işine gelmezdi. O geceleri kendi rahat yatağında bile bir kulağı kirişte uyurdu. Şimdi başkası tarafından uyutulmak hiç hoşuna gitmiyordu.

Kaldı ki medyum hür değildir. Sual soramaz. İradesi başkasının elindedir. Bir çeşme lülesi gibi ağzından başka birisinin düşüncesi akardı. Operatör, sualleri sorar, ruh cevap verir. Halbuki Sabriye Hanım sualleri kendisinin sormasını isterdi. Bu işe bunun için girmişti. Şimdi tam tersine oluyordu.

Bununla beraber Sabriye Hanım iradesi, –bu hakikaten olur şey değildi– bu umumî kaideyi bozmağa muvaffak olmuştu. Filhakika onun ağzından konuşan ruhlar her nedense çok defa mürşidin suallerine cevap verecek yerde, alelâde dünya işleriyle meşgul olmayı tercih ediyorlardı. Operatör, bir başka medyumda, meselâ eski bir Kadirî şeyhinin oğlu olan Hüsnü Beyde, daima çok tafsilâtlı cevaplar aldığı ruhların tasfiyesi meselesini şayet yanlışlıkla Sabriye Hanımın ağzından dinlemek ve öğrenmek isterse mesele derhal değişiyor, ispritizma lûgatıyla ruhların çirkin ihtiraslarından kurtulup temizlenmesi mânasına gelen bu tasfiye kelimesi insanların arasındaki alelâde mânasını alıyordu:

– Hayır, ne münasebet! Şirket tasfiye edilir mi hiç! Bilâkis eskisinden daha itibarda. Aksiyonlar yükseldi, daha da yükselecek!

– Yüksek varlıkla hiç temas edebildiniz mi? cinsinden bir suale Hüsnü Beyin ağzından daima:

– O mertebeye gelebilmem için en aşağı on bin sene çile çekmem lâzım. Zaten o zaman sizinle münasebette bulunamam! tarzında cevaplar gelmesine mukabil, Sabriye Hanımın ağzında aynı ruh:

– Hayır, hiç teşebbüs etmedim. Hattâ düşünmedim bile. Ben burada Rudolf Valentino'nun son muaşakasıyla meşgulüm! İsterseniz anlatayım! cevabını veriyordu.

Çok defa da kendisini tam mevzuuna vermişken birdenbire sözü keser:

– Bulamıyorum. Zeynep Hanımefendiyi bulamıyorum; galiba intihar edenlerin yeri ayrı... Ben de buranın yenisiyim. Kusura bakmayın! diye itizar ederdi.

Bazen de yine aynı dindar, terbiyeli ve iyiliksever ruh mürşidin, insanların daha temiz ve daha saf olabilmeleri çaresini sorduğu zaman:

– Siz budala mısınız? Bırakın bu meseleleri! Burnunuzun dibinde olan şeylere bakın. Bugünlerde içinizden birini son derece şaşırtan bir hâdise hazırlanıyor! diye söyleniyordu.

Sabriye Hanımın medyumlukta en muvaffak olduğu şey, bedeninin dışına çıkabilmesi, düşüncesiyle dolaşması idi. Böyle bir iş verildi mi derhal eski bir eteklik gibi vücudunu orada, aramızda bırakır, ve gösterilen düz duvara tırmanır, istenilen pencereden seve seve bakar, gördüklerini ballandıra ballandıra anlatırdı. Filhakika mütecessis tabiatına en uygun olanı da bu idi. Böyle bir fırsat eline geçti mi, erken uyanmamak, aramıza çabuk dönmemek için her hileye baş vurur, mürşide, "Karşıdaki apartmanın üçüncü katına da bir dakika bakayım mı?" diye yalvarırdı. "Ben, Suat Hanım zannediyordum. Halbuki o değilmiş. Sarışın bir kadın... Uzun boylu, tanıyamadım" diye bize gördüklerini anlatırken iyice katılaşmış yüzünde görmekten, bilmekten gelen saadet, bu çirkin kadını, âdeta tabiî uykusunda çok mesut bir rüya görüyormuş gibi güzelleştirirdi.

Sabriye Hanım, bu cinsten tecrübelere tek bir şart koşmuştu. O da, operatörün kendisini, Nevzat Hanımın evine bir göz atmak fırsatını vermeden uyandırmaması idi. Uyandıktan ve kendine geldikten sonra da ilk sözü: "Ne söyledim? Acaba bir şey gördüm mü? Baktırdı mı?" suali olurdu.

Hakikat şu ki, Sabriye Hanım, Nevzat Hanımla Zeynep Hanımın kocası arasındaki gizli bir aşkın genç kadının intiharına sebep olduğunu zannediyordu. O, Afroditi'nin halası gibi, Murat'ın da bir yalan olduğuna ve bu yalanın, çok mücrim bir aşkı, bir insanın, hem de kendisinin çok sevdiği bir insanın ölümüne sebep olan bir aşkı örtmek için icat edildiğine inanıyordu.

Bu meselede kulübün efkârıumumiyesi Sabriye Hanıma sadece iltihak etmemekle kalmıyor, onu düpedüz reddediyordu. Murat Afroditi'nin halasına da benzemezdi. O bir vuruşta böyle hiç lüzumsuz yere yıkılacak cinsten değildi. İspritizma Cemiyeti'nin yarı nüfuzu, şirinliği, dost havası, bu aksi, titiz, lafını esirgemez, böyle olduğu için de sevimli ruhtan geliyordu. Bir akşam onun bütün elektriklerimizi söndürüp dakikalarca hepimizi heyecandan, korkudan olduğumuz yerde titretmesini kim unutabilirdi? Bu hâdisenin olduğu günün haftasında cemiyet yeni aza kabul etmemek kararını almağa mecbur olmuştu. Bu kadar sevilmiş ve benimsenmiş bir uzuv feda edilemezdi.

Onun için operatörümüz, Sabriye Hanıma bu iş için verdiği vaatleri tutmaz ve Sabriye Hanımı Nevzat Hanımın evinden daima uzakta bulundurmağa dikkat ederdi. Çünkü Nevzat Hanıma belki laf anlatmak kabildi ama, Murat'a ne derecede mümkündür, bunu hiç kimse bilemezdi. Ve hiçbirimiz onu darıltmak istemezdik.

Bununla beraber, bu şüphe ve onun getirdiği küçük facia havası da hoşa gitmez değildi. Mesele biraz da kendisini meraklı, oldukça dehşetli bir vaziyette görmek olduğuna göre bu da ihmal edilecek şeylerden değildi.

Sabriye Hanım, bunun farkında olduğu için uyutulmağa daima nazlanır, alelâde masa tecrübelerini tercih ederdi. Gerek evinde, gerek kulüpte sık sık bu cins tecrübeler yapar ve nasılsa davetini kabul etmiş olan ruhlara hakikî âhiret azabının ne olduğunu öğretirdi. Filhakika onun sualleri karşısında şaşırmamak hemen hemen imkânsızdı. Bu tarzdaki tecrübelerde mürşidin, yahut operatörün usulüne alışık olan ruhları çağırmamayı tercih ederdi. Hikâyesini benden dinlediği Seyit Lûtfullah'ı seçmesi ve aşağıda anlatacağım gibi onunla büyük bir iş birliği yapması bu yüzdendi. Filhakika Sabriye Hanım, Seyit Lûtfullah'ı benim delâletimle çağırdıktan bir hafta sonra İspritizmacılar Cemiyeti'nde verdiği bir konferansta, "İspritizma ve sosyal temizlik" mevzuu üzerinde bir hayli ısrar etmiş ve ruhlardan müteşekkil bir istihbarat servisinin ne şartlarla kurulabileceğini ve ne gibi faydalar temin edebileceğini iyice anlatmıştı. Bu hususta Taflan Deva Beyin kendisine sıkı sıkıya yardım ettiğini biliyorduk. Bu zengin, kibar ve çok okumuş adam hakikaten büyük ve ateşli bir temizlik meraklısıydı. Çok defa düşünürüm, bizim memleketimizde istidatlar hakikî yerlerini bulsa hayatımız ne kadar değişir ve güzelleşir. Taflan Deva Beyi on dakika dinleyip de kaydı hayat şartıyla, İstanbul'a veya herhangi bir şehrimize Belediye reisi yapma hulyasına kapılmayan, hattâ bunun için varını yoğunu sarfa hazır olmayan, aramızda hiç kimse yoktu zannederim. İrfanı, iyi terbiyesi, her sınıftan bir yığın insanı tanımış ve kendisine bağlamış olması, bunu pekâlâ mümkün kılabilirdi. Yazık ki Taflan Deva Bey temizliği sadece içtimâ ve ahlâkî mânasında alıyordu. Onun için sokak, ev, şehir, daima ikinci, üçüncü derecede şeylerdi. Asıl mühim olan cemiyetin muzır düşüncelerden kurtulmasıydı.

İşte Sabriye Hanımın bu merakı yüzünden Seyit Lûtfullah'la bir gece hiç ummadığım bir zamanda birdenbire karşılaştım. Doğrusunu isterseniz bu cemiyete girdiğim andan beri kendimi yeniden ona yakınlaşmış hissediyordum. Ne kadar ilmî gayelerle teşekkül etmiş olursa olsun, ne kadar ciddî meselelerle uğraşırsa uğraşsın, burası onun malikânesiydi. Daha ilk gününde onu yanı başımda görür gibi olmuştum. Bazı tebliğlerde aşikâr şekilde müdahalesi oluyordu.

X

Bu hayat sonuna kadar böyle devam edebilirdi. Fakat Cemal Beyin hiç beklenmedik bir müdahalesi beni cemiyetten birdenbire uzaklaştırdı. Şirkette bana çok iyi bir vazife teklif etmişti. Bol para alacaktım. Onunla beraber çalışacaktım. "Zaten arkadaşız, değil mi?" diyordu. Fakat serbest kalmam bütün günüme sahip olmam icap ediyordu. Fener Postanesi'ndeki işim gibi, İspritizma Cemiyeti'ni de bırakacaktım. Teklif o kadar güzeldi ki ister istemez razı oldum. Kendi tâbirince, artık sıraya giriyordum. Buradan daha büyük mevkilere geçebilirdim. Kabiliyetli adamdım, ne diye kendimi bu mânasız işlerde israf ediyordum? Hele böyle alelâde hizmetçiliğe benzeyen bir işte kalmam hiçbir suretle doğru değildi.

Cemiyetteki hayatım beni de yormuştu. Akşam yemeklerimi evde yemem mümkün değildi. Uykum perişandı. İspritizmacılar hemen hemen bütün vaktimi alıyordu. Yirmi dört saatin içinde tek dinlenme zamanım, Cemal Beyin beni gönderdiği işlerde geçirdiğim zamandı.

Kulüpten ayrılırken veda ettiğim Nail Bey, meseleyi benden bir daha dinledi. Sonra bir gözünü yumarak:

– Seyit Lûtfullah... dedi.

Ben, anlamadığımı göstermek için yüzüne baktım. Sonra latife ediyor sanarak cevap verdim:

– O emin ellerde... Sabriye Hanım onunla meşgul...

Nail Bey, elime bir gün evvel yayınlanmış bir tebliği tutuşturdu. Bu tebliğde, İspritizma Cemiyeti'ne son zamanlarda kötü ruhların musallat olduğu söyleniyor, bilhassa Seyit Lûtfullah'ın celselerde çağırılmaması tavsiye ediliyordu.

Nail Bey:

– Seyit Lûtfullah çok şey biliyordu... dedi. Sabriye Hanım kadar biliyordu. Sen de ona karmakarışık sualler soruyorsun... Neyse, ayağını denk al!

Nail Beyin sözlerinin hakikî mânasını çok sonra anladım. Ben o dakikada İspritizma Cemiyeti'nden eski dostumla beraber ayrıldığımı düşünüyordum.

Cemal Beyin maiyetindeki işim rahattı. Saat beşten sonraki zamanım benimdi. Muhit değişmişti. Burada, Fener Postanesi'ndeki cıgara yanıklarıyla dolu tahta masa telefon etmek için sıra bekleyen, itişen kakışan yüzlerce insan, onların birbirine karışan konuşmaları yoktu. Her şey kibar, rahattı. Telefon benim konuşmam içindi. Zil seslerine ben koşmuyordum. Bilâkis ben basınca koşan adamlar vardı. İlk gün üst üste sekiz defa aynı hademeyi çağırdım.

171

Birinde havayı sordum, ikincisinde saati; üçüncüsünde paltomu tutup giydirmesini, dördüncüsünde çıkarmama yardım etmesini istedim; beşincisinde adını öğrendim... Vâkıa sonunda iş biraz cıvıklaştı. Altıncısında cıgara ikram ederek karşıma oturtmuş, yedincisini kalkıp gitmesi, sekizincisini tekrar gelmesi için çalmıştım.

İster inanın, ister inanmayın, bu benim için hakikî zevkti. Sıraya girmiştim!

Akşamları Şehzadebaşı'ndaki kıraathanede Doktor Ramiz'le buluşmağa başladık. Fakat kahvede eski cümbüş kalmamıştı. Dört senede müşterilerin çoğu gitmişti. Ne çıkar, biz vardık: Yangeldi Asaf Bey, Doktor Ramiz, iki üç ressam, gazeteci... Ve ben aralarında yeni tecrübelerimle zengin bayağı bir şahsiyet olmuştum. Ara sıra şair Ethem Bey geliyor, bize ispritizmacılara dair havadis veriyordu. Nevzat Hanım son zamanlarda büsbütün dalgın ve neşesizdi. Sabriye Hanım hemen hemen cemiyete uğramıyordu.

Bir gün telefon çaldı. Sabriye Hanımdı. Evinde yapacağı bir toplantıya çağırıyordu. İtizar ettim, ısrar etti. Kabule mecbur oldum. Fakat biraz sonra Cemal Beye bahsedince birdenbire kızdı:

— Sakın ha!.. dedi. Sakın, zinhar... Hiçbir suretle gitmeyeceksin! Tabiî gitmedim.

Bu esnada Cemal Beyle olan hususî münasebetimiz eskisi gibi devam ediyordu. Kahve, ev, her tarafta, bana ihtiyaç oldukça aranıyordum. Fakat Cemal Bey değişmişti, Her gün biraz daha hırçın oluyor, emirlerini ne kadar dikkatle yaparsam yapayım, beni azarlıyor, itham ediyordu. Bu arada bazı sıkıntılar da geçirdiğini bildiğim için buna yoruyordum. Müthiş parasızdı. Her an hesaplar yapıyordu. Bazen cebinden avuç dolusu para çıkarıyor, gözümün önünde sayıyor, birtakım parçalara ayırıyor, sonra büyük bir yeisle cüzdanına yerleştiriyordu.

— Ayı çıkaramayacağım! diyordu.

Halbuki önümde saydığı para ile bütün Karagümrük ahalisi hacca gidip gelebilirdi. O yılın kışı bu hesaplarla geçti. Sonra vaziyet birdenbire düzeldi. Vâkıa Cemal Bey bana karşı olan muamelesini değiştirmedi, terzinin, ayakkabıcının, gömlekçinin, Karaköy'deki kasabın, ev sahibinin bütün kabahatleri yine benimdi, hepsinin namına yine ben hesap veriyor, ben terliyor, ben azap çekiyordum. Fakat para hesapları ortadan kalkmıştı.

Bu sırada küçük bir hâdise oldu. Bir gece Sabriye Hanım, büyük cüssesi sokağımızı kapatan bir otomobille beni evimde ziyarete geldi. Geçmiş zamandan konuştuk, hâtıraları yâdettik. Cemal Beyin hayatına dair benden bazı ufak tefek bilgi sızdırdı. Sonra karımla, baldızlarımla öpüşerek ayrıldı.

Sabriye Hanımın evimize gelişi hayatımızı kökünden sarstı. Karım, baldızlarım bu şık kadının kıyafetine hayran olmuşlardı. İyi giyinmenin paraya muhtaç olduğunu pek kestiremedikleri için behemehal onu taklide karar verdiler. Bu, onlarca yalnız bir irade meselesiydi. Ve üçü de iradelerini şiddetle kullanmağa başladılar. Bir ayın içinde üç maaşımı birden sarf ettim. Fakat imkânsızdı. Yine her şeyleri eksikti. Sabriye Hanım giderken küçük baldızımı pek beğendiğini söylemişti. Küçük baldızım bu iltifâtı o kadar ciddî kabul etti, öyle inandı ki o senenin güzellik müsabakasına girmeğe karar verdi.

Ondan iki ay sonra, nasılsa adresimi bulan Nevzat Hanım evimize geldi. O da benden o gece Sabriye Hanımın neler sorduğunu öğrenmek istedi. Ayrıca Cemal Beyin kendisi hakkındaki düşüncelerini merak ediyordu.

Üç kardeş bu sefer hakikî zarafetin Nevzat Hanımda olduğuna karar verdiler. Evcek, elbiseler, çamaşırlar değişecekti. Her şey yok pahasına satıldı. Ben iki maaş daha peşin sarf ettim. Üstelik Pakize bu sefer beni kıskanmağa başladı. O zamana kadar hiç beğenmediği kocası birdenbire gözünde kıymetlenmişti. Bu cinsten bir kadının beni araması için ortada çok ciddî bir sebep olmalıydı. Muhakkak aramızda bir şey vardı.

Nevzat Hanımın ziyaretini Cemal Bey nereden öğrenmişti? Daha ertesi günden itibaren bana karşı buz gibi soğuktu. Hususî işlerinde yaptığı tenkitler resmî işlerine de geçti. Hiçbir yaptığımı beğenmiyordu. Kâğıtları suratıma atıyor, hademelerin karşısında bile bağırıp çağırıyordu. Bu artık hayat değildi, hakikî cehennemdi. Her dakika mangal dolusu ateş yutuyordum. Evimizdeki kıyafet inkılâbı yüzünden kendi elbiselerim de satılmıştı. Yama parçaları birbirini tutmaz bir elbiseyle dolaşıyordum. Fakat ne bu hâlim, ne de iki aylık tıraşım Pakize'yi beni kıskanmaktan alıkoyamıyordu. Günümün her dakikası için hesap vermeğe mecburdum.

Yukarıda cahil adam olduğumu söylemiştim. Hayatım kelime öğrenmekle geçti. Hemen her safhasında sözlüğümü yeniden yapmıştım, hem de kendi hayatımda, etimle, kemiğimle yaşayarak. Şerbetçi Elması hikâyesi bana "abes" denen şeyi öğretmişti. Bu abesi o güne kadar dışımda tanımıştım. Şimdi o kendi hayatımın malı olmuştu. Hiç tanımadığım cinsten bir korku içime yerleşmişti. Her saniye, biraz sonra olacak bir şeyden korkuyordum. Biliyordum ki şu yarım saat içinde ya karım, ya baldızlarımdan biri daireye ne yaptığını görmek için gelecekler, onlar daha gitmeden Cemal Bey beni azarlamak için yanına çağıracak, onun elinden kurtulduğum zaman muhakkak bir alacaklı ile karşılaşacaktım.

Her dakikam yeni bir zilletti. Her saat talihsizliğim başka bir çehresiyle karşıma çıkıyordu. Halbuki bütün bunlara hiçbir sebep yoktu. Hiçbiri bilerek yaptığım bir hata yüzünden değildi. Hepsi kendi kendine gelmişti.

Genç bir kadın, kendisine vaziyetimi olduğu gibi anlattığım hâlde, belki de yalnız bunun için benimle evlenmek istemişti. Hiç farkında olmadan, sadece tesadüfler yüzünden birtakım insanlarla tanışmıştım. İçlerinden birisi benimle alâkadar olmuştu. Artık ne yaparsam yapayım, şimdi onun pençesinde idim. Ondan kurtulamıyordum. Makina, dışarıda kurulmuş, dışarıdan gelen emirlerle işliyor, şimdi hızını arttırıyor, biraz sonra eksiltiyor, bazen duruyordu. O zaman, ne testere, ne bıçak, hiçbir şey işlemiyordu. O zaman telâş ve azabın yerini derhal korku alıyordu. Biraz sonrası dediğimiz şeyden korkuyordum.

Yazın sonuna doğru Cemal Bey üç gün için Ankara'ya gitti. Bu üç gün bana tam bir cennet gibi geldi. Sıkıntılarım yine devam ediyordu. Fakat onun, kendi ağırlığıyla yaptığı tazyikten kurtulmuştum. Suyun dibinde değildim. Sırtımda o korkunç ağırlığı hissetmiyor, kemiklerim onun yüzünden çatırdamıyordu. Ötekiler, güçlükler, yorgunluklar, birtakım azap ve ıstıraplardı. İşte o zaman bir insanın, başkalarının hayatındaki yerini öğrendim.

Bu üç günü yalnız Cemal Beyi düşünerek geçirdim. Bir bakıma göre hayatımda hiçbir şey değişmemişti. Dairedekilerin hepsi hemen hemen onu taklit ettikleri için, aşağı yukarı yine aynı şeylere maruz kalıyordum. Evim eski hâldeydi. Fakat yine ferahtım, rahattım. O hâlde Cemal Bey diye bir şey vardı hayatımda. Bu korkunç bir realiteydi.

Ve Cemal Bey sade benim hayatımda değildi, bütün etrafımda idi.

Şu hakikati kendi hayatım bana öğretti: İnsanoğlu insanoğlunun cehennemidir. Bizi öldürecek belki yüzlerce hastalık, yüzlerce vaziyet vardır. Fakat başkasının yerini hiçbiri alamaz.

Bir hâdise bunun yalnız benim için böyle olmadığını öğretti. Cemal Bey gitmeden evvel bana birtakım işler vermişti. Bunlardan birisi için karısıyla konuşmam lâzımdı. Eve uğradım. Vâkıa Selma Hanım boynuma sarılmadı, ne de sevincinden çiftetelli oynuyordu. Her şey eskisi gibiydi. Fakat yine de arada bir şey değişmişti. Daha rahattı, daha emniyetli idi ve yüzünde o zamana kadar görmediğim bir hâl vardı. O da bir ağırlıktan kurtulmuştu.

Selma Hanım behemehal bir kahve içmemi istemişti. Salonda karşımda oturmuş, etekliğinin kıvrımlarıyla oynarken onu yakından seyrediyordum. Hayır, o da kısa bir müddet için kurtulmuştu. Hâlinde mürebbiyesinden izin almış bir çocuğun rahatlığı vardı. Böyle miydi? Belki daha ziyade masallardaki cadılardan kurtulmuş kızlara benziyordu.

Nevzat Hanım da muhakkak böyle olmalıydı. Onda da bir hafiflik, bir gevşeme bulunacaktı.

Bir ara Selma Hanım, Nevzat Hanımı görüp görmediğimi sordu.

Artık içtimaî mevkiimi iyi benimsemiş olduğumu göstermek için Cemal Beyden "Beyefendi" diye bahsederek cevap verdim:

– Beyefendi, onlarla temasımı menetti...

Selma Hanım ilk önce anlamamış göründü:

– Nevzat iyi değilmiş, dedi. Ben de gidip göremedim.

Sonra birdenbire uyanmış gibi yüzüme dikkatle baktı. Bir şeyler söylemek istedi, vazgeçti. Beni anlamıştı.

Fakat ne çıkardı? Hangi meseleyi hallederdi? Sadece talihin hediye ettiği bu üç günü, bir başka mesele ile daha zehirlemekten başka hiçbir işe yaramazdı. En iyisi düşünmemekti. Kaçmaktı. Kendi içime kaçmak. Fakat bir içim var mıydı? Hattâ ben var mıydım? Ben dediğim şey, bir yığın ihtiyaç, azap ve korku idi.

Onun içindir ki, Cemal Bey döner dönmez beni işimden çıkardığı zaman pek de müteessir olmadım. Hiç olmazsa kendisinden kurtulmuştum. Onu görmeyecektim. Sesini duymayacaktım. Ellerinin işaretleri, dar alnının çizgileri rüyama girmeyecekti. İçimdeki bulantı duracaktı. Hiddet, kin beni kemirmeyecekti.

Bununla beraber eve bu haberi nasıl vereceğimi düşünüyordum. Onlar üzüleceklerdi, şüphesiz. Üstelik de kabahatin bende olduğunu sanacaklardı. Nasıl geçineceğimi, o kadar düşünmüyordum. O sonra gelecek işti. Evvelâ, ilk an denen şey vardı. Tehlikeli bir geçit gibi beni korkutuyordu. Evdekileri büyük bir heyecan ve teessür içinde buldum. Hepsinin yüzü asıktı. Nerdeyse ağlayacaklardı.

Demek biliyorlardı. Kim söylemişti acaba? Nerden haber almışlardı?

Yavaşça Pakize'ye sordum:

– Nerden öğrendiniz?

Pakize önündeki gazeteyi uzattı.

Bu, benim işten çıkarılmam olamazdı. Ben o kadar mühim adam değildim. Alelâde bir kâtiptim. Hayır bu başka şeydi. Eliyle gösterdiği yeri okudum. O sene güzellik müsabakasının jürisinden üç kişi istifa etmişti. İçlerinde Sabriye Hanım da vardı. Küçük baldızım hüngür hüngür ağlayarak:

– Bana vaat etmişti. Yardım edecekti, diyordu.

Bir iki defa bunun mühim olmadığını, işimden çıkarıldığımı, aç kalmamız tehlikesi bulunduğunu, asıl üzülecek şeyin bu olduğunu anlatmağa çalıştım. İmkânsızdı. Onlar kendi dertlerindeydiler.

ÜÇÜNCÜ BÖLÜM
SABAHA DOĞRU

I

Yanı başımdaki masada, daha o gece Pakize ile ve kardeşleriyle çetin bir kavgadan sonra, büyük kızım Zehra'yı vermeğe râzı olduğum Topal İsmail domino oynuyordu. Ben bir taraftan onun kirli sarı, etleri dökülecekmiş gibi ablak yüzünü, çiçek bozuğunun daha sakil yaptığı küt burnunu, şişkin gözlerini seyrederek bir taraftan da bu güzel bahar gününü bana zehreden talihimi düşünüyordum.

Zehra başka bir evde olsaydı, etrafında biraz iyilik, biraz dikkat görseydi, şüphesiz tek talibi Topal İsmail olmazdı. Yırtık elbiselerinin, bakımsız kıyafetinin arasında bile bu bahar gününü andıran serin, diş diş bir güzelliği vardı. Ne yazık ki iki baldızım, musikî meraklısı ile güzellik kıraliçesi namzedi, ikisi birden on iki senelik bir gayretle kızı çirkin ve sevimsiz olduğuna inandırmışlardı. Önceleri Pakize, kardeşlerinin kızıma karşı olan vaziyetlerini az çok değiştirmeğe çalışmıştı. Sonra felâket devrimizde talihin hesabını yalnız Zehra'dan sorabilirmiş gibi o da ona yüklenmişti.

Dün akşam hiç yere evvelâ büyük baldızım, Zehra'ya çatmış, Pakize onun bu haksızlığını örtmek için, hiç lüzumsuz yere oğlum Ahmet'i ağlatmıştı. Kendisine yapılan haksızlıklara ses çıkarmayan, fakat Ahmet'e dokunulmasını istemeyen Zehra, bu sefer annesiyle çetin bir kavgaya girişmişti. Zehra'da en hoşuma giden taraf, zaman zaman çok derinde kalmış bir şeyin kendisinde uyanmasıdır. Zehra, benim bilmediğim, yapamadığım şeyi biliyor ve yapıyor. Haksızlığa isyan edebiliyor. Yazık ki bu isyan benim aleyhimde olmuştu. Çünkü Pakize'nin bu gibi hâllerde tek bir tâbiyesi vardır. Başkala-

181

rıyla olan kavgaları sadece aldatıcı bir karakol muharebesi addeder ve onlarda fazla gecikmeğe lüzum görmeksizin düşman kuvvetin bütünü addettiği bana karşı hücuma geçerdi. Bu sefer de öyle oldu. Kavga hemen hemen gece yarısına kadar sürdü. Nihayet yastığım, yorganım sofadaki sedire yığıldı. Pakize beni odasından atmıştı.

Pakize'nin o zamanlarda bana karşı cefada tek yanıldığı nokta burasıydı. Beni odasından kovmayı hakikî bir ceza addediyordu. Halbuki otuz beşine geldiği hâlde hâlâ doğru dürüst yatmasını öğrenmediği için onunla bir yatakta yatmaktansa, ayaklarımı sofadaki sedirin uzunluğuna uydurarak, orada kurulmayı tercih ederdim.

Pakize bu cezanın müeyyidesine o kadar inanmıştı ki onu kaybetmemek için yıllardan beri ayrı yatmamız için yaptığım teklifleri, ricaları:

– A, nasıl olur, Allah göstermesin... Ben odada yatayım, kocam sofada... diyerek reddetmişti. Dünyada rahat edemem! Seni öyle rahatsız yerde bildikçe gözüme uyku girmez...

Halbuki asıl onun yanında rahatsızdım. Gündüz hayatında, kavga zamanları, eğlence ve sinema hariç, o kadar sâkin, tatlı surette tembelliğe müsait olan karım uykuya dalar dalmaz bir nevi cambaz kesilir, kolları, elleri, bacakları birdenbire çoğalır, imkânları genişler, bir örümcek gibi yüzükoyun yattığı yerden her nevi plastik danstan zenci ibadetlerine kadar perde perde yükselip alçalan bir hareket sar'asına tutulur, bu çoğalmış aza beni dört bir tarafımdan sarar, dürter, acayip terkipler hâlinde vücuduma yapışır, hoyrat itişlerle ayrılırdı.

Bu hareket bolluğuna, tiroit guddelerinin bozukluğundan gelen benirlemeleri, horlama ve sayıklamaları da ilâve ederseniz gece hayatımın nasıl bir şenlik içinde geçtiğini tasavvur edebilirsiniz.

Pakize'nin bir huyu da rüyalarını sıcağı sıcağına anlatmak için beni uyandırmasıydı. O zaman onun gündüz hayatında mahrum olduğu şeyleri uykuda nasıl ele geçirdiğini öğrenirdim. Binaenaleyh kavgalarımız ne kadar çetin biterse ben, ayrı yatacağım için mesut olurdum.

İşte o gece, sofada yatıyordum. Herkes uyuduktan sonra kızım yavaşça yanıma geldi. Ve Topal İsmail'le evlenmeğe karar verdiğini söyledi. Gözleri yaş içindeydi. "Artık tahammülüm kalmadı, diyordu. Ahmet'i de alırım. Belki bakılır... Yarın annesi gelecek... Her gün bir kere uğrayıp fikrimi soruyor. Razı olduğumu söyleyeceğim." Ve geldiği gibi sessiz adımlarla, hıçkırıklarını kısarak çekilip gitti.

Topal İsmail iki adım ötemizde idi. Bütün çirkinliğiyle ve bu çirkinliği insan ruhunun derinliklerine doğru uzatan kötü huylarıyla onu olduğum yerden görüyordum. İlmî menâfiülâzânın kaydettiği bütün menfi hasletler onda vardı. Alın, hemen hemen yok denecek kadar dardı. Binaenaleyh kendini beğenmişti. Kollar uzun ve parmaklar küt, el ayaları geniş, katı ve yara gibi kırmızıydı. Alt dudağın kalınlığı, gözlerin yanlara doğru akışı da gösteriyordu ki zâlim ve ahmakça hilekâr ve yalancı idi. Sesi bir fırça gibi diken dikendi. Sadece bu sesi medeniyetin yanından bile geçmediğini göstermeğe yeterdi. Dişleri sarı, birbiri üstüne binmiş ve ters türstü. Bu da kısmetsizliğe ve hasisliğe delildi. Onda muhakkak ki her kusur vardı. Zavallı Zehra onunla ne yapacaktı?

Yavaş yavaş sıkılmağa başlamıştım. Her an kalkıp gitmek istiyordum. Doktor Ramiz'i dört gözle beklediğim bu kahvede müstakbel damadım beni olduğu yerden zehirliyordu.

Oyun oynarken çenesi ve üst dudağı bir saat zembereği gibi atıyor, gırtlak kemiği yerinden fırlıyordu. Fakat en kötüsü elleri idi. Bu geniş küt parmaklı, boğum boğum, hiçbir işin terbiyesini almamış eller, şüphesiz tabiî hâllerde akla gelmesi ihtimali olmayan zulümler ve cürümler için yaratılmışa benziyordu.

"Ahmet'i de yanıma alırım..." Zehra'nın dün gece beni o kadar teselli eder gibi olan bu cümlesi şimdi beni büsbütün korkutuyordu. Bir yerine iki kurban verecektik! Elimi alnıma götürdüm. "Hayri İrdal, kendine gel" diye düşündüm. "Bakamıyorsun! Bu çocuğa bakmanın imkânı yok!.." Fakat ne çıkardı? Talihi değişmeyecekti ki. Bilakis daha kötüleşecekti.

Bir iki defa yerimden doğruldum. Fakat müstakbel damadımın attığı çığlıkla büyülenmiş gibi tekrar oturdum. Ne kadar huysuzdu, ne kadar kötülükle dolu idi. Ne kadar çirkin ve kaba idi. Hayır, ben buna kızımı veremezdim. Ve nasıl korkunç bir ihtirasla oynuyordu? Oyun, dışarıdan yaptığı bir hareket değildi; onun içine girmiş bütün vücudunu ayrı ayrı çalıştırıyor, bir şeyleri didikletiyor, gagalıyordu. Yamalı kundurasından çorabının yırtığı görülen sağ ayağı masanın altından bir dikiş makinesinin kolu gibi işliyor, gırtlağı durmadan etrafa hücum ediyor, parmakları çengel gibi muttasıl bir şeylere takılıyor, bir şeylere asılıyor, dudakları etrafı somuruyor, çene onların somurduğunu kusuyor, ve burun acayip homurtularıyla bütün hayatı kokutmağa çalışıyordu.

– Çirkin, efendim çirkin! Çirkin ve ahmak, ahmak ve hayvan...

Birdenbire omuzuma bir el dokundu. Doktor Ramiz gülerek "Yine dalgadasın!" diyordu. Yanı başında, kırk iki, kır üç yaşında, uzun boylu, hafif buğday renkli, iyi ve temiz giyinmiş, gösterişli ve hattâ güzel bir adam duruyordu. Doktor Ramiz ona:

"Arkadaşım Hayri Bey... diye beni tanıştırdı. Enteresan adamdır. Kıyafetine bakmayın!" Sonra bana döndü:

"Mektep arkadaşım Halit Ayarcı..." Ve mutad suallerine başladı. Bir taraftan soruyor, bir taraftan da bakışıyla ilerideki masada boş bir yeri peyliyordu.

İnsan ne garip mahlûktur. O dakikada Halit Ayarcı'nın orada bulunmasını âdeta bir şanssızlık sanıyordum. Çünkü bu adamın mevcudiyeti bana Doktor Ramiz'den iki lira borç almama düpedüz mâni gibi geliyordu. Nerden bilecektim ki o anda kahveye Dotor Ramiz'le gelen adam benim iyi talihimdir. Çocuklarımın sıhhatı, karımın ve baldızlarımın istikbalidir.

"Hem de küstah bir adama benziyor!" diye içimden söyleniyordum. "Durmadan insana bakıyor. Sanki satın alacak gibi." Ve yabancı adama hiddetim bu yüzden bir kat daha artıyordu. Bununla beraber bakışlarında hiç de insanı rahatsız edecek bir şey yoktu. Bu bakış, hiç de öbürlerine, kendimi bildim bileli üstümde hissettiklerime hiç benzemiyordu. Onlarda ne küçültme ne yadırgama, ne alay vardı. Sadece herhangi bir şeye bakar gibi bakıyordu. Ne olduğumu anlamak istiyordu, o kadar.

Tam ayrılacağımız, ben masama oturacağım, onlar Doktor Ramiz'in uzaktan peylediği masaya geçecekleri sırada, yani işlerim büsbütün bozulduktan sonra Doktor Ramiz, birdenbire peydahladığı huyla, omuzuma vurmalar, çenemi, yanağımı okşamalar ve bu esnada baştan aşağıya kıyafetimi süzmek gibi mukaddemelere başlamak üzere iken –son zamanlarda herkes benimle bu tarzda meşguldü, tam fihristimi yapmadan kimse yanımdan ayrılmıyordu– birdenbire durdu ve arkadaşına:

– Sen saatinden şikâyet ediyordun... Bir de Hayri Bey görsün şunu! Hayri Bey saatten çok iyi anlar...

Doktor Ramiz yaşlandıkça lüzumsuz konuşmayı arttırdığı için devam etti:

– Bakma, deryadil, kalender adamdır, dükkânı filân yoktur amma saati bilir...

Sonra bana döndü, âdeta tekellüflü bir tavırla:

– Buyurmaz mısın Hayri Bey... Şöyle bir kahve içelim!

Ve benimle eski mektep arkadaşı arasındaki servet, seviye, refah, terbiye, tahsil farklarına rağmen beni ne kadar sevdiğini Halit Ayarcı'ya tam gösterebilmek için bu sefer sırtımdan, tam kamburumun üstünden beni kucakladı.

Son beş senedir böyle olmuştu. Eski ahbaplarım beni birçok şeylere rağmen sevdiklerini göstermeğe kendilerini mecbur sanıyorlardı. Doktor Ramiz bunların en masumu idi. Boş masaya geçtikten sonra doktor dişlerini içerden eme eme temizleyerek meziyetlerimi saymağa başladı:

– Hayri Bey, neler bilmez zaten... İlm-i menâfiü'l-âzâ, ilm-i sima, ilm-i simya, ilm-i havas, ilm-i cifr, ilm-i sihr, ilm-i huruf... Elinden her şey gelir... Eski tababet bile. Geçen günü bir teşhis koydu, ben bile şaşırdım!

Doğru idi, beş senedir, Seyit Lûtfullah repertuvarını tekrarlayarak, insanları aldatmakla geçiniyordum.

Halit Bey hem onu dinliyor, hem kendi kendine, "Elime bir para geçerse muhakkak uğrar alırım, yerini biliyorum, amma ne işime yarar?" der gibi bir tavırla beni seyrediyordu. Halit Bey ameliyesini insanlar üzerinde, ve insanlarla yapan cinstendi. Onun için bakışları insanı taciz etmiyordu. Sadece eşya seviyesine indiriyordu. Birdenbire bana sordu:

– Hakikatten saaten anlar mısınız?

Nasıl deryadil değilsem, nasıl ilm-i simya, ilm-i cifr ve eski tababeti bilmiyorsam, başımdaki bereye, birdenbire ağarmış saçlarıma, tıraşsız sakalıma ve derviş hâlime rağmen nasıl hiçbir tarikatten değilsem, öylece saatten de anlamıyordum. Fakat yalana alışmıştım. Hayatım denen bu kalp akçeyi başka türlü süremezdim. İnsanlar benim böyle olmamı istemişlerdi. Yalancı idim. Binaenaleyh saatten çok iyi anladığımı mı söylemem lâzımdı? Fakat bu en aşağı otuz beş türlü söylenirdi. Cemal Beye, Selma Hanıma, Doktor Ramiz'e, Sabriye Hanıma, Yangeldi Asaf Beye, hepsine, herkese ayrı ayrı şekillerde söylenirdi. Bir müddet Halit Ayarcı'ya baktım. Hayır, burada doğrudan doğruya hareket lâzımdı. En yavaş sesimle:

– Bir görelim, bakalım! dedim.

Cebinden kordonsuz, küçük bir altın saat çıkardı. Avucumun ortasına bıraktı. Saat o kadar iyi işlenmişti ki avucumun içinde bir küçük güneş var sandım. Hayır, büsbütün yıkılmamıştım. Sevdiğim birkaç şey kalmıştı.

Ben avucumdan kayıp kaçar korkusuyla parmaklarımı saatin üzerine kapatırken o:

– İki aydır işlemiyor. Baba yadigârı... Onun için çok severim. Nesi var acaba? diye tekrarlıyordu.

– Hata, dedim. Hem de büyük hata... Elbette işlemez. Kordonsuz saat, yularsız hayvan, nikâhsız kadın gibidir. Saatini seven evvelâ bir kordonla kendisine bağlar.

Bu sözleri biraz karşımdakini yoklamak ve biraz da vakit kazanmak için söylemiştim.

186

Halit Ayarcı bana dikkatle baktı:

— Hakkınız var! dedi, iki defa düşürdüm.

Ben:

— Yazık! diye cevap verdim. Çünkü çok güzel iş. Bugün epeyce nadirdir. İngiliz malı. Ondokuzuncu asır ortası. Sizin anlayacağınız, bir harika.

Saat hakikaten güzeldi. Nerde ise İsmail'i de, kızımı da unutacaktım. Senelerdir Cemal Beyin karısının saatini tamir ettiğimden beri bu kadar güzel işi elimde tutmamıştım. Hakikî bir heyecan içindeydim:

— Burada âlet de yok... Bir çakı olsaydı...

Ve çakımı aradım. Elim ilk soktuğum cebimden yanmış gibi çıktı. Çakı Malta çarşısında yaymacı Ali Efendide idi. Son zamanlarda böyle olmuştuk. Evimizde —baldızlarıma ait olan şeylerin dışında—, bize o anda lâzım olan her şey, bizi hayalen ve Bitpazarı'na, ya Malta çarşısına götürüyordu. Yahut da aradığımız şeyin yerini herhangi bir eskicinin çehresi, insanı çıldırtan dikkati, burun bükmesi alıyordu. Sofrada, yatakta, giyinirken, soyunurken, konuşurken hep bu canlandırma içinde yaşıyorduk. Hepsinin bizden bir ayrılış hikâyesi ve içimizden bir türlü gitmeyen bir hâtıra çehresi vardı.

Doktor Ramiz çantasını açtı. Çakısını çıkardı. Bir müddet, hazin hazin tırnaklarına baktıktan sonra çakıyı bana uzattı. Halit Ayarcı'nın çehresinden hafif bir tebessüm geçti. Hayır, bakmasını, görmesini bilen adamdı.

Saati açtım. Lupa ihtiyaç yoktu, ne de herhangi hususî bir dikkate. Sadece mıknatıslanmıştı.

Halit Ayarcı, çocuğunu muayene ettiriyormuş gibi âdeta heyecanla bakıyordu.

— Hiçbir şeyciği yok... dedim. Sadece mıknatıslanmış. Sakın söktürmeğe filân kalkmayın! Lüzum yoktur. Bunun hususî bir âleti vardır, büyük saatçilerin hepsinde bulunur. Yarım saatlik bir iş.

Halit Ayarcı başını salladı:

— Nasıl oldu da bunu görmediler...

187

– Görmezler. Daha doğrusu dikkat etmezler. Saat de insan vücudu gibidir. Çok defa alışılmış hastalıklar aranır. Yalnız bir fark vardır. Doktorlar tedavi ettikleri insanların bünyesini bazen bozarlar amma, herhangi bir uzviyeti değiştiremezler. Halbuki bazen saat tamirinde bu olur. Yedek parça hikâyesi...

Doktor Ramiz sevincinden çıldıracaktı. Hiç ümit etmediği bir rekoru kırmıştım. Doğru dürüst konuşuyordum, beğeniliyordum.

– Bir şeyi mi değiştirmişler? Yapmayın yahu! Senelerdir tanıdığım insan...

Hakikaten içimde İspritizma Cemiyeti'nin azasının dilinden düşmeyen o altıncı his mi uyanmıştı, yoksa karşımdakileri kendime hayran mı etmek istiyordum? Belki de bu kahveden sıkılmıştım. Etrafımda yeni baştan bulduğum bu insan sıcaklığını daha yakından kavramak mı istiyordum? Hulâsa, bütün talâkatimle konuşmağa başladım:

– Siz o adama gidin! Evvelâ şuradan kaldırdığı taşı, veya benzerini, hiç olmazsa aynı tartıda bir taşı oraya koysun. Vâkıa mühim bir şey değil amma... Orda o tartıya ihtiyaç var. Böyle bir saati yapan adam iki yakutun arasına bu mercimeği koymaz. Sonra mıknatıstan kurtarsın. Nihayet şu kılı da değiştirsin.

Halit Ayarcı birkaç dakika sustu. Ben, sanki talihimin anahtarını yakalamışım gibi saate sıkı sıkıya yapışmıştım. Hakikatte ona bakmıyordum bile.

Arkamdaki masada deminden beri devam edegelen münakaşa tam kıvamına girmiş, yumruk yumruğa, sille silleye, iskemle iskemleye şiddetli bir kavga başlamıştı. Müstakbel damadım, gırtlak kemiği, avını arayan şahin gibi dışarıya fırlamış, sapsarı yüzü, diken diken saçlarıyla alabildiğine küfrediyor, tutmağa çalışanların üstünden durmadan saldırıyordu. Kendi kendime:

– Eyvahlar olsun! dedim. Eyvahlar olsun! Şimdi muhakkak birini, hattâ birkaçını öldürecek. Zaten herifin katil olacağı gözlerinden, dişlerinden belliydi. En aşağısı idam, yahut müebbet hapis!.. Eyvahlar olsun, bu ümit de gitti. Kız, yine başımda kaldı.

Ayağımıza kadar gelmiş bu kısmeti beğenmediğim, hor gördüğüm, nazlandığım için şimdi pişmandım.

– Sen mi beğenmezsin? İşte Allah, insanı böyle mahrum eder. Herif bu akşam hapiste. Haftaya da idamdır. Kızım evlenmeden dul oldu. Zavallı yavrucak, kim bilir işitince nasıl üzülür?

Kafamdan ancak gölgesi geçen bir düşüncenin iki dakika sonra böyle cezasını çekeceğimi nereden bilebilirdim? Biz fakirler böyleyizdir. Kader sarayında bizim işlere bakan büro hiç şaşmaz, ihmal etmez. Zihnimizden geçen en uzak, en mâsum ihtimallerin, sadece şiddet ile ret için düşündüğümüz şeylerin bile ceremesini öderiz.

Fakat düşündüğüm olmadı. Müstakbel damadım sanki ilm-i menâfiü'l-âzâyı ve ilm-i simayı iflâs ettirmeğe karar vermişti. Hiç kimseyi öldürmedi. Hattâ bir tokatçık bile atamadı. Bilâkis evvelâ suratına, hangi pir aşkına olduğunu fark edemediğim iki sunturlu tokat yedi. Ağzının tam üstünü birinci sınıftan bir yumruk okşadı, sonra kafasında kahvenin en sağlam görünüşlü iskemlesi parçalandı. Daha sonra birbiri peşine gelen fâsılasız tekmelerle âdeta ayakları yerden kesildi, havada uçmağa başladı ve kahvenin kapısı önündeki kaldırıma yığıldı. Ah Yârabbim, o andaki sevincim!

Evet, müthiş bir sevinçti bu. Evvelâ, kimseyi öldürmemişti. Binaenaleyh ne idam edilecek, ne de hapsolunacaktı. Vâkıa bu iki ihtimalin ikisi de, ortada yalnız kendisi olsaydı pek o kadar üzüleceğim şeylerden değildi. Fakat arada kızım vardı. İdam olunmayacağına veya hapsedilmeyeceğine göre istersem kendisini damatlığa kabul edebilirdim.

Sonra, gözlerimin önünde temiz bir dayak yemişti. Artık bana karşı eskisi gibi horozlanmasına imkân yoktu. O bana, "Moruk, ne var ne yok..." diye densizlik etmeğe kalkınca, ben ona, "Hiç İsmailciğim, şöyle bir kahveye gittim de... Hani geçen günü senin dayak yediğin kahve yok mu? İşte oradan dönüyordum" diyebilirdim. Yahut da sadece: "Kahve! Sandalye! Lokantacının Sabri!" der, geçerdim. Yahut, "İsmail, kuzum o sandalyenin parasını ödedin mi? Aman yavrum, böyle şeylere dikkat et! O sandalye senin kafanda kırıldı. Kahve sahibinin suçu ne? Ne diye ziyan çeksin adam, senin yüzünden!"

Nihayet, sevincimin üçüncü bir sebebi vardı. İsmail bu dayaktan sonra en aşağı üç gün yerinden kalkamayacak, hiç olmazsa evlenmeyi hatırlayamayacaktı. Düşünmeğe vaktim vardı. Bazı insanların ömrü vakit kazanmakla geçer... Ben zamana, kendi zamanıma çelme atmakla yaşıyordum.

Fakat ne diye burada böyle oturuyordum? Niçin ayağa kalkmıyor, onu dövenleri alkışlamıyordum, alınlarından öpmüyordum?

– Kerata... Hem benim inci gibi kızıma göz korsun, hem karşımda öyle saygısız saygısız sırıtırsın! Aptal aptal suratıma bakarsın! Nur olsun o eller...

Halit Ayarcı bu içten konuşmalara birdenbire son verdi:

– Çabuk yaparlar mı bunu?

– Azamî bir saat... O da taşın bulunması, yerine konması yüzünden...

Halit Ayarcı, Doktor Ramiz'e döndü:

– Doktor, haydi, hep beraber gidelim! Şu işi halledelim. Beyefendi, siz de lutfunuzu tam yapın... Zahmet olmazsa. Sonra gider bir yerde vakit geçiririz.

– Aman efendim bendeniz bu kıyafetle...

İtirazım kıyafetimle herhangi bir yere gitmekten utandığım için değildi. Zaten düştüğüm vaziyette kıyafetimi ve her şeyimi olduğu gibi kabulden başka çarem yoktu. İnci gibi kızını Topal İsmail budalasına vermeyi bir saniye bile düşünen insan için kıyafet, haysiyet, şeref gibi meseleler artık mevzubahis bile olamazdı. Nazlanmam, onlarla beraber gitmezsem belki birkaç lira verirler ümidiyleydi. Bir de öyle, izzet ikram davet edildiğim yerlerden çok defa yayan döndüğümü hatırlıyordum. Fakat Halit Ayarcı benim hesaplarımı nereden bilecekti:

– Kıyafetinizde ne var? Sizi gören kim olduğunuzu yüzünüzden anlar.

Demek o da anlamıştı. Zaten ben kaderimin yüzümde yazılı olduğunu artık biliyordum. Şunu da söyleyeyim ki Halit Ayarcı hiç de başkaları gibi kılık kıyafetimi saymamış, sadece yüzüme bakmıştı. İlk geçen boş taksiyi çevirdiler. Ben kendiliğimden şoförün yanına doğruldum; yerim elbette orası olacaktı. Fakat Halit Ayarcı kolumdan tutarak mâni oldu. Öbür eliyle açtığı arabanın kapısından zorla beni içeri tıktı. Sonra Doktor Ramiz'i sürdü; nihayet kendi girdi. Garip adamdı. Nezaketi bile emir şeklindeydi ve icabında ellerini bile kullanmaktan çekinmiyordu. Şurası da var ki cüssesi müsaitti.

Kaç senedir otomobile binmemiştim. Bir kış gecesi, Selma Hanımın balo elbisesini gerçekten Hırka-i Şerifmiş gibi kucağımdan bir saniye ayırmadan ve ikide bir mukavva kutusunu öpüp okşayarak evlerine götürdüğüm geceden beri. O gece belki de hayatımın en mesut gecelerinden biri olmuştu. Selma Hanımefendi beni yukarıya çağırtmış, kahve ikram etmiş, sonra da saat dörtten dokuza kadar peşinde koştuğum tuvaletini giyerek yanıma gelmişti. Cemal Bey seyahatteydi ve Selma Hanım beraberce baloya gedeceği dostlarını bekliyordu. Hiçbir zaman benimle o kadar ahbap olmamış, aradaki mesafeyi o kadar unutmamıştı. Bir ara, "Haydi siz de gelin, ne çıkar sanki, Cemal'in elbiseleri var, bir tıraş olursunuz..." diye beni baloya götürmeğe bile kalkmıştı. Sonra benim telâşımdan korkmuş gibi, "Vazgeçtim, vazgeçtim, dedi, amma bir şartla, unutmayın ki ben bu gece baloya gideceğim, eğer dostlar gelmezse sizinle gideceğim..." Ve ben içimden dostlarının hem geç kalmalarına, hiç gelmemelerine, hem bir an evvel gelip beni nerdeyse boğacak olan bu saaddetten kurtarmalarına dua ediyordum. O gece ilk defa Selma Hanımefendinin sade üslûp, sade zarafet, sade iyi seçilmiş elbise, en latif duruş ve çıldırtıcı bir yığın gülüş olmadığını, ayrıca bir vücudu bulunduğunu, bu vücudun birinci sınıf bir kadın vücudu olduğunu, bu gemi ile dünyanın en güzel seyahatleri yapılabileceğini görmüştüm. Hiçbir saray aynası onun sırtı kadar güzel olamazdı, kolları ay ışığında gümüş ırmaklar gibi akıyordu.

Belki de müstakbel damadımın karşımda yediği dayağın verdiği hafiflikle bu nadir saadeti birdenbire hatırlamıştım.

Topal İsmail'in gözümün önünde yediği dayak bir türlü aklımdan çıkmıyor, düşündükçe bir yığın yeni teferruatı hatırlıyordum. Her tokatı yiyişinde burnunu bir çekişi vardı ki, bütün ömrümce muhakkak hatırlayacaktım. O kadar çirkin burun ancak bu işe yarayabilirdi. Hayır, Selma Hanımın hâtırası ne kadar tatlı olursa olsun, benim tesadüfün hazırladığı bu nimetten hakkıyla istifadem lâzımdı. Ya Allah göstermesin, o anda kahvede bulunmasaydım hâlim ne olurdu? Ve kafasının kırıldığını, yahut öldürüldüğünü sadece gazetede okusaydım, yahut mahallede komşulardan biri şüphesiz içinden sevine sevine ve şöyle gürünüşte acıyormuş gibi bana söyleseydi, o zaman içimden oh olsun kerataya deyip geçecektim. Halbuki şimdi bu hâtıra, tıpkı Selma Hanımefendinin o gece beni saadetten neredeyse çıldırtacak olan iltifatları gibi içimde daima hazır bulunacaktı. İstediğim zaman ona dönecek, tekmenin indiği tarafı, yere kapanışını, yüzü kan içinde yerden kalkışını, tekrar yüzükoyun yere kapanmasını tatlı tatlı düşünecektim. Kapıdan çıkarken nasıl bana bakmıştı ah, kalb kalbe karşıdır, mendebur mahlûk, rezil adi herif... Belli ki dayak yediğinde bu kadar mustarip değildi. O zaten, dünyaya, tedip edilmek için gelmişti. Onu asıl yıkan bu dayağı benim karşımda yemesiydi. Ta ciğerinden zehirlenmişti. Mel'un kerata, hâline bakmazsın da kızıma göz koyarsın ha...

Bayezıt'a geldiğimiz zaman alışkanlık yüzünden evvelâ cebimi yokladım. Saatim bittabi yanımda yoktu. Satılalı sekiz ay olmuştu. Sonra meydanın saatlerine baktım. Biri üç buçukta durmuştu; öbürü belki dün gecenin on birinden rötarlı bir tren gibi bugünün akşamına yetişmeğe çalışıyordu... Bir söz söylemek için:

— Bu saatler de bir türlü doğru dürüst işlemezler... dedim.

Sonra müstakbel damadımın hâtırasını kafamdan bir yılan ölüsünü atar gibi kovduğum için memnun ve rahat ilâve ettim.

— Bilirsiniz ki, şehrin hiçbir saati birbirini tutmaz. İsterseniz Eminönü'ndekine, sonra da Karaköy'dekine bir bakalım...

Hiç kimse buna cevap vermedi. Herkes kendi düşüncesine dalmış gibiydi. Omuzlarımı silktim. Ne çıkardı! Zehra'yı o herife vermeyecektim ya... Gerisinin ehemmiyeti yoktu. Fakat Yârabbim, nasıl besleyecektim, nasıl bakacaktım.

Kederimi dağıtmak için yeniden Topal İsmail'e döndüm, olmadı; bu sefer Selma Hanımı düşünmek istedim, tutmadı. Şartlar ağır basıyordu. Eminönü'nde Doktor Ramiz'in sesini duydum.

– Sahi yahu, yirmi beş dakika fark var.

Karaköy'de, Halit Ayarcı:

– Burada da yarım saat ileriyiz! dedi.

Saatçi, zengin ve son derece kibarlık meraklısı bir Ermeniydi. Onu görüp de gömlekçisini, hele berberini beğenmemek kabil değildi. Ayakkabılarının cilâsına gelince, keratanın yatarken onları koynuna aldığı muhakkaktı. Halit Ayarcı'yı bir yığın Fransızca kelime ile karşıladı. Fakat o aldırmadı. Saatini çıkardı, bana dönerek:

– Lutfen Hayri Beyefendi, izah buyurun, dedi.

Agop Saatçiyan, evvelâ beni tepeden tırnağa kadar istihfaf ve merhametle süzdü, sonra, en enteresan yerimmiş gibi gözleri ayaklarıma dikildi kaldı. Belli ki, başka bir zamanda ve tek başıma gelseydim hiç tereddüt etmeden Allah versin diyecekti.

Belki bu yüzden en sert sesimle elimdeki saatin vazîyetini anlattım.

– Hem, dedim, üç defa hoyratça söküp bakmıssınız, bu saatler nazik aletlerdir, böyle tartaklanmağa gelmez, bakın şunun arkasına, bu fabrika işi değil, el işi... Sanki ustadan ustaya mektup, ama, belli ki, size yazılmamış..

Ve saatin iç kapağına hakkedilmiş resimleri gösterdim. Sonra yavaşça dudaklarımı büktüm.

– Zanaatkârın yerini tüccarın alması acınacak şeydir hakikaten! dedim.

Hey Nuri Efendi, aziz ustam, nur içinde yat. O dakikada adamcağızın beni dinlerkenki hâlini görmeliydin. Bu doğrudan doğruya senin zaferindi. Senin cümlelerinden birini dinledikten sonradır ki, Saatçiyan Efendi gözlerini ayakkabılarımdan ayırdı; daha doğrusu bu ayakkabıların tek başına oraya gelmediklerini, bir sahipleri bulunması lâzım geldiğini, o biçarenin de bir başı ve bu başta da bir çehrenin mevcut olabileceğini düşündü.

– Hayır, o ite kızımı vermem!

Yüzüme bakmayı hatırına getirmesine oldukça nazik bir tebessümle teşekkür ettikten sonra devam ettim:

– Galiba çıraklarınız saati tamir ederken şu taşı düşürmüş olacaklar... Şuna da bir baksanız...

Saatçi ellerini uğuştura uğuştura bir şeyler kekeledi. Fakat artık tahammülüm kalmamıştı.

– Siz, dedim, dediğimi yapın... Daha doğrusu dediklerimi... Evvelâ şu saati mıknatıstan kurtarın...

Sonra Halit Ayarcı'ya döndüm:

– Eskiden, dedim, bu cins işler, yalnız sermaye meselesi değildi. Sevenler ve işin içinde yetişenler yaparlardı!

Nuri Efendi kulağımın dibinde sanki bana: "Aferin oğlum!" diyordu.

Şüphesiz kafamdaki dertler olmasaydı, kendimi sonu gelmeyecek bir maceraya sürüklenmiş sanmasaydım ve evdekilerin akşam yiyecekleri beş on para olsaydı zavallı saatçiye bu muameleyi yapmazdım. Bir ara adamcağızın yüzüne baktım. Yaptığımdan utandım. Kendi kendime, "Hoş görsün! dedim. Benim gibi akşam ne yiyeceğini düşünmeğe mecbur değil ya..."

Yârabbim, kurulmuş, sağlam işlerin arkasına çekilince insan ne kadar rahat oluyor. Bütün dünyaya meydan okuyabiliyor. Saatçi o dakikada kendini toparladı. Saati elimize verip kovabilirdi de.

Dükkânda bir buçuk saat kaldık. Bu müddet zarfında saat tüccarına, Allah'ın inayeti ve ustamın ruhaniyeti sayesinde sıkı ve çok faydalı bir meslek dersi verdim. Bilhassa saatinin hareketini bozmayacak, tam denkleşmeyi kuracak taşın ağırlığı üzerinde o kadar hassas davranmıştım ki, adamın yüzü ter içinde kalmıştı.

Son olarak saatçiye, bir daha bu cins saatlerle meşgul olurken fazla yağ kullanmamasını tembih ettim:

– İmambayıldı yapmıyorsunuz! Saat işletiyorsunuz. Hem bu yağı da kullanmayın artık! Şimdi çok hafif kemik yağları var!

Bütün bunlar olup biterken Halit Ayarcı bir kere bile gözlerini benden ayırmamıştı. Biz çıkarken dükkân sahibi Fransızcasını tamamiyle unutmuşa benziyordu. Büyük bir iltifat olsun diye:

– Beyefendi, zatınız İsviçrelisinizdir? diye sordu. Yoksa orada tahsil ettiniz?

– O da nereden çıktı?

– Saatten anlıyorsunuz da...

Ben kısaca:

– Saatleri severim, dedim, hem çok severim.

Keşke bu adama bu kadar haşin davranmasaydım, belki beni çıraklığa kabul ederdi.

Mağazanın kapısı önünde Halit Beyle Doktor Ramiz kısa bir münakaşaya giriştiler. Geceyi nerede geçireceklerdi? Daha doğrusu nerede geçirecektik? Nihayet Halit Ayarcı:

– Boğaz'a gidiyoruz... diye kesip attı. Hayri Beyefendi bize şeref verirler. Beraber bir rakı içeriz değil mi beyefendi...

Ben içimden, "Varan dört... diye kaydettim. Bir saat içinde dört defa beyefendi olmuştum. Üstelik Topal İsmail karşımda dayak yemişti. Belki de bu yüzden kızımı hiçbir zaman almayacaktı. Sonra İstanbul'un en meşhur saatçisini bir buçuk saat gagalamıştım. Tam benim hayatımdı bu. Evdekiler açtı ve ben kendimin olsa bile fabrikasının adını bir türlü öğrenemeyeceğim bir otomobilde idim. Üstelik de Büyükdere'ye, rakı içmeğe gidiyordum.

Büyükdere'ye son defa Selma Hanımefendinin akrabasından bir hanımın cenazesi dolayısıyla gitmiştim. Ömrümde o günkü yorgunluğumu unutamam. Selma Hanımefendiye olan bağlılığım yüzünden hemen hemen merhumeyi tek başıma sırtımda taşımıştım. Neredeyse beraber gömülmeğe razı olacaktım. Aşk insana neler yaptırmaz?

O günden kalan en korkunç hâtıram, bütün yol boyunca ve merasim esnasında nasırına basılmış gibi sinirli, somurtkan duran Cemal Beyin gözlerimiz karşılaştıkça, hâlime için için güldüğünü fark etmemdi. Bu sonunda beni öyle rahatsız etti ki, bir iki defa açılan çukura, merhumeye refakat için kendi yerime onu fırlatmayı ve kaçıp gitmeyi düşündüm. "Bu işi yaptıktan sonra çıkar Hünkârtepe'de, serin rüzgârda "Gemilerde talim var!" türküsünü söylerim... Niçin başka türkü değil? Onu da bilmiyordum. Bittabi yapamadım. Üstelik dönüşte koluma girmek lutfunda bulunduğu için az çok kendisini de taşımış oldum.

– Niçin hep fakir ve biçare adamlar dayak yer? Meselâ bizim Cemal Beyi hiç kimse dövmez.

Son zamanda kendimle yüksek sesle konuşmayı âdet etmiştim. Doktor Ramiz :

– Yine mi o mesele? diye bana şakadan çıkıştı. Ne istersin adamcağızdan?..

Sonra Halit Ayarcı'ya döndü:

– Hayri Bey, bizim Cemal'i hiç sevmez, diye izah etti.

Ben, bütün sırlarım yakalandığı için yüzüm kıpkırmızı pencereden baktım.

– Hakkı var ya!.. dedi. Sonra bana döndü. Ben birkaç defa düşünmedim değil. Fakat sonundan korktum. Bir kere başlarsam bırakmam! diye düşündüm. Düşün bir kere o suratı insan tokatlamaya başlarsa!

Yan gözle ellerine baktım ve hakikaten bu işin olmadığına üzüldüm.

Vapurda beni yanından bir dakika ayırmamıştı. Ve hemen beş dakikada bir, "Çok yoruldunuz Hayri Bey. Bugünkü lutfunuzu hiç unutamam!" diyerek yorgunluğumu tazeledi. "Merhume acayip kadındı. Hani sizin halanızdan bir numara üstünü, falan gibi bir şey... Selma tabiî l. ; sevinezdi. O da bize düşman gibiydi. Ama, ne olsa akraba idi. Son bir hizmetten çekinemezdik. Sabahleyin ne yapacağ.m?" diye düşünüyordum. Selma'ya da söylemiştim. O, bana, "Üzülme, Hayri Bey gazetede okuyunca behemehal gelir" diyordu hep. Zaten ben de sizi düşünerek ilânı o kadar teferruatlı vermiştim. Doğrusu büyük zahmet ettiniz..."

Evet, böyle olmuştu. Bu işe gönüllü gitmiştim.

Cemal Bey, bana düpedüz, "Aptalsın! Tedavi edilmez şekilde aptalsın!" demiyordu. Sadece bu hikâyeyi on defa anlatarak beni, aptallığıma kendi içimden inandırıyordu. "Evet, Selma bu kadını sevmezdi. Çok kötülük görmüştü. Ama ne olsa size yine minnettardır."

Ve her ağzını açışında ayaklarımın altından toprak kayar gibi oluyordu. Ya o mezarın başında oturup, abdestsiz, gusülsüz, yanık yanık okuduğum aşir...

Halbuki ne hulyalar kurmuştum. Meselâ ertesi gün veya bir hafta sonra Selma Hanımefendi ile tekrar karşılaşınca bana en şirin tebessümlerinden biriyle bakacak, "Hayri Bey, diyecek, Hayri Bey, teyzeme karşı gösterdiğiniz bağlılığın hikâyesini Cemal'den dinledim. Beni ne kadar duygulandırdınız, bilemezsiniz! Dostluğunuza nasıl minnettarım! Fakat emindim Hayri Bey, sizin, benim en iyi dostum olduğunuza emindim!" Ve daha buna benzer ne güzel şeyler söyleyecekti ve ben o zaman şaşıracak, kekelemeğe başlayacak, hiçbir şey söyleyemediğim için ayaklarına kapanacaktım. Bu sefer Selma Hanımefendi, büsbütün tatlılaşan sesiyle: "Hayır, hayır, bunu yapmayın! Hayri Bey... diyecekti. Bunu yapmayın, ben hepsini biliyorum... Biçare, hislerinin arasında bunalmış kalmış, zavallı bir kadına bunu yapmayın!"

Ben bütün o yorgunluğuma, hayalimde hep bu yerli film sahnesi, –bittabi Selma Hanımefendi bizim artistler gibi burnundan konuşmayacaktı– tahammül etmiştim. Cemal Bey bu latif hulyayı beş dakikada bir kere yıkıyordu.

Bir ara, Halit Ayarcı'nın devam eden sesini duydum:

– Cemal'i biraz tanıyıp da öldürmek istememek kabil değildir. Ben daha Galatasaray'da iken birkaç defa bunu düşünmüştüm.

O günden sonra bir daha Büyükdere'nin adını bile anmamıştım. Rakı böyle değildi. Onunla ülfetim daha sıkı, daha derindi. Vâkıa istersem o vesilede Cemal Beyefendiyi hatırlıyabilirdim. Fakat bu benim değil, onun aleyhinde idi. Bir gün evinde sofra başında iken, kendisini ziyaret ettiğim için beni de oturtmuş, ikram etmişti. İlk yudumu ağzına alır almaz yüzünün öyle mendebur bir buruşması vardı ki, birdenbire iştiham kapanmıştı ve sırf kendisine rakı nasıl içilir göstermek için üst üste sekiz kadehi bile yuvarlamış, evden zilzurna çıkmıştım. Şimdi düşünüyorum da, acaba Cemal Beyle olan münasebetlerimizde tamamiyle haklı olan ben miydim? diyorum. Çünkü adamcağızın karısından başka hiç ve hiçbir hâlini beğenmediğim o kadar âşikârdı ki...

İkinci defa işsiz kalınca bir ara hakikaten rakıya düştüm. Bu yüzden Şehzadebaşı'ndan Edirnekapı'ya kadar, yol boyunca rastladığınız eşiğinden atlar atlamaz ekşimiş pilaki ve yanmış zeytinyağı kokusu ciğerinizi haşlayan meyhanelerin hepsine birkaç lira borcum vardı. Yarı yıkık evimizin arasına göz koyan ve bu yüzden bana oldukça geniş bir kredi sağlayan semt bakkalındaki hesabımı da her akşam yalvara yakara aldığım kırk beşlikler kabartmıştı. Bazen şişeyi eve götürmeğe cesaret edemez, hemen oracıkta, tezgâhın yanında çırağın arsızlıkları ve Yusuf Efendinin borcum ve evim hakkındaki imalı sözleri arasında yarılar, arkamdan söylenecekleri hiç düşünmeden ve hiçbir kimsenin bakışlarıyla da karşılaşmamağa çalışarak âdeta boşlukla konuşuyormuşum gibi, "Şunu bir kenara koy, yarın akşam uğrarım..." derdim.

Hulâsa, rakıyı da, Büyükdere'yi de tanıyordum. İkisinin de bende bir yığın hâtırası vardı. İkisinin yan yana gelmeleri de pek mümkündü. Elbette Büyükdere'de rakı içenler vardı. Fakat ben bu işe nereden gitmiştim? İşte değişiklik burada idi. Ben, rakı ve Büyükdere... Hayır olmadı. Büyükdere, rakı ve ben... Ne şekle soksam, bu iki saat evvel aklımın alacağı şey değildi. Üstelik buradaki ben, bugün dört defa "beyefendi" olmuştum.

Hayri Bey, Hayri Efendi, Hayri oğlum, falcı Hayri, saatçi Hayri, öksüz Hayri, şu büyücü Hayri, müsrif, ayyaş, esrarkeş Hayri, Pakize'nin kocası Hayri, baldızlarımın eniştesi Hayri... Şimdi bir de Hayri Beyefendi ortaya çıkmıştı.

– Hayri Beyefendi, bir cıgara... Lutfen.

– Teşekkür ederim beyefendi!

Böyle denmesi lâzım. Eskiden, altı yıl evvel de böyle derdim. Son zamanda belki bunu da unutmuştum. Deminden beri cıgarasızlıktan dudaklarımın kenarı ve içi, bütün diş etlerim yanıyordu. Sevincimden beşinci "beyefendi"yi az kaldı kaçıracaktım.

Otomobil, ok gibi, bu güzel, buğulu bahar akşamını âdeta israf ederek uçuyordu. Çemberlikuyu sırtlarında puslu havada, bir kat daha güzelleşen akşam, göz alabildiğine yeşillik arasında, taze otlar kadar yumuşak, kır çiçekleri gibi ince ve çekingen, şarap renginden altın rengine kadar giden perdelerle, bir şerit gibi uzanıyordu. Bu şeridin bir ucu sanki bizde imiş gibi onu ve etrafındaki akislerini toplaya toplaya gidiyorduk.

Büyükdere, rakı ve ben, ama Hayri Beyefendi olarak ben. Ayrıca otomobilin yetmiş kilometre sürati. Muhakkak tekrar çocukluğuma döndüm ve bir bayram yerindeyim!

– Pek dalgınsınız Hayri Beyefendi!

Bereket versin, Doktor Ramiz yanımda. O varken benim kendime ait işlerde söz söylememe lüzum yoktur. Şimdi de o cevap veriyor:

– Hayri Bey, daima böyledir!

Hayri Beyefendi, bizim Hayri, sizin Hayri, dalgın Hayri... Ne kadar çok Hayri var. N'olur birkaçını yolda eksek. Herkes gibi ben de bir tek insan, kendim olsam.

Otomobil yerlerinden söktüğü ağaçları tepemizden ata ata gidiyor. Her şeyde bir çocuk saçı yumuşaklığı var. Altı sene evvel bakımsızlıktan ölen küçük kızımın saçları da böyle yumuşaktı. Bari şu ihtiyarı çiğnemesek! Üstü başı benden perişan. Belli ki kendinde değil! Aferin şoföre, adama hiç dokunmadan geçti. Şimdi geçirdiği tehlikeyi anlayacak ve ürkecek. Bu gece belki de rüyasında onu görecek, kaybettiği sevgililerinden bu kazanın hâtırasıyla birdenbire ayrılacak. Fakat niçin hep Selma Hanımı ve Cemal Beyi düşünüyorum. Galiba bir otomobile bindiğim için olacak.

– Hayri Beyciğim, lutfen akşam üstü bize uğrar masınız? Selma sizi bekliyor. Evet saat altı, yedide...

Telefonda Cemal Beyin sesi, çişi gelmiş çocuklar gibi iki ayağının üstünde sallanıyor. Ben cevap veriyorum:

– Baş üstüne beyefendi...

Ve üstümü kirletir korkusuyla hemen telefonu kapatıyorum. Biliyorum, şimdi hiddetten sapsarıdır. Telefonu daima kendisi kapatmak ister.

Saat yediyi bekliyorum, altı buçukta kapının önündeyim. Hizmetçi kız yılışarak gülüyor. Dünyanın en kötü kolonyasını sürünmüş. Gözlerinde fena bir pırıltı var. Sanki holün ışığında çok derin bir karanlıktan bakıyor gibi. Eli âdeta ceketime asıldı. Niçin kızıyorum sanki? Aynı insanlara, hemen hemen aynı şekilde hizmet etmiyor muyuz? Bende hiç meslek tesanüdü yok mu? Hayır, kızmıyorum. Acele ediyorum.

Selma Hanımefendinin yatak odası indirilmiş perdeleri, abajurun büsbütün körlettiği ışığı ile bir deniz mağarasına benziyor. Yatak büyük bir sedef gibi alaca ışıkta kabarıyor. İçinde Selma Hanım var.

Acaba hasta mı? Kızım da hasta, küçük kızım. Hem on günden beri. Dün Doktor Ramiz uğramadı. Fakat bunun hastalığı başka türlü olmalı, çünkü ötekilerin hepsini bana unutturdu. Ne Ahmet'in göğsünü, ne Zehra'nın sinüzitini, ne karımın tiroit guddelerini, ne de en küçüğün hummasını düşünüyorum. Sandalyenin, şezlongun üzerinde bir yığın ipekli çamaşır var. Cemal Bey, bir sandalyenin üzerine atılmış robdöşambrıyla odada hazır.

– Geçmiş olsun efendim...

Şakaklarım atıyor. Bir şeyler daha bulup söylemem lâzım. Fakat ne söyleyebilirim? Küçük kızımın bu sabah ateşi otuz sekizdi, yüzü çok değişikti. Fakat Selma Hanıma bunlardan ne? Şimdi ben evimde olmalıydım. Amma burada olduğum için mesudum.

– Hayri Beyciğim, sizi yine rahatsız ettim. Fakat sizden başkası da bu işi yapamaz...

Yine çok güzel ve şirin. Yüzü çocukluğumun şekerci dükkânlarına, şimdiki çiçekçi vitrinlerine benziyor, ışık ve renk içinde.

Nuri Efendinin sesi içimde konuşuyor.

– Sabır, insan oğlunun tek kalesidir...

Ben bu kalenin içinden onu dinliyorum. Fakat duvarları bu odada çok ince.

– Bir hediye göndermemiz lâzım. Görüyorsunuz ben hastayım. Bu nezle yakamı hiç bırakmadı. Cemal gitmek istedi amma, onun da sabahleyin ateşi vardı biraz... Bir şey çıkar başımıza diye korktum...

Yumruk tam yerine isabet etti. Cemel Beye gösterilen bu alâka kadar beni hiçbir şey mesut edemez. Fakat kadın aklı bu. Ne yaparsın? Güzel olmak kâfi değil. O devam ediyor:

– Zaten bu gece başka yere sözlü... Artık iş size düştü... Şişli'de... Doğumevinde... Akrabadan bir hanım. Çok sevişiriz. Sizden başkasını bulamadık!

Hastalık muhakkak ki yakışıyor. Aksırma hiç güzel olur mu? Amma, elimden gelse alıp götüreceğim, yatağımın baş ucuna avize diye asacağım. Yatakta bir şeyler aranıyor: "Lutfen şuradan bir mendil..."

– Üşüyeceksiniz hanımefendi...

– Hayır... Oda sıcak!

Oda sıcak, fakat siz yine örtünün, kollarınızı, boynunuzu, göğsünüzü örtün. Yatakta örtüler altında şekliniz kaybolsun. Vücudunuzu gizleyin ki bu köpek sadakati bende devam etsin. Yoksa, yoksa... İyi ama niçin benden saklansın! Ben ona o kadar aşağılardan bakıyorum ki...

– Ben, hediyeyi almıştım. Orada sandalyenin üstünde. Ufak bir ricam daha var. Ayşe size Cemal'in elbiselerinden birini verecek. Bütün takımıyla. Anlıyorsunuz ya, zengin insanlar. Bizim de hediyemizi ailenin eski bir emektarıyla göndermemiz lâzım. Kim bilir ne kadar güzelleşeceksiniz!

Bir kahkaha daha. Bu kahkahayı da götürmeliyim. Fakat bunu nereye asarım? Kendisine uşaklık etmek kâfi değil. Etrafa evlerinde doğup büyüdüğümü, beşiklerini salladığımı da zannettirmem lâzım. Üstüm başım da temiz olmalı! Ve ayrıca üstümdeki elbise Cemal Beyin üstünde görünmüş olmalı! Ve görenler, "İyi bakıyorlar, doğrusu!" demeli. "Geçenlerde Cemal'in giydiği elbise değil miydi? Adam boylu poslu! Sonra efendiden adam. Bayağı kâmil bir hâli var."

– Darılmadınız değil mi Hayri Bey? Zaten biliyorum, siz beni seversiniz, bana darılmazsınız!

Demek, benim sevdiğimi biliyor. Bu sevinç bana yetişir. Yüzü tekrar yastığa gömüldü. Saçları dağıldı. Yatak, yumuşak, ince bir plaj kumu gibi bu yüzükoyun yatan kadın vücudunun şeklini alıyor. Örtüler dalganıyor. Şu paketi alıp kaçabilsem... Hayır, tekrar dönüyor, tekrar aynı cümbüşlü bakış, aynı gülümseme... Belli ki o anda kendisi için benden başka kimse yok. Belli ki yine bana bir hakaret hazırlıyor: "Ayşe, size para da verecek. Otomobille gider gelirsiniz!"

Ayşe hakikaten üç gün evvel Cemal Beyin sırtında gördüğüm kahverengi elbiseleri hazırlamış. Mutfağın yanındaki daracık yerde soyunuyorum. Ayşe kapının önünde. Ayşe kapıyı açıyor. Emine, çocuklarım, Pakize, hepsi burada... Niye böyle anlarda hepsi birden başıma üşüşürler? Yalnız Selma Hanım yok. O odasında yatağında bir kedi nazıyla dinleniyor. O girerse, onu unutmazsam bu iş olmaz. Halbuki ben ancak Ayşe gibi kadınlarda kısmetimi aramalıyım!

İkimizin boğazlarımızda bir yığın şey düğümleniyor, çözülüyor. Fakat Ayşe'nin kolları hiç de onunkine benzemiyor. İçimde bütün dünyayı ikrah ettirecek bir bulantı var. Hayır ben Ayşe'den hoşlanacak insan değilim. Selma Hanım da bana ancak bahşiş, eski elbise ve iş verebilir. Ben ikisinin ortasında, boşlukta sallanıyorum. Düşmemek için bir tarafa tutunmam lâzım. Fakat nasıl, ne suretle?

Kapıdan bir başka Hayri İrdal çıkıyor, iki kolunda iki paket. Birisini tütüncüye bırakırım, sonra geçerken alması kolay. Şişli'ye kadar gitsem bile sonra eve ne ile döneceğim? Tabiî tramvayla. Başka çaresi yok. Ayşe, benim gibi değil, peşin para ile çalışıyor. Ben de peşin para ile çalışıyorum. Maaşımı kaç defa peşin alıyorum. Evvelâ mutemetten, sonra dostlardan, sonra herkesten.

Demek bu paranın bana verilmesini istiyormuşum. O hâlde Ayşe'yi niçin beğenmiyorum? Ayşe, Pakize, Selma Hanımefendi. Emine artık görünmez! Ona artık lâyık değilim. İçimde sevilmeyen insan vücudunun cıvıklığının bulantısı hâlâ devam ediyor. Buna tenezzül etmemeliydim. Bu kadar güzel kadına, hem de hizmetçisiyle ihanet etmek... Ve Selma Hanımın, Cemal Beyin bu düşünceye yine kendi içimden fırlattığı kahkahalar, "Cemal'in de biraz ateşi var!"

Otomobil birdenbire durdu. Lokantanın vitrinlerinde barbunyalar, yolda gördüğümüz akşamdan toplanmış gibi kırmızı ile mavi arasında perde değiştiriyorlar.

– Buyrunuz beyefendi...

– Aman efendim, istirham ederim...

Taşlıkta bizi lokanta sahibi karşılıyor. Halit Ayarcı elini sıkıyor. Demek bu da âdet. Param olursa ben de yaparım. Fakat onun gibi yapmam imkânsız. O güveni ben kendimde bulabilir miyim hiç? Bu lokantaya giriş değil, bütün bir fütuhat! O zamanlar el sıkmak âdeti olsaydı, İskender Mısır'a, Dârâ Yunanistan'a girdikleri zaman muhakkak böyle yaparlardı. Adım attıkça lokanta genişliyor, geriliyor, uzanıyor. Sade öyle mi ya? Bir taraftan da toparlanıyor, ona doğru âdeta koşuyor. Bütün müşterilerin gözü bizde. Kenarda güzelce bir kadının başı önündeki tabağa gömüldü. Keşke yeni ahbabımızın yüzüne vaktinde bakabilseydim. Biraz geç kaldım. Artık tanıyıp tanımadığımı öğrenemem. Ama sırtını deniz tarafına çevirmesinin sebebini biliyorum; kadının rahatını bozmak istemiyor. Beni karşısına aldı. Kadının başı tabaktan çıktı. Fakat eski neşesi yok.

Dışarda deniz var, gece var. Garip, sessizliği insanın içine yerleşen, bir rüya balığı gibi insanın içinde masmavi kımıldanan gece.

– Mehtap biraz sonra tam karşıdan çıkacak...

Halit Bey düğün gecesinde tabanca sıkar gibi emirler veriyor:

– Rakı... Yani Kulüp rakısı. Amma öbürlerinden, hani şu benim getirttiklerimden!

Demek Kulüp rakısının başka cinsi de var. Niçin olmasın? Her şey sınıf sınıf. Kadınlar da öyle değil mi? Selma Hanımefendi, Nevzat Hanım, Pakize, sonra Pakize'nin kardeşi olduğu hâlde meselâ büyük baldızım... Hepsi ayrı cinsten. Daha niceleri var. Kâinat lâhana gibi, yaprak yaprak, kat kat.

Lokantacı listeyi uzatıyor. Halit Bey bana dönüyor:

— Buyurun mezeleri seçin!

Birdenbire kendime geliyorum.

— Siz burayı daha iyi tanırsınız. Ben hazretin yalnız bir midye dolmasını bilirim. O da Balıkpazarı'nda satıcı iken...

Devam etmek istemiyorum. "Ben fakir adamım. Siz getirmeseydiniz, ancak kapısının önünden geçebilirdim. Belki adlarını bile bilmem. Ben Hayri İrdalım. Beş yıl evvel ölen en küçük kızının cenazesi bekçi kucağında kalkan adam. Sizin anlayacağınız, biçarenin biri. Büyüğünü de yarın Topal İsmail'e nikâhlayacağım. Hani kahvede, huzur-ı âlinizde dayak yemek küstahlığını gösteren o mendebura..."

Fakat neye yarar? Bu kadar güzel başlayan geceyi niye bozmalı? Felek bu gece beni Hayri Beyefendi yaptı. Onun tadını çıkaralım.

Bir ayağımı öbürünün üstüne atıyorum ve etrafa kayıtsız kayıtsız bakıyorum. Belki de ben, kendim öyle yaptığımı sanıyorum. Belki de yüzüm karmakarışıktır. Çünkü siz de anladınız ya, o zamanlar ben bütün hayatını sırtında bir kambur gibi gezdiren o biçare insanlardandım.

Lokantacı yanı başımızdan ayrılmıyor. Yârabbim, Halit Ayarcı'ya ne kadar şefkatle, sevgiyle bakıyor. Sevinç adamcağızın iki yanına âdeta Cebrail kanatları takmış. Gözleri ona her iliştikçe, neredeyse elindeki meze tabaklarıyla pencereden dışarıya, denize, göklere doğru uçacak, belki bütün lokantayı beraberinde götürecek. Yok, şüphesiz fazla ileriye gitmeyecek, Ayasofya'nın kubbesindeki melekler gibi oraya, pencerenin dışında cama yapışıp kalacak. Oradan Halit Ayarcı'ya: "Ah, ciğerlerimin kanı, ve gözlerimin nuru..." diye her an seslenecek.

— Uzat doktor kadehini! Siz de beyefendi lutfen...

Bu işleri ne kadar iyi biliyor. Sesi ne rahat emir veriyor. Acaba aktörlüğü var mı? Hayır bu aktörlük değil, başka şey. Hayatı benimsemiş! Hiç mağlup olmamış.

– Biraz buz? Biraz daha... Şimdi ilk kadehleri biraz acele içeriz... Sonra yavaşlarız... Böylece istediğimiz zamana kadar eğleniriz.

Belli ki bu masa bizim bakkalın tezgâhının arkasına hiç benzemiyor. Burada rakı için geniş zaman ayrılıyor. Rakı kadehimde mermer bir saray birdenbire çökmüş gibi değişti, tortulandı. İkinci günde ışık böyle yaratılmış olmalı. Sonra ilk yudumun zevki. Dilimle damağıma hafif dokunuyorum, çok ince bir sakız lezzeti var. Hayır, bu benim kırk beşlik değil. İkinci yudum, üçüncü yudum. Kafamın içinde bir şey, kapak gibi ağır bir şey döndü. Bütün vücudumda tanımadığım bir sıcaklık var. Kulaklarım hamamda imişim gibi çınlıyor. Dördüncü yudum: Kadeh boşaldı. Bu kadar da acele doğru mu ya? Biraz daha tadını çıkarmak lâzım değil mi? Bu gece yediğim, içtiğim, gördüğüm şeyleri nasıl olsa bir daha görecek, içecek, yiyecek değilim!

Halit Ayarcı kadehimi dolduruyor. Ah, herkes saatini onun kadar sevse ve hepsi de Doktor Ramiz'in dostu olsa... Buz rakıyı damar damar yaptı.

– Bir şey almıyorsunuz Hayri Beyefendi...

Artık sayamayacağım. Vazgeçtim. Hayır, teşekkür ederim. Benim âdetim böyledir, hepsi önümde olunca karnım birdenbire doyar. Doktor Ramiz hiç bana benzemiyor. Şehzadebaşı'ndaki küçük meyhanelere beni davet ettiği zaman verdiği bitmez tükenmez perhiz nasihatlerini birdenbire unutmuş gibi yiyor. Tabaklar önünden resmigeçit yapıyor. Ben sanki içinde büyük bir buz parçası eriyen büyük bir kadehin arkasından onu seyrediyorum.

– Psikanaliz, devrimizin en mühim keşfidir.

Halit Ayarcı'nın sesi birdenbire diken diken oldu.

– Bırak doktor şu psikanalizi... Allah belâsını versin! Biz şimdi rakı içiyoruz.

Doktor Ramiz derhal psikanalizi bırakıyor ve hemen onun yerini istakozu alıyor. Doğrusunu isterseniz, on senedir, onunla beraber olduğumuz zamanlarda benim de yapmak istediğim hep bu idi. Fakat beni davet ettiği meyhanelerde, masanın üstünde psikanalizden başka ağza konacak doğru dürüst bir şey bulunmazdı.

– Bizim Saatçiyan'a adamakkıllı ders verdiniz bugün...

– Belki biraz fazla oldu. Mamafih hak etmişti...

– Doğru, hak etmişti... Hem fazlasıyla!

Halit Ayarcı tekrar beni satın almağa karar vermiş gibi rahat rahat gözlerini yüzüme dikti:

– Saatçiliği nerede öğrendiniz Hayri Bey?

– Gençliğimde, çocuk denecek bir yaşta Muvakkit Nuri Efendi adında bir zatla tanıştım. Babamın dostuydu...

Sözümü bitiremedim. Lokantaya en aşağı on kişilik bir kafile girdi. Herkesin başı onlara çevrildi. En önde yürüyen iriyarı, kalantor bir adam –şu gazetelerde günaşırı resimleri çıkanlardan biri olacaktı muhakkak– uzaktan Halit Ayarcı'ya eliyle bir selâm verdi. O yarı ayağa kalkarak son derecede haysiyetli bir tavırla selâmını aldı. Masalar çekildi, sandalyeler oynatıldı. Garsonlar salonun içinde, bilardo masasında bileler gibi koşuşuyorlardı. Sonra kalantor adam yanımıza geldi. Kafilenin öbür kısmı, hazırlanan masanın etrafında, bir gözleri bizim masaya doğru yürüyen adamda, öbür gözleri biraz sonra aynı adamın kendi aralarında oturacağı sandalyede, hepsi birden bu uğurda şaşı olmağa dünden razı, ayakta, sözde büyük bir rahatlık içinde birbirleriyle konuşarak, şakalaşarak onu bekliyorlardı.

Yeni gelen, bir elini omuzuna koymak suretiyle Halit Ayarcı'ya ayağa kalkmak fırsatını vermeden iltifat etti:

– E, ne var ne yok bakalım, Halit Bey?

Ses diye işte buna derlerdi. Bu Halit Ayarcı'nınkinin de üstünde, daha marifetli, daha kudretli, yüzlerce mâna ile zengin bir şeydi. Hem iltifat ediyor, hem geriye alıyor, kucaklıyor, itiyor, üstüne çıkıyor, yan yana, kol kola yürüyordu. Hepsini bir anda, hep beraber ve üç dört kelime ile yapıyordu. O dakika hepimiz anladık ki Halit Ayarcı mühim adamdır; fakat ona iltifat eden daha çok mühimdir ve o, çok mühim adam olduğu için Halit Ayarcı birkaç yüz daha mühimdir. Bu konuşma değil, ardı arası gelmeyen bir çarpı ameliyesiydi.

– Sağlığınız efendim...

– Kim bu arkadaşlar?..

Yeni gelen adam bir el işaretiyle bizi yeni baştan yarattı. Doktor Ramiz'le ben Tevrat'ın yeni yaratılmış adamı gibi, o anda duyduğumuz sevinç, hayranlık ve mahcubiyetle giyindik, örtündük. Fakat Halit Ayarcı şaşırmıyordu. Evvelâ Doktor Ramiz'i tanıştırdı. Sonra beni takdim etti.

– Aziz dostlarımdan Hayri İrdal Bey... Memleketimizin en tanımış saat üstadı. Misli bulunmaz bir adam...

Bu takdim şeklinden bir daha anladım ki Halit Ayarcı mazi ve istikbalini hâlin arasından gören zattır. Beni kırk yıllık dostu gibi tanıtıyordu. Kalantor zat benimle teşerrüf ettiği için son derece mesuttu. Birdenbire yüzünde bir çocuk tebessümü belirdi. Belli ki bu saadeti bana birkaç kelime ile anlatacaktı. Fakat birdenbire masanın üstündeki barbunyalar dikkatini çekti. Ben biraz daha bekleyebilirdim. Fakat barbunyalar bekleyemezdi. Onlar beklerlerse soğurlardı. Soğuk barbunya ise hiçbir işe yaramazdı. Halit Ayarcı'nın omuzundan çektiği eliyle bir tanesini aldı ve hep aynı mesut çocuk tebessümüyle ağzına götürdü. Fakat beni unutmadı, unutmamıştı ve unutmayacaktı da. Bunu göstermek için serbest olan sol elini benim omuzuma koydu ve hep aynı tebessümle yüzüme baktı. Beni sevmişti. Ben bu teveccühün, iltifatın altında üç santim kadar döşeme tahtasına gömüldüm. O, hep aynı muhabbetle yüzüme bakıyordu. Konuşmağa lüzum yoktu, anlaşıyorduk. Beni sevmişti. Ben de onu sevmiştim. Bu emniyetle sağ eli bir kadın saçı okşar gibi masaya uzandı. Tekrar bir barbunya döşeme tahtasına şöyle kayıtsızca atılan bir kılçık oldu. Bu ameliye iki üç dafa tekrarlandı. Çatala lüzum yoktu. Çatal fazla külfetti. O samimî adamdı. Bana bakışlarından bu samimiliği okunuyordu. Niçin aynı samimiliği barbunyalara göstermeyecek, araya bir vasıta koyacaktı. Hem çatal yemek yemek içindi, böyle çerezler için değil!

Beşinci barbunyadan sonra evvelkinden yüz defa daha anlayışla gözlerimin içine baktı ve barbunyaları ben yaratmışım, ben tutmuşum, ben pişirmişim gibi hep bana bakarak:

— Nefis... dedi, çok nefis... Güzel pişmiş. Zaten mevsimi!..

Bütün ağırlığiyle omuzuma basarak son emirlerini verdi:

— Aman yiyin! Tam zamanıdır barbunyanın...

Sonra beni bıraktı. Doğrudan doğruya masaya döndü. Ve artık bana bir daha bakmadı. Barbunyada ana baba bir kardeş olmuştuk. Gerisine ne lüzum vardı? Birdenbire buzlu badem tabağı dikkatini çekti. Şüphesiz bu yeni icat edilmiş bir nesne olacaktı. Bir taraftan onu tadıyor, diğer taraftan Halit Beyle konuşuyordu. Tuhaf bir konuşmaydı bu. Söyleneni dinlemiyor, badem denen nesne ile meşgul olduğu için kendisi de konuşmuyor; fakat büsbütün boş durmak da hoşuna gitmediği için karşısındakinin bir şeyler söylemesini istiyordu. Bir ara Halit Bey kendisine:

— Bugünlerde sizi taciz edeceğim galiba... dedi.

O kısaca cevap verdi:

— Muhakkak, hem yarın! Öğle yemeğinde. Buraya gelin.

Sonra omuzumdan istemeye istemeye elini çekti. Fakat bu ihaneti yaptığı için tatlı bir bakışla gönlümü almayı da ihmal etmedi. Ve hep aynı sevimli, dost, babacan, her zaman için emrinize hazır ve her zaman için sizden çok farklı, tebessümlerinin, gözlüklerinin pırıltısıyla bizi ihya ederek çekilip gitti.

Biz tekrak yerimize oturduk. Doktor Ramiz'in yüzü sevinçten kıpkırmızıydı. Ben, en aşağı dördüncü kat gökte Hazreti İsa ile sarmaş dolaştım. Niçin olmasın? Bu samimiliğe, bu iltifata taş olsam yine dayanamazdım. Bir ara sol omuzuma baktım. Mektep kitaplarındaki Asur tanrılarının omuzları gibi nur içinde bakıyordu. Ben, Hayri İrdal, bu biçare hayat artığı, bu iltifata mazhar olayım! Bu akıl alacak şey değildi. Rabbim, ne büyüksün sen!

Yalnız bir kişi, Halit Ayarcı oralarda değildi. Yerine oturur oturmaz, "Hadise kapanmıştır" der gibi bir sesle bana:

— Evet... dedi.

Galiba onun gelişiyle kesilen sözüme devam etmemi istiyordu.

Fakat ben ne istediğini anlayacak hâlde değildim. Hele Nuri Efendiden çok uzaktaydım.

Ramiz Bey hemen hemen Halit Beyin evetiyle aynı zamanda:

– Hakikaten büyük adam... diye atıldı. Ne babacan, ne asil hâlleri var. Böyle olduğunu hiç bilmezdim.

– Her zaman böyle midir? diye Halit Ayarcı'ya sordum.

O dalgın dalgın cevap verdi:

– Evet, dedi. Her zaman böyledir. Her zaman iştahlı ve dost.

Sonra omuzlarını silkti ve beni çok muazzep eden hafif bir gülümseme ile –çünkü hakikaten bu büyük adama gerçekten ısınmıştım, bağlanmıştım, lehimlenmiştim, kaynamıştım, ne derseniz deyiniz, ve Halit Ayarcı'nın onu küçümsemesine, beğenmemesine içerliyordum, şurası da var ki rahmetli velinimeti daha pek o kadar tanımıyordum– sözüne devam etti:

– Tabiî iktidarda olmadığı zamanlar... İş başında iken az çok değişir. İştahından bahsetmiyorum. O daimî ve edebîdir. Fakat bu şahsa ait bir hâl değildir. Haleflerinde, seleflerinde, hulâsa bütün ailede, hepsinde vardır. İltifatını, dostluğunu kastediyorum. Zaten iktidarda iken görmek pek az nasip olur. O zamanlar daha ziyade gazetelerde resimlerini görürüz, düştükleri zaman da kendilerini...

Cebinden çıkardığı bir akşam gazetesini açarak ilk sahifedeki bir resme işaret etti:

– Yerine gelen adam... Bir ay evvel onunla burada karşılaşmış, ikimiz de yalnız olduğumuz için saatlerce baş başa konuşmuştuk. O zaman da cebimdeki gazetede bunun resmi vardı. Garip değil mi?..

Ben ağzım hayretten bir karış açık, dinliyordum.

– Fakat öyle düşmüşe müşmüşe pek benzemiyor, dedim.

– Benzemez... Çünkü kudreti benimsemiştir. Daha doğrusu kudret denen şey onu benimsemiştir. Âdeta beraberlerinde gezer.

Gözlerim önündeki fotoğrafta:

– Garip şey, dedim. Birbirlerine de benziyorlar.

Hayretimden kekeliyordum.

– Evet, benzerler. O benzeyen şey yok mu, işte o hüviyetlerine sinen iktidardır. Dedim ya, bu bir hulûl hâdisedir, ben sende ve sen bende...

Ve eliyle, "Anlatılması güç!" der gibi bir işaret yaptı.

Doktor Ramiz bu sözleri işitmekten âdeta mustarip, gözleri hep devletlinin masasında, Halit Beye çıkıştı:

– Ama, çok efendi adam, hakikaten üstünden büyüklük akıyor.

Halit Ayarcı omuzunu silkti. Kadehini kaldırdı:

– İçelim!..

– İçelim!..

Ve içtik. Devletlinin eli omuzuma ve bakışı gözlerime değdiği andan itibaren bende garip bir değişiklik olmuştu. Birdenbire iştiham artmış, bütün vücudumu bir rahatlık hissi, bir nevi saadet ve ferahlık kaplamıştı. Durmadan içiyor, yiyor, gülüyor, konuşuyordum. Alkol bütün hafiflik kapılarını açmıştı. Her kadehte, her yudumda beni boğacağını sandığım sıkıntılar, fecir vakti cami avlularındaki ağaçlardan kalkan karga sürüleri gibi üzerimden kalkıyor, bir daha dönmemek üzere çok uzaklara uçuyorlardı.

Bu hafiflik, bu boşalma ve doluş, –çünkü giden sıkıntılarımın yerine garip bir sevinç, bir iç rahatı, bir güvenme geliyordu– şüphesiz ondan, onun omuzumu çökerten ağır ve heybetli elinden, gözlerime akan mıknatıslı bakışlarındandı.

Bu anlaşılamayacak bir şeydi. Çocukluğumda beni birçok türbelere götürmüşler, bir yığın nefesi keskin zatlara okutmuşlardı. Eyüpsultan'dan tâ Yuşâ tepesine, Kısıklı'daki Selâmiefendi'ye kadar, Fatih, Aksaray, Hırkaişerif, Edirnekapı, Ayvansaray yolu, Topkapı, Yedikule, Kocamustafapaşa, Türbe, Sirkeci, Eminönü taraflarına, hulâsa bütün İstanbul'da, surların içinde ve dışında, hemen her semtte mevcut evliya ve keramet sahibi zatların yattıkları yeri tanır, zaman zaman ziyaret eder, dua eder, yalvarır, mezarlarından taş alır, parmaklıklarına hiçbir şey bulmazsam ceketimin astarını yırtarak bağlardım. Hiçbirisi bana bu tesiri yapmamıştı.

Hepsinden biraz yeisli, biraz daha üzgün, içim daha kapalı dönerdim. Ne Bukağılı Dede, ne Elekçi Baba, ne Uryan Dede, ne Tezveren Sultan, hiçbiri, hattâ ayazmaların serinliğinde yatan, yahut Heybeliada'nın, Büyükada'nın, Kınalı'nın en yüksek tepelerinde, rüzgârda köpüre köpüre uyuyan Hıristiyan evliyaları da dahil, hiçbiri derdime çare bulamamışlar, üzerimdeki maişet sıkıntısını bir pârmak kaldırmamışlardı.

Kaldı ki bu mübareklerin hepsi dünya işlerinden uzak, bizzat kendileri, ruhumuzu ve nefsimizi terbiye edeceğiz diye benimkinden beter sıkıntılar içinde yaşamış mala, menale kıymet vermemiş, ellerine geçeni de şuna buna dağıtmış insanlardı.

Seyit Lûtfullah harap bir medresede oturuyor, ben hiç yanında görmediğim hâlde, ondan destur aldığı söylenen Yılanlı Dede, Çukurbostan'da bir mahzende yaşıyor, Karpuz Hoca Sütlüce'de yıkık bir evde, Yekçeşim Ali Efendi Edirnekapı mezarlıklarında vakit geçiriyorlardı. Altıparmak'taki Şeyh Mustafa Hazretleri, Deli Hafız, Şeyh Viranî hepsi bu çeşit insanlardı. Ben, sabah akşam, giyebileceğim şöyle temizce bir gömlek bulamıyorum diye yanıp yakılırken, kısmetimin açılmasını himmetinden beklediğim Gömleksiz Dede, kendisine hediye edilen gömlekleri sokak ortasında cayır cayır yırtıp atmakla meşguldü.

Böylesi zevatın, daha ziyade maddî meselelerde, dünya işlerinden gelen sıkıntılarıma çare bulamayacakları besbelli bir şeydi. Nitekim ölüleri yüzüme bile bakmıyor, dirileri yalnız sabır ve kanaat dersi veriyorlardı.

Bunların arasında komşumuz sayılan Yedigelin Emine Hanım, üç sene peşinden koştuktan ve o kadar yalvardıktan sonra, elimdeki piyango biletini şöyle mübarek eliyle bir tutmuş, "Haydi, demişti, çok yalvardın, kalbim mahzun oldu. Dua ettim. Paranı geriye alacaksın! Amma bir daha böyle şey istemem. Beni günaha sokma!"

Peki amma, benim gibi bir biçareye beş on kuruş para temin etmek neden günah olsun? Bunu bir türlü anlıyamadım.

Yedigelin Emine Hanıma o kadar yalvardım, ayaklarına kapandım. "Şunu biraz arttır, ya mübarek! dedim. Hiç olmazsa on senedir bu münasebetsiz icada verdiklerimi geriye alayım!" Mümkün mü? "Haydi o kabil değil, bu sene içinde verdiklerimi geriye versin! O da beş on kuruş eder. N'olur, yapma, etme!.." Hayır, taşım da taşım. Evliya inadı bu, kabil değil. Mahzun mahzun döndüm. Bütün ay, "Belki mahsustan böyle söyledi. Bu kadar yalvardıktan sonra muhakkak bir şeyler çıkarır!" diye bekledim. Fakat nafile, mübarek kadın sözünü tuttu. Eski zamanların cülus atiyeleri gibi sağı solu ihya eden, servete batıran mükâfatlar, ikramiyeler arasında benim liram, kupkuru ve tek başına, kıra salınmış uyuz keçi gibi salına salına döndü.

Devletli hiç de bu cinsten, yani nefis, ruh terbiyesi diye kendini azaba sokacak, kısmetini köreltecek, ebedî saadetler uğrunda dünya nimetlerini tepecek insanlardan değildi. Bilâkis hoşuna gideni kapan, alan, yiyen, öğüten ve bunları yaptıktan sonra da gerisini arayan, bulamayınca canı sıkılan takımdandı. Ömründe hiçbir riyazet yapmadığı, en çetin hastalıkları bile perhizsiz yendiği aşikârdı. Masamıza bakışı, iltifat tarzı, barbunyaları derhal görmesi, benim tabağımda, çatalımda takılı duran midye tavasını bile lahzada fark edişi, kısmet ve nimet tarlalarının üzerinde nasıl şahinler gibi süzüldüğünü kendi malını velev âharın elinde olsa dahi nasıl seçip aldığını iyice gösteriyordu. Hayır, o başka çeliktendi. Bu iş için yaratılmıştı. Düşünün bir kere, koskoca Büyükdere'de, bu lokantada, kahve köşelerinde yarı aç, yarı tok ömrünü geçiren Hayri İrdal'ın tabağındaki tek midyeyi bile, yemeğe kıyamadığı, tam lezzetine varmak için önünde tuttuğu tek midyeyi bile hoşuna gidince almakta tereddüt etmiyordu. Ve o böyle yaptığı için de Hayri İrdal dünyalar kadar mesuttu, yıllardan beri kendisini tanıyan dostu Doktor Ramiz ona bu yüzden âdeta gıpta ile bakıyor, âdeta onu kıskanıyordu.

Elbette böyle bir adamla karşılaşma, göz göze gelme bir uğur, bir saadetti. Elbette insana bu yüzden birtakım iyilikler gelecekti. Nitekim öyle oldu. O geceden sonra, hattâ o gece içinde hemen hemen hayatımın mahreki ve mânası değişti.

Bu evvelâ üzerimden bahsettiğim ağırlığın kalkmasıyla başladı. Sonra yavaş yavaş mantığım değişti. Hattâ dünyaya bakışım, eşyayı görüşüm, insanları anlayışım değişti. Vâkıa bunlar bir günde olmadı. Hattâ çok güçlükle ve adım adım oldu. Hattâ çok defa bana rağmen oldu. Fakat oldu.

Halit Ayarcı o gece benden bütün hayatımı öğrendi. Ona Nuri Efendiyi, Seyyit Lûtfullah'ı, Abdüsselâm Beyi, Ferhat Beyi, Aristidi Efendiyi, Naşit Beyi, Andronikos Kayser'in definesi ve cıvadan altın yapmanın en kolay usulünün ilm-i havâs sayesinde bir huddam tedarikiyle olabileceği üzerinde az çok ısrarla durarak anlattım. Talihimin bu küşayişi anında hâlâ omuzumda devletlinin elinin ağırlığını hissediyordum, belki bu mühim ve zengin zata bu defineyi bulma ve kâinatın gizli kuvvetlerine tasarruf etme ihtirasını aşılarım ümidiyle bütün talâkatimi sarf ettim. Hattâ o zamana kadar hiç kimsenin bilmediği bazı izahat bile verdim.

– Yirmi yedi altın direkli çadır, içlerindeki bütün eşya altın veya gümüşten, ve hep mücevher ve inci kakmalı. Ayrıca sandık sandık mücevherat, altın ve gümüş evanî, kadın hulliyatı, yüzükler, çelenkler, mâşallahlar...

Halit Ayarcı gülerek:

– Olmaz, dedi, Bizanslılarda mâşallah yoktur. O bizlere mahsustur...

Burasını düşünmeliydim. Gâvur kısmının mâşallah denecek nesi olabilirdi? Mâşallah kelimesi elbette bizim olacaktı, bize lâyık bir şeydi.

– Evet, amma, tabiî onlar da nazar değmesin, kem gözden korusun diye bir şeyler takınıyorlardı. Hıristiyan devletlerinde verilmesi âdet olan ve sonraları bize de geçen nişanların hakikatte okunmuş, üflenmiş tılsımlar olduğunu Seyyit Lûtfullah'tan işitmiştim. Ben onları kastediyorum...

Fakat Halit Ayarcı, Seyyit Lûtfullah'ı tutmuyordu. O daha ziyade Nuri Efendi üzerinde çalışıyordu. Hattâ rahmetli üstadımın takvimlerine, ara sıra çıkarttığı zayiçelere, yazma kitaplarda bulduğu simya reçetelerine de pek kulak asmıyordu. Yalnız saatçiliğiyle meşguldü.

Çaresiz ben de sözü o tarafa döktüm. Onun yukarıda bahsettiğim sözlerini hâfızamda kaldığı kadar naklettim. Halit Bey hemen her cümlemin arkasından:

– Olur şey değil... diyordu. Böyle bir adam, aramızda bulunsun... Monşer, bu tam filozof, hem de muhtaç olduğumuz filozof... Zaman felsefesi... Anladınız mı? Zaman, yani çalışma felsefesi... Siz de filozofsunuz Hayri Bey, hem hakikî bir filozofsunuz! diyordu.

Fakat ben onu dinlemiyordum. Ayağa kalkarak elimle işaret ede ede:

– Orada, dedim, görmüyor musunuz? Devletlinin masasında, tabaklar, filân hepsi oynuyor. Mazallah...

Filhakika masadaki yemek tabaklarının bir kısmı lodos fırtınasına tutulmuş gibi sallanıyorlardı. İşin garibi masa başındakiler bundan korkacakları, kaçacakları, salâvat getirecekleri yerde kahkahadan kırılıyorlardı. Sanki hepsini cin tutmuştu. İşin fenası benim bu sözlerim üzerine kahkahaların ve onlarla beraber tabakların sallanmasının artmasıydı. Şimdi hepsi bana bakarak gülüyorlardı.

Halit Ayarcı beni teskin etti:

– Aldırmayın, dedi. Bizim Faik'in huyudur. Gittiği yerlerden hokkabazlık eşyası getirir. Salon eğlencelerine meraklıdır.

– Hayır, hayır, dedim. Beni kandırıyorsunuz. Ben sarhoşum, demin de denizin dibinde Andronikos Kayser'in hazinelerini gördüm. Bana bir şey oldu. Bırakın evime gideyim...

Hakikaten evime gitmek istiyordum artık. Benim olmayan bu hayattan, bu eğlencelerden yorulmuştum. Evime, bana ve benim olan şeylerin arasına, ıstıraplarıma, yoksulluğuma dönmek istiyordum.

– Gitmesine, nasıl olsa hep beraber gideceğiz. Sarhoşluğunuza gelince, gördünüz ki değilsiniz. Hem hiç değilsiniz... Olsanız da açılırsınız. Böyle gece hiç bırakılır mı? Şimdi oturun da bana şu ustadan ustaya mektubu anlatın... Fakat daha evvel içelim...

Doktor Ramiz bir aksiseda gibi tekrarladı:

– Evet içelim...

Tekrar içtik. Fakat ben artık tedirgindim. Bununla beraber Halit

Ayarcı'nın merakını elimden geldiği kadar gidermeğe çalıştım.

– Eski saatler el işiydiler. Yapanlar da maden işçiliğinden anlıyorlardı. Hulâsa büyük mânada kuyumcuydular. Bu itibarla yaptıkları saatleri çok güzel eserlerle süslerlerdi. Çizgiler, oymalar, filânla... Ve bunların en güzel, en ehemmiyetlileri saatlerin iç kapaklarının iç tarafında yani çok defa, ancak saatçilerin açtıkları yerlerde olurdu. Rahmetli Nuri Efendi onun için bunlara ustadan ustaya mektup derdi. Meselâ sizin saatin iç kapağının altındaki gibi. Hani o tulgalı kadınla, onun elini omuzuna koyduğu acayip, insan azmanı herif... Bu saatin bir eşini Nuri Efendide görmüştüm.

Halit Ayarcı izah etti:

– Atena ile Herkül'den bahsediyorsunuz...

Sonra bahse döndü:

– Öyle ya, ancak saatçi görür onları. Halit Bey tekrar kadehe sarıldı:

– İçelim, diyordu. Bilhassa Hayri Bey siz için. Amma böyle asık çehre ile değil. İşsiz olmak, birtakım meseleler içinde bulunmak bizi eğlenmekten alıkoymamalı.

– Keşke ben de sizin gibi düşünebilseydim...

– Bir gün gelir, düşünürsünüz. Fakat evvelâ vaziyetinizi anlatınız. İşlerinizi şöyle beraberce gözden geçirelim.

Ona evimi, karımı, baldızlarımı, Ahmet'i, Zehra'yı anlattım. Doktor Ramiz'in arada sırada bazı mütalâalarla haşiyelediği hikâyemi sonuna kadar dinledi. Sonra yüzüme dik dik bakarak:

– Dünyanın en tabiî vaziyeti... dedi. Evvelâ parasızsınız. Sonra da evlendirilmesi lâzım üç genç kadın var evinizde... Bir de umumî sıhhat bozukça. Hepsi aynı yere çıkar, yani sadece para meselesi.

Kelimeler değiştirilince işler ne kadar kolaylaşıyordu. Para, üç izdivaç, biraz bolca yiyip içme... Hemen arkasından, bir iki kanun teklifi ile meseleyi hallederiz, demesini bekledim.

– Fakat, dedim. Topal İsmail'e kızımı ben nasıl veririm?

– Elbette vermeyeceksiniz. Kızınız anlattığınıza göre zarif ve güzel bir çocuk... Elbette vermezsiniz.

Tekrar aynı çıkmaza girdiğimi hissettim.

– Vermem de ne yaparım?

– Akranını bulursunuz... O kendiliğinden gelir.

– Sonra, öbürleri, baldızlarım. Hele büyüğü, şu musıkî meraklısı... Kim alır!

Halit Ayarcı bir müddet düşündü:

– Anlattığınıza göre durup dururken kimsenin alacağı cinsten değil. Fakat bilinmez. Meselâ, radyoda büyükçe bir şöhret... Herhangi bir gazinoda meşhur bir artist, muganniye sıfatıyla... Görüyorsunuz ki her şeyin bir çaresi vardır. Ufak bir refah değişikliği, biraz teşebbüs ve gayret, küçük bir görüş farkı her şeyi ıslah edebilir.

– İtiraf edeyim ki bunları hiç düşünmemiştim. Ben tek çare olarak yalnız evcek bizi alıp götürecek bir salgın, bir felâketle bu işler hallolur sanıyor, onu bekliyordum.

– Hatâ... Hep hatâ... Ne istersiniz kendinizden ve evinizin zavallı halkından?.. Şimdi sizden dinlediklerime göre hepsi ihtiraslı, yaşamaya azmetmiş insanlar. Bu demektir ki hepsi muvaffakiyetlerini kendilerinde taşıyorlar ve onun ıstırabını çekiyorlar. Alelâde hayata razı değiller...

– Hayır, hiç değiller. Karım kendisini Hollywood'da zannediyor, büyük baldızım büyük bir muganniye olduğuna kani. Küçüğü...

– Tabiî... Tabiî, öyle olacak! Ve hepsi de size karşı biraz kırgın. Kendilerini anlamıyorsunuz diye...

Ben boynumu büktüm. Hiç olmazsa bu işte beni anlayacaklarını sanıyordum. Altı saattir beraberinde bulunduğum, her hareketine hayran olduğum adam da deli idi. Bunun böyle olması için boğazıma sarılmasına, soyunup çırçıplak orta yerde takla atmasına hiç ihtiyaç yoktu. O devam etti:

– Evet, diyordu. Onları anlamadığınız için size kırgın olmaları kadar tabiî ne olabilir? Darılmayınız ama sizin insan ve hayat tecrübeniz hiç yok. Siz harbe girmeden mağlûp olmuş bir orduya benziyorsunuz... Teknenin üstüne çıkacağınız yerde altında kalmışsınız.

Hastalığım, yahut üzüntülerimin sebebi böylece teşhis edildikten sonra içmekten başka yapacak bir şey kalmıyordu. Bereket versin bu akşam rakı boldu. İstediğim kadar bu mesut hâdiseyi kutlayabilirdim.

O yine devam etti:

— Hele büyük baldızınız gibi hakikî bir artiste karşı muameleniz, onu inkârınız...

Elimdeki kadehi bıraktım. Ne olursa olsun akıl ve mantık namına bir kere daha işe karışacaktım. "Ondan sonra ağzımı bile açmam..."

— Aman beyefendi, dedim, hangi artist, hangi büyük... Arz ettim, sesi çirkin, sonra kabiliyetsiz... Sonra cahil. Daha İsfahanla Mahuru, Rastla Acemaşiranı birbirinden ayıramıyor. Hayır, imkânsız... Belki başka bilmediğim meziyetleri vardır. Belki, ne bileyim şahsen güzeldir, yani değildir amma, söz gelişi diyorum, güzel olur da ben fark etmemiş olabilirim. Fakat o sesle musıkîsi beğenilsin! Buna imkân yok. Kulağı yok efendim, hiç yok. Sesleri ayıramıyor.

Halit Bey bana bir cıgara uzattı. Kendisi de bir tane yaktı. Dışarda bütün cümbüşüyle devam eden mehtaba baktı. Sonra karşıki masanın münakaşasına kulak kabartır gibi oldu, fakat hemen omuzunu silkti, bana döndü:

— Güzel olamaz, dedi. Güzelden anlıyorsunuz. Hayatınızı artık biliyorum. Siz güzel kadından anlıyorsunuz. Fakat sanattan, bugünün sanatından anlamıyorsunuz. Evvelâ bu bir kalabalık işidir. Kalabalık neyi sever, neyi sevmez? Bunu kimse bilmez. Sonra bu mesele ümitsiz bir kalabalığın işidir. Siz de bilirsiniz ki zevk denen yüksek şeyin bizim içimizde içgüdüden kolaylığa kadar giden bir yığın karşılığı vardır. Zevkten ümit kesildi mi onlara kolayca teslim oluruz. İşler karışınca zevkten ümit kesilir. Musıkî denince herkes, evvelâ "Hangi musıkî?" sualini kendisine soruyor. Bu sual bir kere soruldu mu sizin zevk, üslûp dediğiniz şeyler yoktur artık. Sonra kulağın herkeste ayarı bozuldu. Radyo devrindeyiz. Musıkîyi nadir bir şey gibi dinlemiyoruz. O, romatizma, nezle, para sıkıntısı, harp ihtimali, çok geçimsizlik gibi günlerimizin tabiî arkadaşı oldu. Bu işe bir de kalabalığı ilâve edin... Hayır, ben eminim ki bahsettiğimiz hanımefendi birkaç gün içinde yepyeni bir şöhret olark İstanbul'u fethedebilir. Bakın! Vaziyet çok müşkül olurdu, şayet baldızınız hanımefendi batı musıkîsine merak sarsaydı. Çünkü onu hakikaten yıllar boyu öğrenmek lâzım.

Bir müddet yüzüme baktı. Hakikaten afallamıştım.

– Bu meselelerde herkes işin alayında... Farkında olmadan alayında. Burasını anlamıyor musunuz?

– Hangi alay? Çıldırıyorlar...

– Tabiî... Hayatlarına biraz duygu, istisnaî zamanlar katmak istiyorlar. Herkes kendi boşluğunu bir parça duygu ile doldurmak, kendini süslemek istiyor, fakat musıkîden o kadar anlamıyorlar ki, şarkıları güfteleri için seviyorlar. Zavallı Hayri Bey, siz garip bir adamsınız. Sizin bahsettiğiniz ölçüler geçmiş zamanda kaldı. Onlar, hani şu demin söylediğiniz, ustadan ustaya mektuplardı. Şimdi artık o klasik devirde değiliz. İsfahanla Acemaşiranı birbirinden ayırmak kimsenin aklından geçmez. Siz bana söyleyin, kimi taklit ediyor?

– Meşhurların hemen hepsini... Fakat hepsini aynı sesle, aynı makamdan, aynı şekilde söylüyor...

Demek son derecede şahsî! Mesele halloldu. Orijinal ve yeni... Dikkat edin, yeni diyorum. En büyük harflerle yeni! Yeninin bulunduğu yerde başka meziyete lüzum yoktur. Şimdi seçilecek yol kaldı. Halk musıkîsi mi, alaturka mı? Yoksa alafrangaya kaçan halk musıkîsi mi, yahut halk musıkîsine kaçan alafranga mı?.. Amma, bunu burada, bu masa başında pek kesip atamayız. Fakat öyle sanıyorum ki, sesin bahsettiğiniz meziyetlerine göre –Halit Ayarcı burada yüzünü buruşturdu ve parmaklarıyla çok âdi bir kumaşı yokluyormuş gibi bir hareket yaptı– daha ziyade alafrangaya kaçan bazı mahallî halk türkülerinde muvaffak olacaktır... Evet öyle tahmin ediyorum. Meğer ki Türkçe tangoyu tercih etsin! Yahut bazı şarkıları...

Yüzüme dalgın dalgın baktı:

– Evet, bütün mesele burada. Siz teşebbüs fikrinden mahrumsunuz. Sonra idealistsiniz. Realiteyi görmüyorsunuz... Hulâsa eski adamsınız. Yazık, çok yazık! Biraz realist olsanız bir parça, ufak bir miktarda, her şey değişirdi.

Bu kadarı da fazlaydı artık.

– Ben mi realist değilim! Realist olmasaydım size vak'ayı böyle anlatabilir miydim? Size baldızım hakkında en ufak bir ümitle bahsettim mi? Hiçbir tarafını değiştirdim mi? En ufak bir hâlini methettim mi? Ben öyle sanıyorum ki her şeyi olduğu gibi görenlerdenim. Hattâ fazla realistim, rahatsız edecek kadar...

Halit Ayarcı gülümsedi. Karşı masadan mütemadiyen el işaretleri yapılıyordu. Bir yudum rakı içti sonra bana döndü.

– Şu konuşmamızı bitirelim, biz de onlara katılırız. Bu gece fena olmayacak gibiye benziyor... Vaatkâr, demek istiyorum. Bakın Hayri Bey, ben karar verdim, beraber çalışacağız bundan sonra. Onun için anlaşmamız lâzım. Realist olmak hiç de hakikati olduğu gibi görmek değildir. Belki onunla en faydalı şekilde münasebetimizi tâyin etmektir. Hakikati görmüşsün ne çıkar? Kendi başına hiçbir mânası ve kıymeti olmayan bir yığın hüküm vermekten başka neye yarar? İstediğin kadar uzatabileceğin bir eksikler ve ihtiyaçlar listesinden başka ne yapabilirsin? Bir şey değiştirir mi bu? Bilâkis yolundan alıkor seni. Kötümser olursun, apışır kalırsın, ezilirsin. Hakikati olduğu gibi görmek... Yani bozguncu olmak... Evet bozgunculuk denen şey budur, bundan doğar. Siz kelimelerle zehirlenen adamsınız, onun için size eskisiniz, dedim. Yeni adamın realizmi başkadır. Elinde bulunan bu mal, bu nesne ile, onun bu vasıflarıyla ben ne yapabilirim? İşte sorulacak sual. Meselâ bu bahiste en büyük hatanız musıkîden, yani mücerret bir fikirden hareket ederek baldızınız hanımefendiyi mütalâa etmenizdir. Halbuki baldızınız hanımefendi tarafından işi münakaşa ediniz, mesele ne kadar değişir. Newton başına düşen elmayı, elma olmak haysiyetiyle mütalâa etseydi belki çürümüş diye atabilirdi. Fakat o böyle yapmadı. Şu elmadan nasıl istifade edebilirim? diye kendine sordu. Azamî istifadem ne olabilir? dedi. Siz de öyle yapın! Baldızım musıkîden başka bir şeyde muvaffak olmak istemiyor. O hâlde elimde iki rakam var. Baldızım ve musıkî. Birincisini değiştiremeyeceğime göre, ister istemez ikincisi hakkında fikirlerim değişecek. Baldızıma hangi musıkî uyar? Böyle düşünün! Sonuna kadar bu çıkmazda mı kalacaksınız? Elbette ki hayır...

Kendimi evimizin hemen arkasındaki Kamburkarga çıkmazında bir taşa çömelmiş, başımın ucunda karımın kızkardeşi, elinde udu şarkı söylüyor, düşündüm.

— Elbette hayır... Bin defa hayır...

— Onu değiştirebilir misiniz?

Birden sıçradım.

— Zerre kadar... İmkânsız... Büsbütün imkânsız...

— O hâlde dediğimi yapacaksınız... Bilin ki zamanımızda bu gibi işler için kuvvetle istemek kâfidir. Hayat yürüyor, Hayri Bey... Siz kelimelerle zehirlenin durun, hayat her gün yeni bir şey keşfediyor. Bakın ben dört beş saat evvel sizi keşfettim, şimdi de muganniye olarak baldızınızı keşfediyorum.

— Allah razı olsun beyefendi...

Hakikaten teşekkürden başka yapacağım bir şey yoktu. Baldızımı keşfetmişti. Mübarek olsun. Doğdum doğalı herkes bana dürbünün ters tarafından bakmayı teklif ediyordu. Ben bir türlü buna yanaşmıyordum. İnat ediyordum. Neye yaramıştı? Bütün hayatım kepaze olmuştu. Bir de bunu denesem ne çıkar sanki?..

Bununla beraber son itirazlarımı toparladım.

— Ah bir görseniz, yahut dinlesiniz, karşısında fıçı gibi terleye terleye, parmaklarını çıtırdata çıtırdata, kırmızı topuklu iskarpinlerinin üstünde sallana sallana size bir, "Gelse o şuh meclise..."yi bir kere okusa...

Halit Ayarcı yüzüme dostça baktı:

— Demek parmaklarını çıtırdatıyor ha... Ne iyi, ne mükemmel, fakat azizim, bu başlıbaşına bir muvaffakiyet vasıtası... Düşünün bir kere, şarkı söylerken eşarbını parmaklarına dolayıp çözmeğe çalışmayacak, mendilini yırtmağa uğraşmayacak... Bundan iyi ne istersiniz? İki eli birden serbest kalacak... İcabında halka, elleriyle

220

selâmlar, öpücükler gönderecek, alkış tufanına teşekkür edecek...
Siz hakikî bir hazineye sahipsiniz, farkında değilsiniz. Toparlama-
ğa çalışalım: Çirkin, diyorsunuz, binaenaleyh bugünün telâkkileri-
ne göre sempatik demektir. Sesi kötü, diyorsunuz, şu hâlde doku-
naklı ve bazı havalara elverişli demektir. Kabiliyetsiz diyorsunuz, o
hâlde muhakkak orijinaldir. Yarın baldızınızla meşgul olurum... Ya-
rından itibaren baldızınız sahnededir, meşhurdur, gazetelerde ismi
sık sık geçer...

O geceden vâzıh olarak bende kalan hâtıra buraya kadardır. Hat-
tâ Halit Ayarcı'nın son cümlesi üzerine. "Vaat et, yarın unutacak ol-
duktan sonra..." diye düşündüğümü hayal meyal hatırlıyorum. On-
dan ötesi hakikî boşluk... Yalnız sabaha karşı kendimi, karşı masa-
dakilerden biriyle karşı karşıya çiftetelli oynarken buldum. İnce,
tatlı, sisler içinde yumuk yumuk bir sabahtı bu. Açık bir pencere-
den giren rüzgâr ve motor sesleri henüz yanmakta olan lambalara
hücum ediyordu. Biz ayakta bu güzel sabaha karşı durmadan göbek
atıyorduk. İçimde dünyanın en mesut hafifliği vardı. Halit Ayarcı
geceki vaitlerini tutsun veya tutmasın, bana dürbünün bakılacak ye-
rini göstermişti.

II

Bununla beraber Halit Ayarcı bütün sözlerini tuttu. Daha o gece-
nin haftasında baldızım küçük bir gazinoda muganniye idi. İlk ge-
ce Pakize, Halit Ayarcı, Doktor Ramiz ve ailemizin bütün efradı
dinleyiciler arasında idik. Bu hakikî bir zafer oldu. Halit Ayarcı,
sanki o gece bana söylediklerini tatbik için bu salonu ve halkını te-
darik etmişti. Baldızımın her usul hatası çılgınca alkışlandı. Ben,
her lahza mahcubiyetimden yer açılıp da içine giriyorum sanırken
kızcağız bayağı gecenin kahramanı oldu, "Yaşa" sesleri, yenge, ab-
la çığlıkları birbirini kovaladı. Pakize, ikide bir bana dönüyor, "Na-
sıl?" diye soruyordu. Halit Ayarcı hiç ses çıkarmadan dinliyordu.
Yalnız çıkarken.

– Evet, dedi, tahminim gibi... Hanımefendi hakikaten muvaffak olacak... Hayata inanmak lâzım Hayri Bey. Siz hayata değil, Acemaşirana inanıyordunuz... Gördünüz mü nasıl beğenildi? Bu canlı insanın insanla karşılaşmasıdır. Sizin klasik makamlarınız böyle bir muvaffakiyeti dünyada elde edemezdi. Şimdiden sonra yolu açıktır. Göreceksiniz neler yapar.

Bununla da kalmadı. Yine o günlerde Saatleri Ayarlama Enstitüsü'nün çekirdeği olan küçük dairemiz açıldı. Bir sabah ben, sırtımda bir gece evvel Halit Ayarcı'nın göndermiş olduğu elbiseler, belediyenin civarındaki büromuzun kapısında göründüm. İhtiyar, aklı başında bir hademe beni karşıladı ve içeri aldı. Halit Ayarcı'nın akrabasından olduğunu bildiğim kalem şefimiz Nermin Hanım beni görür görmez kırk yıllık ahbap gibi sevindi. Masamı gösterdi. İş için elindeki örgüyü bile bırakmıştı. Nermin Hanımın daha o gün ya örgü ördüğünü, yahut konuştuğunu öğrendim. Daha doğrusu daima konuşur, yalnız kalınca örgü örerdi.

O zamana kadar tanıdığım kadınların hiçbirine benzemiyordu. İnsanla dost olması için bir saniye görmesi kâfiydi. Hayatında hiçbir sırrı yoktu. Sükûtu sevmezdi. Hiç kimse ile darılmak âdeti değildi. Üç kocasından da darılmadan dostça ayrılmağa muvaffak olmuştu. Hâlâ da ahbaplıkları devam ediyordu. İlk söz olarak:

– Elbiseniz yakışmış... dedi. Halit Bey sizi bana anlatınca bu elbisenin size uyacağını tahmin etmiştim. Yalnız ayakkabılarınızı boyatmak lâzım. Bir de berberinizi değiştirin. Bu adam saç kesmesini bilmiyor. Doğrusu sizin gibi bir arkadaş bulduğuma memnunum. Amcam bu vazifeye devamımı isteyince tereddüt etmiştim. Daire deyince insan çekiniyor. Ne olsa, birçok yabancı insan, filân vardır, sıkılırım, dedim. Fakat baş başa olduğumuzu söyleyince, hele sizi anlatınca müsterih oldum. Yaşınız başınız da ahbaplığa müsait. Kocam kıskanmaz. Zaten aklı başında insan bu asırda karısını kıskanmaz. Bugün aile artık arkadaşlık üzerine kurulmuş bir müessese oldu. Fakat erkeklerimizin fikrî terbiyesi henüz bu mertebeye gelmediği için... Mamafih artık ben de bıktım. Eskiden boşanma denen şey kolaydı. Şimdi birdenbire güçleştirdiler. Hâkimler muttasıl barıştırmağa kalkıyor, dâvayı sallıyorlar. İlk kocamdan daha ne yaptığımı bilmeden boşanmıştım. İkincisinde mahkeme bir sene sürdü. Ayrıca da bir sene yeniden evlenme için müddet koydular. Üçüncüsü büsbütün güç oldu... Biliyorsunuz, siz de, ben de şimdilik kâtibiz. Fakat amcam teşkilâtı kabul ettirince siz müdür muavini, ben kalem şefi olacağım! Halit amcam teşkilâtçıdır. Daha şimdiden muazzam bir proje hazırladı. Biz Şişli'de oturduğumuz için yemeğimi de beraber getireceğim. Siz de getirirseniz öğleleri beyhude yere yorulmaktan kurtulursunuz... Mamafih sizin getirmenize lüzum da yok. Ben getiririm. Kayınvalidem yemek pişirmesini sever. Hele benden kurtulsun da, icap ederse tepsi tepsi gönderir. Doğrusunu isterseniz ben onun buraya kâtip olmasını isterdim. Fakat amcam, yakışık almaz, dedi. Bu modern bir müessesedir. Genç hanım lâzım. Şimdi de genci ihtiyarı pek belli olmuyor ya... Eteklerinizi biraz kısaltıp saçlarınızı da kısa kestirdiniz mi... Hele başınıza bir de bere koyarsanız... Benim arkadaşlarımdan birinin kocası küçük kızlara meraklıymış. Zavallı ne yapacağını bilmiyordu. Nihayet akıl öğrettim. Kardeş, sırtına bir orta mektep önlüğü geçiriver, dedim. Başına da bir kasket... İlk önce olmaz filân dedi ama şimdi de adamcağız evden çıkmıyor. Oh, doğrusu çok iyi oldu sizinle beraber bulunmamız... Ben sabahleyin dairenin yolunu bulamazsınız belki diye az kalsın otomobille eve kadar uğrayıp sizi alacaktım.... Sonra hanımefendiyi rahatsız etmekten korktum, vazgeçtim. Amcam sizin iyi fal baktığınızı söyledi. Doğrusu o kadar sevindim ki... Her gün falıma bakarsınız değil mi?..

Nermin Hanım işte böyle bir Nermin Hanımdı. Hayret edilecek nokta, üç kocasından da kendisinin istemesiyle ayrılmış olmasıydı. Halbuki bu konuşmasına göre adamcağızların bunu kendilerinin düşünmüş olması lâzım gelirdi. Hakikatte günün on iki saatinde konuşan bir insandı.

Daire iç içe iki odadan ibaretti. Birincisinde Nermin Hanımla benim karşı karşıya masalarımız vardı. Bizim odadan Halit Ayarcı'nın bürosuna geçiliyordu.

Şimdiden söyleyeyim ki alelâde eşya ile döşenmiş bu odalarla İstanbul'un en asrî müessesesi olan enstitü binası arasında hiçbir münasebet yoktu. Hattâ aradaki farka terakkî adı dahi verilemez. Onlar ayrı ayrı iki âlemdir.

Nermin Hanıma bir ara işimizin ne olduğunu sordum. Birinci zevcine ve akrabasına dair uzun bir izahattan sonra şimdilik hiçbir işimiz olmadığını, sadece Halit Beyin gelmesini bekleyeceğimizi söyledi. Filhakika ilk ayımızı sadece bu işle geçirdik. Halit Ayarcı ara sıra telefon ediyor, bizim hâl ve hatırımızı soruyor, muntazam şekilde devam etmemizi, kırtasiye eksikliklerimizi tamamlamamızı söylüyordu. Ayın sonuna doğru daktilo makinalarımız, perdelerimiz geldi.

İkinci ayın ortasına doğru Halit Ayarcı bir gün daireye uğradı. Beraberce Nuri Efendinin hatırlayabildiğim sözlerinden yüz kadar slogan tertip ettik: "Maden kendiliğinden ayar kabul etmez", "Ayar saniyenin peşinde koşmaktır". Bazen bunlara Halit Ayarcı'nın kendi buluşları da karışıyor ve onlar daha mânalı oluyordu: "Müşterek zaman müşterek iştir", "Hakikî insan zaman şuurudur", "Refahın yolu sağlam bir zaman anlayışından geçer" gibi şeylerdi bunlar.

Bundan sonra bunların basılmasına nezaret işi başladı. Her birinden biner tane basıyor ve şehre dağıtıyorduk. Üçüncü aya doğru Halit Ayarcı enstitünün teşkilâtını hazırlamış olduğunu bir sabah bize müjdeledi. Ondan sonra esbabımucibe lâyihasını yazmağa başladı. Böylece hiç işi olmayan enstitümüz yavaş yavaş kendi varlığının etrafında bir yığın iş peydahlamış oldu.

Bu üç ay bütün hayatımda bir istisna oldu. Onu hiçbir zaman unutamam. Bu istediğine erişme sevinciyle kaybetme korkusunun beraberce vücuda getirdikleri acayip, karışık, sevinçle ve korku ile dolu bir devirdi. Tekrar bir iş sahibi olduğumu, muayyen bir kazancım bulunduğunu düşündükçe her saniye başında, sanki ağır bir uykuda imişim gibi sevinçten benirleyerek yaşıyordum. Artık gün boyunca kahve kahve şuna buna rastlamak ümidiyle koşmak yoktu.

Biraz sonra ne yapacağım, sualinden kurtulmuştum. Çalışmayan, işsiz insan sıfatıyla evde horlanmıyor, sokakta her rast geldiğime talihsizliğimin hesabını vermeğe mecbur olmuyordum. Bütün gün dairede kaldığım için eski tanıdıklarımın beni gördükçe yol değiştirmelerine, görmemezlikten gelmelerine, benden kaçışlarına şahit olmuyordum. Kendimi hayata yeniden başlamış sanıyordum. Ve bu hisle dünyanın en muntazam insanı gibi yaşıyordum. İçimde müthiş bir gayret uyanmıştı. Dağlar devirmek istiyordum.

İşte burada mesele birdenbire değişiyordu. Bir işim vardı, fakat yapacağım iş yoktu. Bu yeni vazifem öbürlerine hiç benzemiyordu. İnsanlarla, hayatla hiçbir alâkasını bulamıyordum. Hattâ İspritizma Cemiyeti'nde bile birbirlerine ve kendilerine yalan söylemekten hoşlanan birtakım insanlara hizmet ettiğimi bildiğim için gülünç de olsa bir iş yaptığıma inanıyordum. Burada o bile yoktu. Bu, birkaç kelimenin etrafında doğmuş bir şeydi. Daha ziyade bir masala benziyordu. Ben Halit Beye bir şeyler anlatmıştım. Halit Bey birbirini tutmayan saatlere bakmış ve o esnada işsiz olduğunu hatırlamıştı. Başka insanlar ona inanmıştı. Bu esnada şehrin saatleri birbirini tutmadığı için büyük bir zata ait cenazede mühimce bir zat bulunamamıştı. Bu yüzden on günün içinde bize bir bina bulmuşlar, ücret ayırmışlar, iyi kötü döşemişler, bu yetmiyormuş gibi gün geçtikçe eksiklerimizi tamamlıyorlardı. Böyle iş olur muydu? Hayatta yeri neydi bunun?

İşin fenası Halit Ayarcı'nın ortalıkta görünmemesiydi. Hiç olmazsa gelip gitseydi, aramızda bulunması biraz emniyet verirdi. Belki o gelse biraz iş de çıkardı. Fakat gelmiyordu, görünmüyordu. Yalnız telefon ediyor, hâl hatır soruyor, yahut ufak tefek emirler veriyordu.

Fakat havadisleri geliyordu. Nermin Hanım durmadan yeni teşkilâttan, muazzam kadrodan bahsediyordu. Ben küçücük dairemizin varlığını gülünç bulurken o, amcam dediği Halit Ayarcı'nın bizim için tasavvurlarını anlatıyor, şubelerden, şefliklerden dem vuruyordu. Bütün bunlar beni endişelendiriyordu. Bana kalsaydı, dairemiz hiç de böyle şeylere kalkışmamalıydı. Mümkün mertebe kendimizi unutturmalıydık. Ay başından ay başına ücretlerimizi alırken görünmek en münasibiydi. Fakat hiç de böyle olmuyordu. Halit Ayarcı, hele son günlerde durmadan müsveddeler yolluyor, sağa sola mektuplar yazıyor, dairenin lâyıkıyla döşenmesini, kalem levazımının gönderilmesini istiyordu. Bunlar yetişmiyormuş gibi Halit Ayarcı, sanki sahneye çıkacakmışım gibi benim kılık kıyafetimle de meşgul oluyordu.

Bir gün Nermin Hanıma onun gönderdiği müsveddelerden birini dikte ederken âdeta kederimden ağlayacaktım. "Saatleri Ayarlama Enstitüsü gibi mühim bir müesseseye hâlâ gereği gibi ehemmiyet verilmediğinden" bahsediyor, yeni bütçeye ve tam kadrosuyla teşekkülüne kadar tahsisat istiyor ve bir muhasiple bir başka kâtibin verilmesinde ısrar ediyordu.

İşin garibi, üç gün sonra aldığımız cevapta bir yığın itirazdan sonra dediklerini yapmağa çalışılacağı söyleniyordu. Gün geçmiyordu ki küçücük dairemize birtakım yeni eşya gelmesin. Evvelâ muşambalarımız değişti, sonra on beş adım ötedeki telefon yetmezmiş gibi benim masama bir telefon kondu. Ertesi gün yarım düzine gece lambamız geldi. Daha sonra masalar değişti. Halit Ayarcı'ya birinci sınıftan bir Amerikan yazıhanesi verdiler. Bana bir parça daha az gösterişlisi verildi. Nermin Hanıma üzerinde kayabileceğiniz kadar cilâlı bir masa geldi. Halit Ayarcı bütün bu eşyanın geleceği saatleri biliyor, telefonda yerlerini tâyin ediyordu. Benim masamın üstündeki gece lambasının, siyah parlak yazı takımının, kurşun kaleminin nerede duracağını hep o tarif etti.

Bütün bunların benim için tek bir mânası vardı. Doğrudan doğruya bir levazım müdürlüğü, bir nevi depo olmazsa dairemiz lâğvedilecek, hepimiz açıkta kalacaktık. Ben müdür muavinliğimin değil, almakta olduğum üç hademe ücretinin peşinde idim. Onu kaybederim korkusuyla çıldırıyordum.

Bir gün Halit Ayarcı'ya telefonda bunu açmağa çalıştım, beni sonuna kadar dinledikten sonra:

– Azizim Hayri Bey, dönüp dolaşıp hep aynı yere geliyoruz. Realist olun! cevabıyla telefonu kapadı.

Bana Büyükdere'deki sözlerini hatırlatıyordu. Fakat sesi gülmekten kırılıyordu. Bir saat sonra tekrar telefonu açtı, bana:

– Hayri Bey! dedi. Hâlâ küçük ücretinizi kaybetmekten korkuyor musunuz? Vazgeçin bu deliliklerden, realist olun!

Ve tekrar telefonu kapadı.

Endişelerimi artık Nermin Hanımdan gizlemiyordum. Bana söz söylemek, yahut sözümü bitirmek, fırsatını verdiği nisbette bu işin sonu olamayacağını anlatmağa çalışıyordum. Fakat Nermin Hanımın Halit Ayarcı'ya itimadı vardı.

– İmkân yok! diyordu. Halit amcam yanılmaz. O teşkilâtçıdır. Sonra güvenmediği işe girmez. Siz Halit amcamı daha tanımıyorsunuz!

– Fakat niye gelmiyor?

– Gelecek... Ama biraz işleri yoluna koyduktan sonra... Yarın Ankara'ya gidiyor. Bu işleri konuşacak!

İçimden, "Bari anlatmasa, kimseye bir şey söylemese!" diye dua etmekten başka ne yapabilirdim?

Bununla beraber belki de benim vesveselerimin tesiri altında o da üzülmeğe başladı:

– Paraya o kadar ihtiyacım yok... diyordu. Fakat tekrar eve kapanmak, ev işi görmek, kaynanamla burun buruna yaşamak hiç hoşuma gitmiyor... İyi kadın ama iki çift laf etmeğe gelmiyor. Derhal kaçıyor. İnsan sadece susar mı? Bilir misiniz ki bu işe tâyinimden beri kaynanamın huyu değişti. Bütün ev işini üstüne aldı...

Fakat Nermin Hanım bana benzemiyordu. Onun konuşması başka türlü idi. Tıpkı daldan dala sıçrayan serçeler gibi düşünceden düşünceye atladığı için, daha üçüncü cümlede başladığı noktayı unutuyor, büsbütün başka mevzulara dalıyordu. Bütün hayatı, karmakarışık hâlde diliyle iki dudağının arasında yaşıyordu. Onun için kaynanasıyla tekrar evde kapanmaktan bahsederken birdenbire ilk kocasına atlıyor, oradan Küçük Mustafa Paşa taraflarındaki konak-

227

larında geçen çocukluğuna sıçrıyor, daha sonra yeni aldığı şapkanın yakışıp yakışmadığını soruyordu.

Ve bütün bunlar daima küçük büyük birtakım istitratlarla oluyordu. Her defasında, "Belki tanırsınız..." mukaddimesiyle en aşağı yirmi kişiden bahsediyor, ben tanımadığımı söyleyince üzülüyor, onları lâyıkıyla tanıtacak izahat vermeğe kalkıyor; fakat tam yarısında bahsettiği adamın kızı veya karısının adı geçince ameliye tekrarlanıyordu.

Nermin Hanımın dostluk yapması ve bütün hayatını parça parça anlatması için herhangi bir insanla bir kere karşılaşması kâfiydi. Muşambacı, elektrikçi, döşemeci, hamal, bordrolarımızı imzalamağa getiren kâtip, hepsi onun hayatından bazı şeyleri bir kere olsun dinliyorlardı. Bununla beraber o da bu işin fazla süreceğinden şüphe etmeğe başlamıştı. Sonuna doğru konuşmasının başıboş, daldan dala sıçrayışları muayyen bir merkezin etrafında toplanmağa başladı.

Biraz sonra bu telâş hademmiz Derviş Efendiye de geçti. Adamcağız bu yeni daireyi pek beğenmişti. Vâkıa gelip gideni pek olmadığı için bahşiş filân alamıyordu. Fakat rahattı, kimse kendisini taciz etmiyordu. Üstelik, öyle kapı önlerinde, filân da beklemiyordu. Nermin Hanımın masasının yanı başındaki sandalyede oturuyor, onu dinliyor, her gün değişen şapkalarını bir "Mâşallah!" çekerek methediyor, Nermin Hanımın konuşmasından yoruldukça kahve pişirmek bahanesiyle odadan sıvışıyordu.

Şüphesiz onun için dünyanın en rahat hayatıydı bu. Otuz beş sene süren hademelik hayatında birdenbire hiç beklemediği zamanda, olması icap ettiği şekilde bir daireye kavuşmuştu. Fakat onun da aklı bu işi almıyor, benim akşama kadar sağdan soldan bulduğum saatleri tamir etmekliğim, Nermin Hanımın süveter örerek hayatını anlatması, kendisinin bizi seyretmesi için bütün bu işin kurulmuş olmasına şaşıyordu. Onu yormuyorlar, azarlamıyorlar, bunaltmıyorlardı. Binaenaleyh bu iş onun için de mantıksızdı. Bir gün bana utana utana :

– Beyim, demişti, bu işe ben de şaşıyorum. İçime acayip şüpheler girmeğe başladı. Acaba öldüm de cennette miyim diye düşünüyorum.

O zamana kadar hademe denen mahlûkun kendi hayatının şartlarına göre ayrı bir cennet tasavvuru olabileceğini hiç düşünmemiştim. Fakat saadet telâkkîmiz niçin hayat şartlarımıza göre olmasın? Üçüncü ayın sonlarına doğru idi ki bir gün bu tehlikeli durgunluk kırıldı, ve müessesemiz birdenbire bir nevi canlılığa kavuştu. Bir sabah, Halit Ayarcı, önde belediye reisi, yanlarında belediye reisinin yardımcılarından biri dairemize geldi. Nermin Hanım bermutat Halit Ayarcı'ya üçüncü süveterini örüyordu. Ben ona Seyit Lûtfullah'la Aselban'ın sevişmelerini anlatıyordum. Bu beklenmedik ziyaretle ikimiz birden şaşırmış ayağa fırladık. Ben daha bu kadar mühim adamı nasıl selâmlayacağıma karar vermeden Halit Ayarcı beni ona:

— En kıymetli yardımcım... diye takdim etti. Hayri İrdal Bey, bu işte en büyük şansımızdır.

Sonra ilâve etti.

— Bilir misiniz beyefendi, Hayri İrdal burada, sırf müesseseye hizmet için âdeta fahrî çalışıyor.

Belediye reisi, müessesemizin bu tek muvaffakiyet şansını "bir daha bırakmayacağım" der gibi bir elinden yakaladı.

— Kendisine verdiğimiz para utanılacak bir şey... Hakikaten utanılacak şey...

Aziz velinimetim hakikaten bana yapılan haksızlığa ağlayacakmış gibi konuşuyordu. İşin garibi belediye reisinin de bu işe gerçekten sıkılmış görünmesiydi. Başını eğmiş, durmadan ayakkabılarına bakıyordu.

— Bu işler başka türlü yürümez. Halit Bey...

Ve teşekkür makamında elimi daha kuvvetle sıktı.

— Tabiî, şimdiki vaziyeti muvakkat... Teşkilâtımız, sayenizde tamamlanınca Hayri Bey müdür muavinimiz olacak.

Bu müjde belediye reisini âdeta kurtardı. Başını ayakkabılarından bir lahza ayırdı, gözlerimin içine sevinçle baktı. Ben de ömrümde ilk defa olarak bir başkasının saadetiyle mesut olan bir adam gördüm.

– Nermin Hanım kalem şefimizdir. Birinci sınıf bir entellektüel. Onunki de büsbütün başka bir fedakârlık... Bizim için o kadar sevdiği evini bıraktı...

Nermin Hanımın yüzü ilk bayramlığını giymiş bir kız çocuğu gibi kıpkırmızıydı. "Nasılsınız? İyi misiniz?" suali karşısında tatlı bir tebessüm dişlerinin üstünde bir şekerleme gibi ezildi.

– Demek, aziz arkadaşımızı evinden çaldık...

Halit Ayarcı bu fikri çok beğendiğini göstermek için:

– Evet, öyle, çaldık, hem nasıl?

Belediye reisi de kendi sözünü beğenmişti. Onun için daha parlak ve o zamana kadar hiç söylenmemiş bir şekilde tamamladı:

– Amma, hayat namına da kazandık! Ne dersiniz Hayri Bey?..

Benim tasdikim üzerine, içtimaî meseleler üzerinde açılan bu küçük bahis kapandı.

Halit Ayarcı:

– Emrederseniz bir gezelim! diye teklif etti.

Gezilecek ne vardı? Bizim odadan Halit Beyin odasına geçilecekti, o kadar. Fakat tecrübeli adamlar başka türlü oluyor. Belediye reisi bulunduğu yerle öteki odanın arasındaki birkaç adımı yarım saatlik bir mesafe yapmasını biliyordu. Dip duvardaki içi boş etajerlere, dosya dolabına, fiş dolaplarına, masaların üzerinde ayniyattan alındığı gibi duran büyük, siyah ciltli defterlere, henüz kılıflarından çıkmamış daktilo makinalarına, uzun ve fâsılasız gece çalışmaları vaat eden ampulsuz masa lambalarımıza, perdelere dikkatle, teker teker ve tekrar tekrar baktı. Sonra bir eli öbür odaya açılan kapının topuzunda tekrar döndü ve bir daha odayı gözden geçirdi. Meğer ne kadar yanılıyormuşum? Bu cins gezme ve görmeler için ne öyle gezilecek geniş mesafeye, ne de görülecek şeye ihtiyaç varmış. Esas olan sizin bu kararı vermenizmiş. Belediye reisi en basit şeyin karşısında birkaç saniye duruyor, bir şeyler düşündüğünü gösteriyor, fakat söylemiyor, tam ağzını açacağı zaman vazgeçiyor, iki ayağı üzerinde sallanıyor, yahut Halit Ayarcı'nın koluna eliyle dokunuyordu.

Halit Ayarcı'nın kapısı önünde bizim odayı bir daha süzdükten sonra:

— Perdeler güzel olmuş... dedi.

Onun odasında da aynı dikkati gösterdi. Hatta perdelerin tülünü ayırarak o kadar senedir tanıdığı sokağa uzun uzun baktı. Sonra mobilyayı tekrar gözden geçirdi. Hayır, mobilyayı beğenmemişti:

— Arkadaşlarınki neyse amma, sizinki pek hafif düşmüş... Bu kadar mühim bir merkezde...

Halit Ayarcı gülümseyerek cevap verdi:

— Evvelâ mesai arkadaşlarımızın şartlarını düşünmeme müsaade buyurun... Zaten nasıl olsa başka bir daireye geçmemiz icap edecek. Buraya sığamayacağız! O zaman değiştiririz.

. Belediye reisi bunu yardımcısına not ettirdi. Böylece yeni binanın temeli atılmış oldu. Tam odadan çıkacağı sırada Halit Beyin bir gece evvel duvara astırdığı grafik nazarı dikkatini çekti. Uzun uzun baktı:

— Demek böyle ha!

— Evet efendim, bilhassa sinema saatlerinde ve öğle yemeklerinde saat ayarları hatırlanır. Mamafih bu tam bir grafik değildir. Hayri Bey işi daha ciddî şekilde derinleştiriyor. Muhtelif mesleklere göre ayar meselesi çok değişiyor.

— Şu hâlde tam bir sosyal etüt...

— Gayemiz o değil mi?..

Çeşitli mesleklere göre saat ayarı hakkında hiçbir fikrim yoktu. Hele böyle bir sosyal etüt hiç aklımdan geçmemişti. Bununla beraber bu sosyal etüdü yaptığım için bayağı memnundum.

Tekrar bizim odaya geçtik. Belediye reisi boş klasörlere, kılıfları içinde uyuyan yazı makinalarına ve büyük siyah defterlere bir müddet daha baktı. Duvarda sloganları okudu:

— Ayar saniyenin peşinde koşmaktır... Mühim söz bu, Halit Bey!..

— Tahmin ederim efendim...

Halit Bey hiç de mütevazı değildi, mamafih belediye reisine Nuri Efendinin adını söylemeden, eski saatçilerimiz tarafından bu cins birçok sözlerin söylendiğini ve bu adamların cemiyet ve çalışma işlerini çok iyi bildiklerini, enstitümüzün gayelerinden birinin de bu ustaları halkımıza tanıtmak olduğunu anlattı.

– Neşriyat büromuzun vazifesi bu olacak...

Belediye reisi göz ucuyla muavinine işaret etti. O, neşriyat bürosunun lüzumunu ve vazifesini defterine kaydetti. Sonra gece lambalarımıza bakarak Halit Ayarcı'yı en ciddî sesiyle tebrik etti.

– Demek geceleri de çalışılacak! Büyük fedakârlık, büyük muvaffakiyet... Teşekkür ederim, çok memnun oldum. Cidden teşekkür ve tebrik ederim...

Halit Ayarcı birdenbire çok tatlı ve cömert bir jestle kendini ortadan kaldırdı. Bütün bu klasörlerin, ne yazacaklarını henüz kimsenin bilmediği makinaların, odamızın kirli ve sıvasız duvarlarıyla hiç bağdaşmayan perdelerin, etajerlerin, gece lambalarının, benimle ve Nermin Hanımla beraber buraya toplanmış olmalarındaki muvaffakiyeti olduğu gibi ona, sadece ona bağışladı.

– Estağfurullah, efendim... Muvaffakiyet efendimizin... Bunlar hep sayenizde oldu.

Bu hâliyle yeni yaptırdığı konağın senetlerini karısının bütün serveti külçe külçe mücevherler ve en güzel yazmalarla beraber, altın bir tepsi üzerinde, evine ilk defa gelen Sultan Aziz'e hediye eden Yusuf Kâmil Paşaya ne kadar benziyordu!

– Bütün bu muvaffakiyetler sizindir... Alın, götürün, ben de beraber hep size aidiz...

Fakat karşısındaki de doğrusu istenirse Sultan Aziz'den daha az kibar davranmadı. Nasıl, o kendisine uzatılan tepsiyi yani bütün Zeynep Hanım servetini alıp kabul etmek alçak gönüllülüğünü gösterdikten sonra, bu servetin içinden kendisine en lâyık olanı, bir yazma Kur'ân'ı seçerek gerisini olduğu gibi sahiplerine hediye etmişse, belediye reisi de öylece kendisine hediye edilen muvaffakiyeti hafif ve çok kibar bir tebessümle, "Zaten bunu bekliyordum..." der gibi kabul etti, sonra:

– Hayır, hayır, biz yalnız vazifemizi yaptık. Asıl himmet ve muvaffakiyet sizindir... diyerek muvaffakiyeti tekrar Halit Ayarcı'ya ve hattâ yan bir bakışla biraz da bizlere –bizler, Nermin Hanımla ben, burada salonun yarı aralık kapısının arkasında başında başörtüsü ayakta hünkârın emirlerini bekleyen Zeynep Hanımefendiye benziyorduk– iade etti.

Fakat Halit Ayarcı dinlemiyordu. O, bu işteki muvaffakiyetin tamamiyle belediye reisine ait olduğuna kanidi. Ne çare ki karşısındaki de aynı şekilde ısrar ediyordu.

– Evet, dediğim gibi... Bizim vazifemiz çalışanlara yardımdır, asıl muvaffakiyet sizindir. Ben sadece elimden gelen imkânı hazırladım... Ve tepsi olduğu gibi yine bize geldi.

Demek usul bu idi. Evvelâ muvaffakiyet denen bir şey kabul edilecek, sonra sahibi aranıp bulunacak, o tebrik edilecek, bu sefer o, muvaffakiyetin asıl karşısındakinin olduğunu iddia ederek ona aynıyla devredecek, öteki çok mânalı bir kelime ile kendi hissesini ayırdıktan sonra yine geriye verecekti. Böylece üzerinde bu kadar devr ü teslim, iade ve tekrar iade muamelesi geçtikten sonra bu muvaffakiyetten artık kim şüphe edebilirdi? Enstitümüzün kurulması bir muvaffakiyetti. Bu resmen muamelesini görmüş bir vâkıa idi. Artık müsterih olabilirdim.

Bu anlaşmadan ve iki tarafın vaziyetinin böylece sıkı sıkıya tesbitinden sonra belediye reisi teklifsizce Nermin Hanımın sandalyesine oturdu.

Halit Ayarcı onun yanındaki koltuğa geçti, reis yardımcısı orta masasının kenarına ilişti, biz de birer sandalye bularak çemberi kapattık. Böylece herkes yerleştikten sonra Saatleri Ayarlama Enstitüsü'nün kadrosunun münakaşası başladı.

Halit Bey cebinden çıkardığı bir küçük defteri önüne açarak izahat veriyordu. Son derecede modern bir metotla içtimaî hayatın tetkikine başlayan enstitümüzün, evvelâ bir müessese olmak haysiyetiyle mutlak kadro ve ihtiyaçlarını anlattı:

– Bir müdürümüz, bir müdür yardımcımız var. Ayrıca bir neşriyat müdürüne, bir kalem şefine, bir muamelât ve daire müdürüne muhtacız. Şimdilik mutlak kadromuz bundan ibarettir.

Bu mutlak kadrodan sonra ihtisas kadrosu geliyordu. Bu da saatin kendi bünyesinden ve içtimaî hayattaki mevkiinden ve rolünden doğan bir kadro idi. Birinci kısımda, şimdilik yalnız Zemberek, Mil ve Yelkovan şubeleri vardı. İkinci kısımda ise İçtimaî Koordinasyon, Çalışma İstatistiği şubeleri bulunacaktı.

– Bunların hepsi mütehassıs zatlar olacaklar. Zaten Çalışma İstatistiğini Hayri Bey üzerine alacak. İçtimaî Koordinasyon kısmını da bendeniz idare edeceğim, diyordu. Hattâ asıl tahsisatımızı da oradan almayı düşündük. Böylece müdürlük ve yardımcı müdür maaşları barem hadlerini tecavüz etmez. Bittabi bu teşkilâtımız bu binaya sığmayacak. En iyisi yeni bir binanın yapılmasıdır.

– Onu not ettik, Halit Bey. Yalnız bu daire müdürü fazla değil mi? Yani yukarıki kadrodaki... Siz ona mutlak kadro diyorsunuz...

– Evet efendim, her dairenin tabiî çatısı olan kadro olması itibariyle. Bir nevi idarî ve organik iskelet gibi...

– Bunu bilmiyordum. Bu mutlak kadro ismini çok iyi bulmuşsunuz. Yalnız şu daire müdürlüğü bana lüzumsuz gibi görünüyor. Hattâ muamelât müdürlüğü de fazla gibi geliyor...

Halit Ayarcı bu iki yardımcı olmaksızın çalışmanın güç olacağında bir müddet ısrar etti. Nihayet daire müdürlüğünden fedakârlık yaptı. Böylece mutlak kadronun esası kabul edilmiş oldu.

Belediye reisinin burada gösterdiği hassasiyete hayran olmamak kabil değildi. Bir taraftan müessesemizin iyi çalışması hususunda hiçbir fedakârlığı esirgemiyor, diğer taraftan da israfın önüne geçiyordu. Bir ara benim de fikrimi sordu. Halit Ayarcı benden evvel cevap verdi.

– Hayri Bey, devlet hesabına, umumî menfaat hesabına daima fedakârdır.

Artık işi öğrenmiştim. Ben tamamladım:

– Yani bu işi üzerime alabilirim...

Bu gayretim belediye reisi tarafından derhal bir teşekkürle karşılandı. Halit Ayarcı ise:

– Zaten siz olmasaydınız bu mesuliyetli işe dünyada girmezdim, diyordu.

Böylece parça parça bir adamın muhayyilesinde yaratıldıktan sonra ayrıca da büyük bir teşkilâtın mihveri olmuştum. Eskilerin teveccüh, hüsnünazar –iyi bakış– dedikleri şey bu olacaktı. Ah elimden gelse de, vaktim olsa da bütün dünya tarihini tekrar okuyabilsem, diye düşündüm.

Bu işlerde aşağı yukarı mutabık kalınca belediye reisi son tereddütlerini söyledi.

– Bu kadar mütehassısı nereden bulacaksınız?

– O kolay! Hayri Beyle biz onu hallederiz. Esasen Hayri Beyin bu hususta çok faydalı bir fikri var. Personelimizi kendimiz yetiştireceğiz. Hayri Bey bu işte haklı. Daha emin şekilde çalışırlar.

Artık biliyordum, dairede sinek avlarken Halit Beyin kafasında bol bol düşünmüştüm.

– Dışardan ecnebî mütehassıs, filân...

Halit Ayarcı bunu katîyetle reddetti.

– Bu iş son derecede mühim bir iş. Bütün kirimiz, pasımız burada. Buraya ecnebî alamayız. Bozar, mahveder. Anlamaz.

Belediye reisi hem memnun görünüyordu, hem de çekingendi.

– Doğrusu ecnebiyi ben de istemiyorum. Hem laf anlatması güç oluyor, hem de yadırgamalarına tahammül edilmiyor. En tabiî şeylere bile intibak edemiyorlar.

Halit Bey dinlemiyordu bile. Ya böyle olurdu, ya vazgeçilirdi.

– Ecnebiye ihtiyacımız yok. Bu iş onların anlayacağı iş değil. Biz mütehassıslarımızı kendi aramızdan yetiştireceğiz.

Ne kadar kesin, etrafı hiç yoklamağa bile lüzum görmeden konuşuyordu! Ya belediye reisi numunelik bir iki ecnebî istiyorsa?.. Böyle şeylerde ben olsam daha dikkatli davranır karşımdakinin fikrini sonuna kadar yoklardım. Nitekim sonraları öyle yaptım. Resmî konuşmalarda daima yorgun, uyuklar gibi tavırlar aldım, küçük açmazlarla karşımdakini iyice söylettim, sonra karar verdim. Çünkü

235

böyle şeylerde asıl karar değil, o kararla münasebetli olan insanlar mühimdir. İnsan beyhude yere eşrefi mahlûkat olmadı.

– Ben de sizin gibi düşünüyorum. Yalnız efkârıumumiye kâfi derecede güvenir mi bize? Ecnebî mütehassısa o kadar alışılmış ki...

– Sırf bunun için dahi yapmamak lâzım. N'oluyoruz sanki? Her şeyi onlardan mı öğreneceğiz? Memleket evlâdını hiç mühim bir işte görmeyecek miyiz? Esasen Hayri Bey vaat etti. Bu işi son derecede sıkı tutacağız. Efkârıumumiye eninde sonunda bizimle birleşecek.

Belediye reisi ellerini birbirine çarptı.

– İşte burada sizden ayrılıyorum, dedi. Hayatı güçleştiren şeylerden hoşlanacak yaşta değilim.

Halit Bey meseleyi şahsî taraftan almıyordu. O daima cömert ve realistti.

– Hakikaten bir işe yarayacaklarını bilsek, haydi bir fedakârlık yapalım, deriz...

Sonra birdenbire katîleşti:

– Yok efendim, kendi personelimizi kendimiz yetiştireceğiz. Viyanalara kadar ecnebî mütehassıslarla mı gittik? O zamanlar herkes mütehassıstı. Çünkü kendimize güveniyorduk.

Ah bu büyük kelimeler ve büyük benzetmeler... Belediye reisi Kanunî Sultan Süleyman'ın topu, tüfeği, mızrak ve zırhıyla ortaya atılan kim bilir kaç yüz bin kişilik ordusuna karşı ne yapabilirdi; tek çaresi şöyle haysiyetli bir ricatti.

– Evet, meselenin başı bu.

– Esasen çok insan var. Hayri Bey şimdi listeyi tanzim etti.

Belediye reisinin tereddüdü başka yerden geliyordu:

– Yalnız, malûm ya, böyle meselelerde... Bu kadar personeli birden bulmak... Dedikodu, filândan bahsediyorum. Tavsiyeli, tavsiyesiz...

Halit Bey bir el işaretiyle bütün bu vehimlere son verdi:

– Biz bu meseleyi hallettik. Müessesemize tam referansı olmayan, iyi tanımadığımız kimse giremez. Bunun için de prensipimiz gayet sağlam. Memurlarımızın yarısı, kendi akraba ve yakınlarımız olacak. Yarısı da dışardan güvendiğimiz yüksek insanların tavsiyelileri. Böylelikle her nevi dedikoduyu önlemiş olacağız... Herkes kefaleti umumiye altında çalışacak.

Belediye reisi bunu çok beğendi.

– Hiç hatırıma gelmemişti, bu. Hakikaten kestirme yollar buluyorsunuz, Halit Bey. Bu prensip bir yığın güçlüğü ortadan kaldırır. Demek imtihan yapmayacaksınız?

– Hayır, asla...

– Şahadetname, filân?..

– Hayır efendim, hayır... Onlar alelâde memuriyetler için lâzım gelen şeylerdir. Halbuki bu hayatın bizatihî kendisi olan bir iş. Memur değil, mütehassıs ister... Hem böylece barem müşkülâtından kurtuluruz.

İkisi de mânalı şekilde bakıştılar.

Belediye reisi bir lahza durdu. Bir şeyler söyleyecekti.

– İtiraz edemiyorum, çünkü karşıma tam bir sistemle çıktınız.

Halit Ayarcı tevazuyla gülümsedi.

– Sayenizde iyi hazırlandık.

– O hâlde bizim de kendi tarafımızdan bazı hazırlıklar yapmamız, liyakatli insanlar aramamız lâzım geliyor...

– Bunu bilhassa rica edecektim. Yalnız şimdilik fazla insana ümit vermeyelim.

– Doğru, çok doğru...

Halit Ayarcı tekrar elindeki deftere baktı. Bu ara ben bir fırsatını bulup ayağa kalktım. Halit Ayarcı'nın şu mucizeli defterinde yazılı şeyleri görmek istiyordum. Sıra ile birkaç rakamdan başka, sadece majüskül birkaç harf vardı.

– Nihayet daktilo, müstahdem, daha sonra da kontrol memurlarımız gibi tâli işleri görecek arkadaşlar kalıyor. Bunlar da tabiî kadromuz kabul edildikten sonra ihtiyaca göre tâyin edilecek. Yalnız şimdilik bir kâtibe daha ihtiyacımız var. Onu rica edeceğiz.

Sonra bana döndü:

– Sizin Zehra Hanım acaba kabul eder mi? Tabiî ufak bir ücretle...

Ama nihayet müessese ona yabancı sayılmaz. Baba evi gibi bir şeydir. Tekrar belediye reisine döndü:

— Zehra Hanım, Hayri Beyin kızıdır.

Bu sağlam delil ve bürhan karşısında belediye reisi tek bir cevap bulabildi:

— Allah bağışlasın!

Üç gün sonra Zehra da Saatleri Ayarlama Enstitüsü'nde Nermin Hanımın maiyetinde işe başladı. Yani o da içinde daha ziyade tuvalete yarar eşya bulunan çantasıyla ve Halit Beye teşekkür için örmeğe karar verdiği süveterin yünleriyle geldi.

Şurasını söyleyeyim ki Halit Ayarcı birkaç sene içinde dünyanın en zengin süveter koleksiyonuna sahip oldu. Dairemizdeki daktiloların hemen hepsi ona bir veya birkaç süveter örmüştü. Fakat bu süveterlerin içinde şüphesiz en güzelleri Nermin Hanımınkilerdi. Eleğimsağma gibi rengârenk, güneşe tutulmuş billur gibi çınlayan, üzerinde daima saate ait şeyler bulunan bu süveterler hakikî şaheserlerdi.

Belediye reisi birdenbire tekrar eski meseleye döndü. Hakikaten bir muamelât müdürüne ihtiyacımız olup olmadığını sordu. Daire müdürlüğünü kaldırmış olmamızdan çok memnundu. Bu fedakârlığı da yaparsak eğer, tamamiyle tatmin edilmiş olacaktı.

— Ben daima bu işlerde hassasım... diyordu. Sonra ikinci derecede personel kadrosundan birisini kullanırsınız. Adı da güzel değil. Muamelât müdürü. Hakikaten bir enstitü için yakışıksız bir isim. Öz Türkçe devrinde.

Zannederim ki bu son itiraz Halit Beyi kandırdı.

— Madem ki öyle emrediyorsunuz...

Adamcağız umumî menfaat namına kazandığı bu zaferden çocuk gibi seviniyordu. Sonra birdenbire hatırladı:

— Tabiî bir mucip sebepler lâyihası yazıyorsunuz!

Halit Ayarcı gülümsedi:

— Merak etmeyiniz. O çoktan hazır. İki aydır üzerindeyiz. Evvelki gece Hayri Beyle son bir defa gözden geçirdik. Ben bu sabah size sormadan bazı yerlerini değiştirdim. O kadar mühim değil. Bir iki nokta. Sonra size gönderirim.

Bunları bana bakarak söylemişti.

– İsterseniz size umumî çizgileriyle anlatayım. Yahut daha iyisi okuyayım.

Ve Halit Ayarcı elini ceketinin iç cebine doğru uzattı.

Belediye reisi, o ana kadar kendisinde görmediğim asık bir çehre ile:

– Hay hay... dedi.

Ve gözlerini her cefaya razı adam gibi kapadı. Fakat o da zeki, ve herhangi vaziyette şaşıracak cinsten adam değildi. Nitekim birden saatine baktı. Ve birden yerinden fırladı:

– Yemek vakti... dedi. İsterseniz başka vakte bırakalım. Bugün epeyce çalıştık.

Sonra hepimize birden baktı:

– Beraber yiyebiliriz değil mi?

Nermin Hanımla ben itiraz ettik. Halit Ayarcı:

– Onların keyfi yerinde! dedi. Kim bilir, Nermin Hanım neler getirmiştir bugün. Arz ettim ya, mükemmel ev kadınıdır.

Dediği doğruydu. Bütün gün gelinini dinlemekten kurtulan kaynanası, kadıncağızın dairede rahatı için elinden geleni esirgemiyor, ne masraftan, ne zahmetten çekiniyordu. Her gün saat on bire doğru Nermin Hanımın evine uğrayan Derviş Efendinin bize getirmediği şey yoktu.

Belediye reisi, Halit Beyle kapıdan çıkarlarken benden kadro üzerinde bir daha düşünmemi rica etti ve sözünü,

– Bu iki müdürlüğü kaldırmamız çok iyi oldu. Belki biraz daha tasarruf yapabiliriz! diye bitirdi.

Halit Bey benim yerime cevap verdi:

– O benden beterdir beyefendi. Belki ben ufak tefek pazarlığa razı olurum amma, asıl mütehassıs sıfatıyla onun fazla ileriye gideceğini zannetmem.

Ben ilk uçuşunu yapan kırlangıç yavrusu gibi korka korka lafa karıştım:

– Bu gibi işlerde en doğrusu randımanı sağlamaktır.

Ah Yârabbim o dakikada karşımda bir ayna bulunmadığına, kendimi doya doya seyredemediğime ne kadar müteessirdim. İlk defa, evet bütün ömrümde ilk defa böyle mühim bir cümle söylemiştim.

Kol kola çıktılar. Biz Nermin Hanımla onları merdivene kadar teşyi ettik. Orada belediye reisi bana ve Nermin Hanıma son defa teşekkür etti.

Odaya girince başımı ellerimin arasına alarak iyice yokladım. Büyükdere'deki meşhur geceden beri bu âdeti edinmiştim. Çünkü bana hep iki elimin üstünde ve ayaklarım havada yürüyorum gibi geliyordu. Etrafımda her şey öyle ters ve tanınmaz bir mantık içinde idi.

Nermin Hanım bütün bunlardan habersiz:

– Belediye reisi cici adam değil mi? diyordu. Şu Halit amcamınki bitsin, muhakkak ona da bir süveter öreceğim.

Tam münasip cevabını vermek üzere iken Derviş Efendi elindeki tepsi ile girdi.

Muvaffakiyet ve kadro tanzimi işlerini öğrenmiştim. Fakat istatistik tanzimi ve bilhassa bu istatistiklerin grafiklerle gösterilmesi bahsinde daha çok acemiydim. Üç dört günde Halit Ayarcı eksiğimi tamamladı. Bir sabah daireye geldiğim zaman onu masamın önünde çalışıyor buldum. Ceketini çıkarmış, sandalyenin arkasına asmıştı. İki kolu sıvalı, başı bitmek üzere bulunan büyük bir grafiğe eğilmişti. Bütün yüzünden, omuzlarından kendisini işe verdiği anlaşılıyordu. Yanına yaklaştım:

– Kolay gelsin beyefendi, dedim.

O yüzüme bakmadan:

– Evet böyle... dedi. Meslekler arasında saat ayarı daima değişiyor. Meselâ bakın buraya, ameleler, küçük işçiler, küçük memurlar saat ayarlarında daha titiz oluyorlar. Hocalar da öyle. Halbuki irat sahipleri, ev kadınları, bilhassa hizmetçiler, hulâsa hiç işi olmayanlar, işlerinden başka işleri olmayanlar...

Ben bu "İşlerinden başka işleri olmayanlar" sözünden hiçbir şey anlamamıştım.

– Yani demek istiyorum ki, kendilerine gösterilen işlerden başka işi olmayanlar... Yani bütün zamanlarını yalnız ona verenler. Meselâ okur yazar, yahut musikî seven kadın için ev işi çarçabuk bitirilmesi gereken şeydir. Çünkü başka iş yapacaktır. O hâlde zaman onun için kıymetlidir. Dışarda çalışan ev kadını da böyle. Gündelikçi hizmetçiler de, fakat ötekilerde saat mefhumu azalır...

Halit Ayarcı tekrar grafiğin üzerine eğildi.

– Renkler güzel değil mi? dedi. Nermin Hanım yaptı. Usulünü tarif ettim. Bir gecenin içinde hazırlamış. Şimdi ben sıra ile her renkli sütuna bir meslek adı koyuyorum.

Bu bana bütün işittiklerimin ve gördüklerimin en garibi geldi. İtiraza çalıştım:

– Aman beyefendi, dedim, bu tam aksi olmuyor mu? Yani evvelâ incelemeler yapılır, rakamlar, yani neticeler elde edilir. Sonra onların ifadesi olan kolonlar tanzim edilir. Hiç olmazsa benim bildiğim böyle...

Halit Ayarcı ilk defa görüyormuş gibi yüzüme baktı:

– Eski usul, dedi, eski ve mânasız. Müthiş zaman yer. Sonra hiçbir neticeye götürmez. Böylesi daha doğrudur. Yanılma ihtimali burada azalır. Çünkü kontrola imkân vermez. Meselâ şu sarı küçük sütun, kırmızı ile morun arasında, bakın. Hepsinden kısası, bu. Nermin Hanım bunu bu tarzda düşünmeyebilirdi. Amma düşünmüş. Mademki düşünmüş, o hâlde bir sebebi vardır. Bu sebebi kendisine sabahleyin sordum. Bilmiyorum, içimden öyle geldi cevabını verdi. Demek ki içinden gelmiş. İçten gelen her şey doğrudur. Şimdi ben bu sütunun fonksiyonunu bulmak zorundayım. Yarım saattir bunun için kendimi yoruyorum. Rica ederim hangi sayma ameliyesi benim şu anda sıkışmış zihnimin bulacağı meslek ismi kadar hakikate uygun olabilir? Saymak bizi daima aldatır. Gülünç ve eksik neticelere götürür. Zaten herhangi bir şeyi saymanın imkânı yoktur. İnsan tek bir hâl olsa istatistik denen bir şeye inanırım. İnsan karışıktır, durmadan değişir. O hâlde niye bu yorucu işe girmeli? Ben bu sarı sütunu ağır hastalarda saat ayarının azlığı için ayırıyorum. Yanı başındakilere nazaran altı misli kısa olması da bunu gösterir. Nitekim buradaki tek siyah çizgi de ölülerin zamanla hiç alâkası kalmadığına işaret eder.

– İyi ama, bunun yazılması behemehal lâzım mı? Bu o kadar tabiî bir şey ki...

– Zannederim lâzım. Hattâ bilhassa yazılmalı. Çünkü bunu yazmazsak saat ve zamanla alâkanın asıl yaşama şuuru olduğunu nasıl öğreteceğiz? Ne garip, siz daha enstitümüzün niçin kurulduğunu bilmiyor gibi konuşuyorsunuz. Biz içtimaî bir dâvanın üzerindeyiz. Hizmet için buraya geldik. Hayatta benim için bundan başka bir iş yok muydu sanıyorsunuz?

– Sizin için bilmem ama, benim için yoktu. Ve olmadı da. Burasını gayet iyi biliyorum.

Halit Ayarcı elindeki grafikte son rötuşlarını da yaptı. Sonra bana döndü:

– Bırakın bunları... Alışacaksınız. Bir gün alışırsınız. Belediye reisine verdiğiniz cevap son derece mükemmeldi.

– Asıl sizin konuşmanız mükemmeldi.

– Ben eski arkadaşıyım. Mektepte beraber okuduk. O zamandan beri fâsılasız dostuz.

– Yalnız...

– Evet, yalnız?

– Bu muvaffakiyet meselesi beni pek şaşırttı. Daha bir şey yapmış değildik.

– Yanılıyorsunuz Hayri Bey, başlamak, başarmaktır. Bakın, bu şartlar içinde, bu küçük odada büyük bir işe kendimizi vermemiz, bu daireyi kurmamız bir başarı değil mi?

Birdenbire durdu, yüzüme dik dik baktı:

– Hayri Bey, bize niçin inanmıyorsunuz? diye sordu.

Yan gözle masamın bir kenarına koyduğum öteberiye baktım. Galiba toparlanıp gitmek zamanı gelmişti. O, bunu fark etmiş de beni temin etmek istiyormuş gibi gülümsedi:

– Hayır, telâş etmeyin. Sizden ayrılmak istemiyorum. Sizinle bu müessesede yapacağımız çok iş var. Fakat öğrenmek istiyorum. Niçin inanmıyorsunuz?

– Bana müsbet bir işimiz yok gibi geliyor...

– Müsbet işten kastınız nedir? Herkesin inandığı aklın bir lahzada kavradığı değil mi? Meselâ hamallık! Eşya var, bir yerden bir yere gidecek, götürülecek.

– Sade bu kadar mı?

– Ama sizin aklınızla, yani mantığınızla hepsine itiraz edilebilir! On dakika, hattâ beş dakika, üç dakika üzerinde düşünmek her işi gülünç yapabilir. Herhangi bir şeyi mantığın dışına çıkarmamız için ona biraz dikkat etmemiz kâfidir.

Bir müddet düşündü. Sonra tekrar grafiğe eğildi. Kâğıda uzaktan bakmak için ayağa kalktı. Birdenbire bana döndü:

– Dostum, işler bizden sonra dünyaya gelmişlerdir. İşleri onları görecek adamlar icat eder. Biz de bunu icat ettik. Bunu bizden evvel kimsenin düşünmemesi veya başka şekilde düşünmüş olması müsbet olmasına mâni midir, sanıyorsunuz? Biz bir iş yapıyoruz, hem mühim bir iş... Çalışmak, zamanına sahip olmak, onu kullanmasını bilmektir. Biz bunun yolunu açacağız. Etrafımıza zaman şuurunu vereceğiz. İçinde yaşadığımız havaya bir yığın kelime ve fikir atacağız. İnsan, her şeyden evvel iştir, iş ise zamandır, diyeceğiz. Bu müsbet bir hareket değil midir?

Bayağı müteessirdi. Konuşurken ağır bir yük taşıyormuş gibi soluyor, rahatsız oluyordu.

– Zannederim ki hep saatte kalıyor onun arkasındaki şeyleri ihmal ediyorsunuz. Saat bir vasıta, bir âlettir. Tabiî mühim bir âlettir. Terakkî saatin tekâmülüyle başlar. İnsanlar saatlerini ceplerinde gezdirdikleri, onu güneşten ayırdıkları zaman medeniyet en büyük adımını attı. Tabiattan koptu. Müstakil bir zamanı saymağa başladı. Fakat bu kadarı kâfi değil. Saat zamandır, bunu düşünmemiz lâzım!

En iyisi eski teraneye dönmekti.

– Beyefendi, biliyorsunuz ki ben cahil bir adamım. Bütün bilgim, Nuri Efendi ile Doktor Ramiz'den ve bir de sizden dinlediğim şeylerdir. Yani kulaktan ne kaparsam, ne kapmışsam onlar. Nereden bileceğim bunları?..

Halit Bey güldü:

– Kendinizi beyaza çekmeyin. Ben de iddia ediyorum ki çok şey biliyorsunuz. Kâfi derecede zekisiniz. İnancınız yok. İşte eksikliğiniz. Siz mutlakın peşindesiniz. Ne garip, bir saatçinin mutlak değerler peşinde koşması. Zaman gibi izafî bir şeyle meşgul olan bir adamın... Hakikaten anlamıyorum.

Tekrar omuzumdan yakaladı ve beni silkeledi:

– Değişeceksiniz, Hayri Bey değişeceksiniz... Saatleri Ayarlama Enstitüsü her şeyden evvel kendisine inanılmağa muhtaçtır.

Ve birdenbire yerinden fırladı, yere çömeldi. Oturduğu sandalyeyi bir ayağından ve en dibinden tutarak havaya kaldırdı, sonra kolunu hiç bükmeden dimdik ayağa kalktı ve hep aynı vaziyette odanın içinde dolaştı. Sonra başını arkaya doğru eğerek elindeki sandalyeyi bir ayağı ile tam burnunun ucuna oturttu ve iki yana açtığı kollarıyla muvazenesini araya araya odanın içinde yavaş yavaş gezinmeğe başladı.

Sandalyeyi bırakınca geniş bir nefes aldı. O zamana kadar vücudunun güzelliğini anlamamıştım. Hakikaten çok güzel ve çevik adamdı. Her taraftan adaleler kabarıyordu.

– Niye alkışlamadınız? diye bana sordu. Şaşırdınız da onun için değil mi? Benim bu cinsten seksene yakın marifetim vardır. İstersem herhangi bir sirkte kendime daima iş bulurum. Fakat saatleri ayarlamayı tercih ettim...

Elini masaya indirdi:

– Ve ayarlayacağım da... Hem beraber ayarlayacağız...

Sonra tekrar masaya oturdu, beni karşısına aldı:

– Doktor Ramiz'i unuttuk. Onun için bir iş lâzım. Doktor benim tarafımdan giriyor. Siz kimi teklif ediyorsunuz?

– Bilmem! dedim.

Hakikatte ne söyleyeceğimi bilmiyordum, çünkü neden bahsettiğini anlamamıştım. Zaten hiçbir şey anlamıyordum. Sadece deniz tutmuş gibi bir baş dönmesi içindeydim. Halit Bey sabırlı sabırlı:

– Bakın anlatayım, dedi. Kadromuzun yarısı aramızdan olacak. Öyle konuşmadık mı o gün? Bir onlardan, bir bizden. Biz sizinle iki kişi olduğumuza göre o hâlde ben bir kişi teklif edince siz de birisini teklif etmek hakkını kazanıyorsunuz. Şimdi ben Ramiz'i teklif ettim.

Bu sefer rahatladım. Bir çeşit aile oyunu oynuyorduk. Halit Bey Ramiz'i teklif etmişti.

– Yangeldi Asaf Bey...

– Güzel, hangi iş? Doğrusu adını çok beğendim. Doktor Ramiz mesleği icabı iş ve koordinasyon kısmına girecek. Asaf Beyi nereye teklif ediyorsunuz?

– Şubelerden birine... Meselâ çark şubesine...

– Yapabilir mi?

– Eskiden dişçi idi.

– Şimdi değil mi?

– Hayır, müşterilerden biri elini ağzında iken ısırdığından beri mesleğini bıraktı. Zaten işten hoşlanmayan bir adamdı. Daha ziyade uyumayı severdi. Kahvede uyurken, yahut konuşurken, bir müşteri gelirse hizmetçileri haber verir, o da yavaş yavaş uyanır, giderdi. Ve çok defa hasta beklemediği için hemen dönerdi. Zannederim ki reddetmez.

Halit Beyi bu hikâyenin güldüreceğini sanmıştım. Fakat o hiç aldırmadı. Gayet sakin bir tavırla:

– Şayanı dikkat adam... dedi. Muhakkak bir şey var işin içinde. Ve muhakkak ki bizde göreceği, muvaffak olacağı bir iş bulunur. Fakat ilk hamlede olmaz... Sonra düşüneceğiz onu... Bir başkasını bulun.

– Şair Ekrem Bey... Beni çok sever, ben de kendisini severim. Otuz yaşlarında var.

– İşte bu iyi... ne iş görür?

– Hemen hemen hiçbir iş görmedi şimdiye kadar...

– Tamam... Genç bir insan, bozulmamış bir kabiliyet... Kabul. Asaf Beyi sonra düşüneceğiz! Başka teklifiniz?

– Zehra Hanımı söylemiyorum. Çünkü o Nermin Hanımı karşılıyor...

– Bu kadro, tam kadromuz değildir. Ben teşkilâtımız münakaşa edilmeden kadro teklifi vermeyeceğim. Çünkü elimden geldiği kadar geniş tutmak mecburiyetindeyim. İyi oturmuş, rahat müesseseler emniyet verirler. Onun için müessesenin tam bir teşkilât olmasını istiyorum. Öyle ki memuriyetlerimiz okununca saat ve zaman denen şey kendiliğinden görünsün. Herkes ne yapılacağını anlasın! Binaenaleyh sizin icabında teklif edeceğimiz vazifeleri kabul edecek insanlar üzerinde düşünmeniz lâzım...

– Daha az, dar bir kadro ile işe başlamak, daha doğru değil mi?

– İmkânsız...

– İhtiyaç oldukça teşkilât genişler.

– Hayır. Siz bana yalnız dümen ve bacası olan bir gemi ile yolculuğa çıkmamı teklif ediyorsunuz. Hayır, gemi dediğin bir bütündür. Makinası, küpeştesi, güvertesi, daha bilmem her şeyi, kamarası, kaptan köprüsü... Hepsi ile bütündür. Kaptandan farelerine varıncaya kadar! Bana, gemime tayfa, yolcu ve fare bulun, anladınız mı? Dar kadro demek çalışmamak demektir. Bir müessese canlı bir mahlûktur. Mide, kol, bacak... Hepsi lâzım. Hattâ daha ileriye giderek lüzumsuz unsurlar bile bulunmalı, diyeceğim.

Bütün cesaretimi topladım.

– O da niçin? diye sordum.

– İcabında çıkartmak için... Siz de bilirsiniz ki dünyanın her tarafında resmî, yarı resmî müesseselere karşı bir kıskançlık vardır. Hemen her zaman iktisat, masrafı kısma gibi lâflar çıkar, kararlar verilir. Böyle bir tedbiri almak mecburiyetinde kalsak ne yapacağız? Lüzumlu unsurlarımızı mı çıkaracağız? Yakın akrabalarımızı dostlarımızı mı feda edeceğiz? Hayır. Ben bir iki günah keçisi almak niyetindeyim. Biliyorsunuz değil mi? Eski Yahudiler her sene çöle günahlarını yükledikleri bir keçi salarlarmış. Biz de icabında öyle yapacağız. Her şeyi evvelden düşünmek lâzım. Kurulmamızdan iki sene sonra israf lâfı çıkar. Bu demektir ki, umumî efkâra iyi niyetimizi göstermek için rahatça feda edebileceğimiz bir iki kişi lâzımdır. O zaman ne yapacağız? Kura mı çekeceğiz aramızda? Belki onu da yaparız ama... Biz yine başından tedbirli olalım. Elimizde birkaç kişi bulunsun. Hemen her müessesenin kolaylıkla vazgeçebileceği, hattâ takibat yapacağı cinsten birkaç kişi... Tâ ki vicdan azabı çekmeyelim. Ayrıca saat ayarı istasyonlarımız için personel arayacağız...

Ayakta, durmadan geziniyordu.

Ayar istasyonları, saatleri durmuş hanımların ve beylerin saatlerinin ayarlarını düzeltmek için yol üstünde uğrayacakları küçük yerlerdi. Burada genç hanımlar, beylerin, genç ve güzel delikanlılar da hanımların saatlerini küçük ve makbuz mukabili bir ücretle kurup ayarlayacaklardı. Şehrin kibar ve zengin semtlerinde kalabalık caddelerinde açılacak ilk istasyonlardan sonra yavaş yavaş daha derine, mahalle içlerine kadar girecekti. Nitekim ilk iki istasyonumuzu Galatasaray'la Teşvikiye'de açtık.

Böyle bir teşebbüs için muayyen şartları haiz oldukça kalabalık bir personele muhtaç olacağımız tabiiydi. Müşteri, yahut müracaat sahibi ile meşgul olurken Ayarlama Enstitüsü'nün asıl içtimaî gayelerini ona anlatması icap eden bu genç unsurların zeki, sevimli ve konuşkan olmaları da lâzımdı.

Burda da maalesef yine Halit Ayarcı'ya itiraz ettim:

— Bu kadar basit bir şey için kim ayakkabı boyatır gibi bir dükkâna gider? Kaldı ki modern hayat yavaş yavaş berber ve boyacı gibi muhallebicilerden sonra memleketimizin en işlek iş ve ticaret sahası olan meslekleri bile söndürüyor. Herkes rast geldiği dükkânın kapısından başını şöyle bir uzatıp saatini düzeltir.

Halit Ayarcı:

— Hayır, dedi, yanılıyorsun. Bilakis koşacaklar. Bu istasyonlara öyle zarif bir şekil vereceğiz, o kadar güzel elemanlar bulacağız ki

247

en işlek mağazaları geçecek. Siz bana inanın! Kadromuzun tasdikine dört ay vardı. Bu itibarla fazla üzülmedim. Dört ay daha rahat edecektim. Ondan sonrası için Allah kerimdi. Kendi kendime, "Mademki dört ay sonra burası yoktur, o hâlde ilerisi için hazırlık yapalım!" diye düşünüyordum. Benim elimden gelen bu idi.

Talih herhangi bir adam gibi yaşamama imkân vermemişti. O hâlde muvaffak olmam için daha cesur, daha atılgan ve daha kayıtsız, insanlarla münasebetinde daha dişli bir adam olmalıydım. "Halit Bey bu işte belki muvaffak olmayabilir. Fakat muhakkak ki hiçbir zaman cesareti kırılmayacak ve daima aynı kalacaktır. Acaba onu taklit edemez miyim? Meselâ şu ayar istasyonları bahsinde onu geçmeğe çalışayım!" Ve müessesemiz açıldığından beri ilk büyük gayretimi yaptım.

— Personelin muayyen üniforması olacak mı? diye sordum.

— Henüz düşünmedim.

— Biliyorsunuz ki ben tutacağına inanmıyorum. Fakat tutması için böyle bir üniforma bana şart görünüyor. Erkeklerde vücudun bütün güzelliğini gösterecek, kadın veya kızlarda icap ederse yaşı örtmeğe ve bilhassa az çok cins dışına çıkararak güzelliği daha keskin, ısırıcı daha sinema yapmağa yarayacak bir üniforma... Hiç olmazsa bir nevi kasketimsi bir şey! Daha ziyade genç erkek hâli verecek bir kıyafet!

— O ne için?

— Dikkati çeksin diye... Bütün o başıbozuk kalabalığını halk ne yapsın?

Halit Bey bir iki dakika düşündü:

— Oldu diye bağırdı. Kazandınız! Bir üniformamız olacak. Hattâ bütün personelimiz için bunu yapacağız... Müdürlerin dışında. Onlar için de küçük işaretler buluruz. Hiç olmazsa rozetimsi bir şey! Bütün personelimizin kıyafeti olacak. Böylece daha karakteristik, daha tecessüsü gıcıklayan bir cihaz elde ederiz.

— Ayrıca, dedim, bu personelin müşterilere hitap tarzını hususî şekilde öğretmemiz lâzım... Malûm ya, son zamanlarda aldı yürüdü, baba, amca, dayı, usta, patron, yenge, abla gibi kelimeler gırla gidiyor! Bir hısım akrabalıktır gidiyor ki sormayın!

Bunları söylerken hayalimde hep biraz evvel tramvayda beni, "Baba uyuyor musun?" diye âdeta tartaklayan biletçi vardı.

Halit Ayarcı'nın sevincine hudut yoktu:

— Bu da iyi! dedi, bunu da kabul... Daha?

— Konuşurken de aynı şekilde yeknesak, tatlı ve ölçülü olurlarsa, bilhassa aynı zamanda son derecede mültefit, nazik ve ciddî olmayı da öğretirsek rağbet artar. Saatten, enstitüden hep aynı kelimelerde, büyük bir ihtisas iddiasıyla bahsederlerse, araya hiçbir şey katmazlarsa, ve bilhassa bu iş için kurulmuş saatler gibi hareket ederlerse, yaşlarına göre tuhaf görünecek bir ciddilikle söyleyeceklerini söyleyip birden susarlarsa...

— Yani bir nevi otomatizm... Asrımızın asıl büyük zaafı ve kudreti. İçten içe hazırlanan aydınlık ve düzenli yeni Orta Çağ'ın temeli ve belkemiği. Haklısınız. Hayri Bey... Hayri Bey siz bir dâhisiniz. Öyle bir şey buldunuz ki... Tam çalar saat gibi konuşup susacak insanlar, değil mi? Plak insan... Harika!

Ve beni kucakladı:

— Tebrik ederim Hayri Bey! Asrımızın bütün psikolojik vâkıasına dokundunuz... Fakat çok güç... Bunu nasıl yapabiliriz?

— Ben bu işi becerebilecek birisini tanıyorum, dedim. Daha doğrusu bir kadın... Zaten böyle bir işi ancak bir kadın yapabilir. Bir insan ki eline geçen herkese istediği şekli verebilir. Sabriye Hanım sade öğretmez, takip de eder.

Ona, kendisinin de biraz tanıdığı Sabriye Hanımdan bahsettim. İspritizma Cemiyeti'ndeki ahbaplar gece gündüz aklımdan çıkmıyordu.

— Yarından tezi yok, bir mektupla kendisini davet edelim. İşimize yarayacağına eminim. Sevimsizdir amma yapar bu işi! Hele takibi mükemmel becerir...

Bir müddet düşündü.

– Bana kalırsa bu ayar istasyonları personelini sadece genç kızlara ve kadınlara inhisar ettirelim. Hiç erkek almayalım. Sizin dediğiniz şekilde bir terbiyeyi ancak genç kızlara verebiliriz. Erkekler için başka işler ararız... Bir yığın delikanlıyı otomat hâline ne diye sokalım! Zaten yapamayız. Şimdi kadınlar da erkekler kadar genç ve güzel kadınlarla anlaşabiliyorlar... Sinema artistlerine hayranlıklarından belli.

Ben erkekler içinde hiç olmazsa kadınlar kadar beyinsiz bulunduğuna emindim. Hayır, her iki taraf aynı şekilde muamele görmeliydi. Fakat ısrar etmedim. Çünkü aklıma başka bir şey daha gelmişti. Bu üniforma ve kıyafet meselesinde bizim bir estetik müşavirine mutlaka ihtiyacımız olacaktı. Acaba Selma Hanımefendiyi ve Nevzat Hanımı beraberce müesseseye alamaz mıydık? Yüzüm kızara kızara Halit Ayarcı'ya bu meseleyi açtım. Esas prensipi kabul ediyordu. Fakat şahıslar üzerinde mütereddiltti. İşte o zaman ben biraz evvel öğrendiğim şekilde kozumu oynadım.

Müessesenin müdürü sıfatıyla zatıâliniz Sabriye Hanımı teklif buyurdunuz. Bendeniz kabul ettim. Şimdi ona mukabil kendi hakkımı kullanıyorum ve Selma Hanımı kendime mensup bir insan sıfatıyla teklif ediyorum. Kendi yakınım addederek....

Halit Ayarcı bir müddet düşündü. Sonra gülmeğe başladı:

– Bunu böyle bir prensip meselesi yaparsanız kabul... Amma kocasını ne yapacağız?

– Onu da günah keçisi olarak alırız...

Sessizce beni süzdü.

– Sizde epeyce iş var! dedi. Hattâ kin tutmayı bile biliyorsunuz. Hepsi kabul... Hattâ Nevzat Hanım dahi... Fakat unutmayın ki kadro paylaşılmıştır. Bir iki tavsiyeli de gelsin, ondan sonra karar veririz. Selma için söylemiyorum. İkisiyle de temas edin, konuşun. Benim bu günlerde çok işim var zaten. Meseleyi öğrendiniz. Cemal Beyle Nevzat Hanım için biraz daha bekleyelim!

Çıkarken, çok ehemmiyetsiz bir şeyden bahseder gibi.

– Ha! dedi, az kaldı unutacaktım. Belediye reisi kadronun çıkmasına intizaren ücretinizi biraz arttırdı. Bu aydan itibaren üç yüz lira alacaksınız!

İlk önce teşekkür için boynuna sarılmayı, iki elini öpmeyi düşündüm, fakat birdenbire demin verdiğim karar aklıma geldi. Ona yetişmeğe, onun gibi hareket etmeğe karar vermiştim. Bu benim tek çaremdi. Yarı yolda kendimi tuttum.

– Teşekkür ederim, dedim.

Ve en ciddî sesimle.

– Fakat bence asıl mesele müessesenin muvaffakiyetidir.

İkimiz birbirimize bir dakika kadar bakıştık:

– Evet, dedi, asıl mesele odur.

Bu suretle esaslarını beraberce düşünmüş olduğumuz saat ayar istasyonlarından birine iki sene sonra uğradım. Uçak hosteslerini andıran bir kıyafetle giyinmiş genç bir kız dünyanın en tatlı tebessümleriyle beni birdenbire yakaladı, bir örümcek gibi sardı. Bileğimden çıkartmama müsaade etmediği saatimi kurdu, tabiî kendi saatiyle ayarladığı için ayarını bozdu. Ve bütün bunları yaparken de saat hakkında, insan hakkında benim bildiklerimden yüz defa daha ahmakça sözleri hep aynı şirin tebessümle tekrarladı, hattâ suallerime cevap verdi, bana kozmik saat ayarından bile bahsetti. Bilhassa sözü saatten gayrı bir şeye nakletmeme zerre kadar müsaade etmedi. Ve çıkarken de elime enstitüye ait yine az çok benim kalemimden çıkmış bir yığın prospektüs tutuşturdu. Ayrıca Hürriyet Tepesi'nde yapılmakta olan yeni enstitü binamızı behemehal ziyaret etmemi tavsiye etti ve bütün bunlar yetmiyormuş gibi bir yıllık ayar abonesi, yine enstitümüzün bastığı takvimden üç nüsha birden sattı.

Tam ayrılacağım sırada istasyonun duvarlarını süsleyen fotoğraflar arasında beni gösteren bir resmin önünde durdum. Selma Hanımefendinin bana göstermek için getirdiği yeni kıyafet modellerini seçerken çekilmiş olan bu resim benim en iyi resmimdi. Genç kıza gülerek beni tanıyıp tanımadığını sordum. Evvelâ böyle bir sualin son derecede şahsî olduğunu ve ayar istasyonları nizamnamesinde kendisini buna cevap vermeğe mecbur edecek bir madde·bulunmadığını söyledi. Sonra ısrarım üzerine.

– Tabiî tanıdım... dedi, fakat Sabriye Hanımın verdiği talimatın dışına çıkmak istemedim. O bize müşterilerin yüzlerine fazla bakmadan gülümsememizi, son derecede gayrişahsî davranmak şartıyla şahsî olmamızı ve daima saatten bahsetmemizi, ezberlemiş gibi konuşmamızı, enstitüye dair her türlü izahatı en açık şekilde vermemizi söylemişti.

Sabriye Hanımı bu işe tavsiye ederken hiç de yanılmamıştım.

– Peki, şimdi tanıdınız! Ne yapmanız lâzım geldiğini düşünüyorsunuz?

Duvardaki saate baktı:

– Yedide işim bitiyor... dedi. O zaman sizi dinleyebilirim.

Zehra enstitüde pek az kaldı. O ayar istasyonlarında çalışmayı tercih etmişti. Ve o sayede evlendi. Ve tabiî evlenir evlenmez kocasını yelkovan şubesi şefi ve mütehassısı yaptık. Damadımı da dışarda bırakacak değildim ya! Küçük baldızım, Zehra'dan boş kalan yere tâyin edilmişti. Onu da enstitümüzde iş arayan tavsiyesiz bir genç, müesseseye girmek için başka çare kalmadığını anlayınca, hemen o gün istedi. Bilhassa bu sonuncu izdivaç bana enstitüde ayrıca bir nikâh memurluğu tesisi fikrini verdi. Fakat Halit Ayarcı işin ciddiyetini bozar korkusuyla bu çok yerinde teklifi reddetti.

Sabriye Hanımı yukarda anlattığım konuşmadan iki gün sonra evinde ziyaret ettim. Beni gördüğüne son derecede memnun oldu. Geçmiş zamandan hakikaten bir kalbi varmış gibi hüzün ve teessürle bahsetti. Meseleyi kendisine açınca beraber çalışmamız ihtimaline çok sevindi. Ayrıca beni daha düzgün bir kıyafetle ve bayağı mesuliyetini taşıdığım bir işin arasında gördüğü için memnundu.

– İspritizma Cemiyeti dağıldı... dedi. Büsbütün canım sıkılıyor. Daha doğrusu ben kendim de böyle bir iş arıyordum. Ne zaman istterseniz emrinize hazırım.

Kendisine şimdilik daha personelimizi tanzim etmediğimizi,

hattâ kadromuzun bile çıkmadığını, fakat yakında bunların halledileceğini ümit ettiğimizi söyledim.

– Siz de bu meseleyi düşünün. Beşer, onar grupluk genç kızlar bir bakıma mânasız bir iş için toplanmış olacaklar. Bütün muvaffakiyetleri bu çocukların davranışlarında olacak. Hattâ müesseseyi bu tutturabilir. Niçin bunu yapıyoruz? Burasını bilmiyorum. Fakat tutması lâzım. Her şeyden evvel hoşa gitmeli ve mümkün olduğu kadar fazla şaşırtmalı, fakat rahatsız etmemeli. Öyle sanıyorum ki sonradan bu istasyonlara başka fonksiyonlar da verebiliriz. Şimdi bunları yetiştirmek meselesi var.

Sabriye Hanım dudaklarını kısmış beni dinliyordu.

– Halit Ayarcı ile beraber olduğunuzu söylemeseydiniz de ben onunla beraber olduğunuzu anlardım. Bunlar hep onun düşünebileceği cinsten şeyler. Bilir misiniz ki alelâde işi sevmez. İş dediğin onun için evvelâ bir sergüzeşt olmalı. Kutup seyahati, kaçakçılık, her şey elinden gelir. Yalnız lâalettâyinden hoşlanmaz. Sonra tuhaf olmalı, imkânsız olmalı, herkesi şaşırtmalı ve hattâ korkutmalı! Sonra da iş olmalı. Devlet memuriyetlerinde bu yüzden kalmadı. Bütün büyükler dostudur. O da bir vakitler onların arasında idi. Fakat bir türlü sevmedi. Çünkü sergüzeşt değildi. Fakat aynı zamanda inanacağı bir tarafı da bulunmalı yaptığı işin... Meselâ siz zannetmem ki bu işleri ciddî bulasınız. Halbuki Halit Ayarcı bu işe imanla girmiştir, buna eminim. Eminim ki Saatleri Ayarlama Enstitüsü de böyledir. Yine cemiyet için çok iyi bir şey, imkânsız bir şey düşünüyor. Fakat faydalı olması büyük olması ona yetmez. Dedim ya herkesi şaşırtmak, kızdırmak, etrafta gürültü yapmak da lâzım... Zaten demin siz müessesenin gayelerini anlatırken onun kelimelerini kullandığınızı derhal anladım. Özetliyorum, candaşım, geliyorum. Göreceksiniz ne cümbüş olacak...

Sabriye Hanımı konuşturmak için sual sormamak lâzım geldiğini biliyordum.

– Hiç böyle fırsatı kaybeder miyim? diyordu.

Sabriye Hanımın salonunda onunla karşı karşıya oturmuş çay

içerken ister istemez hayatımdaki değişikliği düşünüyordum. Beş sene evvel de ben bu eve sık sık gelir ve Sabriye Hanımla böyle karşı karşıya otururdum. Fakat o zaman bana yapılan her ikramda bir nevi okşama, gönül alma, yüksek sevap, kendi kendini tatmin vardı. Ondan daha sonraki zamanlarda bu kapıyı çalmağa bile cesaret edemeyecek hâlde idim. O hâlde arada bir şey değişmişti. Bu değişikliği, nasıl yapacaktım da bütün hayatıma mal edecektim? Bunu devam ettirebilmenin çaresi neydi? Bu iş meselesini de geçiyordu. Başka bir şeydi. Sabriye Hanım zihnimden geçenleri anlamış gibi birdenbire sözü değiştirdi:

– Hayri Bey, biliyor musunuz ki siz çok değiştiniz! dedi.

– Hayırdır inşallah! dedim.

– Hayır, çok değiştiniz! Sakın darılmayın, sizi kırmak, küçültmek için söylemiyorum. Hayatınıza, hattâ içinize bir rahatlık gelmiş. Evet öyle. Çok rahatsınız. Biliyor musunuz ki bu Halit Beyin tesiridir. Halit Bey rahat adamdır.

Bütün mesele burada idi. Halit Bey rahat insandı. Bu para meselesi, filân değildi. Alelâde kendine güvenme hissi de değildi. Daha başka bir şeydi. Hayatla, herhangi bir şeyle oynar gibi oynuyordu. Onu tanıdığımdan beri ister istemez hep onun verdiği çerçeveler içinde düşündüğümü, hattâ onu taklit ederek yaşadığımı bir daha anladım. Bu hakikatin yanı başında Sabriye Hanımın bana anlattığı diğer hususiyetleri ikinci, üçüncü derecede kalıyordu.

– Halit Beyle iş görenlerin hemen hepsi kabiliyetleri derecesinde bu rahatlığı alırlar. Halit Bey beni sevmez. Belki de kendisini iyi tanıdığım için sevmez. Fakat ben onu çok beğenirim...

Sabriye Hanıma, Nevzat Hanımla Cemal Beyi ve Selma Hanımı da Halit Ayarcı'nın müesseseye almak fikrinde olduğunu söyledim. Selma Hanımın adı geçer geçmez, "Bekliyordum bunu..." der gibi gülümsedi.

– Selma Hanım gelir, dedi. Hattâ çağırdığınız için çok memnun olur. Zannederim ki çalışmağa ihtiyacı var. O da benim gibi, fakat başka sebeplerle bir şeyle meşgul olması lâzım. Zannederim ki Cemal Beyle araları çok fena. Cemal'in de işleri pek bozuk... Bir yığın sıkıntısı var! Fakat Nevzat'ın geleceğinden şüpheliyim!

– Niçin?

– Nevzat, hiç de eski Nevzat değil artık. Zaten Selma'yı da çok değişmiş göreceksiniz. Fakat Nevzat gittikçe daha dalgınlaştı. Bütün dostlarıyla alâkasını kesti. Âdeta bir günahı ödüyor gibi yaşıyor. Çok koyu bir dindarlık çöktü üstüne. Sabahtan akşama kadar Kur'ân okuyor, namaz kılıyor... Hattâ ruhları bile çağırmıyor.

– Murat n'oldu?

– O da kayboldu. Dedim ya! Artık eski Nevzat Hanım değil.

Sonra birdenbire sözü değiştirdi:

– Bilir misiniz, bugünlerde ben kiminle dostum? Halanızla... Ne mükemmel kadın, nasıl canlı, yaşını nasıl yeniyor! Doğrusu aranızın açık olmasına sizin hesabınıza müteessirim. O kadar açık fikirli, berrak görüşlü bir insan ki... O da biliyorsunuz tasavvufa merak etti. Hattâ âşıkâne şiirleri bile var. Yarın çayına gideceğim.

Konuşmanın bundan sonrasının beni sıkacağını anladım. Sabriye Hanımdan kendisine telefon eder etmez geleceği vaadini alarak evden çıktım.

Sabriye Hanımın Selma Hanım için söylediği şeyler beni hakikaten üzmüştü. Belki bu yüzden ilk rast geldiğim dükkândan Cemal Beyin evine telefon ettim. Karşıma Cemal Bey çıkarsa telefonu kapamağa karar vermiştim. Beş seneden beri görmediğim, türlü sıkıntılar arasında çehresini bile unuttuğum kadın birdenbire Sabriye Hanımın söylediği birkaç sözle şimdi dört bir tarafımı bir yangın gibi sarmıştı. Halbuki işlerimizin yavaş yavaş düzeldiği bu günlerde Pakize ile yeniden tatlı balayı günleri geçiriyorduk.

Telefona Selma Hanım cevap verdi.

– Nerelerdesiniz a canım!.. Cemal'e soruyorum, Hayri Bey bu, bilinir mi hiç? İstifa etti, gitti, diyor. O kadar ara! diye yalvardım. Zannederim her tarafa baş vurdu. Sizi ele geçiremedik vesselâm...

Ve bütün bunları hep, içine bir yığın çocuk neşesi karışan o ince billûr sesle söylemişti. Demek böyle idi, Cemal Bey ona benim istifa ettiğimi söylemişti. Ben huyu suyu bilinmeyen bir adamdım. Aramış, bir türlü bulamamıştı! Kendisine vaziyeti anlattım. Bize yardım edip edemeyeceğini sordum. Saatleri Ayarlama Enstitüsü'nün adı pek hoşuna gitmişti: − Bu nasıl iş canım? diyordu, âdeta şakaya benziyor. Hakikaten şaka gibi bir şey... Hele bir anlatın... Elimden geldiği kadar müesseseyi izah ettim. Kendisinden rica ettiğimiz şeyi de söyledim. Ertesi sabah enstitüye geleceğini vaat etti. Onu o günlerde kaleme devam etmeğe başlayan Zehra'nın yüzünden Halit Beyin odasına aldım. Daha ilk anda kendisinde bir yığın şeyin değiştiği görülüyordu. Yine eskisi gibi güzel ve zarifti. Bütün hareketlerine hâkimdi. Gülüşü ateş oyunu gibi bir şeydi. Fakat makinada bozuk bir şey vardı. Eski neşesi kalmamıştı. Istırap denen çemberden geçtiği muhakkaktı. Sanki bilmediğimiz üzüntüler, düşünceler, belki de bir korku arasından konuşuyordu. Belki de yalnız bu sonuncusu vardı. Korkuyu bütün ömrümce tatmıştım, o yılanı gayet iyi bilirdim. Bir kere içimize yerleşti mi bulandırmayacağı hiçbir şey yoktu. Fakat neden korkuyordu? Niçin telâşlıydı? Buralarını anlamam kabil değildi.

Benden ilk önce iş hakkında izahat istedi. Çok çocukça bir saflıkla, "Ben böyle şeyleri yapamam ki..." diyordu. Bunu söylerken elleriyle yaptığı işaret o kadar güzeldi ki bütün konuşma boyunca bir daha yapmasını bekledim.

− Zannettiğiniz gibi değil! dedim. Sadece müesseseye fikir vereceksiniz! Hiçbir güçlüğü yok... Hele siz ki bu işleri çok iyi bilirsiniz, o kadar mükemmel bir zevkiniz var...

Sonunda o da razı oldu. Eğlenceli bir iş olacağını tahmin ediyordu. Zaten giyim kuşam en sevdiği şeydi. Yalnız Cemal Beye bir kere sorması lâzımdı.

− Belki istemez, diyordu. Onun için vaat etmeyeyim! Mesele çıkarmayalım!

− Ne mesele çıkacak! Zannetmem ki Cemal Bey sizin herhangi bir arzunuzu reddetmeğe kalksın!

Bunu mahsus söylemiştim. Başını salladı:
– Cemal son zamanlarda hiç eski Cemal değil!
O kadar kendisine hâkim olan kadın neredeyse karşımda ağlayacaktı. İçime yumruk gibi bir şey tıkandı.

Asıl beni şaşırtan bu sözlerin altında Selma Hanımın bütün hayatının bulunmasıydı. Demek ki o Cemal Beyi hiç anlamadan, ondan hiç şüphe etmeden, gözü kapalı ve biçare yaşamıştı. Onu bütün ömrünce insan olgunluklarının bir numunesi gibi görmüş ve öyle sevmişti. Bununla da kalmıyordu. Ona bağlıydı. Onun emrinde idi. Onu seviyor, kıskanıyor, ve ondan korkuyordu. O zamana kadar bu kadını bütün hayatından sıyırarak sevmiştim. Cemal Beyle evli olduğunu biliyor ve sadece kabul ediyordum. Fakat ikisinin arasındaki münasebetin üzerinde durmamıştım. Benim içimde ne Cemal Bey bana Selma Hanımı, ne de Selma Hanım zarurî şekilde Cemal Beyin varlığını hatırlatmıştı. Kocası olduğu gibi, herhangi bir hastalığı da olabilirdi.

Şimdi ise onu kıskandığını anlayınca birdenbire vaziyet değişmişti. O zamana kadar Cemal Beyden sadece nefret ederdim. Bir yığın kinim vardı. Fakat onu hiçbir zaman kıskanmamıştım. Şimdi bir anda onu kıskanmağa başlamıştım. Bileklerimden yukarıya doğru bütün damarlarım çekile çekile:
– Peki sorun! dedim. Ümit ederim ki reddetmez...

Asıl felâketi o kadar beğendiğim kadının birdenbire hayatından şikâyet edecek kadar herkese benzemesiydi. Fakat daha garibi, hattâ daha gülüncü vardı. Sıkıntılarımdan biraz çıkar çıkmaz kendime yeni ıstıraplar bulmamdı. Gömüldüğü dalgaların içinden başını çıkarır çıkarmaz karşı sahili gören bir yüzücü gibi, ben de kendime bir iş bulur bulmaz Selma Hanıma dönmüştüm. "Buna niçin şaşmalı? diye düşünüyordum. Mademki yavaş yavaş yine kendim oluyorum..."

İş meselesi böyle halledilince Selma Hanım, benim aradaki beş senelik hayatımı merak etti. Her şeyden evvel şirketten niçin istifa ettiğimi soruyordu:

– Biliyorsunuz ki o günlerde Cemal hep maaşınızın artacağından bahsediyordu.

Bir müddet yüzüne dalgın dalgın baktım. Nerede ise her şeyi söyleyecektim. Fakat ne diye acele edecektim sanki? Belki de sözlerime inanmayacaktı. Yahut hayatına yeni bir üzüntü daha ilâve edecektim. En iyisi bir yalanla işin içinden sıyrılmaktı:

– İstanbul'dan uzakta idim... dedim.

– İyi ama sizi görmüşler...

– Ben de hiç uğramadım, hep İzmir'de kaldım, demedim ya...

Selma Hanım başını kaldırarak yüzüme baktı:

– Niçin doğrusunu söylemiyorsunuz? dedi. Cemil'in yalan söylediğini ben biliyorum...

Tekrar bir sessizlik oldu, sonra yavaşça ilâve etti:

– Daha doğrusu şüphe ediyorum. Fakat şimdi eminim. Deminki duruşunuz bana her şeyi öğretti...

Elimden geldiği kadar kendisini tatmine çalıştım. Fakat o kendi düşüncesinde devam ediyordu:

– Hayır! dedi. Bu mesele zannettiğiniz kadar basit değil. Çok karışık bir iş bu! Benden gizlemesine o kadar ehemmiyet vermiyorum. Nihayet sizi sevdiğimi biliyordu. Çok zahmetimi çekmiştiniz, ahbaptık! Üzülürüm, diye gizlemiş olabilir, hoş bu da affedilecek şey değil. Çünkü ortada bir sürü yalan var. Fakat sizi işten ne diye çıkarttı, oraya kendisi getirdiği hâlde?

– Belki ötekiler çıkmamda ısrar ettiler...

– İmkânsız... Böyle olsa o zaman benden gizlemezdi. Fakat farz edin ki öyle, o zaman nasıl razı oldu? Hayır, bu işte mutlaka başka bir şey var.

Sonra gözlerini gözlerime dikti:

– Kim bilir, ne kadar sıkıntı çektiniz...

– Aldırmayın! dedim. Her şey düzeldi şimdi. Benim için üzülmeyin ve mesele yapmayın bunu. Hattâ bizim teklifimizi de unutun, belki karşılaşmamızı istemez... Rahatınız bozulmasın!

Selma Hanım bir müddet çantasında mendilini aradı.

– Benim artık rahatım yok! dedi.

İnsan talihi bu idi. Hiç kimse yıldız olarak kalamıyordu. Muhakkak hayalimizdeki yerinden inecek, herkese benzeyecekti.

– Her neyse, sizi tekrar bulduğuma memnunun... İş meselesine gelince, daha düşünürüz. Ben size telefon ederim.

Merdivenlerden beraber indik. Kapının önünde.

– Hakikaten şaşılacak şey... Bu kadar yalan söylesin! diyerek ayrıldı.

Hakikaten şaşılacak şeydi.

III

Belediye reisinin ziyaretinden iki ay sonra daha mühim, daha salâhiyetli, hattâ mutlak denecek kadar salâhiyetli bir zat dairemize geldi. Fakat biz artık eski binada değildik. Çok rahat, geniş bir yere geçmiştik. Personelimiz de çoğalmıştı. Nermin Hanım, Zehra, Ekrem Bey, benimle beraber tam bir büro kadrosuyduk. İşlerimiz de artmıştı. Halit Ayarcı her sabah geliyor, ya Nermin Hanıma, yahut Zehra'ya bir yığın şey dikte ediyordu. Kızımın daktilo acemiliklerine ehemmiyet vermiyor, Ekrem Beyi iş fikrine yavaş yavaş alıştırıyordu.

Halit Ayarcı'yı bu yeni misafir de şaşırtmadı. Bir müddet ayakta, belediye reisiyle beraber izahat verdi. Müessesenin esas gayesini anlattı. Bu yeni ziyaretçinin eskisinden bir farkı vardı. Bu hiç konuşmuyor, sadece gözlerini gözlerinize dikerek dinliyor, icap ederse kirpik işaretleriyle sizi tasdik ediyordu. O da ızahattan sonra müesseseyi gezmeyi istedi. Duvarlara asılacak vecizeleri çok beğendi. Bunları şehrin, hattâ yurdun her tarafına dağıtmamızın lüzumundan bahsetti. Halit Ayarcı bu teklifi yalnız bir, "Düşünüyoruz efendim..."le karşıladı.

Fakat belediye reisi.

– Bu her şeyden evvel bir tahsisat meselesi... diye cevap verdi. Enstitünün bu günkü parasıyla, hattâ bu sene bütçeye koyduğumuz para ile bunun yapılması imkânsız... Mamafih Halit Bey çalışıyor.

Garip şekilde roller değişmişti. Bu sefer Halit Bey benim yerime geçmiş, belediye reisi onun yerini almıştı. Ben dördüncü planda idim. Mamafih Halit Ayarcı yine benim unutulmama razı olmadı. Bana çok açık, cevabı içinde sualler sordu ve kendi üslûbunda cevaplar aldı.

Salâhiyetli zat, belediye reisini,

– Tabiî... diye tasdik etti. Yalnız her şeyi paraya bağlamamalıdır. İnsan iradesi daima maddî şartları yener...

Sözüne devam etsin diye ne kadar dua ettim. Bunun sırrını bir kere öğrenseydim her şey halledilecekti. Fakat devam etmedi. Şüphesiz bu mühim işin usullerini kendimizin bulmasını istiyordu.

Belediye reisinin bu hususa hiçbir itirazı yoktu. Binaenaleyh, gerçeği bu olmakla beraber, çünkü o da maddî şartları sadece iradesiyle yenmişe benziyordu, yeni kurulmuş bir müessesede, bilhassa bu kadar masraflı bir işin büsbütün de parasız yapılamayacağını, yapılsa bile bu iş için sarf edilecek iradenin çok pahalıya mal olacağını en münasip dille, yani karşısındakinin fikrini daima doğru bula bula tekrar hatırlatmağa çalıştı. İtikadımca belediye reisinin bu işte hakkı vardı. İşsizlik zamanlarımda sadece irademle geçinebilmek için, bu cevheri o kadar sarf etmiştim ki çoktan beri bende zerresi bile kalmamıştı. Ve belki de bu yüzden aylardır Halit Ayarcı'nın ayağıyla ittiği bir futbol topuna benzemiştim.

Halit Ayarcı bütün bu konuşma boyunca âdeta lâkayt kalmıştı. Masanın bir köşesine hafifçe yaslanmış, sakin ve alâkasız, beyhude sözlerle israf edilen zamana pek fazla fark ettirmeden acır gibi etrafına bakıyordu. Hiçbir zaman can sıkıntısı denen şeyin bu kadar asîl, bu kadar üstün şeklini görmemiştim. Etrafındaki konuşmanın bitmesini, birdenbire kabaran bir rüzgârın savurduğu bir toz dalgasının geçmesini bekler gibi bekliyordu. "Ben işe karışacağım zamanı biliyorum. Fakat siz bir kere aranızda anlaşın! Sizleri huyunuzdan vazgeçiremem ki... Çaresiz tahammül edeceğim. Nasıl olsa olduğum yere geleceksiniz". Bir insan karşısındakine o anda yalnız sabır ve tahammül olduğunu ancak bu kadar terbiyeli şekilde gösterebilirdi.

Nihayet salâhiyetli zat kararını verdi.

– Para işini merak etmeyin... dedi. Her türlü fedakârlığı yapacağız. Mademki bu işe girdik... Ben mümkün olduğu kadar tutumlu olmak gerektiğini söylemek istiyordum.

Belediye reisi bu çok basit temenniye hemen hemen aynı zikzaklardan geçen bir cümle ile teşekkür etti. İşte o zaman Halit Ayarcı dayandığı masadan ayrıldı ve seyirci vaziyetinden çıktı.

– İmkânlarımız biraz genişlerse elde bulunan çok faydalı bir eseri de neşretmeyi düşünüyoruz! dedi.

Hayır, bu adamı ben taklit edemezdim. Ona yetişmek imkânsızdı.

– Demek hazır eserleriniz var! Ne çabuk böyle?

– Evvelâ büyük bir etüdümüz var. Arkadaşım Hayri Beyin hemen hemen bütün ömrünü sarf ederek yazdığı bir kitap... En büyük saadetimiz için...

Belediye reisi bu fırsattan istifade ederek beni daha yakından tanıtmağa muvaffak oldu.

– Hayri Bey arkadaşımız eski saatçiliğimizin tarihini belki en iyi bilen adamdır. Zaten saatten ve felsefesinden çok iyi anlar.

Bu sefer dikkatli bakışların tek hedefi ben oldum. Kanunun anlattığı mânada tam bir cürmümeşruttu bu. Suçüstü... Suçüstü... "Ah Yârabbim bir kaçabilsem!" Fakat niye kaçacaktım sanki? Böyle bir ilgiyi bütün ömrümde görmemiştim.

– Kitabınızın ismi nedir, Hayri Beyefendi?

Ben bu sualle birdenbire yuvarlandığım karanlık uçurumda tutunacak bir yer ararken Halit Ayarcı benim yerime cevap verdi:

– Ahmet Zamanî Efendiye ait bir etüt. Ahmet Zamanî Efendi ve Eseri.

– Ahmet Zamanî Efendi mi? Hiç işitmedim...

– On yedinci asrın meşhur âlimlerinden... Dördüncü Mehmet devri adamı. Tam klasik devrimizde...

– Ne yapmış bu adam?

– Devrin en mühim saatçisi... Hattâ Graham'dan evvel rabia hesaplarını bulmuş diyorlar. Hayri Bey doğrudan doğruya onun mektebinden gelen bir zatın talebesidir. Muvakkit Nuri Efendinin...

Tekrar bakışlar benden yana çevrildi.

– Kitabınız bitti mi?

Artık sıra bana gelmişti. Bu kadarını yapabilirdim. Halit Ayarcı beni yolun ortasına kadar götürmüştü. Bundan sonrası benim işimdi. Nereye gideceğimi biliyordum.

– Doğrusunu isterseniz henüz hayır! Yani halledilecek bir iki mesele var. Fakat bitmek üzere... Hattâ bitmiş gibi...

Halit Ayarcı tekrar dinamik rehavetinden ve alâkasızlığından sıyrıldı. Bana,

– Zannederim ki gelecek nisana yetiştirirsiniz...

Sonra misafire döndü.

– Gelecek nisanın sekizi Ahmet Zamanî Efendinin ölümünün yüz sekseninci yıldönümüdür de...

Sonra kendi kendine hesap etti.

– Evet, tam yüz seksen sene oluyor.

– Demek büyük bir merasim yapabiliriz?

Halit Ayarcı konuşmanın topunu yine belediye reisine bıraktı.

– Halit Beyin niyeti de öyle efendim... Hayri Bey biraz yorulacak ama...

Bu fırsat kaçırılmaz... Müessesenin açış resmini de o zaman yaparız, değil mi Hayri Bey? Bu vesile ile daha parlak olur.

Halit Ayarcı tekrar konuşmağa katıldı.

– Açış törenini bendeniz yeni binamızda düşünmüştüm... dedi.

Bu sefer ilk defa olarak iki taraf da itiraz etti.

– Hayır, hayır... O zaman çok gecikir... Zaten yeni bina için ayrı bir açış töreni daima yapılabilir! Bu gibi törenler ne kadar sık olursa o kadar faydalıdır!

Salâhiyettar zat tekrar bana döndü:

– Hayri Bey, bu kitap şubata kadar bitecek... Bunu sizden katî şekilde istiyorum. Bu kadar mühim bir zatın unutulmuş olması doğru değil... Yaptığınız işin ehemmiyetini bilin ve ona göre çalışın... Siz de bana bu neşriyat meselesini hatırlatın...

– Baş üstüne efendim... Zaten takdim ettiğimiz projede yazılı...

Halit Bey tekrar tavzih etti.

– Yalnız eserlerin ismi yok. Ek bir liste takdim ederim.

Ahmet Zamanî Efendi isminde hiçbir insan tanımamıştım. Hattâ adını ilk defa işitiyordum. "Ah Yârabbim, ekmek paramı niçin bana doğrudan doğruya vermedin de beni başkalarının uydurduğu bir yalan yaptın!" Hakikatte de böyle idim. Ucunu bucağını bilmediğim, her gün yeni bir parçasıyla karşılaştığım âdeta tefrika hâlinde bir yalan olmuştum.

Salâhiyettar zat Ahmet Zamanî Efendiden bir türlü vazgeçemiyordu.

– Mühim bir keşif, diyordu. Fakat nasıl oldu da hiç adı işitilmedi?

Sanki demin kafamdan geçenleri düşünen ben değilmişim gibi, yavaş ve en kandırıcı sesimle cevap verdim:

– Eskiler malûm efendim... Şöhrete âfet diye bakarlardı. Sonra çok genç yaşta öldü. Kırk iki yaşında falanmış...

– Rabia hesapları o devirde, aramızda?..

Bu sualle nefesim birdenbire tükendi. Burada artık işin telkini yoktu. Bilginin kendisi vardı. Fakat Halit Ayarcı orada idi:

– Niçin olmasın efendim?

Sözüne devam edeceği yerde masanın camı üzerine iyice bastırdığı büyük, geniş ayalı eline bakmağa başladı.

– Öyle ya niçin olmasın?.. Eskileri o kadar az biliyoruz ki...

– Devir, çok ehemmiyetli bir devir. Zaten büyük bir mekanik merakı var. Hemen herkes, küçük büyük icatlarla meşgul... Minareden minareye uçma tecrübeleri bile var...

Salâhiyettar zat tekrar bana döndü.

– Nasıl bir insanmış bu?..

Halit Ayarcı bu sefer de ceketinin düğmeleriyle oynamağa başlamıştı. Bu demekti ki, iş bana düşüyordu. Bütün kuvvetimi, cesaretimi topladım. "Ya pîr!" Fakat yalancıların piri kimdi acaba?

– Uzun boylu, sarışın, kumral sakallı, siyah gözlü bir adammış! Dili gençliğinde biraz peltekmiş. Fakat kendi kendine, iradesiyle düzeltmiş, diyorlar. Daha doğrusu hocam rahmetli Nuri Efendi böyle söylerdi. Garip huyları varmış. Meselâ çok iyi meyva yetiştidiği hâlde üzümden başkasını yemezmiş. Bal ve şeker gibi şeyler de kullanmazmış. Mevlevî tarikatindenmiş. Zengin bir adamın çocuğuymuş. Birden fazla kadın almanın aleyhinde bulunduğu için devrinde pek sevilmezmiş...

– Demek modern bir adam... Âdeta bizden!

– Aşağı yukarı... Sarı rengi çok severmiş. Hattâ pek mutat olmadığı hâlde sarı cübbe, sarı kaplı kürk giydiğini hocam Nuri Efendi söylerdi. Sarı, güneşin rengidir, dermiş. Çok aradım ama bu kanaatin nereden geldiğini bulamadım.

Ben söyledikçe belediye reisinin de, salâhiyetli zatın da yüzleri tebessüme gark oluyordu. Ah, bu küçük teferruat... İki üç çizgi, birkaç konuşma parçası, işte size bütün bir hayat... Tevekkeli değil eskiler yalnız şiir söylemişler!

– Bir işi, falan var mıymış?

Artık ne dönmem, ne de durmam kabildi. İster istemez yoluma devam edecek, yeni yeni şeyler uyduracaktım.

– Çengelköy'de küçük bir camiin müezziniymiş... Fakat evlenme meselesindeki fikirleri yüzünden çıkartmışlar. O da selâmlığını açmış, yatsı namazlarını misafirlerine evinde kıldırmış. Ezanı da evin penceresinden okurmuş!

Halit Bey tekrar bana döndü:

– Bir Venedikli vasıtasıyla devrin garplı riyaziyecileriyle mektuplaştığını söylüyordunuz...

– Evet ama, müsbet bir şey bulunamadı. Nuruosmaniye Kütüphanesi'ndeki kitap kaybolmasaydı...

Salâhiyetli zat hayretler içinde idi:

– Mühim keşif doğrusu... Böyle bir adam...

Halit Ayarcı işi biraz daha tabiîleştirmek ihtiyacını duydu.

– Bendenize öyle geliyor ki, Kâtip Çelebi'nin etrafındakilerden biri olacak... Başka türlü izahı güç...

Bu ihtimal her ikisini de tatmin etti. Belediye reisi meselenin şimdilik bu tarzda halledilmesinden memnun, dairenin gezilmesini teklif etti.

Bu aşağı yukarı iki ay evvelki teftişin hemen hemen aynıdır. Şu şartla ki, binamız biraz daha genişlemişti ve salâhiyettar zat belediye reisinden daha yüksek mevkide olduğu için daha dikkatli, daha titizdi. Binaenaleyh iki saat sürdü. Hemen her şeyin önünde durdu, yerinden kalkabilecek her şeyi bir kere yerinden oynatıp altına bakıyor, sonra kendisini elinde iyice evirip çevirip muayene ediyor, tekrar yerine koyuyordu. Bütün boş defterleri açıp bakıyor, grafiklerin önünde uzun murakabe saatleri geçiriyordu.

Bir ara bana döndü, bir eli kılıfını çıkarmağa çalıştığı yazı makinasında:

— Neden öldüğünü biliyor musunuz? diye sordu.

— Maalesef efendim... Ama...

— Ben söyleyeyim, bakalım buldum mu? Şekerden... dedi. Bende de var da oradan biliyorum.

Tabiî niçin böyle olması icap ettiğini sormadık. Niçin soracaktık? Hattâ niçin şüphe etmeliydi? Herkes bir şeyden öldüğüne göre Ahmet Zamanî Efendi de elbette bir hastalıktan ölecekti. Şekerden veya can sıkıntısından ölmesi arasında ne fark vardı? Asıl mühim olan salâhiyetli zatın bu işe getirdiği iyi niyet, bizimle böyle işbirliği etmesiydi. Hepimiz birden bu ihtimali kabul ettik. Hattâ ben:

— Çok doğru buyurdunuz... Üzümden başka bir şey yemediğine göre... diye hafiften tasdik bile ettim.

Sonra saatine baktı. Güzel, altın kapaklı bir Lonjin'di. "Yoruldum..." dedi. Hepimiz yorulmuştuk. Onun için Halit Ayarcı'nın odasına geldiğimiz zaman Derviş Ağanın getirdiği kahveler pek makbule geçti. Hattâ az şekerli olmasına bile ehemmiyet vermedi.

Kahvelerden sonra yine o gün olduğu gibi kadro meselesine geçildi. Ondan sonra tebrik faslı geldi. Bu sefer altın tepsi belediye reisi ile onun arasında gidip gelmeğe başladı ve nihayet kundaklanmış bir çocuk gibi Halit Beyin birdenbire açtığı kolları arasında kaldı. Aziz velinimetim:

– Teveccühlerinize güvenmeseydim, bu işe katiyen girmezdim. Bu itibarla ne kadar teşekkür etsem azdır. Bana bu hizmet vesilesini verdiğiniz için bahtiyarım... diyerek meseleyi halletmişti.

Bütün gün hep böyle yapmış, en lüzumlu noktada konuşmuş, hiçbir şey rica etmeden istediklerinin hepsini kabul ettirmiş, şimdi de asıl işin kendisi tarafından kurulduğunu, beyhude münakaşaya lüzum olmadığını iyice anlatmıştı.

Fakat salâhiyetli zat tecrübeli adamdı. Koskoca enstitüyü sadece bizlere bırakamazdı.

– Bu müesseseyi başından itibaren benimsedim, dedi. O sizlerin olduğu kadar benimdir de... Reis bey de size yardım edecekler...

Ayrılırken tekrar bana iltifat etti:

– Kitabı isterim... Bitecek anladınız mı Hayri Bey?

Ve yanağımı okşayarak kitapla olan alâkasını bir daha teyit etti. Kapıdan çıkarken:

– Sloganları dağıtın! Bir an evvel ve her tarafa... diye tekrar emir verdi.

Tam merdivenin başında belediye reisine yavaşça:

– Bu rabia hesabı nedir siz biliyor musunuz? diye sorduğunu işittim.

Onlar gittikten sonra Halit Ayarcı tekrar bana döndü:

– Artık bundan sonra da şüphe etmezsiniz zannederim... dedi.

– Hayır, dedim. Müessese kurulacak. Bir de işimizi bilsek!

– Hâlâ bilmiyor musunuz? Saatleri ayarlayacağız...

– Evet ama nasıl? Bu kadar kalabalık bir teşkilâtla...

– Çaresini bulacağız... Herkes kendisine, tâyin olunduğu vazifenin adından bir iş çıkaracak. Zaten kurulur kurulmaz bir tâmimle bütün arkadaşlardan rica edeceğim bunu... Ve tabiî onlar da yapacaklar. Boş durmayacaklar ya...

Sonra bir eli odasının kapısının tokmağında:

– Siz kitabı ne vakit bitireceksiniz? Yani ne vakit bitirebilirsiniz, demek istiyorum... diye sordu.

– Nasıl yazarım ben bu kitabı?.. diye cevap verdim. Mevcut olmayan bir adam için...

Halit Ayarcı'nın kaşları birdenbire çatıldı. İlk defa hiddetleniyordu.

– Nasıl mevcut olmayan adam?.. Daha demin kendiniz bahsediyordunuz... Dördüncü Mehmet zamanında yaşamış. Sarı rengi severmiş. Güneşin rengidir, dermiş. Mevlevî olduğunu bile biliyorsunuz. Graham hesaplarıyla meşgul olduğu malum... Şekerden ölmüş. Yok azizim, ben bu cinsten sabotaj istemem. Bu müessese muvaffak olacaktır. Herkes vazifesini yapacak. Sizin ilk işiniz budur.

– İyi ama, bütün bunlar mânasız şeyler... Hepsi uydurma!

Birdenbire ceketimden tuttu:

– Bu kitap yazılacak!.. Yahut da gider içeriye istifanamenizi yazar getirirsiniz! Ben bu kadar bağlı olduğum bir müessesede en yakın dostlarım tarafından ihanet görmemi istemem... Hem kendiniz söylüyorsunuz, hem de yoktur, diyorsunuz...

– Ben Ahmet Zamanî'den bahsetmedim...

– Ama, Nuri Efendiden bahsettiniz... O da o demek...

Sonra birdenbire belki de bozulan yüzüme dikkat ettiği için güldü:

– Adı olan her şey mevcuttur Hayri Bey! dedi. Binaenaleyh Ahmet Zamanî Efendi vardır. Biraz da ikimiz böyle istediğimiz için vardır. Hattâ şimdi büyük dostumuz da istiyor. Hiç üzülmeyin... Çalışın sadece... Sonra, kadro meselesini ne yaptınız? İstediklerimizi veriyorlar. Hani listeniz?..

Aksi aksi:

– Tanıdığım insan çok az... dedim.

– Bulun...

– Akrabam yok...

– Akrabasız adam olmaz...

– Belki vardı ama meydanda yoklar... Şimdilik görünmüyorlar... İsterseniz gazetelere bir ilân vereyim!

Tekrar gülümsedi.

– Ah, Hayri Bey, ah Hayri Bey... dedi. Siz hakikaten beni yoruyorsunuz. Bir türlü sizi bazı şeylere alıştıramadım. Hayır, ilâna lüzum yok, biraz daha bekleriz... Onlar gelirler... Bir de Sabriye Hanımla Selma Hanımı artık davet zamanı geldi sanırım.

Odama girdiğim zaman Zehra'nın beni beklediğini gördüm. Benden izin istiyordu. Yeni elbiseleri içinde hakikaten güzel ve mesuttu. Yeni taşındığımız evde odasını ne kadar zevkle döşemişti. Pakize ile iki dost gibi geçiniyorlardı artık. Karımın tiroit guddeleri tedavi edileliden beri evde kavga yoktu. Ahmet üç ayda altı kilo almıştı. Kızıma yarın dahi isterse evde kalabileceğini söyledim... O teşekkür yerine bir kırıttıktan sonra çekilip gitti. Ben başım iki elimin arasında düşünmeğe başladım. Hayır, istirahat etmemin imkânı yoktu. Birçok yalanın içinde olsam bile ihmal edemeyeceğim bir hakikat, büyük bir hakikat vardı ortada. Saatleri Ayarlama Enstitüsü hayatımı kurtarmıştı.

Halit Ayarcı ile evime refah denen güneş doğmuştu. Bütün bunları düşünürken iç telefon çaldı. Halit Ayarcı, sanki aramızda geçen şeyleri tamamiyle unutmuş gibi en rahat sesiyle:

– Yarın size Ahmet Zamanî'yi yazmanıza yardım edecek tarih kitaplarını getireceğim... Göreceksiniz ne kadar kolay iş...

– Teşekkür ederim efendim...

– Bir iki ayda çıkar...

– Zannederim efendim. Siz de yardım edersiniz tabiî..

– Selma Hanımla Sabriye Hanımı davet için biraz bekleyin! Ben gidiyorum, bir iş olursa evde ararsınız...

– Baş üstüne efendim...

IV

Başından beri gazetelerde enstitü hakkında havadisler çıkıyordu. Kadromuzun müzakere edileceği tarih yaklaştıkça bu yazılar arttı. Bayağı günün meselesi hâline geldik. Hemen her gün enstitünün teşkilâtı, çalışma tarzı, yapacağı iş münakaşa ediliyor, bittabi bu arada müdürün, müdür yardımcısının ve diğer personelin hayatları hakkında da ufak tefek şeyler geçiyordu. Bazı gazeteler Halit Ayarcı'yı son derece sempatik buluyorlar, bir kısmı bu kadar mühim iddialı bir müessesenin bu cinsten bir iş adamına verilmesine şaşıyorlardı. Bir kısmı ise, "Ne iş görecek bu müessese?" diye soruyordu. Halit Ayarcı bütün bu yazıları dikkatle okuyor, tenkitlere müsamaha ile gülüyordu.

– Elbette, diyordu, bu kadar mühim bir iş yapılırken aleyhte de söylenecek! Mesele münakaşa edilmesidir.

Bilhassa bir gazetenin, Saatleri Ayarlama Enstitüsü'nün gerek adının, gerek vazife ve öğrenilebildiği nisbette teşkilâtının bürokrasi tarihinde hakikî bir merhale olduğunu yazması pek hoşuna gitmişti.

– Kim yazdıysa bunu, işi anlamış... Zeki adam! Evvelâ asrını biliyor. Bu asra birçok ad verilebilir. Fakat o her şeyden evvel bürokrasi asrıdır. Spingler'den Kayserling'e kadar bütün filozoflar bürokrasiden bahsederler. Ben hattâ derim ki, bürokrasinin asıl kemal çağı istiklâl devri bu devirdir. Bunu anlayan adam mühim adamdır. Ben mutlak bir müessese kuruyorum. Fonksiyonu kendisi tâyin edecek bir cihaz... Bundan mükemmel ne olabilir?

Kadro müzakerelerinin zamanı yaklaştıkça sıklaşan bu havadisler ve düşünceler sonuna doğru birdenbire şahıslarımız etrafında toplandı ve iki hafta içinde de Halit Beyi bırakıp sadece beni hedef aldılar.

Bu ağız değişmesi sayesinde müessesemizin lüzumuna dair yapılan münakaşaların birdenbire kesilmesine bakılırsa bu işte Halit Ayarcı'nın bir tertibi olduğuna hükmetmek hiç de yanlış olmaz. Şurası da var ki, hayatımın garip cilveleriyle ben Halit Beye nazaran efkârıumumiyeyi oyalamağa daha müsaittim. İşte o andan itibaren benim için günlerce süren bir huzursuzluk başladı. Hemen gün aşırı, bir gazetede resmim çıkıyor, hayatım münakaşa ediliyor, bu kadar mühim bir işte bulunmamın doğru olup olmadığı hakkında fikirler yürütülüyordu. Takribî Ahmet Efendi Camii'nin bir asra yaklaşan hikâyesi, Şerbetçibaşı Elması, çocukluğumda ve ilk gençliğimde tanıdığım insanlar, yetiştiğim muhit, işsizlik yıllarım, gördüğüm işler birbirine zıt bir yığın tefsire yol açıyordu.

Bazı kimseler için bu işin âdeta tek favorisi bendim. Onlara göre bütün ömrüm saat ve zamanla geçmişti. Binaenaleyh hayatımın her safhası bu işe bir hazırlıktan başka bir şey değildi. Nuri Efendinin son talebesi idim. Binaenaleyh Şeyh Ahmet Zamanî'nin müsbet veya esrarlı bütün bilgilerinin vârisi sayılırdım.

Tam bu sıralarda –yine şüphesiz Halit Ayarcı'nın gizli teşvikiyle– Muvakkit Nuri Efendinin Merkezefendi'deki mezarının tamiri beni büsbütün ön safa geçirdi. Bu merasimde verdiğim nutukta, Halit Ayarcı'nın sıkı tembihleri yüzünden Ahmet Zamanî'den bahsetmem işi büsbütün alevlendirdi. Bu sefer zekâm, görüş kabiliyetim, hattâ şahsî metodum methedilmeğe başlandı.

Ertesi hafta gazetelerden birinde dünyanın en garip başlıklı makalelerinden biri vardı. "Hayri İrdal'ın çıraklık seneleri" diye başlayan bu yazıda, benim üç yaşımdan itibaren saat ve zamanla meşgul olduğum anlatılıyordu. Babama muttasıl evimizdeki büyük saati, Mübarek'i göstererek nasıl işlediğini sorarmışım. "Zengin, dindar, kibar cetler silsilesinden tek aile mirası olarak büyükçe bir saatten başka bir şey bulunmayan bu evde ihtiyar baba sabah akşam çocuğuna, saatin kâinatın timsali olduğunu söylüyordu. İşte bütün çocukluğu bu saat karşısında geçen Hayri İrdal'ı talih doğmadan evvel bu işe hazırlamıştı." cümlesiyle biten bu makale hakikî bir şaheserdi. Bir hafta sonra bir başka muharrir, beni, "Tanınmamış Voltaire'imiz" diye takdim ediyor ve hayatında saatçilikle zengin olan bu filozofla aramızda ipe sapa gelmeyecek mukayeseler yapıyordu. Üçüncü yazıda Nuri Efendi de, babam da Voltaire de bir tarafa itiliyordu. Bu yazıda benim hayatımın insanları ve cemiyetimizi öğrenmek için girişmiş olduğum bir tecrübe olduğu söyleniliyordu. "Hayri İrdal çocukluğundan beri zihniyet meselesiyle meşguldü, elbette ki bu devamlı çalışma bir gün gelip meyvalarını verecekti." deniyordu.

Bittabi bu velveleye Doktor Ramiz yabancı kalamazdı. Nitekim sonradan büyütüp kitap hâline getirdiği bir makale yazdı ve benim ruh tahlilimi yaptı. Nezredilmiş bir camiin para şartları yüzünden küçüle küçüle indiği son had olan eski saatimizi nasıl baba telâkkî ettiğimi iyice izah etti. Tâbirnamelerden, fal kitaplarından, Seyit Lûtfullah'tan bahsetti ve bendeki zaman sezişini övdü. Ona göre ben bir nevi Ebu Ali Sinâ idim. "Evet, diyordu Doktor Ramiz, Hayri İrdal, bu şark Faust'unun modern hayatımızda yeni baştan görünüşünden başka bir şey değildi. O nasıl ameliyelerini izafî zamanda yapmışsa, Hayri Bey de yaşanan zamanda yapıyor. Bu yüzden dostum Halit Ayarcı'nın girdiği mühim teşebbüste bu hakikî değeri bulup meydana çıkarması kadar övülecek bir hareket olamaz!"

İşin en sıkıcı tarafı Halit Ayarcı'nın bu budalalıklardan her şikâyetimde bıyık altından gülmesi, beni teskini hiç aklına getirmemesiydi.

– Elbette, diyordu. Elbette aziz dostum, böyle mühim bir müessesenin kurulma şerefini paylaşan bir insanın etrafında biraz gürültü olur. Ne yapmamı istiyorsunuz sanki? Çıkıp, "Hayır, yalan söylüyorsunuz!" mu diyeyim? Bu müesseseyi kökünden yıkar. Bırakın, bu bir dalgadır, kendiliğinden geçer...

Bazen de;

– Voltaire'e veya Faust'a benziyorsanız kabahat benim mi? Yahut benzetiyorlarsa... Onlar da bizim bir şeylerimiz olmasını istiyorlar. Elli senede bir medeniyete bütün tarihiyle yetişmek kolay mı? İşin içine elbette biraz mübalâğa girecek! Nasıl filân romancımızı Balzac'a öbürünü Zola'ya benzettilerse, sizi de başkalarına pekalâ benzetirler. Hayret ediyorum doğrusu! Sizi kıskanmadığım için bana teşekkür edeceğiniz yerde kızıyor, hiddet ediyorsunuz! Ben sizin yerinizde olsam hiç ses çıkarmaz, kendi işime bakardım. Siz oturun, kitabınızı yazın, enstitümüzün tekâmül çarelerini arayın!.. Bunlar o kadar basit şeyler ki... Göreceksiniz, sonunda nasıl alışırsınız! Ne hacet, alışmadınız mı sanki? Bir hafta evvel aleyhinizde çıkan yazıya nasıl kızmıştınız? Öyle sanıyorum ki kızılacak büyük bir tarafı da yoktu. Yani, şimdi söylediklerinizin doğruluğuna inanmam lâzım gelirse tabiî bulmanız icap eden bir yazıydı demek istiyorum. Hayatınızdan kendi anlattığınız şekilde bahsediyorlardı. Halbuki kızdınız. Demek ki öbürlerinden memnunsunuz!..

Filhakika aleyhimdeki yazı da pek öyle kızılmayacak cinsten değildi. "Bütün İstanbul halkının tanıdığı bir meczubu öne sürmekle işlenen bu hata" diye başlıyor, beni nasılsa adaletin elinden kurtulmuş alelâde bir sahtekâr olmakla itham ediyor, "Şerbetçibaşı Elması rezaleti henüz unutulmuşken, bir başka dalavere daha mı?" diye hem bana, hem Halit Ayarcı'ya yükleniyordu. Bu yazının muharririne göre Halit Ayarcı efkârıumumiye ile alay eden bir iş adamı, bir sergüzeşçi idi ve ben onun kuklasıydım!

Salâhiyettar zatın ziyaretinin ertesi günü mükâfat olarak bana kendi kereste fabrikasında yüz liralık bir ücretle hiç işi olmayan bir kontrolluk veren Halit Ayarcı, bu yazı üzerine de sabun fabrikasında aynı şekilde bir vazife vermişti. Bu da gösteriyordu ki yazı hakikaten aleyhimde idi, ve doğrusu ben de hakikaten kızmıştım.

– Şüphesiz ki o yazılara kızdım. Aleyhimde söylenirse elbette kızarım. Siz de biliyorsunuz ki Şerbetçibaşı Elması dâvasında hiçbir kabahatim yok!..

– Hayır, siz kukla kelimesine kızdınız...

– Hayır ona kızmadım. Kukla olduğumu biliyorum!

Halit Bey hep aynı soğukkanlılıkla:

– Çok acayip insansınız, diyordu. İş arkadaşlığının ne olduğunu bilmiyorsunuz. Bütün ömrünüzce yalnız yaşadığınız ne kadar belli! Hiç cemiyet hayatına alışmamışsınız! Ancak insana alışmamış olanlar başkalarının hürriyetine karışabilir! Hem aleyhinizde yazmayacaklar, hem de ölçülü şekilde methedecekler... Ne âlâ şey! Bulursanız bana da gönderin böylesini... Hayır azizim, herkesin hürriyeti var!

Pek haksız da değildi. Lehimde yazılan şeyler hoşuma gidiyordu. Benim kızdığım şey, kendimin de inanmayacağım mübalâğalardı. Doktor Ramiz'in makalesinden sonra bir gazetecinin karımla yaptığı röportaj çıktı. Ve bu sonuncusu hepsini bastırdı. Pakize şahsıma karşı, on seneyi geçen alâkasızlığını, beni küçük görmesini, ihmallerini, hulâsa evlendiğimizden beri yaptığı bütün haksızlıkları yirmi dakikalık bir konuşmada ödemeğe karar vermiş gibi, beni durmadan övüyordu. Fakat Pakize saatle, psikanalizle, yüksek bilgi ile alâkası olan insan değildi. O modern kadındı. Sinemayı seviyordu. Kâinata beyaz perdeden bakıyordu. Binaenaleyh ister istemez onun gözü ile ben de değişecek, sinema olacaktım.

Karım kocasını çok seviyordu. Esasen çocukluğumuzdan beri sevişmiştik. Benim bir yığın talihsizlik yüzünden Emine ile evlenmem üzerine o da ilk kocasıyla evlenmişti. Fakat hiçbir zaman beni unutmamıştı, ne de ben onu... Zaten ilk evlenmemden bir gün evvel kendisiyle konuşmuş, bu işteki zaruretleri anlatmıştım. Birinci karım çok iyi kadındı. Fakat beni anlayacak seviyede değildi. Onun için hayatta muvaffak olamamış, kendimi tanıyamamıştım. Onun ölümü üzerine Pakize de kocasından ayrılmış, gelmiş, beni bulmuştu. Çünkü ben bütün büyük adamlar gibi kadın meselesinde, çekingen, mağrur ve tabiatıyla dalgındım. İşte ondan sonra, Pakize'nin sayesinde asıl çalışma devrem başlamıştı. "Kendisini işine tam vermek için memuriyetini bile bıraktı... Yedi, sekiz sene ailemden kalan öteberiyle geçindik. Neyimiz varsa hepsi sarf oldu..." Ama Pakize şikâyetçi değildi. Esasen o, büyük bir adamın karısı olmanın ne gibi fedakârlıklar icap ettirdiğini biliyordu. Hususî hayatım mı? Tabiî biraz dalgındım. Fakat kendimi büsbütün işe kaptırmadığım zamanlar neşeliydim. İyi ata binerdim, güzel yüzerdim, tenis oynardım. "Biraz kumarı severdi ama, hatırım için vazgeçti!" Kadın tuvaletinden hakikî zarafetten çok iyi anlıyordum. Küçük baldızımın tuvaletleri hep benim tavsiyemle yapılmıştı. Saatten başka sevdiğim şeyler mi? Tabiî musıkîyi seviyordum. Hem alaturka, hem alafrangasını. Güzel piyano ve banjo çalardım. Büyük baldızım bütün muvaffakiyetini bana borçluydu. "A, bilmiyor musunuz?.. Ablam Billur Çağlayan Gazinosu'nda her akşam söyler... On bir buçukta giderseniz eğer, dinlersizin..." Evde çoluk çocuğumla sohbetten hoşlanırdım. Sabah kahvaltılarında meyva suyu içerdim. Bir huyum vardı, sık sık âşık olurdum. Fakat karım bunu hoş görüyordu. "Onun seviyesinde olan bir insan için..." "Zaten kadın kısmını bilirsiniz, rahat bırakmazlar ki..." Kendisine gelince, vaktiyle dansöz olmak istemişti ama... "İnsan, Hayri gibi bir erkekle evlenince kendisini seve seve feda etmeye alışıyor." Saatleri Ayarlama Enstitüsü açılmadan evvel, yani tam kurulacağı sıralarda iki teklif almıştım. Birisi Hollywood'dan... "Evet, evet, Hollywood'dan... Bir şark filmi için..." Öbürü de büyük bir saat fabrikasından... İsviçre fabrikalarından biri. İsmini söyleyemeyecekti. O kadar ev işine düşkündü ki bu gibi şeyleri birdenbire unuturdu. "Zaten artist olarak başladı. Biz ailece artistiz. Gençliğinde tiyatroda çalıştı. Son zamanlarda bir filmde de rolü vardı!" Filhakika işsizliğim sıralarında iki defa figüranlık yapmıştım. Sevdiğim yemekler mi? "Haşlanmış sebze, ızgara gibi şeyler..." Karıma göre yemeyi severdim ama, perhize çok riayet ederdim. En büyük kusurum da kendimi ihmal etmemdi! Anlaşılan eğlence ile pek başım hoş olmayacaktı ki geceleri pek çıkmazdık, nadiren sinemaya giderdik. Konuşmanın bundan sonrası sevdiğim artistlerin adları idi.

Kısacası, hangi mahkemeye ve hâkime gidersem gideyim, eğer ikimizi birden deli diye tımarhaneye, yahut yalancı diye hapishaneye tıkmazsa, yirmi dakika içinde ayrılmamıza karar verebileceği bir röportajdı bu! İler tutar bir yerim yoktu. "Geceleri çalışır... Sabaha doğru, yarım saat kadar ancak uyur..." Ama bu sadece büyük mesai zamanlarında böyleydi. Bazen de yirmi dört saat uyurdum. Bilmem niçin, çırçıplak döşemenin üstünde yatmaktan hoşlanırdım. Romatizmalarım ata binmeğe şimdi müsaade etmediği için sadece jimnastik yapıyordum. Akrabamdan çok zulüm görmüştüm. Fakat Pakize bunların üzerinde durmuyordu. Bilhassa halamdan bahsetmek istemediğini açıkça söylüyordu. "Hayri onları çoktan affetti..."

Mülâkatı sabahleyin dairede Halit Ayarcı bana kendisi okudu. Hiddetime hiç aldırmıyor, her cümlede bir kahkaha savuruyordu.

– Harika... diyordu, harika... Bundan daha mükemmel bir mülâkat olamaz. İlk işim bir gazete çıkarmak olacak karınızın idaresinde... Çay Saati. Adı Çay Saati olacak... Bu istidat böyle bırakılır mı hiç? Sizi nasıl anlamış! Tam olduğunuz gibi...

– Beni kepaze ediyor, deseniz daha doğru olur. Neremi anlamış! Baştan aşağı zevzeklik, herkese rezil oldum.

Halit Ayarcı'nın yüzü birdenbire değişti, ciddileşti:

– Sizi ıslah ediyor, tanzim ediyor, sevebileceği şekle sokuyor... Niçin ters tarafından alıyorsunuz hep? Bütün bunları da sizi sevdiği için yapıyor. Size hakikî çehrenizi veriyor.

– Baştan aşağı yalan ve hamakat!..

– Siz öyle zannedin. Herkes çıldıracak... Meselâ şu cümle: "Ayakkabılarımı kendisi giydirir. Bu en sevdiği şeydir!"

– Doğru dürüst ayakkabısı bile yok!

– Olmadıysa kabahat sizin! Böyle kadının kocası olan adam her şeyden evvel onun rahatını ve saadetini düşünür. Yarın yarım düzine ayakkabı alın! Sonra bu İsviçre seyahati! "Kocam hiç seyahat etmedi! Yalnız geçen yaz beni İsviçre'ye, kendisini davet eden fabrikaya misafir gönderdi. Doğrusu hoşuma gitti... Seyahati seviyorum ama, ne yapayım, kocamı yalnız bırakamam..." Niçin seyahati sevmiyorsunuz Hayri Bey? Hakikaten sevmiyorsanız çok yazık. Belki vapur, şimendifer dokunuyor... Halbuki ata biniyorsunuz!

Ayağa kalktım:

– Bu kadın deli ve budala... dedim. Üstelik yalan söylüyor. Çocukluğumuzda nasıl sevişebiliriz ki benden tam on altı yaş küçük...

– Ufak bir tarih hatası... Hepimiz yaparız! Ne çıkar sanki? Farz et ki baştan aşağı doğru olmuş olsaydı, pek mi kazanırdınız? Karda yürümekten hoşlanmazsınız farz edelim, bunu herkesin bilmesi size ne kazandırır?

O da ayağa kalktı ve omuzumu yakaladı:

– Değişiyorsunuz Hayri Bey, değişiyorsunuz... Asıl memnun olacağınız şey bu... Yeni hayat, yeni insan... Tekrar doğamayacağınıza göre bundan başka çareniz yoktur... Ben sizin yerinizde olsam bugünden itibaren karımın istediği adam olmağa çalışırdım. Bu röportajı bir program gibi alın... Ve madde madde tatbik edin!

– Yani döşemede ve çırçıplak yatayım, öyle mi?

Halit Ayarcı eli çenesinde düşündü:

– Burada zannediyorum ufak bir hata var, yani nasıl söyleyeyim küçük bir fantazi! Ondan vazgeçin!

– Banjo çalayım, Amerikan şarkıları söyleyeyim!

– Niçin olmasın? Bende bir tane var. Amerika'da iken almıştım. Bu akşam size gönderirim. Daha doğrusu kendim getiririm. Çalışırsınız. Hiç de fena olmaz! Sesiniz güzel... Derhal başlayın! Acemaşiran'dan bıkmadınız mı? İçinizde hiç başka şeylerin dâüssılası yok mu?

Ben hiç cevap vermeden telefonu açtım. Fakat mâni oldu.

– Hayır, dedi, dönemezsiniz artık. Olanın üzerinde ısrar etmeyin. Sonra bu kadar iyi düşünceli bir kadını üzmek doğru değil... Bakın sizi nasıl seviyor. Sizce yapılacak şey bu sevgiye lâyık olmaktır.

Bu ara Zehra odaya girdi. Bir elinde gazete boynuma sarıldı:

– Ah babacağım! diyordu, ben zaten biliyordum böyle bir insan olduğunu senin! Ama, işte bizden gizliyordun... İmkânı var mıydı başka türlü olmasının? Allah annemden razı olsun...

Halit Ayarcı kızıma dikkatle ve gülümseyerek baktı.

– Siz de benim gibi düşünüyorsunuz... dedi. Anneniz harika bir insan! Ben çoktan beri bu kadar güzel bir şey okumadım!

Bir kelime ile, çıldıracaktım.

Daha o gün ikindiye doğru bu harika mülâkatın ilk neticesiyle karşılaştık. Halit Ayarcı'nın odasında, kendisi, Doktor Ramiz, Yangeldi Asaf Bey, ben, oturmuş konuşuyorduk. Daha doğrusu Halit Ayarcı Bey bazı mukavemetlerim yüzünden bana hücum ediyor, Doktor Ramiz onun konuşmasıyla çıktığı düz caddede –her zaman yaptığı gibi– arabayı doludizgin sürüyordu. Artık sadece Ahmet Zamanî Efendi mevzubahis değildi. Ayrıca karımın sabahleyin gazetelerde çıkan mülâkatı karşısındaki tavrım da bir cürüm olmuştu.

Doktor Ramiz'e göre ben bütün kabiliyetlerimi inkâr eden, asrına göz yummakta inat eden, bu yüzden dünyasını küçülttüğü için etrafına karşı olan vazifelerinde bir yığın kusuru olan adamdım.

– Başkaları seni olduğu gibi görüyor da, sen kendini göremiyorsun! Birtakım miskince korkularda hapsoluyorsun. Bu tahammül edilir iş mi?

Ona göre Ahmet Zamanî Efendinin mevcut olmasındaki tereddütlerimle karımın anlattığı banjo çalan ve ata binen adam oluşumu kabul etmeyişim hep aynı şeylerdi.

– Karın seni bize dünyanın en modern adamı diye takdim ediyor. Sen hâlâ şüpheci vaziyetler takınıyor, her şeyi inkâr ediyorsun!

– Karım delidir, evlendiğim günlerde beni bir akşam evvel gördüğü filmin artistleri zanneder, sabahleyin yataktan kalkınca Bağdat Hırsızı filminde giydiği incili terliklerini arardı. Bunu sen de biliyorsun!

Doktor Ramiz bir an afallar gibi oldu. Fakat Halit Ayarcı aldırmadı:

– Tabiî! Karın deli, ben yalancı ve madrabaz... Peki kızına ne dersin? Zehra Hanıma?...

– Zehra işin alayında... Daha evvelki gece, "Hayatımdan çok memnurum... Kendimi bir operet, yahut vodvilde sanıyorum... Yaşama denen şeyin tadını almağa başladım!" diyordu.

Doktor Ramiz,

– Gördün mü? dedi. Demek ki artist ruhlu olduğunuzu o da kabul ediyor. Zaten bu sabah kendisi söylemiş. Baba, sen busun, demiş!

Halit Ayarcı bana iyice dargın, artık yalnız onunla konuşuyordu:

– Bırak canım, o şüpheleriyle, inatlarıyla övünsün dursun... Hayat yürüyor. Bir gün kervanın dışında kalınca anlar! Bu dünyada yeni diye bir şey var! Onu inkâr edenin vay hâline! Zorla değiştiremeyiz ya! Sağduyusu kendine mübarek olsun! Biz canlı hayatın peşindeyiz!

Doktor Ramiz birdenbire daha müşfik oldu:

– Ben kabiliyetlerini bildiğim için acıyorum. Konuşmam, zorlamam hep bu yüzden... Yoksa bana ne?

– Ben ona da acımıyorum. Yalnız müessesemizi düşünüyorum!

Yangeldi Asaf Bey uykusundan silkindi, avucunu sinek avlar gi-

277

bi birden havaya uzattı:

– Ben de onu düşünüyorum. Yazın bir frijider alacağız değil mi? Bir de vantilâtör...

Halit Ayarcı gülmemek için dudağını kıstı.

– İnanmayan bir adamla çalışmak dünyanın en güç işidir.

Artık bunalmıştım.

– Bütün dediklerinizi yapıyorum. Bu yetişmez mi? İnanmağa ne lüzum var?

– Hiçbir şey yapmayın, yalnız inanın, bize bu yeter...

Halit Ayarcı bu sefer gerçekten hiddetliydi:

– Çünkü bana evvelâ inanç lâzım. Saf kalbe bu işin doğruluğuna inanç... Siz çürümüş insansınız... Eski ruhsunuz! Hayata inanmayan insanla çalışılmaz. Daha Ahmet Zamanî'nin mevcudiyetini bile kabul etmediniz...

– İyi ama, yok bu adam... Yok. Tarihlerde yok! Bana tek bir kâğıt gösterin, sadece bir isim gösterin, yeter.

Doktor Ramiz.

– Eski moda laflar... diyordu. Tarih, günün emrindedir. Ben sana yüz meselede yüzlerce kâğıt gösteririm ki yalandır, bundan ne çıkar? Mevcut olmasa adını bilmezdiniz, ondan konuşmazdınız... Bütün mesele şuradan geliyor: Kendinizi zamanınızdan üstün görüyorsunuz... Entellektüel gururu. Ben bütün hakikatleri bilirim, demek istiyorsunuz! Hayır, azizim, öyle bir şey olamaz. Bir insan bütün hakikatleri bilmez, bilemez...

Birdenbire kapının önünde kopan bir gürültü, bana vermeğe hazırlandığım cevabı unutturdu. İlk önce Derviş Ağanın sesi geldi. Adamcağız,

– Olmaz hanımefendi, sormadan olmaz! Resmî toplantı var! diye çırpınıyordu.

Dik bir ses ona cevap verdi:

– Ben bilirim onların toplantısını... Çekil bakayım oradan!

Derviş Ağa galiba bir şeyler daha söylemek istedi.

– Çekil diyorum sana herif...

Artık şüphe edemezdim, halamın sesiydi. Yirmi dört yılın arasından onu tanımıştım. Olduğum yerde büzüldüm. Hiçbir kurtuluş imkânı yoktu.

Birdenbire kapı ardına kadar açıldı. Halam, bir elinde başının üstünde salladığı şemsiyesi, öbüründe bir yığın gazete ve bavul kadar büyük bir çanta, beyaz saçlarının üzerine kondurduğu siyah, büyük tüylü, bir kartal kadar azametli şapka, bir fırtına gibi içeriye girdi. Merkezefendi mezarlığından dönüşü kadar garip, şaşırtıcı bir hâli vardı. Makyajlı yüzü hiddetten alt üstü. Pudra ve sürmelerinin arasından gözleri şimşek gibi parlıyordu. Bileklerinde, parmaklarında, boynunda, kulaklarında bir yığın mücevher vardı. Sırtında yeldirmeye benzeyen bej rengi pardösüsüyle yürürken daha ziyade uçuyora benziyordu. Fırsat bulsaydım kahkahadan çıldırabilirdim. Hepimiz ayağa kalkmıştık. Yalnız Halit Bey olduğu yerde sakin, "Bu da nedir?" der gibi ona bakıyordu.

– Toplantı varmış ha?.. Ne toplantısıymış o bakayım?..

Sonra birdenbire beni gördü.

– Seni mendebur seni, sünepe herif seni... Yaptıkların yetişmiyormuş gibi bir de gazetelere akrabam diye adımı geçirtisin ha!..

Ben yana fırladığım için ilk darbe Asaf Beyin omuzuna geldi. İkincisi Halit Ayarcı'nın masasına indi. Ve kocaman kristalle beraber şemsiye de kırıldı.

– Seni arsız, hayâsız, dolandırıcı... O şıllık karın demek beni affediyor ha!

– Aman halacığım... Allahaşkına, diyemeden kırık şemsiyenin dip tarafı burnuma indi.

Dudaklarımın üstüne doğru sıcak bir şeyin aktığını duydum. Ellerimle yokladım, kandı.

– Oh olsun... Dur bakalım, daha neler yapacağım sana...

Tam üzerime doğru atılmak üzere iken yorgunluktan, yahut da kanı görmesi asabını bozduğu için olduğu yerde durdu. Nerdeyse düşecekmiş gibi bütün vücudu titriyordu.

İşte o zaman Halit Ayarcı yavaşça yerinden kalktı. Hemen o anda gelmiş bir misafiri ağırlar gibi sükûnetle masanın etrafını dolaştı. Halamın omuzlarından tutarak onu masanın tam yanı başındaki büyük koltuğa oturttu. Elindeki çantayı, gazeteleri camı kırılan masanın üstüne koydu.

– Zannederim ki Zarife Hanımefendi ile teşerrüf ediyorum... dedi.

Halamın yüzü bembeyazdı. Fakat hiddeti hâlâ geçmemişti. Ağzı köpüre köpüre:

– Evet, dedi, Zarife Hanım... Bu mendeburun halasıyım!

Halit Ayarcı aynı soğukkanlılıkla ve aynı tebessümle:

– Bendeniz Halit Ayarcı'yım! Bu müessesenin müdürü...

Bu kadarı halamı yeniden çıldırtmağa kâfiydi.

– Demek ki bu dolandırıcıların bir de müdürü var ha!.. Ne yaparmış bu müessese bakayım?

Bana doğru dik dik bakarak ilâve etti:

– Elbette! Bu sünepenin ne haddine böyle şeyler yapmak!..

Sonra tekrar Halit Ayarcı'ya döndü:

– Babası olan herif de böyleydi... Şunun bunun peşinden gitmekten başka elinden bir şey gelmezdi. Tabiî, öyle ya, birisi kurmadan hareket eder mi? Ata binermiş beyim, tenis oynarmış! Eşekle atı birbirinden fark etmezsin sen! Bir de benim adımı gazetelere geçirirsiniz! Ne zamandır beni affedecek adam oldu karın?..

Sonra tekrar Halit Ayarcı'ya döndü:

– Ama siz, bir insan evlâdına benzersiniz, nasıl girdiniz bu mendeburla bu işe?...

Halit Ayarcı hiç istifini bozmuyordu:

– Resmî bir müessesenin aleyhinde bulunuyorsunuz! Çok yazık! Halbuki biz de burada kendimize göre hizmet ediyoruz.

– Hizmet mi? Neymiş o hizmet bakayım? Saatleri ayarlayacakmışsınız öyle mi? Ben yutar mıyım bunu? Benim adım Kefen Yırtan Zarife'dir. Öyle laflara gelmem...

Birdenbire durdu, etrafına bakındı:

– Bana ne sizin işlerinizden? dedi. Vaktiyle uğraşırdım böyle şeylerle. Fakat şimdi vazgeçtim. Ben buraya karısı beni affettiğini gazetelere yazan herifi görmeğe geldim. Daha burnunun üstündeki iki damla kanı silmesini bilmiyor, şuna bakın! Bir de büyük büyük laflar...

Ben yavaşça cebimden çıkardığım mendilimle yüzümü sildim. Önünden geçmem lâzım gelmeseydi derhal dışarıya fırlardım.

Halit Ayarcı zili çaldı. Hiç tanımadığımız bir Derviş Ağa içeriye girdi. Alnı şiş içinde, yakası yırtıktı. Halamdan mümkün mertebe uzak bulunmak için odanın ta öbür ucundan dolaştı.

– Ne emredersiniz hanımefendi, kahve, çay...

– Bir kahve! dedi. Tiryaki işi olsun. Doktorlar yirmi senedir yasak etti, ama ben yine içiyorum. Ama bu pasaklı herif yapacaksa, vazgeçin!

– Derviş Ağa çok iyi kahve pişirir. Memnun kalacaksınız! Biz de isteriz Derviş Ağa.

Sonra Derviş Ağa çıkarken ilâve etti:

– Amma daha evvel, bir sepet, bir şey getir de şu camları kaldır! Birisi gelirse mahçup olmayalım!

Ve bizzat kendisi şemsiyenin parçasını masanın altına attı.

– Ne olsa resmî daire, hanımefendi!

Halam bayağı müteessir olmuştu.

– Ben buraya gelmezdim, amma eski evde bulamadım! Çıkmışlar. Adresi de bilen yok. İster istemez geldim.

Halit Bey en tatlı tebesümüyle onu teselli etti:

– Zarar yok efendim, zarar yok... Aile arasında olağan şeylerdir bunlar. Zaten siz gelmeseydiniz, biz size geliyorduk!

– Bana mı? Ne münasebet?

– Tabiî size! diye cevap verdi. Şimdi konuşuyorduk. Bakınız anlatayım: Saatleri Ayarlama Enstitüsü'nün çalışmalarını destekleyecek halk arasında fikirlerini yayacak, hattâ bunlar için neşriyat yapacak bir cemiyete ihtiyacımız var. Onun için bir "Saat Sevenler Cemiyeti" tesisine çoktan karar vermiştik. Bugün bu cemiyetin müessisler heyeti üzerinde konuşuyorduk. Toplantımız bunun içindi.

Arkadaşlarla ben bu cemiyetin daha ziyade kadınlar arasında aza bulmasını istiyorduk. Reisi de bilhassa bir kadın, ve muhterem bir hanımefendi, olmalıydı... Sabahtan beri düşünüyoruz, münasip, şahsiyet sahibi birini hatırlayamadık. Nihayet Hayri Bey, "Halam bu iş için en elverişli insandır. Evvelâ baştan aşağı şahsiyettir. Bir orduyu bile idare eder. Tecrübe sahibi insandır. Sonra da muhitinde çok sevilir. Yazık ki bana dargındır. Ben teklif edemem! Ricaya gitsem kovar!" diyordu. Bunun üzerine ben hep birden size müracaat etmeyi teklif ettim. İşte tam o esnada siz teşrif ettiniz... Eğer reisliği kabul ediyorsanız, lutfen yerime buyurun!

Halam bir müddet Halit Ayarcı'ya, sonra da onun yanı başında ayakta durduğu boş koltuğa baktı. İlk defa dans edecek bir kız gibi şaşkın ve arzu ile dolu idi:

– Bilmem yapabilir miyim? Hele bu yaşta...

Halit Ayarcı gülümsedi:

– Hiç yapmaz olur musunuz? Kaldı ki sizi iş başında gördük!

Halam bana dik dik baktıktan sonra:

– Bu daha bir şey değil! dedi. Hele bir karısı elime geçsin!

Halit Ayarcı rahat bir kahkaha attı:

– Bu işte Pakize Hanımın kabahati olamaz... Eminim! Görseniz pek seversiniz. O cins kadın değil. Bunlar röportajı yapanın ilâvesi olacak. Bir şey karışmış her hâlde. Görmediniz mi? diyordu, resimlerin çoğu Hayri Beyin değil!

Hakikaten röportajdaki resimlerin birçoğu benim değildi. Beni at üstünde gösteren resim aşikâr şekilde bir İngiliz manzarasının ortasında idi. Kütüphanem diye tanıtılan yeri bütün ömrümce görmemiştim, göremezdim. Saat kolleksiyonum hayalimden bile geçemezdi.

Bir sükût dakikası oldu. Sonra Halit Ayarcı yerinden kalktı, halama:

– Kabul buyurursanız, şöyle geçin de içtimaa başlayalım! dedi.

Halam hiç ses çıkarmadan yerinden kalktı ve masanın başına geçti. Halit Bey yandaki sandalyeye oturdu.

– Müsaade buyurursanız Doktor Ramiz toplantımızın kâtipliğini yapsın!

Doktor Ramiz bir bloknotla masanın yan tarafında yerini aldı. Halam âdeta kadınca şikâyete başladı:

– Bu işler hep böyle olur, hep benim üstüme yıkılır. Bununla dördüncü cemiyetin reisliği olacak. Daha İttihat ve Terakkî zamanından beri bu böyle gidiyor.

Mamafih Halit Ayarcı hiç vakit kaybetmiyordu. İlk iş kurucular meclisinin azalarını bulmaktı. Halamın bu husustaki fikrini sordu.

– Benimle Hayri Bey, bir de Doktor bulunacağız... Gerisi kadın olması lazım...

Halam bu fikri beğenmiyordu. Bizim Saat Sevenler Cemiyet'inde bulunmamız belki yerinde idi, böyle cemiyetlerde reise yardım edecek genç ve sempatik bir iki erkeğin de bulunmasını istiyordu. Halit Bey Şair Ekrem Beyi tavsiye etti. Ondan sonra kadın aza üzerinde düşünmeye başladık. Halam birkaç isim söyledi. Halit Bey Sabriye Hanımla Nevzat Hanımı teklif etti. Zarife Hanım birincisini kabul ediyor, fakat ikincisini istemiyordu.

– Sabriye hoş kız! diyordu. Kulağı delik. Konuşmasını bilir. Ötekini ne yapayım! Mızmızın biri.

Sonra kendiliğinden Selma Hanımın ismini ortaya attı. Böylece on on iki isim kaydettikten sonra ertesi hafta kendi evinde buluşmak üzere toplantıya son verildi. Tam çıkacağı sırada kapı açıldı ve kızım Zehra içeriye girdi. Halit Bey halama:

– Tanıdınız mı? diye sordu. Yeğeninizin kızı...

Halam yine düşman düşman bana baktıktan sonra Zehra'ya bir iki tatlı kelime söyledi. Hâline bakılırsa akraba görmek hiç hoşuna gitmiyordu. Bununla beraber kızım odadan çıktıktan sonra bir müddet arkasından düşünceli düşünceli baktı. Sonra bana döndü:

– Bu herhâlde öbüründen olacak, şu hani seni anlamayan karından... Bu yeni şıllıkla alâkası olamaz... dedi.

Bir hafta sonraki içtimada Saat Sevenler Cemiyeti'nin nizamnamesi hazırlandı. İki hafta sonra cemiyetin resmî formaliteleri bitmiş, her şey düzenlenmişti. Bu arada Halit Bey bir gün bana:

– Halanızla mutabık kaldık... Hürriyet Tepesi'ndeki arsayı enstitüye hediye etti. Yeni binamız orada yapılacak! haberini verdi.

Birkaç gün sonra da Suadiye'nin üstlerinde bir başka, daha büyükçe arazinin yine halam tarafından Saatleri Ayarlama Enstitüsü Kooperatifi'ne bedeli taksitle ödenmek şartıyla devredildiğini öğrendim. Halit Beyin bunu bana haber verdiği gün neşesi pek yerindeydi.

– Nasıl? dedi. Bir daha karınıza kızar mısınız? Pakize Hanım gibi akıllı bir kadın... Dün, halanızda gördüm, bilemezsiniz nasıl sevişiyorlar. "Cemiyetin idare meclisi azalığına seçilmezse ben de çekilirim" diyordu.

Pakize bunları bana anlatmıştı. Zehra ise onun evinden artık çıkmıyordu.

– Güzel... dedim, çok güzel. Hepsi iyi. Yalnız ben anlamıyorum! Anlayamayacağım da...

– Hayır, dedi, anlamıyorsunuz ve anlamaya da çalışmıyorsunuz... Mamafih ehemmiyeti yok! Siz kitabı bitirin.

V

Halit Ayarcı'nın, halamın enstitüye o kadar gazapla geldiği günün akşamı, bana uşağı ile gönderdiği banjo, çalışma odamda asılı duruyor. Ara sıra ona bakar ve bir zamanlar hayat yolunda ne kadar acemi olduğumu acı acı düşünürüm. Rahmetli velinimeti bu kadar üzmeli miydim? Şurası var ki bazı insanlar, hakikatin ışığı kendilerinde mevcut olarak doğuyorlar. Ben ise, tam zıddı idim. Meselâ halam bile benim gibi değildi. O yaşta ve o kadar tecrübeden sonra, daha iki saatlik bir konuşmanın veya kavganın sonunda, gözümün önünde Halit Ayarcı'nın sözlerini kabul etmiş, ne olduğunu bilmediği bir cemiyetin reisi olmağa razı olmuş, bize evini açmıştı. Ben ise her şeyi Halit Beyden beklediğim hâlde onu kırmaktan çekinmiyor, onunla devamlı kavga ediyordum.

Kapıyı açıp da uşağın elinde bu acayip çalgıyı görür görmez hiddetten az kalsın çıldıracaktım. Hele içeriye getirip kanepenin üzerine koyduğum zaman Pakize'nin ve Zehra'nın sevinçleri, hattâ karımın, "Çalsana şunu!" diye ısrarı beni büsbütün çileden çıkarttı. Daha Pakize ile mülâkat üzerine konuşmamış, bu kepazeliği niçin yaptığını ona sormamıştım. Böyle bir konuşmanın beni nerelere kadar götürebileceğini bilmiyordum. Fakat karım hiç oralarda değildi. Bir hamlede yedi çocuk birden doğurmuş bir dişi kedi gibi yaptığı işten memnun, bütün uzviyetinden sevinç aka aka etrafımda dolaşıyordu. Onun bu şuursuzluğunu gördükçe kafam büsbütün atıyordu. Bu hiddete Zehra'nın küçük bir müdahalesi son verdi:

– Baba, dedi, bugün kimi gördüm, biliyor musunuz? Topal İsmail'i. Dairenin hemen kapısının önünde gibi bir şey... Birdenbire beni görünce nasıl şaşırdı! Benzi kül gibi oldu. Sonra uzun bir ıslık çaldı, koşa koşa gitti. Meğer ne kadar çirkinmiş! Az kalsın onunla evlenecektim. Allah göstermesin, ne yapardım o biçare ile?..

Hiddetim birdenbire söndü. Tam o esnada Pakize:

– Bana hâlâ teşekkür etmedin Hayri! dedi. Halit Bey bana, dünyada sen kocanı anlayamazsın! Onun kadar mühim adamı anlayabilir misin hiç? demişti. Hattâ bahis bile tutuştuk. Amma kazandım. Sabahleyin telefonda beni nasıl tebrik etti bilsen!

Demek iş böyle olmuştu. Bunu da Halit Ayarcı düşünmüş, Pakize'yi kışkırtmış, beni dosta düşmana gülünç etmişti. Karıma teşekkür ettim:

– Fevkalâde... dedim, yalnız döşemede çıplak yatmam nereden aklına geldi? Başka bir şey uyduramaz mıydın? Bilirsin ki ben takkesiz, hırkasız bile yatamam!

Karım son derece mahcup ilâve etti:

– Hamak kelimesini unutmuştum, dedi. Halit Bey senin bütün gençliğinde hep hamakta uyuduğunu söylüyordu. Fakat kelime bir türlü aklıma gelmedi.

Bu ehemmiyetsiz teferruatı böylece hallettikten sonra bana tekrar velinimetin hediyesini uzattı:

– Haydi çal biraz n'olursun! diyordu.

Sazı elime alıp şurasına burasına dokundum. Maksadım bilme-

diğimi göstermekti. Fakat Pakize'nin yüzüne bakınca büsbütün şa-
şırdım. Yedi kat göklerde imiş gibi mesuttu. Neredeyse gözünden
yaşlar akacaktı. Fakat Zehra ortadan kaybolmuştu. Ahmet ise hiç
görünmüyordu, odasında çalışıyordu. Yemekte bu bahislere tekrar
dönmedik!

Yatmadan evvel bir ara Zehra'yı gördüm:

– Nasıl, dedim, banjomu beğendin mi?

Zehra, büyük gözlerini üzerime dikti:

– Başka çaremiz var mıydı baba? diye sordu. Yalnız Ahmet be-
ni çok düşündürüyor, diye ilâve etti.

Fakat ben Ahmet'i düşünmüyordum:

– Topal İsmail'i hakikaten gördün mü? dedim.

– Hayır, fakat hâliniz o kadar acayipti ki, bir şey söyleyip önle-
mem lâzımdı. Aklıma o geldi.

Sonra ceketimin düğmesini tuttu. Gözleri gözlerimin içinde:

– Fena mı yaptım? dedi. Beyhude yere kavga edecektin! Ben kav-
gadan bıktım artık. Bütün çocukluğum kavga, dırıltı içinde geçti. Bil-
mezsin neler çektim! Bağıran insan sesi beni öyle korkutuyor ki...
Hele hiddetin değiştirdiği insan yüzü! Öyle kendinden çıkıyor, öyle
katılaşıyor ki insan... Dünyada bundan kötü, iğrenç bir şey olamaz.

– Ama sen de ara sıra kızıyorsun... dedim.

– Şimdi değil artık! Şimdi rahatım. Ben etrafımı sevmezsem ra-
hat edemiyorum. Her şey içimde alt üst oluyor sanki...

Zehra'nın konuşkan zamanıydı. Her genç kız gibi o da kendisi-
ni anlatmak istiyordu. Söylediklerinde ne kadar yalan vardı, bilmi-
yorum. Fakat bana açılması hoşuma gidiyordu.

– Hem biz kavga edemeyiz! dedi. Sen de öylesin... Kendisinden
başka herkesi haklı bulan insan kavga eder mi hiç?..

– Neler söylüyorsun kızım sen?

– Öyle değil mi? dedi. Öyle değil misiniz? Hiçbir kabahatim ol-
masa, hayatlarına karışmış olmayı kendime affedemiyorum!

– Bari şimdi memnun musun?.. diye sordum.

Birdenbire yüzü güldü.

– Tabiî! dedi. Bir kere üst üste değiliz artık! Herkesin bir hayatı var. Sonra bu işler de tuhafıma gidiyor. Hep sonu n'olacak? diye bakıyorum! Başka bir şey daha var, herkes o kadar değişti ki, etrafımda...

Doğru söylüyordu. Herkes değişmişti.

– Yalnız Ahmet değişmedi. O hep kapalı, hep ciddî. Sizden gizli bir şey yaptık. Ahmet devlet imtihanlarına girdi. Kazandı.

Demek bu idi. Bir aydır evin içindeki sır havasının sebebi bu idi.

– Niye bana haber vermediniz? Fena bir şey değil ki...

– Her şey olup bitince söylemek istiyordu. Muvaffak olamazsa gizleyecektik.

Acaba anneleri sağ olsaydı birbirini bu kadar severler miydi? diye düşündüm.

– Darılmadın ya...

Çocuklarımın bana karşı hâlâ saygı ve sevgi göstermelerine şaşıyordum. Ahmet bile beni açıktan açığa üzmek istemiyordu. Bu şüphesiz Emine'den gelen bir taraflarıydı. Birdenbire içimde korkunç bir yara sızladı. O yaşasaydı bunların hiçbiri olmazdı. Birbirine alışmış, birbirini tanıyan iki araba atı gibi hayat yükünü hep yan yana, birbirimizi gözeterek taşımak ne iyi olacaktı. Gözümün önünde eski evimizin taşlığında benim Adlî Tıptan döndüğüm günkü sevinci canlandı.

Gece geç vakte kadar oturma odasında tek başıma, ne yapacağımı bilmeden vakit geçirdim. Bir türlü içeri gitmek istemiyordum. Emine'nin hâtırası içimde o kadar kuvvetliydi ki, hattâ uyurken bile Pakize'yi görmeğe tahammül edemeyecektim. Bunun da ayrıca bir haksızlık olduğunu biliyordum.

O akşam hava çok ağırdı. Saat bir buçuğa doğru gök gürültüsü, şimşek başladı. Odanın perdeleri birbiri ardınca bir tiyatro dekoru gibi yeşil ışıklarda kaybolup, sonra tekrar eski yerlerine geliyordu. Sonra şiddetli bir yağmur boşandı. Pakize gök gürültüsünden korkardı. İstemeye istemeye yatak odasına girdim ve yanına uzandım. Beni yanında hissedince birdenbire uyandı. Dünyanın en şefkatli sesi sandığı bir sesle, nazlana nazlana,

– Yine bu vakitlere kadar çalıştın, değil mi? Hayri, sen hiç kendine acımıyorsun! diye mırıldandı.

Radyoda kadın sesiyle yapılan o reklâm özentileri bile bu kadar soğuk olamazdı. İlk önce alay ediyor sandım. Keşke öyle olsaydı. Hayır, ciddî idi. Halbuki çalışmadığımı, çalışacak bir şeyim olmadığını biliyordu. Sadece aklı başında, iyi niyetli, kocasının sıhhatine dikkat eden kadın rolünde idi. Boynuma uzattığı kolunun altında bütün vücudum buz kesilmişti. Kurulmuş bir saatten, bir otomattan ne farkı vardı sanki bunun? O zaman tekrar işe başladığımdan beri etrafımda her gün biraz daha artan dikkati, itinayı hatırladım. Hakikatte altı aydan beri bir buz dolabında yaşıyor gibiydim. Pakize'nin sadece uzvî iştihalarıyla beni hatırladığı, bana geldiği, onun dışında beni sünepe pısırık, tembel, budala, beceriksiz bulduğu günlere neredeyse hasret çekecektim. Hiç olmazsa o zamanlar kendisiydi.

İlk önce tekrar yataktan fırlamak istedim. Fakat bu sefer tam uyanacak ve konuşmağa başlayacaktı. En iyisi hiç kıpırdamadan olduğum yerde kalmaktı. Her temastan bir parça kaçarak büzüle büzüle âdeta duvara yapıştım ve oradan, gözlerim açık, sağanağın uğultusunu dinleye dinleye sabahı beklemeğe başladım. Hiç durmadan kendi kendime, "Ahmak mı, yalancı mı?" diye soruyordum. Hem ahmak, hem yalancıydı. Belki de ahmak olduğu için yalancıydı. Belki de daha korkunç bir şeydi. Sadece şahsiyeti yoktu. Ara sıra sağanak hafifliyor, o zaman nefeslerini işitiyordum: "Hiç olmazsa rüyasında biraz kendisi olsa!" Bir ara yavaşça doğruldum ve yüzüne baktım. Hafif açık dudakları gülümsüyor gibiydi. Yüzü bazı uç-anlarda olduğu gibi iyice içine doğru çekilmişti. İnsanın düpedüz yokluğu idi bu! Bununla beraber, kapalı gözleriyle, yarı açık dudağıyla, belirsiz nefes alışıyla ve bilhassa kendisi olmayışıyla ne kadar güzeldi. Fakat niçin uyurken bu kadar mesuttu? Kime ve neye böyle gülüyordu? Bu hiç de herhangi bir gülümseme değildi. Ancak kuvvetle duyulan bir hisle elde edilebilecek bir şeydi bu. Demek ki, o da kızım gibi memnundu. Belki de kendisine düşeni yaptığını sandığı için bu huzuru duyuyordu. Yahut da her şeyden ve hepimizden sıyrıldığı, kendi içinde bir köşeye çekildiği içindi bu. Hulâsa onun da bir sırrı vardı. Hattâ kendi yokluğunda olsa bile buna eriştiği için mesut ve güzeldi. Bir lahza bu bütünlüğü kıskanır gibi oldum. Neredeyse onu bozacak, dağıtacaktım. Fakat neye yarardı? Birkaç dakika sonra yine aynı insan, aynı taş bebek olacak değil miydi?

Bu düşünce ile tekrar köşeme büzüldüm. Sabaha karşı bir ara dalmışım. Bu kısa uykuda gördüğüm rüya belki o günlerdeki ruh hâletimi daha iyi anlatır.

Rüyamda eski evimizin sofasında idim. Geniş, büyük bir aynanın önünde durmuş, dikkatle çehremi seyrediyordum. Ve her defasında kendi kendime bu ben değilim ki... Bu ben miyim? İmkânı yok... diye söyleniyordum. Filhakika gördüğüm şey benim yüzüm değildi. Kaldı ki, her an değişiyordu. Âdeta görmek fırsatını bulamayacak kadar değişiyordu. Sonra birdenbire halamın sesini işittim. Haydi geç kaldık! dedi ve beni çekmeğe başladı. Dar ve sapa yollardan hızla yürümeğe çalışıyorduk. Fakat her adımda ya halamın ya benim, birimizden birinin ayakkabısı çıkıyor, bu yüzden duruyor, sonra tekrar koşmaya başlıyorduk. " Nihayet işte geldik!" diye haykırdı. Ve kendimi büyükçe bir meydanda, bir nevi bayram yerinde yapayalnız buldum. Davul zurna sesleri arasında büyük, çok büyük ve kat kat, çemberleri birbirinin içinden geçen bir atlı karıncanın üstünde idim. Her dönüşünde bir tanıdığa rastlıyor ve gülmekten katıla katıla selâmlaşıyorduk. Sonra yavaş yavaş süratimiz artmağa başladı ve bizim, Halit Ayarcı'nın, benim, halamın, Selma Hanımın, Cemal Beyin bulunduğu çember mihverden fırladı ve imkânsız yüksekliklere doğru döne döne çıkmağa başladı. Ben korkudan ölecek gibi Seyit Lûtfullah'ın kaplumbağasının boynuna asılmıştım. Üzerinde oturduğum hayvan o idi. Bir taraftan ona sımsıkı sarılıyor, düşmemeğe çalışıyor, öbür taraftan da durmadan halama bakıyordum. Filhakika halam artık atlı karıncadaki hayvanlardan herhangi birinde değildi. Boşlukta tek başına uçuyordu. Pakize'nin sesi beni uyandırdı. Karım:

– Haydi uyan! Saat dokuz! Daireye geç kalacaksın! diyordu.

VI

Halam koltuğunda oturmuş, karşısındakilere beni anlatıyordu.

– Siz bu adamın kim olduğunu dünyada bilmezsiniz, kızım! Ona hiç güvenilmez. Rahmetli kardeşim adını Hayri koyacağı yerde hayırsız koymalıydı. Tam yirmi sene beni arayıp sormadı. Ne yapar, ne eder? diye düşündüm durdum. Kolay mı? Ailenin tek erkeği! Elbette severim. Onsuz Takribî Ahmet Efendi hanedanı söner giderdi. En sonunda adını gazetelerde gördüm. Bari, dedim, gidip arayayım! Bu yaştaki kadına yapılır mı bu iş?

Sırtında siyah atkısı, elinde küçük Japon yelpazesi, bütün mücevherleri içinde parıl parıl Selma Hanıma, öbür kadınlara bakarak dert yanıyordu. Ben kanepenin bir köşesinde âdeta susta duruyordum. Daha doğrusu bir reçel kavanozuna düşmüşüm gibi bütün ömrümce tatmadığım bir yığın tatlı serzenişler içinde yavaş yavaş boğuluyordum.

– Bir ara harbde şehit olduğu haberi geldi. Rahmetli kocamla aylarca matemini tuttuk. Üç defa mevlit okuttum, hatimler indirttim. Amma yine içimden hiçbir şey olmamıştır, sağ salim gelir diyordum... Öyle oldu.

Hakikaten doğruydu. Askerden yeni dönüşümde halamı tanıyan bir dostum bir gün ziyaretine gittiği zaman evi hıncahınç bulmuş, ve tam duada benim adımın okunduğunu işitince şaşırmıştı. "Her şey bitince, halana eğer yeğeni benim tanıdığım Hayri ise hayatta olduğunu, hiç üzülmemesini söyledim. Bana ne dedi, bilir misin? Demek bu da yalandı, ha! Tabiî o babanın öyle oğlu olur! Sakın ha! Evime ayak basmağa kalkmasın! Sonra iş fena olur."

Şimdi aynı halam bana bakıp gülümsüyor, babamdan rahmetle bahsediyor, benimle övünüyordu. Kendisine babamın ben askerde iken açlıktan öldüğünü, benim Şerbetçibaşı Elması hikâyesinde kocasının ısrarı yüzünden az kalsın tımarhaneyi boylamak üzere olduğumu birisi söylemeğe kalksa muhakkak hayret edecek, imkânı yok! diyecekti.

Zaten böyle şeylerden bahsetmeyeceğimi, maziyi hiç hatırlatmayacağımı biliyordu. Ben artık sıraya girmiş, terbiyeli, mazbut adam olmuştum. Halit Ayarcı gibi hayatımı çekip çeviren bir dostum, mühimce bir işim vardı.

Halamın evine bu ilk gelişimdi. Saat Sevenler Cemiyeti bu kokteyle o gün ilk umumî toplantısını yapmıştı. Halam devam etti.

– Böyle günlerde ne beklenir? Hısım akraba, ev sahipliği yaparlar, değil mi? Sağ olsun. Hayriciğim aklına bile gelmez. Allah kızıyla karısından razı olsun! Onlar geldiler de...

Filhakika Zehra hole yakın bir sofada üç delikanlı ile tatlı tatlı didişiyordu. Pakize iç salonda Halit Ayarcı ile Sabriye Hanımın bulundukları grupta idi. Muhakkak ki büyük baldızım da, günün şöhretli artisti sıfatıyla, marifetini göstermeğe çağırılacağı zamanı bekleyerek bir yerde yarış atları gibi sabırsızlıkla eşiniyordu. Halam devam ediyordu.

– Hiç beklemezdim doğrusu, çocukluğunda tanıdığım Hayri'nin bu kadar modern bir insan olacağını! İşi de kendisi gibi... Hem de kurucusu o imiş! O kadar sessiz sadasızdı ki... Amma saati severdi doğrusu! Hattâ benim hastalığım esnasında bir gün yemek odamızın saatini tamire kalkmıştın, hatırlıyor musun? Sonra rakkasını kaybetmiştin!

Halamın, "Ya rakkası şimdi bulursun, yahut bir daha gözüme görünme!" demesinden bir lahza korktum. Hayır, o maziyi düzeltmekle, hattâ güzelleştirmekle meşguldü. Neden olmasın sanki, kendimize daima yaşanacak iklim yaratmaktan başka ne yaparız? Hâl denen keskin bıçak sırtında oturamayacağımıza göre...

– İsterdim ki üvey kızım da Zehra'ya benzesin! Ne gezer, şirretin biri çıktı!

Selma Hanımın gözlerinden bir parıltı geçti. Halamı bize getiren şeyi o da, ben de öğrenmiştik. O tam benim aksime yalnızlıktan mustaripti. Üvey kızını ve damadını sevmiyordu. Fakat Halit Ayarcı bunu nereden nasıl öğrenmişti? Ve neden bu kadar çapraşık yollardan yürümüştü? Nasıl her şeyi böyle tehlikeye atmağa razı olmuştu?

Halam sözünü bu istikamette tamamladı.

– Hayri ile evlendirmediğim için ne iyi yaptım. Rahmetli Naşit-çiğimin bayağı hatırını kırdım.

Ne denirdi? Her şey değişmişti. Her şeyi olduğu gibi yani bugün bana verildiği gibi kabule mecburdum.

– Ya oğlum! Talihin varmış...

Şair Ekrem Beyin görünmesi üzerine halam bizi unuttu.

– İşte bir başka vefasız daha... İdare meclisinde aza olduğu hâl-de içtimalara bile gelmiyor. Haydi Ekremciğim! Şöyle yürüyelim bakalım, misafirlerimiz ne hâlde!..

Zavallı Ekrem, bir gözü bizden biraz uzakta. Cemal Beyin âde-ta pençesinde çırpınan Nevzat Hanım da, halamla beraber uzaklaş-tı. Birkaç kişi daha eğlenceli arkadaşlar bulmak ümidiyle onları ta-kip etti.

Selma Hanıma halamı nasıl bulduğunu sordum. O bana cevap vereceği yerde "Sizi çok seviyor, dedi. Bir saattir hep sizden bah-setti!" Kendisine halamla olan hikâyemizi anlattım. Evvelâ katıla-sıya güldü, sonra ciddiyetle,

– Büyük insanların etrafı da acayip olur... diye söylendi.

Ben şaşkın şaşkın yüzüne baktım. Ne diyebilirdim ki?

Biraz sonra Sabriye Hanım yanımıza geldi. Bütün gün Tak-sim'de açılacak "Ayar İstasyonu"nda çalışmıştı. "Kızların üçü de çok iyi yetiştiler" diyordu. "Sabahtan beri prova yaptık! Tam iste-diğimiz gibi, yalnız elbiseleri yok..." Selma Hanım istediğimiz za-man işe başlayabileceğini söyledi. Biraz sonra Cemal Bey gelip ka-rısını aldı. O zaman Sabriye Hanıma sordum:

– Cemal Beyden izin almış mı Selma Hanım?

– İzne lüzum yok, boşandılar... dedi. Fakat şimdilik gizli? Cemal Beyin ihtilâsı var. Şirket iflâs etmek üzere... Kıyamet kopuyor. Siz nerelerdesiniz?

– Cemal Beyin hâlinde öyle bir şey yoktu. Nevzat Hanımla ga-yet rahat konuşuyordu!

– Cemal ölürken de istifini değiştirmez... dedi. Asıl mesele o değil! Halanız nasıl? Harika değil mi?

– Evet, dedim. Fakat hiçbir şey anlamıyorum. Nasıl barıştı? Niçin barıştı? Karımın yazdığı budalalıklar onu cemiyete getirmek için miydi? Hiçbir şey bilmiyorum.

– Halit Beyi tanımıyorsunuz da onun için... Siz zannediyorsunuz ki programla hareket eder, Halanız zengin diye ona ağ kurdu. Hayır... O sadece enstitünün sizin vasıtanızla reklâmını yapmak istiyordu. O esnada halanız geldi, o da istifade etti. Halit Bey rahat ve uyanık adamdır. Sporu sever, menfaati değil!

Saat Sevenler Cemiyeti'nde bir yığın genç, güzel kadın, yakışıklı, kibar erkek vardı. Bütün bir muhitti bu. Bununla beraber hemen hemen birçoğunu ya İspritizma Cemiyeti'nden, yahut kahveden, yahut Halit Beyin etrafında tanımıştım. Bir ara, Büyükdere'de gördüğüm devletli de geldi. O geldiği zaman ben halamın yanında idim. Yeğeni olduğumu söyleyince bir kat daha memnun oldu. Enstitü ile çok alâkadardı.

– İşler nasıl?..

Ben cevap vermek üzere iken garson havyarlı sandviçler getirdi. Devletli, bir bana, bir de tepsiye baktı. Sonra dünyanın en kayıtsız çehresiyle tepsiyi masanın üstüne koymasını söyledi. Biraz sonra viski getirildi. Viski ile beraber Halit Bey de bize iltihak etti. "Genişçe bir kooperatif yapıyoruz, beyefendi! dedi. Personelimiz için!" Planları hiç haberim olmadan bermutat ben tetkik ediyordum. Ayrıca da "Saatleme Bankası" adlı bir banka için de bir projem bulunduğunu o gece yine Halit Beyden öğrendim. Bilerek, bilmeyerek, herhâlde hayatımda muvaffak olmuştum. Fakat eriştiğim şey neydi? Bu acayip, birbirini tutmaz kalabalıkta canım sıkılmaktan başka elime ne geçmişti?

VII

Şeyh Ahmet Zamanî'nin Hayatı ve Eseri adlı kitabımın neşri hakikaten büyük bir teveccühle karşılandı. Halit Ayarcı'nın bir çırpıda bulduğu bu mühim şahsiyet etraftan derhal kabul edildi. Pek az insan Graham hesaplarının bundan iki yüz sene evvel ve bilhassa aramızda yaşamış bir adam tarafından bulunup bulunamayacağını düşünüyordu. Esasen Halit Ayarcı'nın ısrarıyla ecdadın riyazî bilgilere olan merakı üzerinde o kadar geniş tafsilât vermiştim ki Ahmet Zamanî'nin keşfi, kendiliğinden herhangi bir hesap ameliyesinin en tabiî neticesi oluyordu. Bununla beraber kitabın basılışı sona erdiği günlerde hakikî bir korku içinde idim. "Ya, diyordum, kitap beğenilmezse... İşin yalan olduğu meydana çıkarsa..." Ve bu korku ile âdeta her saniye benirleyerek yaşıyordum. Geceleri gözüme uyku girmez olmuştu. Halit Ayarcı benim bu telâşıma gülüyor ve her fırsatta korktuklarımın tam aksi olacağını söylüyordu:

– Azizim Hayri İrdal, diyordu, sevgili dostum, göreceksin ki bu kitap çok sevilecek. Siz yalan diye bir şey mevcuttur, sanıyorsunuz. Hayır, yalan yoktur. Böyle meselede yalan olamaz. Ahmet Zamanî bugün için yalan olamaz, bilâkis hakikatin ta kendisi olur. Ne vakit yalan olurdu, bilir misiniz, hem de korkunç bir yalan? Eğer hakikaten bizim kendisine yüklediğimiz fikirlerle yazdığını söylediğimiz eserlerle on yedinci asır sonunda yaşasaydı, işte o zaman yalan olurdu. Çünkü asrından ayrılırdı. Asrını delip geçerdi. Bu da imkânsız tabiî! Bu meselelerde yalan veya hakikat diye bir şey yoktur. Asrına uymak, onun adamı olmak vardır. Ahmet Zamanî Efendi bizim asrımızın bir ihtiyacıdır. Bu ihtiyacı on yedinci asrın sonunda tatmin ediyor, işte bu kadar... Binaenaleyh gerçeklerin gerçeğidir. Geçen akşam halanızı hep beraber dinledik. Takribî Ahmet Efendi sülâlesini Fatih devrine çıkarıyordu. Kimse itiraz etti mi? Yok. Herkes pekâlâ kabul etti. Niçin? Çünkü bu fikir yaşayan iki büyük realiteye dayanıyordu, halanıza ve size! Siz kabul edildikten sonra mesele baştan halledilmişti. Bu kadar sevilen iki şahsiyeti tarihin en uzak zamanına götürmekten daha tabiî ne olabilir? Amma yirmi sene evvel halanız bunu yapsaydı, herkes ayıplardı. Çünkü ne siz on sene evvel bugünkü sizdiniz, ne de Zarife Hanımefendi bugünkü Zarife Hanımdı. Herkes o zaman, "Allah Allah! derdi, doğmuş olmaları bile mânasız olan bu adamların Fatih devrinde kendilerine ced aramaları kadar gülünç şey olur mu? Tam, murdar öldüğüne yanmaz kendisine öd ağacından tabut ister, sözü... Muhakkak yalan söylüyorlar. Aksi takdirde hâllerinde bir necabet ve asalet bulunması gerekirdi..." Amma şimdi demiyorlar! Başka bir misal daha... Halanız sizin muvaffakiyetlerinize şahit oldukça sade hakkınızdaki fikri değil, pederiniz hakkındaki fikri dahi değişti. Yine geçen akşam babanızdan nasıl bahsediyordu? Yalan mı söylüyordu? Hayır. Sadece bugüne ait bir hissi maziye taşıyordu. Ahmet Zamanî'nin Viyana muhasarasına iştirak etmesi çok iyi oldu. Bu kadar mühim bir adam böyle mühim bir hâdiseden uzak kalamazdı. Bilir misiniz, sizin bu buluşunuzu fevkalâde beğendim. Aşağı yukarı Goethe'nin Fransız İhtilâli harplerine, Valmy muharebesine gidişi gibi bir şey... Bu büyük adam daima devriyle temas hâlinde idi. Buna mukabil Ahmet Zamanî Efendinin harpde öyle fevkalâde bir şeyler yapmaması da ölçü fikrinizin bulunduğuna delâlet eder. Herkes her işi yapmaz. Varsın o cinsten kahramanlığı başkaları yapsın! Esasen böyle bir şey olsaydı meselâ Ahmet Zamanî Efendi falan veya filân kaleyi fethetseydi, bu müverrihlerin gözünden kaçmazdı. Onun *Akd-ül-Mizac fî-Umur-il-İzdivac* adlı risalesini gençliğinizde okumuş olmanız hakikaten talih eseridir. Okumamış olsaydınız bu mühim eserden kimse bahsetmeyecek, kaybolup gidecekti. Gerek bu eserin, gerek saatçiliğe dair kitabının kaybolmasına herkes nasıl üzülecek. Nuruosmaniye Kütüphanesi'ndeki eski yazmalardan birinin arkasına bu iki kitabın adını işaret etmeniz de çok iyi oldu. Amma burada eski mürekkepten anlamanızın da tesiri var. Hayır azizim şahane bir eser yazdınız!..

Bir başka defasında şöyle demişti:

– Bir harekette başlangıçtaki hızı tutmak, onu yaratmak kadar mühimdir. Siz bizim hareketimizi maziye nakille hızlandırdınız. Ayrıca da cedlerimizin daima inkılâpçı ve modern olduklarını gösterdiniz. Herhangi bir insan bile mazisiyle dargın yaşayamaz. Tarih, sadece tenkit için midir? Beğendiğimiz ve sevdiğimiz bir insana hiç tesadüf etmeyecek miyiz? Bu işten herkes memnun olacak, göreceksin!

Yazık ki etrafın gösterdiği çok dostça ilgiyi birkaç âlim taslağı bozmağa kalktı. Böyle bir insanın mevcut olmadığını, kitabımın baştan aşağı uydurma olduğunu söylemek küstahlığında bulundular. Bu esere başladığım zamanki ruh hâlinde olsaydım bütün tenkitlere memnun olur, "Oh Yârabbim! derdim, sana bin şükür... Hiç olmazsa aklı başında birkaç kişiye rastlamak mümkün! İşte yalanı kabul etmiyorlar. Bundan daha mesut ne olabilir?" Fakat yazık ki değişmiştim. Bu kitapla uğraştığım altı ay içinde Halit Ayarcı'nın disiplinini öyle benimsemiştim ki, kolay kolay her itirazı kabul edemezdim. Kaldı ki muharrir sıfatıyla ortada izzetinefsim de mevzubahisti. Ayrıca da Ahmet Zamanî Efendiyi sevmiştim. Varlığından şüphe etmek bana ağır geliyordu. Tek kelime ile, Halit Ayarcı'nın izafilik dediği şeyin, tabir caizse, bir hakikat olduğunu kendi hayatımda yaşıyordum.

Bu arada olan iki hâdise nakledilmeğe değer. Bunlardan birisi beş altı göbekten beri Çengelköylü bir zatın kendisini Ahmet Zamanî'nin cedbeced torunu ilân etmesi ve soyadını değiştirmeğe kalkması ve elindeki aile şeceresinin doğruluğuna şahadet etmemi benden istemesiydi. Maalesef gerek bu şecerenin, gerek vesika olarak göstermeğe kalktığı vakıfnamenin asılları ortada yoktu. Elinde kendi el yazısıyla kopyaları vardı. Hakikat namına tabiatıyla reddetmek mecburiyetinde kaldım. Bu hâdisenin matbuata aksi de ayrıca övülmeme sebep oldu. Herkes benim bu gibi meselelerdeki dikkatime hayran olmuştu. Kitabın rağbeti bu yüzden biraz daha arttı. Halit Bey bu işteki metanetimi pek beğendi. Yalnız Zehra müteessirdi. "Belki adamcağız hakikaten Zamanî Efendinin oğludur..." diye üzülüyordu.

– Olsa bile bizim Zamanî'nin oğlu olamaz. Çünkü herif yaşamadı! diye susturdum.

İkincisi, eski İspritizma Cemiyeti'ndeki bazı dostların bir ay geceli gündüzlü bir uğraşmadan sonra Ahmet Zamanî'nin ruhunu çağırmağa ve onunla konuşmağa muvaffak olmalarıydı. Bu konuşmada Ahmet Zamanî Efendi de kitabımın bazı yerlerine itiraz etmişti. Ezcümle peltek ve kekeme olmayı reddediyor, nisbet ve tarikati hakkında daha geniş malûmat veriyordu. Gazeteler bunu da yazarak işi biraz daha alevlendirdiler. Asıl garibi bu mülâkatın merhum tarafından bana bir teşekkürle bitmesiydi. Yazı hayatında ilk defa görülen bu âhiretten teşekkür de lâyık olduğu ehemmiyetle karşılandı.

Ahmet Zamanî için en son ve ortalığı en fazla karıştıran tenkit Cemal Beyden geldi. Selma Hanımın eski kocası zaten öteden beri bana düşmandı. Boşadığı karısıyla gittikçe artan münasebetimi öğrenince büsbütün küplere binmişti. Bu iş vesilesiyle hem bana, hem de enstitüye adamaklılı yüklenmek fırsatını kaçırmadı. Yalnız yaratılıştan yalancı olduğu için, Ahmet Zamanî'yi doğrudan doğruya reddedeceği yerde, onun yerine başka birisini çıkartıyordu. Cemal Beye göre Ahmet Zamanî hiçbir zaman yaşamamıştı. Fakat o devirde yaşayan çiçek meraklısı, mihanikle meşgul, büyüklere dost bir Fennî Efendi vardı. Asıl saatle ve zamanla meşgul olan bu idi. Biz Fennî Efendinin eserini kendi uydurduğumuz Zamanî Efendiye nakletmiştik. Bunun da sebebi gayet basitti. Zamanî adı enstitümüz için en tabiî, akla en yakın bir reklamdı. Böylece tarihî bir hakikati reklam için tahrif etmiştik. İşin garibi Cemal Beyin bizim Zamanî Efendiye atfettiğimiz saatçiliğe dair kitabı kendisinin de görüp okuduğunu söylemesi, ve birden fazla kadın alma aleyhindeki kitabı düpedüz uydurduğumuzu iddia etmesiydi.

Hiçbir tâbiye bu kadar ustalıklı olamazdı. Cemal Bey bizi vurmak için yalanımızı kabul ediyordu. Filhakika, "vardı, hayır yoktu" şeklinde sonuna kadar devam edebilecek bir münakaşaya gitmektense, yalanın bir kısmını kendisine bir ring yaptıktan sonra oradan bize hücum etmek, bizi vurmak daha tesirliydi. Bu acayip tenkidin çıktığı andan itibaren Ahmet Zamanî'nin varlığından şüphe edilmeğe başlandı. Ne Halit Ayarcı'nın üst üste yaptığı basın toplantıları, ne benim yazdığım cevaplar bu şüpheyi bir daha gideremedi. Kitabın şöhreti kökünden sarsılmıştı.

Makalenin çıktığı gün Selma ile beraberdik. Daha doğrusu her

297

zaman buluştuğumuz garsoniyere o sabah gazeteyi alarak gelmişti.
– Bak, yılan seni nasıl sokmuş!.. diye bana uzattığı gazetede eski resmimi onun resmiyle beraber görünce az kalsın çıldıracaktım. Cemal Bey beni küçültmek için hiçbir şeyi esirgemiyordu.

"Vaktiyle şirketimde küçük bir memur sıfatıyla çalışırken kötü ahlâkı ve yalancılığı dolayısıyla çıkarmağa mecbur olduğum bir şarlatan, pespaye bir dolandırıcı..." diye söze başlıyor, "Değil rabia hesapları üzerinde konuşmak, alelâde bir toplam ameliyesi yapmaktan bile âciz olan bu adamın tarihî bir şahsın ismi, hayatı ve eseri üzerinde yaptığı bu tahriften hakikatte mesul olan tek insan Halit Ayarcı Beydir!" diye sözü bitiriyordu.

O gün bir an için her şeyin yıkıldığını sandım ve asıl işte o zaman bu bir yıl içinde ne kadar dönülmez yolları geçmiş olduğumu anladım. Hiçbir şey böyle bir âkıbet kadar korkunç olamazdı. Hayatıma mucizeli sihirbazlar gibi giren, bana bir yığın yolu birden açan para, mevki, şöhret hepsi birden gidiyordu. En korkuncu Selma'nın gözlerinde, münasebetimizin başladığından beri rastladığım o acayip ve ürkek parıltıydı.

Zannederim ki enstitü işlerini o günden, daha iyisi bu korkudan sonra asıl ciddiye aldım ve dört elle sarıldım. Hayır bu iş bir yalan gerçek meselesi değil, bir olmak ve olmamak meselesiydi. Kendi kendime. "Bazı düşünceler benim için sadece bir lüks ve fazla süstür, bunu artık anlamalıyım!" dedim. Tekrar yarınsız ve hiçbir şeysiz insan olacaktım. Tekrar sokağa düşecektim. Tekrar eski günler, arada alıştığım bu kadar nimetten sonra, ve şüphesiz onların yüzünden daha acı, daha çekilmez şekilde başlayacaktı. Yalnızlık, güvensizlik, küçülme... Karşımda yarı çıplak gülümseyen güzel kadın daha şimdiden benim için uzak bir hayal olmuşa benziyordu. Bu bahar sabahı sisli denize bakarak onu beklediğim bu sıcak, güzel ve tenha apartman, onun ömrümde görmediğim eşyası, bu mahremiyet, daha arkada asıl hayatımı yapan bir yığın şeyler beraber gidebilirdi. Selma'nın gelirken getirdiği, kendi eliyle vazolarına yerleştirdiği bahar çiçekleri bir lahzada solmuş gibiydiler.

Birdenbire telefon çaldı. Asabım o kadar bozuktu ki zilin sesi bana bir kıyamet alâmeti gibi korkunç ve dayanılmaz geldi. Hakikatte de böyleydi. O bana dışardaki âlemi hatırlatıyordu. Onun bu odaya hücumuydu. Ve biliyordum ki dışarısı bana düşmandır. Korka korka açtım. Halit Ayarcı'nın yarı alaylı sesi içimi biraz serinletti.

– Gördün mü? diyordu.

– Evet, şimdi okudum... Mahvolduk! Ne yapacağız?

İlk önce:

– Başımıza dünya yıkılıyor, sen eğlen! diye alay etti.

Sonra:

– Ehemmiyet verme! dedi. Fakat işi sıkı tutmak lâzım! Sen derhal dikkatli bir cevap yazarsın! Ben kendi tarafımdan onun zayıf damarını bulur basarım. Bunlar efkârıumumiyeyi bir zaman işgal eder. Fakat asıl mühim mesele herkesi şaşırtacak bir şey yapmamızdır. Anladın mı? Yeni, çok yeni bir şey... Öyle bir şey ki, dost, düşman herkes şaşırsın! Bizim gibi müesseseler bir lahza bile aktüalite olmaktan vazgeçemezler. Bunu kafana koy ve öyle çalış!.. Bir şeyi unutma! Talihe güvenmek lâzım!

– Lâf! dedim, hepsi lâf! Her şey bitti. Sizi benimle vurdular. Hiç bir çaremiz yok! Tası tarağı toplayıp gitmekten başka hiçbir şey yapamayız!

Halit Ayarcı benim bu sözlerim üzerine en gürültülü kahkahalarından birini attı.

– Yağma yok, Hayriciğim, yağma yok! Ben yerimdeyim, sen de yerinde kalacaksın! Bizim gibi mühim dâvalar peşinde olan insanlar kolay kolay düşman karşısında çekilemezler...

Soğukkanlılığı, kendisine inanışı, neredeyse beni çıldırtacaktı. Bir an aziz velinimetimin aklından şüphe ettim. Acaba vaziyetin vahimliğini fark etmiyor muydu? O düşüncemi anlamış gibi, sesi birdenbire ciddileşti:

– Tabiî! dedi, müthiş darbe. Hiç bunu tahmin etmezdim. Cemal Bey yalanla mücadele etmesini biliyor. Yalana ancak yalanla karşı konabilir. Bu işte hakikat üzerinde ısrar sadece sönük bir inat olurdu. Bizi silâhımızla vuruyor. Ama aldırma! Ben talihime güvenirim bu işlerde... Akşama görüşelim!

Halit Ayarcı vaziyeti tam görmüştü. Yalnız bir yerde aldanıyordu. Cemal Beyin bulunduğu yerde ben talihime nasıl güvenebilirdim? Zaten talihimin öbür yüzü değil miydi? Yıllardır, Halit Ayarcı'ya tesadüfüme kadar hep onun darbesinin beni attığı çukurda kalmıştım. Şimdi biraz nefes almağa başladığım bir anda tekrar karşıma çıkıyordu. İnsan ruhu ne gariptir, bütün bunları düşünürken bu adamın karısının yanı başımda bütün vücuduyla omuzuma asılmış kulaklarımı ısırdığını, benden okşama ve sevgi beklediğini düşünmüyordum. Vâkıa Selma ile ayrılmasında hiçbir dahlim olmamıştı. Bununla beraber işin içinde yine hoşuna gitmemesi icap eden bir taraf vardı.

Halit Ayarcı kapar kapamaz telefon tekrar çaldı. Bu sefer Cemal Beydi. Her zamanki sesiyle kibar, mağrur, tek başına bütün bir kutbu yeniden donduracak soğuk sesiyle, tıpkı eski zamanlarda olduğu gibi.

– Hayri Bey, diyordu, lutfen eğer boş bir vaktiniz olursa gazetelere bir göz gezdirin. Sizi memnun edecek bir havadis göreceksiniz!

– Hacet yok Cemal Bey, hacet yok... diye cevap verdim. Çok eski bir dostum bu sabah gelirken getirdi!

Ve telefonu kapadım.

Cemal Bey, Selma'yı boşamasına rağmen benden kıskanıyordu. Cemal Bey yerimizi öğrenmişti. Cemal Bey bizi takip ediyordu. Cemal Bey için biz mesele idik.

Birdenbire bütün kâinatım Cemal Bey olmuştu. Selma bir kaşını kaldırmış düşünüyordu.

– Bunu hiç anlamıyorum! diyordu, hem hiç... Bilmiyorsun, bilemezsin, beni ne kadar sevmezdi. Ve nasıl küçük, biçare görürdü. Adım evde yapma çiçekti. Beni göğsümde, mantomda yapma bir çiçek olmadan sokağa çıkarmazdı. "Sen de taşı, derdi hep! Sen de taşı! Çünkü ben seni yanımda öyle taşıyorum!" Ve birisi çiçeğimi överse sevincinden bayılırdı. Ah o sinsi sinsi bakıp gülüşü...

Söylemeğe hacet yok ki Selma benim sadece sevgilim değildi. O biraz da mazim dediğim korkunç şeyden aldığım öçtü. Onun sayesinde arkamda bıraktığım günlere, "haydi siz de..." diyebiliyordum. "Hacalet... İşte önünde küçüldüğüm tek insan kollarımın arasında. Onun dışında ne vardı sanki?" Eski efendimin beni kıskanmasında hoşuma giden, saadetimi bir kat daha arttıran tuhaf bir şey bir nevi gıcıklayıcı bir zevk de vardı. Benim bu kadında kendimi müdafaa etmem lâzımdı.

Cemal Beye, Halit Ayarcı ve ben, ikimiz de cevap verdik. Ben kendi yazımda sadece mazlûm bir adam tavrı takındım. Talihin kötü cilvelerine herkes uğrayabilirdi. Ben de uğramıştım. Haksızlığı aşikârdı. Yalancılığımın veya herhangi bir ahlâksızlığımın tek delilini gösterebileceğini zannetmiyordum. Yalnız yaratılıştan ahlâklı adamdım, beni çürütemeyeceğini bildiği için şirketten çıkartmıştı. İkinci makalem, yine hep aynı mazlûm ağzıyla idi. Fakat bu sefer şirkete dair bildiklerimi hafifçe çıtlatıyordum. Halit Ayarcı'nın basın toplantısı biraz daha şiddetli oldu. Saat Sevenler Cemiyeti'nin bu mesele hakkında neşrettiği tebliğ ise hakikaten ateş püskürüyordu. Fakat Cemal Bey de durmuyor, hücumlarına devam ediyordu. Başka, büsbütün başka bir şey lâzımdı. Öyle bir şey ki, meseleyi unuttursun ve bizi büsbütün başka kapıdan temize çıkartsın! Bugünlerde olduğu kadar hiçbir zaman kafamı zorladığımı hatırlamıyordum. Fakat hiçbir şey bulamıyordum. Ne ben, ne Halit Ayarcı, hiçbirimiz efkârıumumiyeyi yeni baştan lehimize çevirecek bir icatta bulunamıyorduk. Sanki boşlukta yüzüyorduk. Düşüncemiz alelâde şeylerden bir adım ileriye gitmiyordu.

Beri taraftan Cemal Bey Selma ile münasebetimizi sıkı sıkıya takip ediyordu. Her buluştuğumuz yerde muhakkak bir telefonunu alıyorduk. Ayrıca Pakize'ye imzasız bir yığın mektup geliyordu.

İşte tam bu sırada bir gece evde Halit Ayarcı ile karımın tavla oyunlarını seyrederken yukarda anlattığım nakitli ceza sistemi aklıma geldi. Halit Ayarcı'ya ne kadar güç ve biçare vaziyette oldu-

301

ğumuzu göstermek için onu hemen o anda anlattım.

– Bula bula bunu buldum... Düşünün artık hâlimi!..

Fakat Halit Ayarcı çoktan zarları bırakmış, ayağa kalkmıştı. Gözlerinde acayip bir donukluk vardı.

– Şunu bir daha anlat bakayım? diye bana tekrarlattı.

Ve daha bitirmeden karımın boynuna sarıldı.

– Kurtulduk... Tam zafer, Hayri Bey, tam zafer... diyordu.

Üç gün sonra ikramiyesiyle, piyangosuyla, zamanlarıyla, tenzilâtıyla nakit ceza usulümüz bütün bir sistem olmuştu. Halit Ayarcı benim keşfimi tam Hollywood metoduyla ilân etti. Birkaç hafta içinde Ahmet Zamanî Efendiyi herkes unutmuştu. Saatleri Ayarlama Enstitüsü ilk kuruluş anlarında dahi erişemediği bir teveccüh ve muhabbet kazandı. Bunun arkasından Saat Sevenler Cemiyeti vasıtasıyla tesis ettiğimiz köyler için Saat Ayar Ekipleri geldi. Zaten Saat Ayar İstasyonlarımız çoğalmıştı. Şehir bizimdi. Bir yığın genç kız ve erkek, sırtlarında Samiye Hanımın icadı üniformalar, yakalarında rozetlerimiz, gidip geliyorlar, umumî hayata neşe katıyorlardı.

Böylece her şey yoluna girdi. Ve biz tekrar, hattâ eskisinden daha kuvvetle günün adamı olduk. Babacanca hâllerim halkın hoşuna gidiyordu. Acayip mazim, icat kabiliyetim, açık kalbim her gün bir kere daha övülüyordu. Hiçbir topluluk yoktu ki bulunmam istenilmesin! Doğrusunu isterseniz ben de bu şöhretin tam tadını çıkarmaktan hiç çekinmiyordum. Gözlüğüm, şemsiyem, hiçbir zaman yerine tam oturmayan şapkam, biraz bol kesilmiş elbiselerim, babayani hâllerim, hulâsa elimdeki tesbihe varıncaya kadar her şeyim bu muvaffakiyeti besleyecek şekilde tanzim edilmişti. Gittiğim her yerde etrafım çevriliyor, her meselede fikrim soruluyordu. Umuma ait ölçüleri hiç rahatsız etmeyecek şekilde yaşadığım için seviliyordum.

Bununla beraber Cemal Bey vardı, o benim kötü talihimdi. Nasıl olsa, bir yerden, bir gün çıkacaktı ve o tekrar çıktığı gün her şey bitecekti. Bütün bunları Halit Ayarcı'ya anlattıkça o kızıyor, beni paylıyordu:

– Yaptığınız işe inanmadığınız için böyle düşünüyorsunuz, diyordu. İnsan yaptığı işe sade menfaati için girerse, yalnız onu düşünürse kendisini sonunda sizin gibi itham eder!

– İyi ama ayrı şeyler değil mi bunlar?

– Hayır, hiçbir suretle... Eğer içinizde bu kurt olmasa, Cemal Beyden veya herhangi bir adamdan korkmanıza imkân yoktur. Sizdeki korku kendinize imansızlıktan. Siz siniksiniz. Sadece para için çalışıyor, ferdî saadetinizi düşünüyorsunuz. Müessesenin yeni açıldığı devirde de öyle değil miydi? Hademe maaşınızı keserler diye korkmuyor muydunuz? Beni her teşebbüsten menetmeğe kalkmadınız mı?

Aziz velinimetim tehlike biraz geçer geçmez tekrar eski ağzını almış, büyük idealler namına konuşmağa başlamıştı. Şüphesiz haksız da değildi. O bu işte oyunu idare edendi. Böyle düşünmesi, böyle davranması lâzımdı.

Halbuki mesele benim için büsbütün başka idi. Cemal Bey benim mazideki ıstırabımdı. O benim hayatımın bir tarafıydı. Gizli, her an tepmesi beklenen bir hastalık gibi bende yaşıyordu.

VIII

Nitekim öyle oldu. Hiç beklenmedik bir şekilde onunla son bir defa daha karşılaştım. Vâkıa bu son karşılaşmada ne enstitü yıkıldı, ne param azaldı, ne mevkiim sarsıldı. Bununla beraber ben de, Selma da aylarca tesiri altında kaldık.

Bir sabah gazeteleri elime alır almaz onun Nevzat Hanımla beraber, Zeynep Hanımın eski kocası Tayfur Bey tarafından öldürüldüğünü okudum. Tayfur Bey çifte cinayetinden sonra intihar etmişti. Onun bıraktığı mektup, Sabriye Hanımın o kadar çapraşık yollardan senelerce peşinde koştuğu meseleyi açıklıyordu. Sabriye Hanım haklıydı. Zeynep Hanım, sanıldığı gibi intihar etmemişti. Nevzat Hanıma çılgınca âşık olan kocası tarafından öldürülmüştü. Polis genç kadının senelerdir tuttuğu hâtıra defterini de ele geçirmişti.

Bu üçüzlü cinayetin benim için acıklılığından büsbütün başka

bir mânası vardı. Sevimsiz, huysuz, geçimsiz, hodbin, her girdiği
yerde bir yığın insanı kendine düşman eden, insanlar içinde küçük
bir akrep gibi, sağa sola kuyruğunu çarpa çarpa dolaşan Cemal Bey,
hiç olmaması lâzım gelen bir şey olarak, bir aşk kahramanı gibi öl-
müştü. Şüphesiz işin bu tarafı da, hattâ lüzumundan fazla gülünç
bir şeydi. Ve belki de talih, her an kendisine hâkim olmak iddiasın-
da bulunan ve insan kalbinin bütün zaaflarını inkâr etmekle övünen
bu adamdan intikam almak, onunla alay etmek için bu âkıbeti böy-
le hazırlamıştı. Seven ve bu sevgi uğrunda bilmeden olsa dahi ölen
bir Cemal Bey bu aklın alacağı şey değildi. Şüphesiz bu işin gülünç
ve maskara tarafına, alayın farkında olmasa bile, ilk gülecek insan
yine kendisiydi. "Ben mi? diye dudak bükerdi. İmkânsız!..." O in-
sanları maşa ile tutmağa, gizli ve kirli dizginlerle idare etmeğe ve
küçük kuyruk darbeleriyle zehirlemeğe alışıktı. Ve yalnız böyle ol-
masını isterdi. Bununla beraber bu tarzda ölüşü, çehresini o kadar
değiştiriyordu ki kendisini az çok tanıyanlar bile bu işte aldanabi-
lirlerdi. Hele onu hiç tanımayan, adını sadece bu ölümün aydınlı-
ğında işitenlerin hâtırasında büsbütün başka bir adam gibi yaşaya-
caktı. İşin garibi, onu böyle sadece gazete havadisinden tanıyanlar
için tesadüf isteseydi, Cemal Bey bir veli, cömert ruhlu bir cemiyet
adamı, filân gibi de ölebilirdi. Cinayet, şüphesiz daima kötü bir
şeydir. Bununla beraber muhakkak insan eliyle öldürülmesi mu-
kadder idiyse, Cemal Beyin ilk rast geldiği insan tarafından ve sırf
Cemal Bey olduğu için, burnu o kadar kısa, alnı o kadar dar ve ka-
rışık, yüzü o kadar parlak ve itinalı, sesi öyle nazlı ve hımhım, göz-
leri öyle küçük ve parlak ve bakışları öyle yırtıcı kuş bakışı olduğu
için, öldürülmesi icap ederdi. Halbuki böyle olmuyordu. Acıklı,
baştan başa yanlış anlama ile dolu bir romanın içine zorla giriyor,
üstelik güzel, kendi içine kapanmış, tatlı ve bedbaht, bir türlü etra-
fına kendisini anlatamamış bir kadının ölümüne de sebep oluyordu.
İşte mantıksızlık burada idi.

Daha beş yaşında iken annesiyle beraber misafir gittiği bir evde,
cam kavanozdaki balıkları teker teker sudan çıkarıp eliyle gözleri-

ni kör ettikten sonra tekrar suya atan ve onların can çekişmesini gülerek seyreden adam için bu iş, hakikaten yadırganacak bir talihti. Cemal Beyin bütün hayatı bu idi. Her tanıdığı insana aşağı yukarı bu balıklara yaptığı şeyi yapmıştı. Vâkıa hiç kimsenin gözünü oymamıştı. Fakat her rast geldiğinin benliğiyle oynamıştı. O kadar güzel, fakat bütün ömrünce beyhude kalmış Selma ondan ayrılır ayrılmaz yaşamağa başlamıştı. Kibar, tecrübeli avukat Nail Beyin daha o gün astımları geçmişti. Nail Bey hiç kimseye Cemal Beyle aralarında geçen şeylerden bahsetmemişti. Hattâ Selma'ya dair birçok şeyleri bile kendisinden —bittabi bu sefer sormadan, hattâ istemeye istemeye ve söz arasında— öğrendiğim kulağı o kadar delik dostumuz Sabriye Hanım bile bu hususta bir şey bilmiyordu. Fakat aynı araba içinde Cemal Beye son hürmetimizi yaptığımız gün onu başka bir adam olarak görmüştüm. Âdeta yeni doğmuş gibi bir şeydi. Bir ara bana, "Kendimden utanıyorum!" demişti.

Bütün bunları yapan adam, şimdi, kendisini hiç tanımayan ve hayat tecrübesi, hattâ saadet rüyası basit sevda hikâyelerinin ötesine geçmeyen yüz binlerce insanın kafasında, kendisiyle hiçbir suretle münasebeti olmayan genç ve güzel bir kadının hayatına birdenbire eklenivermişti. Nasıl hiçbir suretle dengi olmadığı Selma'nın bütün ömrü boyunca hayatına girmişse, onun da ölümüne öylece girmişti.

Tayfur Beyi bir iki defa görmüştüm. Bazı anlarda soğukkanlı, içten hesaplı, yahut daha ziyade kendisi tarafından kurulmağa müsait bir insandı. Terbiyeli ve kibar görünüşlerinin altında bir yığın zaafı saklayabilirdi. Evvelden hazırlanmak şartıyla herhangi bir cinayeti işleyebilirdi. Fakat kolay kolay kendi öldürdüğü adamın vücudunu âdeta doğrar gibi parça parça edecek insan değildi. Bununla beraber Cemal Beyi âdeta tanınmayacak hâle sokmuştu. İşin garibi bıçak yaralarının birçoğunun çehrede olmasıydı. Bu bence çok mânalıydı. Her şey bittikten sonra hâdiseleri baştan sonuna kadar bütün vuzuhuyla yazacak kadar aklı başında olan katil, bu çehrenin karşısında kendisinden geçmişti. Nitekim mektubun bir yerinde bunu işaret ediyordu.

Cemal Bey zorla insanların hayatına girenlerdendi. Nevzat Hanımın da hayatına öyle kayıvermişti. O ölümünü insanlarda arayanlardandı. Fakat asıl abes, insan hayatı namına isyandan çıldırtacak şey Nevzat Hanımın hayatı idi.

Şair dostumuz Ekrem'in bu sessiz, kendi köşesine kapanmış kadını sevmesi çok tabiî bir şeydi. Nevzat Hanımın hâdisede hiçbir kabahati yoktu. Ömründe kocasından başka kimseyi tanımamıştı. Dediğim gibi cinsî hayata, kocasının öldüğü gün uzviyeti kapanmıştı. Bütün ömrü evvelâ, onunla izdivacı kafasına koyan ve bunun için karısını öldüren Tayfur Beyin şantajı içinde geçmiş, o yetişmiyormuş gibi sonra da nasılsa bu hâdiseyi haber alan Cemal Bey ona musallat olmuştu.

Nevzat Hanım bütün ömrü boyunca etrafındakilerin tazyiki altında yaşamıştı. Kıskançlık, sevgi, inat, benlik dâvası, itisaf manisi, alelâde çapkınlık ve sahip olma hırsı, tecessüs, hulâsa insan ruhunun bütün korkunç ve zalim çarkları onun etrafında, bu güzel kadını kendi kendisinin gölgesi yapmak için çalışmıştı. Etrafındakilerin hemen hepsi onun hayatına, bir kere bile onu anlamağa çalışmadan, hep ona çullanmak için girmişlerdi.

Çocukluğu boyunca kendisinden çirkin ve huysuz olan ablası tarafından kıskanılmıştı. Onun, babasının zenginliği sayesinde evlenip de biraz rahata kavuştuğu zaman ortaya kocası Salim Bey çıkmıştı. Bu hastalıklı, korkak, hodbin ve sızlanmaktan hoşlanan, şahsiyetsiz insan birdenbire onu sevdiğini zannetmiş ve tecrübesiz kıza seneler boyu ısrarıyla kendisini sevdirmese bile, hiç olmazsa onda bu zannı yaratmağa muvaffak olmuştu. Fakat daha evlendiklerinin ikinci haftasında genç kadın kocasını hiçbir zaman sevmediğini ve hiçbir suretle sevemeyeceğini anlamıştı. Salim Bey şahsiyetsiz ve üstelik her şeyde hasis bir insandı. Üstelik karısını da sevmiyordu. Sevgi dediği şey hakikatte musallat bir fikirdi. O ancak elde etmekten hoşlanan insandı. Bir de kaybedeceğini anladığı zaman sevebilirdi. Ayrıca tuhaf bir izzetinefis anlayışı vardı. Bütün şahsiyetsizler gibi o da etrafıyla ve etrafında yaşıyordu. Nevzat Hanım

- 83. TL DASK
- 261 TL. konut

aday
www.samsunaday.com
DERGİSİ
DERSANELERİ

bu işin yürümeyeceğini anlayıp da boşanma teklifinde bulununca, "İmkân mı var, sonra etraf, arkadaşlarım ne der? Beni herkese rezil mi etmek istiyorsun? Bırak ki ben sensiz dünyada yaşayamam!" diye cevap vermişti. Ve bu hâl üç sene sürmüştü. Bu arada Nevzat Hanımın öteden beri kalbden rahatsız olan babası bir gece âni bir krizle ölmüştü. Küçük kızını çok seven ve mesut olmadığını hisseden adamın, ölümünden bir iki gün evvel söylediği birkaç cümle, aile arasında, Nevzat Hanımın Salim Beyle evlenmesini bu ölümün tek sebebi yapmıştı. Zavallı Nevzat Hanım böylece çifte ateş arasında kalmıştı. İşte, kocasının akrabası, komşuları, arkadaşları, belki de apartmanın kapıcısı ne demez? diye sürüklediği bu acayip ve tatsız hayatın üçüncü senesinde Salim Bey, askerde iken, daha ziyade kendisinin sebebiyet verdiği bir kaza neticesinde ölmüştü. Nevzat Hanımın talihsizliği, evlilik hayatından patlıyasıya canı sıkılan, aşktan ve kadından hiçbir şey anlamayan ve ancak kıskandığı veya bırakılacağını anladığı zaman karısını sevmeğe kalkan bu münasebetsiz kocanın kendi korkaklığının sebep olduğuna hemen bütün taburun şahadet ettiği bu kazadan bir gece evvel, karısına yazdığı mektubunda yine ümitsizlikten, intihardan bahsetmesindeydi. Filhakika bütün görenler kazada kastî hiçbir şey olmadığını söylüyorlardı. Salim Beyin bindiği at taburun en yumuşak tâlim atıydı. Sicilinde biraz ürkeklikten başka hiçbir şey yoktu. Salim Bey eğer birdenbire korkmamış olsaydı, hayvan gemi azıya almayacaktı. Hattâ kendisini bu vaziyette doğrudan doğruya yere fırlatsaydı at yanı başında dururdu. Nitekim yine tanımadığı bir biniciye bu tecrübe yaptırılmış ve atın kendiliğinden durduğu görülmüştü. Hulâsa bir yığın acemilik ve korkaklık yüzünden atı çileden çıkartmış ve kazaya sebep olmuştu.

Herkes bunu bildiği hâlde aldığı mektup yüzünden Nevzat Hanım kocasının intihar ettiğine inanmıştı. Kaldı ki Salim Beyin akrabaları da yine onun mektupları yüzünden buna inanıyorlardı. Bu mektuplar kendisine yazılanlar gibi de değildi. Onlardaki şikâyet daha başka türlü ve genç kadının daha aleyhinde idi.

Üstelik oğlunu hiç sevmeyen, pısırık, hasis ve mânasız bulan annesi de bu ölümü fırsat bilmiş ve dul kadının evine yerleşmişti. Onun tesiriyle Nevzat Hanımın asabı büsbütün bozulmuştu. Biraz sonra bu şantaja ve içten yıkılmağa kocasının Nevzat Hanıma âşık olduğunu anlayan Zeynep Hanımın ondan şüphesi katılmıştı. Nevzat Hanımı çok seven Tayfur Bey karısını, onunla evlenmek ümidiyle ortadan kaldırmak gibi delice bir iş yapmış, üstelik dünyanın en garip mantığıyla onu bu izdivaca mecbur etmek için, cinayetini de genç kadına itiraf etmişti. Böylece babası da dahil üç ölüm biçare kadının sırtına yüklenmişti. İşte bizim rüyalarının ağırlığı altında perişan gördüğümüz Nevzat Hanım içten ve sessiz tebessümlerinin arkasında bu acayip talihi yaşıyordu. Onun hiç kabahati olmadan insanlar ölüyorlar, birbirlerini öldürüyorlar ve mesuliyeti ona yüklüyorlardı. Şüphesiz biraz iradeli bir insan olsaydı, yaratılışında küçük bir hodbinlik, yahut müdafaa hissi bulunsaydı, bütün bu beyhude yükleri sırtından atar, hepsinden kurtulurdu. Hele Zeynep Hanımın ölümünü polisten gizlemesini hiç kimse anlamıyordu.

Bütün bu hâdiseleri öğrendiğim zaman ister istemez kızımın yukarda bahsettiğim sözünü hatırladım. O bana, evimizin bir zamanlardaki curcunası içinde hayatımızı anlamağa çalışırken, "Biz kabahati üzerine yüklenen insanlarız" demişti. Zannediyorum ki bütün bu hâdisede tek anahtar bu cümledir. Nevzat Hanım kendisini yapmadığı şeylerden mücrim addedenlerdendi. Belki aile terbiyesi, belki ablasının kıskançlığı altında geçen çocukluğu onu buna alıştırmıştı. Bu ruh hâli Sabriye Hanımın anlattıklarına göre, çocukluğunda ablasının yalancıktan bir intihar teşebbüsü ile başladı. Herhâlde müdafaasız insandı.

Bununla beraber onun asıl kendisini itham ettiği nokta Salim'in ölümü meselesiydi. İspritizmaya merakı da buradan başlamıştı. Murat hikâyesi, genç kadını elinden geldiği kadar etrafından tecrit etmeğe çalışan kaynanasının icadı idi. Ve telefonlara cevap veren de kendisi idi. Bu kadının dik sesi daha ilk gördüğüm gün dikkatimi çekmişti. Zil, zurna, vapur düdüğü gibi sesler harikulâdenin karşısında muhayyilenin icatları olmalıydı. Ben bütün ömrümde yalanın alâkalı ve alâkasız insanlar tarafından beslendiğini çok gördüm. Onun için Sabriye Hanımın bu izahına hiç şaşırmadım.

Biraz sonra bu çift şantaja, Zeynep'i çok seven Sabriye Hanım girmiş ve o daha ziyade evde kalmış kız psikolojisiyle Tayfur Beyle Nevzat arasında ciddî bir münasebet bulunduğuna inandığı için işe âdeta bir tahkikat şekli vermiş, hulâsa genç kadının etrafındaki tazyiki bir misli daha arttırmıştı. Daha sonra da Cemal Beyin müdahalesi başlamıştı.

Şurası var ki ne Cemal Bey, ne Tayfur Bey, ne de Sabriye Hanım, Salim Beyin annesi yaşadığı müddetçe eve fazla sokulamamışlardı. Hattâ evde yapıldığı söylenilen ispritizma tecrübeleri bile Murat'ın mübalâğasıydı. İhtiyar kadın ölünce ikisi de meydanı boş bulmuşlardı.

Sabriye Hanıma göre Cemal Beyin Nevzat Hanıma olan düşkünlüğü para meselesiydi. Şirketteki işinden ihtilâs yüzünden atılan ve Selma Hanımın babadan kalma servetiyle açığı kapatarak vaziyeti kurtaran Cemal Bey Nevzat Hanımla parası için evlenmek istiyordu. Ve tek ümidi de bu olduğu için genç kadına o kadar fazla yüklenmişti.

Selma'ya gelince o para meselesinin bu işteki rolünü inkâr etmemekle beraber, Cemal Beyin öteden beri Nevzat'a zaafı olduğunu söylüyordu. "Cemal çapkındı ve bilhassa güç şeylerden hoşlanırdı. Nevzat'ın öyle kendine kapanmış yaşayışı onu meşgul etmiş olabilir..." diyordu. Hattâ yine Selma'ya göre Cemal Beyin daha evvel de Zeynep Hanımla bu cinsten münasebeti olmuştu.

Tayfur Beye gelince, o Nevzat Hanımı hiç anlamamıştı. Genç kadının kendisini Cemal Beyin sinsi dostluğuna teslim ettiğini zannetmişti. Filhakika Tayfur Beyin ölmeden evvel bıraktığı mektupta sevgiden ziyade kıskançlık, hiddet, hattâ kin vardı.

Nevzat Hanımın talihsizliği bir tanesi bile bir ömrü yıkmağa kâfi gelecek bu dört insanın, dördünün birden onun hayatına yüklenmesi idi.

IX

Enstitünün personel meselesinin ve kadro işlerinin bizi çok yoracağını daha evvelden tahmin etmiş, bu yüzden mümkün mertebe çok dar bir kadro ile işe başlanmasını istemiştim. Fakat gerek bizim tarafımızdan gösterilen, gerek bize tavsiye edilen namzetler birdenbire o kadar çoğalmıştı ki, buna imkân kalmadı. Hemen her gün bir veya birkaç müracaat karşısında kalıyorduk. Benim ve Halit Ayarcı'nın dairedeki çift telefonlarımız durmadan işliyordu. Enstitünün açıldığı günlerde akraba ve tanıdık azlığı yüzünden geçirdiğim telâşın hakikaten çocukça bir şey olduğunu daha ilk ayda öğrendim. Meğer ne kadar çok hısım ve akrabam varmış. Hele mektep ve mahalle arkadaşlarımın hatırşinaslığı, vefakârlığı her türlü tahminimin üstünde idi. Namzet defterinin bana ait olan hanesi dolmuş taşmıştı. Felâket senelerimde beni o kadar sıkıntım içinde rahatsız etmemek dirayetini gösterenler şimdi bana hısım akraba sevgisi ve dostluk gibi yüksek insanî meziyetlerin bende de bol bol mevcut olduğunu ispat edebilmem için lâzım gelen fırsatı vermekte birbirleriyle âdeta göz açtırmayacak şekilde yarışa girmişlerdi.

Bu hücum karşısında Halit Ayarcı'ya ne yapabileceğimi sorduğum zaman bana şu cevabı verdi:

— Azizim Hayri İrdal, bu gibi işlerde iki usûl vardır. Ya işi tamamiyle tesadüfe bırakırsın, yahut da namzetleri muayyen kategorilere ayırarak içlerinden birini tercih edersin. Ben de aynı vaziyette olduğum için bu iki şıktan birisini beraberce düşünelim. İşi talihe ve tesadüfe bırakmayı kabul edersek kuraya müracaat ederiz. Fakat zannederim ki, bu pek lehimize olmaz. Dışardan işitilirse yanlış tefsir edilir.

— O hâlde sınıflara ayıracağız!

— Evet, ama hangi sınıflara?..

— İçlerinden tecrübelileri seçsek... Meselâ muayyen bir meslekte az çok çalışmış olanları...

— Asla... Siz tecrübe kelimesinin hakikî mânasını bilmiyorsunuz. Tecrübe sahibi demek, yıpratılmış olmak, muayyen hudutta ve muayyen fikirlerde donmuş olmak demektir. Bu cins insanlardan bize hiçbir zaman hayır gelmez.

Başka çare yoktu, tecrübesizleri seçecektik.

– O hâlde, dedim, tecrübesizleri seçelim!

Halit Ayarcı burada bir lahza durakladı. Odasının duvarında asılı yeni grafiklerden birini dikkatle süzdü. Sonra beni kolumdan çekerek önüne kadar götürdü.

– Bu grafiği, dedi, çocuklarda saat sevgisi hakkında bir deneme olarak yaptım. Fakat bazı yerleri bana yanlış gibi geliyor. Bu lâcivert haneyi daha ziyade okur yazar ailelerin çocuklarına ayırmalı! Halbuki ben hediye saatlere ayırmıştım. Hayır, onları daha küçük olan bu sarı haneye geçireceğiz. Lutfen tashih eder misiniz?

Dediği tashihi yaptım. Fakat, "Ne faydası var bunların?" diye sormaktan da kendimi alamadım. O bana ciddî ciddî baktı.

– Bilmek daima faydalıdır.

Sonra tekrar asıl mevzua döndüm.

– Hiç tecrübesiz olanları da nasıl bileceksiniz?

– Meselâ hiçbir işte bulunmayanlar...

– İşsizliğin tecrübesini yapmış olurlar ki, daha güçtür. İdaresi hakikaten güçtür. Olmaz.

– O hâlde?..

– O hâlde bir tek çare var... Müracaat sırası... Fazla tercih ettiklerinizin haricinde müracaat sırası... Yahut büsbütün bu tesadüfe bağlanmamak için birinciden itibaren atlaya atlaya müracaat sırası. Bu şansımızı daha çoğaltır. Anladınız mı? Defterinizde yazılı ilk ismi kabul ediyorsunuz. İkincisini geçiyorsunuz. Üçüncüsünü kabul ediyorsunuz... Hattâ burada da bir değişiklik yapabiliriz: Meselâ üçüncüsünden sonra dördüncü ve beşinciyi geçiyorsunuz, altıncıyı, ondan sonra onuncuyu... İlk numaranız kimdir?

– Bildiğiniz gibi Asaf Bey! Şimdilik muvakkat ücret veriyoruz ama, bir vazifesi yok!

Yüzünü buruşturdu.

– Asaf Bey, tembel insan! dedi. Ben tembel insanlardan hoşlanmam. Hususuyla bizimki gibi ferdî hürriyete riayet eden ve personeline muayyen bir iş göstermeyen ve görecekleri işin mahiyet ve kabiliyetini kendi icat kabiliyetlerinden bekleyen modern bir müessesede böylesi insanlar daime tehlikeli olur. Her gün muntazam geliyor, değil mi?

– Hepimizden evvel!

Filhakika Asaf Bey hepimizden evvel geliyor ve hepimizden sonra gidiyordu.

– Ne iş görüyor?

– Şimdilik hiç... Yalnız gazeteleri okuyor, daha doğrusu gazeteleri okumasını emretmiştiniz!

– Okuyor mu?

– Hayır... Fakat Nermin Hanım onun yerine okuyor.

– Devam etsin bu işe...

– Evet ama kadroya mal olması lâzım! Aksi takdirde muvakkat bütçe bitince...

Halit Ayarcı bir müddet daha düşündü.

– Dostumuza kendisine göre bir iş bulun... dedi. Çalışmaması icap eden, ataleti müessese için faydalı bir iş... O zaman mesele hallolur.

– Böyle bir iş için kadro ayırmak biraz tuhaf olmaz mı?

– Hayır, dedi. Daha doğrusu bilmiyorum. Hiçbir fikrim yok. Ama koskoca bir müessesede bu cinsten bir iş de bulunabilir, zannediyorum. Gecikmesini icap eden işleri havale edeceğimiz bir büro... Hattâ aziz dostunuzun kabiliyetlerine göre hiç yapılmamasını da temin edeceğine şüphe etmem!

– Fakat isim? Ne ismini veririz?

– Bir isme ihtiyaç var mı? Ah bu formaliteler! İş görmek isteyen insana kımıldamak imkânını bırakmıyor. Bu kadar sıkı kayıtlar, formaliteler içinde nasıl çalışılır?

Odanın içinde sağa sola dolaştı. Tekrar önümde durdu:

– Hakikaten bir isim lâzım mı?

– Zannederim...

İçini hakikî bir teessürle çekti. Hakikaten mustaripti.

– Aziz Hayri Beyciğim, eğer bir gün bu kadar sevdiğim ve şevkle kurulmasına çalıştığım bu müesseseden ayrılırsam, emin olun ki, tek sebebi bu kayıtlardır, diye hayıflandı. Zannetmeyin ki bu isim için söylüyorum bunu. Onu çoktan hallettim! Fakat ne diye bu kadar abes şeyler için vaktimizi israf edelim? Beni üzen işin bu tarafı! S.A.E.'nde bu cinsten bir vakit israfı hakikaten hazin bir şey!..

Zili çaldı. Derviş Ağaya:

– Lutfen Ekrem Beye söyleyin! Pingpong odasına geçsin, bir parti yapalım! Siz de bulunursunuz değil mi?

Halit Ayarcı pingpong oyununu çok seviyordu ve üst katta bunun için bir oda ayırtmıştı. Çok defa ben de beraber bulunduğum için büsbütün canım sıkılmasın diye, pasyans açmam için bir masa koydurmuştum. "Hay hay!" dedim.

O tekrar koluma girdi ve odanın kapısından beni âdeta iterek çıkardı.

– Evet, dedi, çok zaman kaybediyoruz. Bunlardan ekonomi yapmalı! Bu hususta bir grafik hazırlayacağım! Bu gece halanıza devetli olduğumuzu unutmayın.

– Baş üstüne... Ama şu isim?

– Ha evet! Tamamlama bürosu! Anladınız mı? Gecikmesini istediğimiz işleri oraya havale ederiz. İki kâtip yeter değil mi? Rica ederim fazla insan vermeyelim!

– Hattâ bir tane bile kâfi!

– Hayır, hayır, iki tane... Birisi halanızın tavsiye ettiği bir genç öbürü de benim tanıdığım çok kibar bir genç kız... Fakat isterseniz halanızın tavsiye ettiği genci başka bir daireye nakledelim ve oraya bir hanım verelim! İki kadın daha iyi çalışırlar... Yani daha rahat olurlar.

Buna karar verdikten sonra vakitten ekonomi, hakikî ve tek hedefi olan S. A. E.'nde vakit geçirmek için pingpong odasına çıktık.

X

Halit Ayarcı ile Ekrem Beyin pingpong oyunlarını seyretmekten hoşlanırdım. İkisi de güzel insandı ve aralarındaki yaş farkına rağmen aynı çeviklikle, vücuda mal edilmiş aynı dikkatle ve bittabi rahatlıkla oynarlardı. Bu cins beden tatminlerinden tamamiyle mahrum olduğum için araya hafif bir kıskançlık girse bile, bu iki insanın birbirine o kadar ahenkle cevap vermelerini, müşterek harekette her an birleşip ayrılmalarını seyretmek beni hem şaşırtır, hem de tuhaf bir şekilde, kendimden intikam alır gibi mesut ederdi.

Ekrem'i öteden beri severdim. O da benim gibi bir yere, bir inasana dayanmadan yaşayamayacak cinstendi. Bana karşı yedi sene hiç muamelesi değişmemişti. En düşkün zamanımda bile kibar ve dost davranmıştı. Anlayışsızlığımı ve cehaletimi hiç yüzüme vurmamıştı. Acayip hâllerimi tuhaf bir şekilde gülümseyerek karşılardı. Enstitüde ona ilk fırsatta bırakmasını tavsiye edeceğim bir iş bulduğum için çok memnundum. Halit Beyin ondan hoşlanması da beni korkutmuyordu. Bildiğimiz hesapların öylesine dışında idi ki herhangi bir kimsenin ona tesir etmesine imkân yoktu.

O gün Ekrem hiç de iyi oynamıyordu. Sanki kendisi değildi. Ve şüphesiz ki değildi. Hareketleri çolpa, dikkati dağınık, tepkileri geç ve kesikti. İleriye doğru her hücumunda eli âdeta vücudunun bir adım ötesinde, kendi düşüncelerine takılmış gibi duruyordu. Şüphesiz ki Nevzat Hanımın düşüncelerine gömülü, onların arasından zorla hareket ediyordu. Kim bilir neler düşünüyordu! Sevdiği insandan ebediyen ayrılmanın verdiği acı, genç kadının ölümündeki fecaat, ve bu ölümle birdenbire ona ve hepimize açılan ıstırapları onu içinden yıkmıştı.

O kadar hayattan uzak ve kendi âleminde, kendine yeter zannettiği ve öyle tanıdığı genç kadın şimdi onun içinde başka türlü canlanmış olmalıydı. Eminim şimdi artık onun yüzünden hiç eksilmeyen tebessümün mânasını anlamağa başlamıştı. Bu, trapezinden partnerinin kendine doğru uzattığı ellerine yapışmak için kendisini boşluğa doğru fırlatan cambazın, hesabında bir milimetre şaşırsa kendisini ölüme götüreceğini bildiği bir hareketi yaparken dudaklarından eksilmeyen tebessümün aynıydı. O bir süs değil, çok kahramanca bir şeydi. Ve bütün bir ömür boyunca sürmüş bir kendisiyle anlaşmazlığı gizliyordu. Zavallı Ekrem şimdi belki de bu tebessümün üstünde düşünürken kitaplarda okuduğu ve beğendiği cinsten bir gölgeyi değil, canlı bir mahlûku sevdiğini anlıyordu. Ve belki de bu yüzden içi pişmanlıka doluydu. Çünkü bu hafif gülümseme herkes gibi ona da çekilen bir imdat işaretine benziyordu.

Ekrem, Nevzat Hanımın soluk ve sessiz tebessümünde Şehzadebaşı kahvelerinde bana uzun uzadıya anlattığı estetiğinin kadınını bulduğunu zannetmişti. Şimdi ismini hatırlamadığım bir İngiliz muharririnin acayip, hattâ korkunç hikâyelerinden çıkarttığı bu estetiğe Ekrem Bey saf şiir estetiği derdi. Bu kadınlar Doktor Ramiz'e göre hiç de şiirle, saf veya gayri saf, alâkalı değildiler. Doktor Ramiz huyu tuttuğu zaman çoğu intihar eden veya ölen bu kadınların psikanalizini yapmak ister, nadir olarak doktor olduğu zamanlar da kansızlıktan mustarip olduklarını söylerdi. Ekrem Bey, bir çeşit takılma telâkkî ettiği bu sözlere pek kulak asmaz, belki de en uysal dinleyicisi olduğum için bana, yedi sekiz şair filozofun birden adı karışan, bu saflığı nisbetinde karışık estetiği anlatmağa devam ederdi.

Ekrem'in bu konuşmalarını ne dereceye kadar anlardım, bunu tahmin edersiniz. Yalnız şurası muhakkak ki Nevzat Hanımefendi ile ilk karşılaştığım gün, kendi kendime, işte Ekrem Beyin ömrünün sonuna kadar sevebileceği bir kadın, demiştim. Hayatımızın bir devrinden sonra başımıza gelen şeylere o kadar hazırlanmış oluyoruz ki, kederimizi kendi içimizde taşır gibi yaşıyoruz. Ekrem kütüphane dolusu kitapları okuyarak Nevzat Hanıma âşık olmağa hazırlanmıştı. Fakat bu hazırlıkla, onun hayatımızda aldığı şekil her zaman birbirini tutmuyor. Ekrem Bey bir estetiğin en olgun örneğini bulduğunu sandığı bir yerde üçüzlü bir cinayetle karşılaştı.

Nevzat Hanımı üstün bir sanat eseri yapan bu tebessüm, hakikatte, Ekrem Beyin istediği gibi bütün meselelerini halletmiş, maddesinin ötesine geçmiş, orda gözümüzün önünde bir yıldız uzaklığıyla parlayan bir ruhun saltanatı değildi. Onun arkasında türlü tehdit ve ıstırap içinde yaşayan, sıkışmış bir insanın biçareliği vardı. İşte Ekrem, şimdi hiç fark etmediği bu biçareliği görüyordu.

Yukarda bahsettiğim gece halamın evinde geç vakte doğru Nevzat Hanımla konuşmuştum. Nasılsa Cemal Beyin elinden kurtulmuştu. Daha doğrusu halam bir ara Cemal Beyi yakalamıştı. Nevzat Hanım bu fırsattan istifade ederek ta uzakta bir pencerenin yanına çekilmiş, ayakta dışarıya bakıyordu. İlk defa olarak yüzünden tatlı maskesini atmıştı. Çizgileri sert ve âdeta bütün canlılığıyla dışarda idi. Bu hâliyle belki eski tanıdığımız Nevzat Hanımdan çok başka, ateşe hazır bir silâh gibi güzeldi. Yavaşça yanına yaklaştım ve babacanlığımın verdiği cesaretle:

— Burada ne diye beyhude yere sıkılıyorsunuz? diye sordum. Bakın, Ekrem orada sizi bekliyor. Biçareye biraz iltifat etsenize... Senelerdir bunu bekliyor...

Yüzü birdenbire yumuşadı. Daha doğrusu biraz evvelki hâlinden çıktı, fakat eski alışılmış çehresini de bulamadı. Âdeta yarı yolda kalmış gibi bir şeydi.

— Ekrem Bey... diye mırıldandı. Ekrem biraz daha kuvvetli olsaydı, ne meseleler hallolurdu, bilir misiniz?

O zaman kendisine dünyanın en ahmakça sualini sordum:

— Bunu kendisine söyleyeyim mi?

Yüzü tekrar sertleşti:

— Sakın ha!.. dedi. Hem neye yarar? Böyle şeyler kendiliğinden olur. İyi anlayın. Belki de kabahat bendedir. Bu işlerden öyle iğrendim ki ben...

Sonra kolumdan tuttu:

— Benimle hiç meşgul olmayın... dedi. Olmaz mı? Siz olsun beni rahat bırakın! Bir zaman, Sabriye ile sıkı fıkı olmuştunuz! Sizden nefret etmiştim. Hayatımı kurcalamağa kalktınız. Sırf onun gözüne girmek için... Sonra ortadan kayboldunuz...

Gözlerini yummuş, bir yastık arar gibi başını arkaya atmıştı.

– Ama siz beni aradınız, evimde...

– Biliyorum. Sabriye'nin size ne söylediğini öğrenmek istiyordum. Mümkünse pazarlık edecektim. Neyse, geçti... Şimdi yine ortadasınız! Herkes yine ortada. Bu kadar çok insanı etrafında görmek ne demektir bilir misiniz?

Bir müddet yüzüme baktı, sonra:

– Beni rahat bırakın! Ve benden bahsetmeyin. Olmaz mı? diye ısrar etti.

Sakin adımlarıyla orada Halit Beyin bulunduğu kalabalığa karıştı. O geceden sonra bu konuşma içimde düğüm olmuştu. İnsanlar arasına karışmak, biraz müsavî muamele görmek için nelere kadar tenezzül ettiğimi biliyordum. Fakat bunun acılığını, başkalarındaki tesirini hiçbir zaman bu kadar kuvvetle ölçmemiştim. Kendimi sadece kendi gözümle görmüştüm. Şimdi beğendiğim, sevdiğim, kendisi için bir şeyler yapmak istediğim nadir insanlardan birinin gözüyle görüyordum.

Bu konuşmadan on beş gün sonra Nevzat Hanımla bir daha karşılaştım. Bu, Seher Hanımın evinde idi. Ben halamla beraber gitmiştim. Daha salonun kapasından onun sesini işitir işitmez geriye dönmek istedim. Fakat kabil değildi. İki saat karşı karşıya oturduk. Nevzat Hanım bana tek bir kelime söylemedi. Yalnız beraber çıktığımız zaman –halam evine bırakmayı teklif etmişti– yalnız kaldığımız bir anda.

– Ben sizi kırdım o akşam... Affedin! diye fısıldadı.

– Ben size değil, kendime dargınım! diye cevap verdim.

Hâdiseden sonra Ekrem'i her görüşümde onun sözünü hatırlamış ve genç adama acımıştım. Bana âdeta yarım insan gibi görünmüştü. Bir ara oyunda kendini toparlar gibi oldu. Üst üste birkaç dakika Halit Ayarcı'ya oynamak fırsatını bile vermedi. Sonra kendi hareketlerinde dağıldı gitti. Bütün ömrü böyle geçecekti. Omuzumu silktim.

Yanı başımdan bir el beni dürttü. Sabriye Hanımdı. Vücudum

kaskatı kesildi. Kaç gündür böyle oluyordu. Onu görmemek için yol değiştiriyordum. Halbuki bu kadını aramıza kendim sokmuştum! Sabriye Hanım benimle konuşmak kabil olm...dığını görünce uzaklaştı. Oyun masasının arkasını dolaştı ve küçük masanın önüne oturdu. İskambil destesiyle oynamağa başladı. Dudakları kısık, vücudu dimdikti. Yüzünde garip bir sarılık vardı.

Halit Bey bir müddet daha Ekrem'i canlandırmağa çalıştı. Sonra ümidini kesmiş gibi oyunu bıraktı. Ekrem Bey yüzünü sildi. Ben Cemal Beyin doğranmış vücudunu tekrar hâfızamın torbasına tıktım. Bu daha ne kadar sürecekti? Aşağı inince Yangeldi Asaf Beyin bulunduğu odanın kapısından şöyle bir baktık. Tamamlama Büromuzun müstakbel şefi elli beşlik biçare bir kadın olan hademe Gülsüm Hanımı kucaklamağa çalışıyordu. Bu o kadar beklenmedik ve komik bir şeydi ki, neredeyse kahkahayı fırlatacaktık. Halit Ayarcı kolumdan çekti ve ayaklarımızın ucuna basa basa uzaklaştık.

– Ne dersiniz beyefendi? dedim, isterse⁻⁻⁻ 'li⁻ ... ikinci numarasından başlayalım!

Hakikaten insan seçmekte mahirdim. Ekrem Bey bir posa idi, Sabriye Hanım zalim bir acuze, Asaf Bey bir bunak...

– Bereket versin ki, Doktor Ramiz'i siz d⁻ ...,⁻.⁻.unuz...

Halit Ayarcı paltosunu giyerken cevap verdi:

– Tamamlama bürosu fena işlemeyecek... Hattâ vaitkâr. Siz lutfen, söylediğim genç kızları başka bir arkadaşın y...na verin. Yahut bütün daktilo hanımları bir yere toplayalım. Size gelince, azizim, hiç üzülmeyin... Emin olunuz ki o hâlinizde dostlarınızı seçemezdiniz... Siz onların dostluklarıyla size sadaka ve⁻diklerini sanıyorsunuz, halbuki size onlar iltica etmişlerdi...

– Sabriye de mi? dedim.

– Hayır, dedi. O sizi kullanmak istedi. Burası aşikâr, ama, yine bilinmez...

– Yolda Halit Bey Ekrem'le oyun oynarken çektiği sıkıntıyı anlattı:

– Ben aşktan daima kaçtım. Hiç sevmedim. Belki bir eksiğim oldu. Fakat rahatım. Aşkın kötü tarafı insanlara verdiği zevki eninde sonunda ödetmesidir. Şu veya bu şekilde... Fakat daima ödersiniz... Hiçbir şey olmasa, bir insanın hayatına lüzumundan fazla girersiniz ki bundan daha korkunç bir şey olamaz...

Filhakika ben ödemeğe başlamıştım. Zavallı Selma'nın asabı ümitsiz denecek derecede bozulmuştu. Ne Cemal Beyi, ne Nevzat Hanımı unutabiliyordu. Geceleri sabaha kadar benirliyerek yatağından sıçrıyordu.

Fakat hangimiz unutabilmiştik? Şüphesiz Cemal Beye acımamıştım. Ölüm ve cinayet gibi büyük daralar teraziye girmeseydi, belki ondan kurtulduğumdan memnun bile olurdum. Fakat ne olsa bir şey vardı içimde, bunu lâalettâyin bir vâkıa gibi alamıyordum. Sonra Nevzat Hanımın benimle konuşurken hep o rahat bir yastık arayan başı gözümün önünden gitmiyordu.

Halamın tam kapısı önünde Halit Ayarcı birden kolumu tuttu.

– Hem musıkîşinasa da iş bulmuş oluruz. Adı Macit Beydi, değil mi? Şu şef dorkestr olmak isteyen... Evet, yüz kişilik bir salon! Bütün daktilo genç kızlar makinalarının önünde! Karşılarında bir sedir üzerinde elinde değneği, bir şef dorkestr!.. Onun idaresiyle çalışıyorlar. Hep birden "A"lara "B"lere vuruyorlar, muntazam ve yekpare... Azizim, bu hiç de fena olmayacak. Bak siz demin Asaf Beyi tanıdığınıza pişmandınız. Halbuki teselli edici jestiyle bize ne orijinal bir fikir hazırladı. Evet, hususî kâtiplerimiz hariç, hepsi büyük bir salonda... Modern dünya, modern çalışma...

Eve girdiğimiz zaman iki salonu, holü hıncahınç kalabalık bulduk. Fakat bu seferki kalabalık benim alışık olduğum cinsten değildi. Tanıdıklarımızdan başka, her milletten ecnebî vardı. Şimalli, cenuplu, yakınşarklı, şarklı... İlk yarım saat bir elim Halit Ayarcı'nın elinde –bazen de onun yerine halam geçiyordu– muhtelif milletlerden insanlara takdim edilmemle geçti. Böylece hemen herkes benim kim olduğumu öğrendi. Sonra bir kenara çekilmek fırsatını buldum. İşte o zaman evin bütün duvarlarında Saatleri Ayarlama Enstitüsü'nün grafiklerinin ve sloganlarının asılı olduğunu gördüm.

Saat sekize doğru ışıklar söndürüldü ve kısa metraj bir film gösterildi. İlk ayar istasyonumuzun açılış resmi idi bu! Herkes, ben de dahil Hayri İrdal'ı bir yığın mühim adamın arasında kurdelenin önünde, biraz sonra elinde bir kâğıt parçası nutuk verirken, daha sonra genç bir kız saatini ayarlarken –Yârabbim, ne şeker gülümsemeydi kızınki! Niçin o zaman dikkat etmemiştim!– seyrettik. İkinci film, bizzat enstitünün açılışı idi. Fakat burada Halit Ayarcı beni gölgede bırakmıştı. Kimler yoktu? Ve nasıl, tıpkı bu gece gibi, Halit Ayarcı sadece orada bulunuşuyla hemen hepsini gölgede bırakıyordu? Işıklar açılınca biraz evvel takdim edildiğim insanlar benimle Halit Ayarcı arasında âdeta mekik dokudular. Halit Ayarcı bana sezdirmeden işleri öyle tanzim etmişti ki hemen herkes beni evvelden tanıyordu. Şerbetçibaşı Elması, Seyit Lûtfullah, Ahmet Zamanî, Mübarek, Nuri Efendi isimleri âdeta konfetiler gibi üstüme yağıyordu. Her yeni kadeh benim ve Ayarcı'nın etrafımızdaki alâka ve çoşkunluğu bir kat daha arttırıyordu.

O geceki kadar fazla konuştuğumu bilmiyorum. Hemen herkese her şeyi anlatıyordum ve işin garibi hangi dilde hitap edilse beni derhal anlayan bir tercüman yanı başımda mırıldanıyordu. Fakat Halit Ayarcı neleri düşünememişti? Bir ara yüz, yüz elli kadar, büyükçe bir duvar saatinin fotoğrafını imzaladım. Biraz sonra bilmece kendiliğinden çözüldü. Halam, ikinci salonda bizim eski saatimizden oldukça büyük, rokoko süslü, fakat dört tarafı sonradan fil dişi üzerine Arapça yazılarla çevrilmiş bir saate misafirlerini takdim ediyordu. İşin garibi herkesin onu bilmesi ve hayretle bakması idi. Gözlüklü, gözlüksüz, levinyonlu yüzlerce göz üzerinde idi ve bütün salon önünden âdeta bir resmigeçit yapıyordu. Bu, onsekizinci asır başlarında Almanya'da mihanikin ve otomat zevkinin en parlak devrinde yapılmış, büyük, zengin, gösterişli, hakikaten tam işletecek, hattâ kurabilecek ustası bulunursa çeşit çeşit marifet göstermeğe hazır nadir saatlerden biriydi. Fakat merasim ciddiliğiyle o kadar acayipti ve saatin önü öyle kalabalıktı ki ancak bir göz atabildim.

Halam, omuzunda siyah şalı, siyah kostümü içinde, göğsü dantelâlar içinde yarı dekolte, boyalı saçları, makyajlı yüzü, elmasları, incileri ile her zamankinden fevkalâde ve şaşırtıcı, bir eli bastonunda, öbürü sahte Mübarek'e takdim edilmek için ilerleyen misafirinde, evvelâ yeni gelenin adını söylüyor, sonra da, "Mübarek, bizim aile saatimiz Mübarek" diye onu tanıtıyor ve hemen arkasından, "Şimdilik bizde misafir kalıyor..." filân gibi bir cümle söylüyordu.

Bir ara, çeyrek başı olacak galiba, saat vurmağa başladı. Sesi Mübarek'inkinden daha güzeldi. Fakat öyle bir gürültü koptu ki lâyıkıyla dinliyemedim. Filhakika kadranın üstündeki kapı açılmış ve Hamdi Beyin tablolarında görülen ihtiyar derviş kılıklı bir adam dışarıya çıkarak, "Hoş geldiniz" diye bağırmış, sonra derhal içeri girmişti. Halam hiç şaşırmadan:

– Şeyh Ahmet Zamanî Efendi... diye bu marifeti izah etti.

İşte o zaman, sevinç, hayranlık, alkış, bir kıyamettir koptu.

İşin garibi saatimizi o kadar iyi tanıyan, günlerce ziyaret eden, sattığımı yakından bilen Doktor Ramiz'in Mübarek'teki bu değişiklik karşısında hayretiydi. Nihayet dayanamadı, beni bir köşeye çekti, gayet mahrem ve hakikaten endişeli bir sesle:

– Kardeşim, dedi, bu gece ben Mübarek'i çok değişmiş gördüm. Nasıl diyeyim, fazla süslü gibi geldi bana!

Elimdeki viski kadehini ona tutuşturdum.

– Doğru! diye cevap verdim. Para, refah, fazla kazanmak hırsı hepimiz gibi onu da değiştirdi.

– Ama onunki biraz fazla! dedi. Eskiden daha sade ve güzeldi. Önüne geçemiyor musunuz?

– Kabil değil! Hiçbir şey yapamıyoruz. Yapamayız da... Çok nasihat verdim, bir türlü dinlemiyor...

– Herhâlde bir çaresini aramalı! Hiçbir şey yapamasak bile o nişanı göğsünden çıkartmağa razı etmek lâzım!

– İstersen sen dene. Bana Sultan Aziz verdi diyor, başka bir şey demiyor. Halamı görmüyor musun? O yaştaki kadına yakışacak kıyafet mi o? Bizim aile böyle! Yaşlandıkça azıyoruz. O da ne olsa,

321

TANPINAR

aileden sayılır. Sana doğrusunu söyleyeyim mi? Ben bile, bunadı-
ğım zaman neler yapacağım, diye korkmağa başladım.

Burada aziz dostum isyan etti.

– Hayır, dedi. Ben varken sen hiç korkma! Zaten seni tedavi et-
tim. Dostuma teşekkür etmeğe vakit bulamadım. Halamın misafirle-
ri etrafımı almışlardı. Hemen hemen kendisi kadar yaşlı ve bir mek-
kâre katırı kadar boncukla, küçük zillerle, zincirlerle, halkalarla süs-
lü bir kadın bana asıl ailemizin Ahmet Zamanî'den mi, Mübarek'ten
mi geldiğini sordu. Ben tercümana, "Asıl dedemizin Mübarek oldu-
ğunu söyle!" dedim. Bir başkası Mübarek'in böyle yer değiştirme-
lerinin, misafirliğe gitmelerinin sık sık vâki olup olmadığını sordu.
Tabiatıyla bu işin nadir olduğunu, ancak doktor tavsiyesiyle razı ol-
duğumu söyledim. Bu sefer doktorunun kim olduğunu merak ettiler.

– O kadar yaşlı adamın elbette bir yığın doktoru olur. Amma so-
nuncusu Doktor Ramiz Beydir, diye aziz dostumu işaret ettim.

İşin bundan sonrasını onun memnuniyetle idare edeceğine emin-
dim. Kalabalık Doktor Ramiz'e doğru akarken ben de hole çıktım.

Ne garipti, hepimiz Halit Ayarcı'nın elinde bir kukla gibiydik.
O bizi istediği noktaya getiriyor ve orada bırakıyordu. Ve biz o za-
man, sanki evvelden rolümüzü ezberlemiş gibi oynuyorduk. İçim-
de ona karşı hiddet, kin, isyan ve hayranlık birbirine karışıyordu.

Holde sol tarafta büyük sofanın üzerinde Zehra yeni yaptırdığı
tuvaletin uzun eteklerini yayarak oturmuş, elindeki içki kadehini
sallaya sallaya etrafındaki delikanlılarla bilmediği dillerle veyahut
o anda hepsinin birden bildikleri tek dille konuşuyordu. Takribî Ah-
met Efendinin torunu bu akşam hakikaten güzeldi ve etrafındakile-
rin hepsi ona hayrandı. Küçük el işaretlerine, çenesinin kendinden
çok memnun dikliğine baktım, gerçekten mesuttu. Fakat ne kadar
annesine benziyordu! Bir ara gençlerden biri eline bir tabak içinde
biraz yiyecek tutuşturdu. Kızım dizleri üzerinde rahat rahat yeme-
ğe başladı. Evimizin eski ananesini bir iki yıl içinde tamamiyle
unutmamış olduğuna sevindim. Senelerce kuru ekmeğimizi böyle
dizlerimiz üzerinde yemiştik.

322

Bu ara yanıma Pakize yaklaştı. Güzel giyinmişti. Bu elbiseleri ne zaman yaptırmıştı, bilmiyorum. Fakat kumaşı tanır gibi oldum. Alaca eşarpını, küçük çantasını o kadar rahat tutuyordu, öyle içten memnun gülüyordu ki... Kendi kendime, "Acaba bu akşam hangi artist olduğunu zannediyor?" diye düşündüm. Yüzü sevinç içinde koluma girdi.

– Ah Hayri.... Ne kadar mesudum bilsen! dedi. Ben zaten seni alırken böyle olacağımı biliyordum.

– İyi amma ben seni aldığımı sanıyorum, yoksa âdetler değişti mi?

– Beni görünce de hep eski kafalılığın tutar. Neyse... İşte memnunum. Hele bu gece Mübarek'i gördüğüme öyle sevindim ki... Bilirsin ya, ben onu çok severdim. Bayramları hep elini öperdim...

– Hoşuna gidiyor değil mi bütün bunlar?

– Gitmez mi hiç! Hep bunu bekliyordum senden. Sen geciktiriyordun!

Karımın arkasında ellilik, buldok köpeği kılıklı bir herif bir elinde iki kadeh içki, ben çekilir çekilmez atılmağa hazır gibi bekliyordu.

– Kimdir bu Allah'ın münasebetsizi? diye sordum. Daha iyisini bulamaz mıydın?

– Hayranlarından biri... Mütemadiyen seni soruyor, gazeteci imiş!

Arkasından yavaşça ilâve etti:

– Muvaffakiyetin müthiş bu gece...

Sonra benim hep sırtındaki kumaşa baktığımı görerek,

– Tanıdın, değil mi? dedi. Hani kimse para vermediği için satamamıştık! Babanın kürkünün kabı canım! Güve yeniklerini işlettim... Amma çok para gitti.

Demek yeşil kumaşın üzerinde parlayan altın yıldızlar güve yenikleriydi.

Karımı, "Allah iyilik versin!" diye arkasında bekleyen buldoğa bıraktım. "Elbette bütün bütün yemez ya!.." Eşiğe yakın bir yerden bir "hello" sesi geldi. Döndüm. Küçük baldızımdı. Kendisine hiç yakışmayan kıpkırmızı tuvaletinin içinde, her an sıyrılmağa hazır bir hançer gibi, etrafındaki erkeklerle dalaşıyordu. Kulaklarında at nalı gibi kalın maden küpeler vardı. Askerlikte bedava yere çürüğe çıkartıp attığımız eski nallara acıdım. Bugünün modasıyla nc servet kazanılırdı. Baldızım yanıma yaklaşınca etrafındakileri bıraktı ve bütün vücuduyla bana abandı:

– Bu gecenin en güzel erkeği sensin, enişteciğim!

Pakize'nin kızkardeşi son günlerde bu acayip huyu peydahlamıştı. Doktor Ramiz'in psikanaliz tedavilerinin bir neticesi olacaktı. Yavaşça iteledim:

– Haydi git, eğlen! dedim. Hem bir başka defasında bu kokuyu değiştir!

O hiç aldırmadan küçük mendilini burnuna tıkadı ve kokunun ömrüm boyunca hatırlayamayacağım adını söyledi. Gülmekten kırılıyordu.

Şüphesiz neredeyse öbür baldızım da gelecekti. Saat on birde gazinoda işi bitiyordu. Ve o gelir gelmez şöhretini yapan şarkıları okuyacaktı. Tekrar salona girdim, arkadaki odaya geçtim. Burası nisbeten tenha idi. Yerde büyük bir konak mangalının etrafında Seher Hanım, Sabriye Hanım, Nermin Hanım bir yığın erkekle beraber toplanmışlar, Doktor Ramiz'in kendilerine öğrettiği şekilde, güya Bektaşi âyinine göre birbirlerini selâmlayarak, kadehlerini elleriyle yarım kapayarak rakı içiyorlardı. Beni de içmem için sıkıştırdılar. Ben rakıyı sevmediğimi, yalnız viski içtiğimi, zaten başkasına Mübarek'in müsaade etmediğini söyledim. Hemen hemen Ahmet'in yaşında bir delikanlı sallana sallana ayağa kalktı ve ceketinin arka cebinden çıkardığı yassı bir şişeyi bana uzattı. İhtiyarsız oğlumu düşündüm. "Zavallı budala!" diye söylendim. "Zavallı budala, namuslu olacağım diye şimdi mektepte kör bir elektrik ışığı altında kim bilir neler çekiyordur... Bâri olabilse... Hiçbir tâvizat vermeden yaşayabilse! Fakat imkânı mı var?" Delikanlıya şişesini iade ettim. Asitfenik gibi kokuyordu. Doktor Ramiz yarı kucağına devrilmiş ihtiyar bir kokonanın arkasından tanınmayacak bir, " nereye gidiyorsun?"la beni teşyi etti.

Bu arada hizmetçiler durmadan sağa sola kenarlarına tahta kaşıklar dizilmiş etli pilâv lengerleri taşıyorlardı. Her lengerin peşinden elinde keşkül yerine bir tabak tutan bir sürü kadın, erkek koşuyordu. Kibar bir Fransız gülümseyerek ve şüphesiz aynı yaşlarda olduğumuz için dilini behemehal anlayacağımı sanarak bana bir şeyler söyledi. Zorla, "Pilâva hücum!" dediğini anlıyabildim. Yaşadığı zamandan hiçbir şey anlamayan bu biçareye hayretle baktım. Fakat o hayretimi anlamadı. Bana şampanyanın verildiği yeri gösterdi. Kol kola oraya kadar gittik. "Belki bu iyi gelir!" diyordum. Elbette birinden biri iyi gelecek ve ben de etrafımdakilere benzeyecektim. Muhakkak benzemeliydim. Benzemezsem yaşamak çok güçtü.

Şampanya bana hafif bir serinlik getirdi. "Selma nerede?" diye etrafıma baktım. "Selma gelseydi, ne iyi olacaktı!" Fakat Selma yoktu. Sevgilim, Cemal Beyin ölümünden beri hasta idi. Bir ara Ekrem Beyi gördüm. Bütün vücudu dikkat hâlinde karşıda bir yere bakıyordu. Neden sonra Naşit Beyin fotoğrafının altında bir buçuk ay evvel Nevzat Hanımla oturup konuştuğu kanepeye baktığını anladım. Bu da gülünç ve budala bir işti. Bunu da beğenmemiştim.

Tekrar hole çıktım. Sağ taraftaki kapıdan içeri girdim. Burası rahmetli Naşit Beyin bürosuydu. Hiçbir zaman sevmediğim ve sevemeyeceğim bu adamın odasına o zamana kadar girmemiştim. Fakat halam evini bana gezdirirken orda çok rahat bir koltuk bulunduğunu söylemişti. Kapıyı arkamdan kapattım. İyi, zevkle döşenmiş bir oda idi. Duvarda bir yığın resim vardı. Fakat asıl dikkate değeri koltuğun tam karşısında, Naşit Beyin av tüfeklerinden sanki hakikaten karacalar, daha büyük ve tehlikeli hayvanlar avlıyormuş gibi her cins av bıçaklarından yapılmış armamsı süstü. Bu süsün tam ortasından rahmetli Aristidi Efendinin eczanesinin camekânında, yeşillenmiş formül içinde, iki ceninin yumuk gözleriyle acı acı hayat felsefesi yaptıkları kavanozların üzerinde senelerce fersiz tüylü kanatlarıyla uçmağa hazır gibi duran kartal bana canlanmış gözleriyle bakıyordu. "Vaktiyle ne kadar masum yalanlar söylermişiz!" diye kendi kendime mırıldandım.

Uyandığım zaman sabaha yakındı. Eğlence sesleri hâlâ devam ediyordu. Gözlerimi açınca karşımda Halit Ayarcı'yı gördüm.

– Nasıl? diyordu. Fevkalâde oldu değil mi? Deminden beri sizi arıyordum. İnsan böyle güzel geceden kaçar mı?

O kadar rahat ve sakin konuşuyordu ki ne diyeceğimi şaşırmıştım.

– Halanız harikulâde idi. Zaten her zaman harikulâde... Siz de fena davranmadınız! Haydi kalkın da sizi görmek için buralara kadar gelmiş bir dostu tanıyın! Van Humbert, birinci sınıf bir âlimdir!

Gerine gerine:

– Bitmedi mi hâlâ, Halit Bey, hâlâ bitmedi mi? Bitmeyecek mi?

– Hayır dostum, hayır, yeni başlıyoruz. Daha dün doğmuş çocuk gibiyiz.

– İyi amma, oyunun esası nedir? Şunu anlatın bana... Her şey yolunda gidiyor işte. Bu maskaralığa lüzum var mıydı?

Halit Bey, Naşit Beyin masasına oturdu.

– Her şey yolunda... Fakat yalnızız. Bütün dünyada yalnızız. Yalnızlık benim hoşuma gitmez. Anladınız mı? Bu kadar güzel ve ciddî bir müessese bütün dünyaca taklit edilmelidir. Ben bunu istiyorum. Zannederim ki siz de istersiniz!

XI

Konuşmamızı Doktor Ramiz'in, bütün bir gürültü ile odaya girişi kesti. Aziz dostumuz tam kıvamında idi. Saçları birbirine karışmış, boyunbağı, yaka bir tarafta idi. İki eliyle biraz evvel sözüm ona âyini Cem mangalının etrafında yarı yarıya kendisini ezen şişman kadını odanın ortasına doğru itti. Bu kadıncağızın bundan sekiz sene evvel sevgili doktorun ilmî mesaisine servetinin yardımını ve hususî hayatının yalnızlığına da yüz otuz kiloluk bir vücudun bütün güzelliklerini getiren, sonra birincisini olduğu gibi doktora

326

bırakıp ikincisiyle beraber, bu son evlilik hayatının yorgunluklarından dinlenmek için, psikanaliz usulleriyle muaşakanın henüz bulunmadığı daha rahat dünyalara giden rahmetli karısına benzeyişi hakikaten şaşırtıcı bir şeydi. Doktor bizi görür görmez birinci sınıftan bir sinema edâsıyla yeni sevgilisinin beline yapıştı ve sağ omuzuna yapışık çenesini konuşmağa daha müsait bir vaziyete soktu. Fakat Halit Bey bir parmağını ağzına götürerek susmasını işaret etti, sonra kanepede sarhoş yatan bir kadını göstererek:

– Gir, gir, doktor, yalnız fazla gürültü etmeyin... dedi. Bu çocukçağız rahatsız!

Sonra benim kalktığım koltuğu gösterdi.

– Koltuk rahattır. Biz çıkıyoruz. keyfinize bakın!

Yüzündeki tebessüme hayran oldum. İnsan bu istihzayı bulduktan sonra ebediyete kadar müsamahalı olurdu. Çünkü bu istihza insanoğlunun toptan inkârıydı. Ona erişen insanın yapmayacağı, yapamayacağı şey yoktur. Eğer içine yerleşmiş yalnızlık hissinden bir lahza zehirlenmezse.

Kolumdan çekerek dışarıya çıkardı:

– Doktor eğlenmesini biliyor, dedi. O sizin gibi değil! Siz her girdiğiniz yerde, evvelâ nelerden iğrenebilirim, nelerden azap çekebilirim, diye etrafınıza bakıyor, ondan sonra da hep burnunuzun altına bir tutam ısırgan otu asmışlar gibi silkine silkine dolaşıyorsunuz...

Sözü kendimden uzaklaştırmak için:

– Hâlinize bakılırsa pek içmemişsiniz! dedim.

– Yalnız birkaç kadeh... dedi. Bu gece kendime hâkim olmam lâzım... Mamafih şimdi içeceğim. İçebilirim. Daha şampanya var! Halanız mükemmel ev sahibi. Masraftan hiç çekinmiyor... Biraz hoşunuza gitmeyecek amma, artık muhtaç olmadığınıza göre söyleyebilirim! Parasını son meteliğine kadar yemeden bu dünyadan gitmeye niyeti yok!

Büyük salonda ve holde dans bütün hızıyla devam ediyordu. Pudra, lâvanta, ter kokusu, çıplak omuz, vıcık vıcık koltuk altı, tebessüme bulaşmış ruj, havayı bir macun gibi keşifleştirmişti. Bir ara küçük baldızım beni görür gibi oldu, at yapılı kavalyesini bırakıp bize doğru gelmeğe teşebbüs etti. Bereket versin delikanlı daha atik çıktı.

Mübarek'in bulunduğu oda daha sakince idi. Yalnız şampanya dağıtılan masa oraya taşınmıştı.Ve etrafı bir karınca yuvasına benziyordu. Halit Ayarcı elimden çekerek beni halamla ve karımla konuşan Van Humbert'in yanına kadar götürdü. Bu sevimli âlimi meyva ile sade soda içerken bulduk. Karım ve halam daha mâkul ve insanî düşünüyorlardı. Ellerinde şampanya kadehleri vardı. Halama bakarken ister istemez, "Acaba serveti ölümüne kadar idare edecek mi?" diye düşündüm. Sonra omuzlarımı silktim. "Şimdi paramız var, aldırma!" dedim. "Zaten eski âhiret kardeşi de bizim evde defteri tamamlamıştı. Pekâlâ o da aynı şeyi yapabilir! İdaresi biraz güçtür amma, çekerim... İnsan böyle halası olunca her şeye katlanır..." Hakikaten de sevilmeyecek insan değildi! Hayat aşkı bereketli bir arpa tarlası gibi her tarafından fışkırıyordu.

Van Humbert altmış beş yaşlarında daha ziyade çocuk yüzlü, orta boylu, sakin, güçlü kuvvetli adamdı. Bütün hâlinde öyle bir çocuk edası vardı ki geniş sakalını takma zannetmek kabildi. Halit Bey beni takdim edince:

– Nasıl, diye sordu, konferansınız iyi geçti mi. Bendeniz de bulunmak istiyordum çok. Amma hanımefendi ve beyefendi istemediler bana müsaade etmek...

Karım benim şaşırmama zaman bırakmadan:

– Ne güzel Türkçe konuşuyor değil mi? diye bana misafirimizin methini etti.

Halam onun estağfurullahını çok kısa kesti.

– Bu gece aksilik oldu, çok müteessirim... Lâkin ne yapalım ki bu aile toplantısında konuşmayı yeğenim evvelden vaat etmişti.

Dikkat! Evvelâ bir konferansta idim, Naşit Beyin odasında tüyleri solmuş kartala baka baka uyumamıştım. Sonra da konferans bir aile toplantısında olmuştu. O da tabiî idi. Saat on birde umumî bir konuşma yapılamazdı ya. Hayatım zannedildiğinden çok kolaydı.

Hiç şikâyete hakkım yoktu. Küçük bir baldır tazyiki, bir dizgin çekişi, kırbacın ucu ile ufak bir işaret, beni gideceğim yola koyuyordu. Elbette birisi konuşmamın mevzuunu da lutfedip söyleyecekti. Söylemeseler bile ben bulabilirdim. Amma bu biraz tehlikeliydi. Daha iyisi sabretmekti. Şimdilik benim Van Humbert'in elini sıkıp ona sırıtmaktan, daha doğrusu parmaklarımı onun elinin mengenesinden kurtarana kadar gözlerinin içine bakıp tebessüm etmekten başka yapacağım bir şey yoktu. "Parmaklarımın yerini biraz değiştirebilsem ben ona gösteririm amma..."

Halamdan sonra karım atıldı:

– Hayriciğim, çok alkışladılar mı seni? Bulunamadım, yanında değildim, diye çok üzüldüm... Amma yeni dostumuzu da bırakamazdım ki... Sonra oraya kadar yormağa razı olmadım. Ne mükemmel adam göreceksin! Bize öyle tatlı şeyler anlattı ki...

Sonra misafirimize dönerek:

– Kocam, ben yanında bulununca daha rahat konuşur... diye ilâve etti.

Ve sonra bütün ciddiyetiyle, yani hayasız hayasız gülerek ve ancak böyle kalabalıkta olduğu zamanlardaki o acayip bakışla adamın içini alt üst ederek hak ettiği iltifatı bekledi. Türkçe kelimeler bu sefer daha şevkle desteklendi.

– Tabiî efendim, insanın sizin gibi bir ilham perisi bulunduğu zaman...

Van Humbert, lûgatten öğrendiği bu "ilham perisi" tabirini tam yerinde kullandığı için dünyalar verilmiş kadar mesuttu. Bu hızla parmaklarım ve bütün elimin ayası yeni baştan ezildi. "Elbette bir daha karşılaşırız ve ben de senin elini bir kere tutarım..." Karım hakkı olan bu iltifatı yakalar yakalamaz misafir hanımın yere düşürdüğü mendilini ağzında kendi sahibine getiren bir fino yaltaklığıyla bana döndü.

– İnşallah, yine müsveddeleri birbirine karıştırmadım?

Bu tip uyandırma, "Biraz kendine gel!" demekti. Rolümü benimsemem lâzımdı. Büyük bir gayretle elimi Van Humbert'ten kurtardım, ve şarap şişesinin kenarına sarılmış ıslak peşkirde parmaklarımın sızısını hafiflettim.

– Hayır şeker karıcığım, hayır, karıştırmadım... Yani doğrudan doğruya evde unutmuşum... Ezberden konuştum...

İlk kahkahayı Halit Ayarcı attı. Sonra hepimiz birden koro hâlinde güldük. Van Humbert ilham perime bakarak:

– Öyle olunca daha iyi oluyor... Benim de başıma birkaç kere geldi... Amma insan daha rahat konuşuyor.

Karımın telâşı bu teminat üzerine sükûnet buldu. Bana da, ona da şirin şirin güldü.

– Senin şempanze nerede? Daha doğrusu o buldok, diye sordum.

Halit Ayarcı bu zevzekliğimi beğenmediğini gösterir bir şekilde hafiften kaşını çattı. Ve ben işi derhal anladığım için misafirimize döndüm.

– Yolculuğunuz iyi geçti mi efendim?

– Tabiî efendim, çok tabiî... Gönderdiğiniz bilet en lüks kamara idi...

Demek böyle, bu baş belâsını belki de kendi imzamla davet etmişlerdi. Fakat mevzuu, bu akşamki konuşmamın mevzuunu bir türlü söylemiyorlardı. "Söylemesinler varsın! Mademki ezberden konuştum, bir şey uydururum. Değiştirdim, derim!"

Van Humbert'e bu sefer Halit Ayarcı İstanbul'u nasıl bulduğunu sordu. Buna da münasip cevaplar aldık. Emrine verilen otomobil çok rahattı. Otelin banyo odasını pek beğenmişti. Kendisini gezdiren adam Hollandaca bilmiyordu amma, Almancası iyiydi.

– Efendim Kapalıçarşı, Bedesten, Bakırcılar...

Fakat heyhat, hazret Kapalıçarşı'da pek az kaldı ve derhal Ahmet Zamanî'ye geçti. Kitabımı hallaç pamuğu gibi didiklemişti. Beni tam bir sual yağmuruna tuttu. Bizimkilere ne kadar az benziyordu? Her kelimenin üzerinde ayrı ayrı durmuş gibiydi. Cemal Beyin tenkitleri bile bununkilerin yanında solda sıfır kalıyordu. Bir ara cebinden kocaman bir kâğıt çıkardı. Bu bana soracağı sualerin listesiydi. Gecenin bu saatinde hiç de çekilir şey değildi bu. Fakat ne diye Halit Ayarcı bana sormadan yaptı bu işi? Ne diye her an beni emrivâki karşısında bırakıyor?

İlk sualler kolay geçti. Fakat derinleştikçe bende acayip jimnastikler başladı. "Tamam, dedim, on dakika sonra sarhoşluğa vururum." Amma on dakikayı nasıl geçirmeliydi!

İlk imdat Halit Ayarcı'dan geldi. Doldurduğu şampanya kadehini misafire uzattı:

– Mideniz düzelmiştir artık... diyordu.

Van Humbert bir, elindeki sual listesine, bir de şampanyaya baktı. Çok büyük bir iç mücadelesi geçirdiği aşikârdı. Kahraman mı, insan mı olacaktı? Fânilik tarafı galebe etti. Arkasından Pakize kendisine o meşhur tebessümlerinden biriyle gülerek dansı sevip sevmediğini kayıtsızca sordu. İkinci kadehin ortasında henüz kendisini dansa davet etmediğini söyledi. Hazret sevincinden uçtu. Halit Ayarcı bu sefer halamın beline sarıldı. Halam bir bavul yükü eşyayı benim kucağıma bırakarak onunla gitti. Halit Bey bu sefer de kendisine ne kadar kızdığımı söylemek fırsatını bana vermeden meseleyi halletmişti.

Olduğum yerde kadehimi bitirdim. Kucağımda halamın şalı, yelpazesi, saplı dürbünü, dış salonun arkasındaki odada büyük baldızımın avaz avaz söylediği şarkıları dinlemeğe gittim.

Yârabbim ne emniyetti o! Nasıl bağırıyordu! Nasıl kendinden memnundu! Ve o bağırdıkça bütün etraf onunla beraber nasıl coşuyordu! Beni görür görmez coşkunluğu bir kat daha arttı. Ortada mor elbiseleri içinde olduğundan şişman ve çirkin, fakat yine de garip bir şekilde sevimli, küçük bir fil yavrusu gibi yüksek ökçeli iskarpinlerinin üstünden etrafındakilere doğru –şüphesiz korsası yüzünden– güçlükle eğile eğile, parmaklarını çıtırdata çıtırdata okumakta olduğu şarkı bitince, alkışları bile doğru dürüst beklemeden benim yıllarca kendisine öğretmeğe çalıştığım hâlde muvaffak olamadığım bir semaiye başladı. Zavallı semaî acemi terzi eline düşmüş Hint kumaşı gibi gözümün önünde doğrandı gitti. Bu tahribat hayran dinleyiciler tarafından aynı şekilde alkışlandı. Bu sefer halamın eşyasını, yanı başımda duran Ekrem Beye devrettiğim için alkışa ben de katılmıştım. Semainin arkasından Dede'nin güzel bir bestesini tuzla buz etti. Bir ordu çiğneseydi zavallı beste bu hâle giremezdi. Tabiatıyla alkış aynı derecede şiddetli oldu. Ondan sonra çok hazin bir maya başladı. Fakat bu musikî değildi artık! Bu bir sürü kurdun açlıktan uluması gibi bir şeydi. İkisini de askerliğimde Şeytan Dağlarının yalnızlığında sık sık dinlemiştim. Maya, bölüğümün neferlerinin ağzında yıldızlarla konuşma gibi bir şeydi. Onların erkek seslerinden bu keder taştı mı, bütün tabiat canlanırdı. Halbuki büyük baldızımınki... Bununla beraber herkes teessüründen ağlıyordu. Bu umumî bir matem, filân gibi bir şeydi. Belki de böyle olduğu için onu bitirir bitirmez, kıvrak bir oyun havasına başladı. Bu seferki muvaffakiyetinin artık hududu yoktu. Dans edenlerin yarısı etrafımızda toplandılar. Herkes el çırpıyordu. Ben aklımda hep Halit Ayarcı ile Büyükdere'deki ilk konuşmamız, hayretten ağzım bir karış açık, Van Humbert'i de, kendimi de unutmuş onun bu coşkunluğu idare edişini, onu besleyişini seyrediyordum. Oyun havasının yarısına doğru genç bir kadın dayanamadı, çiftetelliye başladı. Oyundan hiç anlamıyordu. Fakat ne çıkardı, herkes memnundu. Orta yaşlı bir erkek, şüphesiz kocası veya sevgilisi, genç kadını yalnız bırakmağa razı olmadı. İleriye atıldı.

Ben kalabalıktan yavaşça sıyrıldım. Karımla sevgili misafirlerimizi aramağa çıktım. Fakat hayret, cazın etrafında büsbütün başka bir manzara beni bekliyordu. Burda da rekor yine bizim ailede idi. Küçük baldızım genç bir Amerikalı ile salonun ortasında kırasıya bir dansa girmişlerdi. Daha doğrusu dans ediyoruz, diye birbirlerine yapmadıkları zulüm, işkence kalmıyordu. Küçük baldızım çoraplarını, iskarpinlerini çıkarmış, bir eli partnerinde, bir eli kâfi derecede kısa bulmadığı eteklerinde, halısı kaldırılmış cilâlı parkenin üzerinde zıplıyor, kendini yerden yere atıyor, tam bir yeri kırıldı diye imdadına koşacağım zaman tekrar kalkıyor, tekrar zıplıyor, kavalyesine sarılıyor acayip çifteler atıyor, bilinmez düşmanları başı ile süsüyor, tekrar yerlere yatıyordu.

Hey gidi hey! Ne gafletmiş benim gafletim! Karımın ailesini meğer hiç tanımamışım! Zavallılar hapsedilmiş istidattan az kalsın çatlayacaklarmış! Hele karıma karşı olan gafletim... Âdeta görmemişim, kör yaşamışım! Bütün o dalgınlıkları, budalalıkları, sadece hayat çerçevesinin darlığındanmış biçarenin! Fakat hangisi öyle değildi? Küçük baldızımın etrafında şehrin en mükemmel caz takımı aciz içinde çırpınıyordu. Davulcu dokuz elli olmuş, yine onun savruluşlarına yetişemiyordu. İçerde büyük baldızım şehrin yarı halkını başına toplamış hora teptiriyordu. Karım birdenbire dünyanın en rahat konuşan salon kadını olmuş, hiç görmediği bir adamı, galiba hayatında hiç görmediği şekilde ağırlıyordu.

Halam uzaktan bana işaret etti, bin müşkülâtla yanına yaklaştım. Eski hoyrat sesiyle:

– Düdüğüm, dedi, gördün mü baldızını? İnsan diye ben buna derim işte! Hele karın... Aşk olsun vallahi!

– Tabiî halacığım! Başkasıyla evlenir miydim ben?

– Haydi oradan miskin! dedi. Talihim varmış desene... Sana kalsa kim bilir hangi sünepe ile evlenirdin...

– Karım, haydi öyle... Kızım nasıl, onu nasıl buluyorsun?

Halam bana baktı.

– Eğer paramın hepsini yememe Allah fırsat vermezse mirasımı ona bırakacağım! Anladın mı?

Halit Ayarcı geldi.

– Doktor Ramiz'e bakmağa gitmiştim... dedi. Uyuyor, mışıl mışıl uyuyor!

– Yalnız mı? diye sordum.

– Hayır, hayır, dedi, seçtiği ruh kardeşiyle... Her şey iyi gidiyor. Haydi gidelim bir şey içelim!

Tekrar masaya döndük. Fakat bu sefer büfenin başında kimse yoktu. Zorla bir hizmetçi ele geçirdik. Bize bir şişe açtı. Halam, kızımın müstakbel mirası zararına havyarlı sandviçler istedi. Bu masrafa para dayanmazdı. "Bize gelecek... Son nefesini kucağımda verecek!" diye mırıldandım... Sonra Halit Ayarcı'ya döndüm.

– Mücevherler halis, değil mi? diye sordum.

– Tabii... Amma bunlar değil, dedi. Bankadakiler. Muazzam servet... Korkma o kadar kolay olmaz o iş...

Sonra mevzuu değiştirdi:

– Güzel idare ettiniz doğrusu... dedi.

Birdenbire tepem attı:

– Neden haber vermediniz? dedim. Ben böyle hep emrivâkiler karşısında mı kalacağım?

Gülerek bana baktı:

– Aziz dostum dedi, zavallı aziz dostum! Yahut zavallı ben! Çünkü asıl zavallı olan benim bu işte. Bir türlü size iyi niyetimi anlatamıyorum. Beni bu kadarcık olsun anlamalıydınız! Size rol filân yaptıran yok. Emrivâki de yok. Sadece hürmet eden, inanan insan var. Tasavvurlarımı tabiî hayatınız şeklinde yaşamanızı istiyorum. Evvelden haber versem hürriyetinizi ihlâl etmiş olurum. Asıl o zaman rol yapmış olurdunuz... Sokağa çıktığınız zaman kime tesadüf edeceğinizi bilmediğiniz gibi, bu gece de olacakları bilmiyordunuz. Geldiniz, gördünüz ve karşılaştığınız şeyleri hepimiz birden yaşadık. Burada emrivâki yok ki...

– Amma bir yanlış yapabilirdim, her şey berbat olurdu.

Bir kahkaha savurdu.

– Yapsanız ne çıkardı? Hata denen şey yoktur ki zaten... İyi anlayın! Farz ediniz ki hakikaten bir yanlış yaptınız! Oradan yürürüz ve doğruya çıkarız. Hata denen şey, tashih etmek budalalığında bulunanlar için mevcuttur. Bizim için değil... Biz onun varlığını kabul ettiğimiz andan itibaren her türlü hatanın üstündeyiz. Hayır, Hayri Bey, hayır, yanlış yoktur ve olmaz da. Bütün mesele bir vaziyeti iyi hazırlamaktır. Ve insana itimattır. Kaldı ki ben sizin kudretlerinizi bilirim. Siz benim keşfimsiniz.

Ne demek isitiyordu bununla?

Kadehlerimizi doldurdu ve kendisininkini bir yudumda boşalttı:

– İnsanla uğraşmak çok güçtür ve zaman ister. Mesele vaziyeti iyi hazırlamaktadır. İnsanlar onu kendiliklerinden yaşarlar. Bütün mesele insanoğluna yaratıcılığını vermektedir. Ben tiyatroyu sevmem. Ben kendiliğinden olan şeylerin adamıyım!

– Bu akşam hiç kimseye yapacağı şeyi söylemediniz mi?

– Tabiî bazılarına biraz çıtlattım. Uyuyordunuz. Adam geldi. Konferansta, dedim. Şimdi gelir, dedim. Gerisi kendiliğinden oldu. Bakın dedi, bu işlerde tek güçlük varsa o da insanını seçmektedir. Burada haklısınız. Daima takımı iyi seçerim!

– Hayır, hiç olmazsa bende aldandınız. Ben bu işe inanamıyorum. Bunu siz de biliyorsunuz. Azap çekiyorum...

– Daha iyi ya! Onun için her adımda, her harekette muvaffak oluyorsunuz. Başkalarının otomat gibi hareket edecekleri yerde siz canlı insan olarak yaşıyorsunuz!

Bu esnada Pakize yalnız olarak geldi.

– Hani misafir ? dedim.

– Zehra'da, Zehra'ya verdim. Zeybek öğretiyor... Bir şey içeyim de gidelim hep birden seyredelim!

Kadehlerimiz ellerimizde gittik. Bu artık filânın veya falanın tasavvuru değildi. Tabiatı eşyanın ta kendisi idi. Caz alabildiğine bir zeybek tutturmuştu. Ve kızım biraz evvel baldızımın marifet gösterdiği yerde, yani salonun ortasında, karşısında Van Humbert, dünyanın en garip, en akıl almaz zeybeğini oynuyorlardı. Etraf sadece göz olmuş onlara bakıyordu. Biz de bir müddet Van Humbert'in havada acemi acemi sarkan kollarına, yere indikten sonra güçlükle kalkan dizlerine baktık.

Halit Ayarcı yavaşça kulağıma:

– Burada ben de pes! derim, diye mırıldandı.

Dünyanın en harika ailesinin reisi idim. Ve bu haysiyetle deminden beri bana çapkınca dirseğini çarpan karıma aynı şekilde cevap verdim.

Halit Bey ilâve etti:

– Nasıl, hoşunuza gitti değil mi? Babalık gururunuzu bir tarafa bırakın, sadece kadınlarımızın bu muvaffakiyeti muazzam iş değil mi? Böye bir şeyle karşılaşacağınızı ümit eder miydiniz?

Ben bir gözüm kızımın Van Humbert'in hantal ve alabildiğine geniş vücuduna yaptırdığı acayip ve tehlikeli cambazlıklarda:

– İmkân mı var? dedim. Hayalime bile gelmezdi. Hele kızım Zehra'nın...

– Hakkınız var... Bu kadar süratli terakkî, görülmemiş şey...

– Yalnız biraz da bilselerdi. Meselâ kızım hakikaten zeybek oyununu bilseydi, baldızım demin tepindiği zıkkımdan biraz anlasaydı. Büyüğü sandalye ile avize kırar gibi besteleri harap etmeseydi....

Halit Ayarcı çok terbiyeli bir şekilde esnedi:

– Yine aynı mesele... dedi. Daha doğrusu hep aynı mesele! Aziz dostum, siz şifa kabul etmez bir gayrimemnunsunuz... Bu işlerde bilmek ikinci derecede kalır. Yapmak vardır, sadece yapmak!.. Sonra kendi kendine konuşur gibi ilâve etti:

– Bilgi bizi geciktirir. Zaten ne sonu, ne de gayesi vardır. Mesele yapmak ve yaratmaktadır. Bilselerdi, bilselerdi... Fakat bilselerdi bunu yapamazlardı. Bu heyecana, bu icada, bu kendiliğinden bulmağa erişemezlerdi. Bilgileri buna mâni olurdu. Kızınız bu geceyi yarattı. Ne ile? Yaratma kabiliyetiyle... Çünkü yaratmak, yaşamanın ta kendisidir. Biz yaşayan, yaşamayı tercih eden insanlarız. Siz istediğiniz kadar somurtun!

– Ben somurtmuyorum, düşüncemi söylüyorum...

– Kendinize saklayın o düşünceyi de, şu karşınızdaki harikulâde manzaraya bakın!

Filhakika manzara harikulâde idi. Van Humbert yeni öğrendiği zeybekle kızımın yardımından vazgeçmiş, şimdi tek başına düşe kalka, bir yığın cambazca hareketler yapıyordu. Salon alkış içinde idi.

– Bakın, aziz dostum, bakın şu adamın iradesine! Bu ne gayrettir, ne yaşamak kudreti, yaşamak neşesidir! Bu kudretin yanında bilgi dediğiniz şeyin lafı olur mu?

Sonra eğildi, yavaşça kulağıma fısıldadı:

– Evet, aziz dostum, ben sizi böyle görmek isterdim...

336

Bir lahza kendimi misafirimizin yerinde tasavvur ettim.

– İnsaf ve merhamet! dedim. Beni tımarhaneye mi yollayacaksınız?

Halit Ayarcı ince ince gülümsedi:

– Garip bir tımarhaneniz var beyefendi! dedi. İşe yarar herkesi oraya gönderebilirsiniz, tabiî başta bendeniz bulunmak üzere... Amma her yaptığıma da iştirak ediyorsunuz!

Fena alınmıştı. Bu kadar iyi başlayan bir gecenin böyle bitmesini hiç istememekle beraber geriye dönmem de imkânsızdı.

– Hangi şartlar altında sizi tanıdığımı pekâlâ biliyorsunuz! diye cevap verdim.

– Evet, onu biliyorum. Zaten siz de saklamadınız. Bir huyunuz var, hiçbir şeyi saklamıyorsunuz. Hakikat şu, değil mi aziz dostum, biraz refaha kavuşunca eski dünyanız içinizde tepmeğe başladı. Fedakârlığı lüzumsuz ve fazla buluyorsunuz!

– Hayır, sadece eski hâlime hasret çekiyorum...

– Dönünüz! Hasretini çekiyorsanız, dönünüz!

Sonra birdenbire sesi değişti:

– Amma, dönemezsiniz. Demin hesap ettiniz. Bir an içinizden geçeni okudum. "Halamla barıştım, işlerim de oldukça iyi" dediniz... "Birkaç yıl için hiç olmazsa her şey yolunda gidebilir. Niçin şu anda her şeyi bitirmeli?" Öyle düşünmediniz mi? Amma sonra vazgeçtiniz... İlerisinden korktunuz!

İçimi olduğu gibi okumuştu. Omuzuma elini koydu ve beni iç salona götürdü. Görenler en tatlı şekilde konuştuğumuzu zannederlerdi.

– Size kendi hakikatinizi söyleyeyim! Artık dönemezsiniz. Çünkü hiçbir şeyden vazgeçemezsiniz. Bütün tenkitlerinize ve küçük görmelerinize rağmen rahat ve güzel bir karınız var, ayrıca bir metresiniz var ki çıldırıyorsunuz. Kızınız, oğlunuz için her an kendinizi fedaya hazır olduğunuza da eminim. Üstelik şöhreti, hattâ abes telâkkî ettiğiniz işler içinde olsa bile hareketi seviyorsunuz. Hulâsa bir ahtapot gibi sayısız kollarla dünyaya yapışmışsınız! Hiçbir şeyden ayrılamazsınız. Nasıl döneceksiniz?

– Dönmek istemiyorum, dedim, sadece biraz daha mâkul...

Tekrar güldü:

– Mâkul... Mâkul... diye başını salladı. Hayır siz mâkulü aramıyorsunuz! O kadar budala değilsiniz. Aklın kendisi için işleyen bir cihaz olduğuna kaniyseniz o başka... Hayır, sizin aradığınız başka bir şey.

– Ben doğruyu arıyorum. Yahut istiyorum, bir parçacık olsun...

– Doğru, ya bütün olur, ya hiç olmaz... Dostum, sizin bahsettiğiniz sağlam kıymetler ancak bir lokma, bir hırka yaşamağa razı olanlar içindir. Sizin gibi her şeyi ve hepsini birden isteyenler için değil! Bütün ve halis şahsiyet her şeyden evvel kendisiyle yetinmeyi icap ettirir.

Bir tekme ile bütün iç dünyamdan uzaklaşmıştım.

– O kadarını isteyen yok... dedim.

– Demek pazarlığa geliyorsunuz! Ama bu iş, pazarlığa gelmez! Bu masada biri de, bini de kazanan hep aynı şeylerin üzerinde ve sonuna kadar kaybetmek üzere oynar! Kazanç belki tesadüf olabilir, fakat kaybettiğimiz şey tam ve katîdir. Oyuna girdiğiniz anda onu kaybettiniz demektir. Fazilet pazarlık götürür mesele değildir. Onun içindir ki eskiler insan tabiatını olduğu gibi kabul ederek söze başlarlardı. Hani şu: "Cümlenin malûmudur ki tabiatı-i beşeriyye..."

Sonra birdenbire masaya yaklaştı. İki kadeh doldurdu. Uzakta acayip süsleri içinde sahte Mübarek bizi hayretle süzüyor gibiydi.

– Bu âlemde hiçbir hesap, hiçbir bağlanma bedava değildir. Hepsi aynı fedakârlıkları ister. Ve en iyiden en kötüye bir adımda geçilebilir. Razı mısınız, vazgeçiyor musunuz?

Bir müddet düşündüm.

– Hayır, dedim. Olmayacağımı biliyorum. Fakat niçin böyle konuşuyorsunuz?

Halit Ayarcı tekrar kadehini doldurdu. Çok sevimli bir bakışla evvelâ kadehe, sonra Mübarek'e, sonra bana baktı.

– Bilmiyorum, dedi, belki sarhoşum, belki de kendi kendime hesap veriyorum. En doğrusu bu meselenin üstüne çıkmaktır.

– Hayır, dedim, siz kendinize hesap vermiyorsunuz! Bende bir şeyleri daha yıkmak istiyorsunuz. Hem taş taş yıkıyorsunuz! Amma niçin?

– Söyleyeyim: Aynı yollardan geçtiğim için. Sizi çok seviyorum ve aynı zamanda size düşmanım. Bana kendimi çok hatırlatıyorsunuz... Yo, beyhude böbürlenmeyin! Hiçbir zaman sizin gibi olmadım. Hiçbir zaman şaşırmadım ve ezilmedim... Fakat bir tarafınız var ki...

Pürüzsüz bir kahkaha ile güldü:

– Ömrünüzde bir kere böyle güldünüz mü? diye bana sordu. Hiçbir zaman benim kadar temiz ruhlu olmadınız! Çünkü ben bu işlerin üstündeyim...

Sonra birdenbire beni kucakladı:

– Siz bana hayatı sevdirdiniz! dedi. Şehzadebaşı'nda o kahvedeki hâliniz, o gülünç meyusiyetiniz, biçare kederleriniz, silkinip altından bir türlü çıkamadığınız yükler... Büyükdere'deki şaşkınlığınız, tereddütleriniz, saadetleriniz... Küçük zeytin çekirdeği gibi dünyanız, hepsi bana hayatı yeniden sevdirdi. O gece hemen oracıkta elinize beş lira sıkıştırsaydım, nasıl mesut olacaktınız! Evet, bana hayatı sevdirdiniz. Siz benim en güzel aynamsınız!

Yüzüm hacaletten kıpkırmızı:

– Keşke öyle yapsaydınız! dedim ve zorla kollarından kurtuldum.

– İşte asıl abes bu sözdür, dedi.

Tekrar gülümsedi ve kadehi kaldırdı.

– İstediğiniz gibi olsun... dedi. Zaten sizi tam değiştirmek niyetinde değilim! O zaman ikimizden biri lüzumsuz olur. Yalnız ufak tefek bazı tadilât lâzım. Hiç olmazsa yaşayanlara karışmayın!

Bir müddet durakladım. Tereddüt içinde idim.

– Hiçbir şeye inanmıyorsunuz, değil mi? dedim.

O kadehini içti. Yan cebinden çıkardığı mendille alnını sildi:

– Artık yeter, dedi. Bakın dostlarımız geliyor. Yaşasın Saatleri

Ayarlama Enstitüsü, yaşasın S. A. E.

Ve Van Humbert'in koluna girmiş halamla beraber bütün ailemizi âdeta bu çığlıkla karşıladı.

Van Humbert'in sevincine payan yoktu. Bir muharebe kazanmış gibiydi. Beni karımdan ve kızımdan dolayı tebrik ediyor, ikisini birden Hollanda'ya davet ediyordu. Onlara bisiklete binmeyi öğreteceğini söylüyordru.

– Biz burada hep beraber atlıkarıncadayız... dedim.

Halit Ayarcı serzenişle baktı. Birbirimizin kalbini kırdığımız belliydi.

Van Humbert İstanbul'da bir ay kaldı. Onunla geçen bütün maceramızı burada anlatmak çok zaman ister. Şu kadarını söyleyeyim ki benden çok memnun ayrılmıştı. İstanbul'da geçirdiği zamandan yıllarca muhtelif yazılarında bahsetti. Ne kızımla oynadığı zeybeği, ne Halit Ayarcı'dan gördüğü ikramı, ne de Ahmet Zamanî'nin kabirini ziyaret ettiğimiz gün kendisine Çamlıca'da çektiğim yoğurtlu kebap ziyafetini hiç unutmuyordu.

Her şekilde memnun ettiğime kani olduğum bu adamın sonradan aleyhimde bulunması hakikaten şaşılacak şeydir. Fakat, "Düşenin dostu olmaz!" sözü Van Humbert'ten ve benden çok evvel söylenmiş sözdür. Onun için kendisine karşı hiçbir hiddet ve kin duymadım. Sadece olmasa daha iyi olurdu, diye düşündüm. Şurası da var ki Van Humbert bizim yüzümüzden epeyce ziyanlar da görmüştü. Bilhassa karımdan ve büyük baldızımdan aldığı, sözüm ona malumatla eski oyunlarımıza dair yazdığı kitabı epeyce hırpalamışlardı. Bununla beraber sonradan yazdığı yazılarda da şahsımdan yine dostça bahsetti. En son yazısını şu cümle ile bitiriyordu: "Hayri İrdal ve ailesi efradı, insanı kabuğundan çıkarmasını çok iyi bilen insanlar. Ne olursa olsun onlarla İstanbul'da geçirdiğim zamanı hiçbir suretle unutmayacağım. Kendilerinin daha ziyade atlıkarıncaya binmekten hoşlanmalarına rağmen, yine de Hollanda'ya gelirlerse, onlara vaat ettiğim gibi bisiklete binmeyi öğreteceğim..."

DÖRDÜNCÜ BÖLÜM

HER MEVSİMİN BİR SONU VARDIR

I

Halit Ayarcı'nın tahmini doğru çıktı. Halamın kokteylinden birkaç ay sonra ajans telgrafları altı Cenubî Amerika şehrinde birer Saat Sevenler Cemiyeti'nin kurulduğunu haber verdiler. Bir müddet sonra da bu cemiyetler bizim İstanbul'daki "Saat Sevenler"le münasebete girdiler ve Saatleri Ayarlama Enstitüsü'nün esbabımucibi lâyihasıyla nizamnamesini istediler. Bunu uzak ve yakınşarkta, bazı Avrupa memleketlerindeki hareketler takip etti. Böylece iki buçuk sene içinde yurt dışında otuzdan fazla Saat Sevenler Cemiyeti ve üç enstitü kurulmuş bulundu. İşin garibi, enstitünün kurulmasını kabul etmeyen memleketlerde bu hususta efkârıumumiyeye sarih sebep gösterilerek izahat verilmesiydi. Filhakika hemen hepsi, "Sanayi hayatı kâfi derecede gelişmiş olduğu için böyle bir müesseseye ihtiyacımız yoktur" diyorlardı.

Bu suretle kabul edenler ve etmeyenler müessesemizin lüzumunda birleşmiş oluyorlardı. Halit Ayarcı bu hususta gelen her ajans telgrafının arkasından bir basın toplantısı yaparak müessesenin ehemmiyetini bir kere daha belirtiyordu. Kendisi meşgul olduğu zaman bu iş bana düşüyordu. Halam ise bu vesile ile büsbütün faaliyet kesilmişti. Dışarı memleketlerde sık sık yapılan Milletlerarası Saat Sevenler Cemiyeti kongrelerinin hiçbirini kaçırmadı. Bir zaman geldi ki bavulları evvelâ yatak odasında, sonra daha kolaylık olsun diye holde hazır durmağa başladı. Bu seyahatlerin çoğunda kızım, bazen de kocasıyla kendisine refakat ediyorlardı. İstanbul gümrüğünün tanıdığı belli başlı simalardan biri olmuştu. Yıllık pasaportları fâsılasız yenileşiyordu. Süpürgeciler Kâhyası ailesinden kalan mücevher süslerinin yanı başında yedi sekiz devletin nişanı peyda olmuştu. Bu arada biz de boş durmamıştık. Vidolu nakit cezasının temin ettiği sermaye ile Hürriyet Tepesi'ndeki yeni binamızı yapmış, Milletlerarası Saat Tröstü'nün büyük yardımına mazhar olan Saatleme Bankamızın himmetiyle kurduğumuz kooperatifle de Saat Evleri dediğimiz personelimize mahsus mahalleyi vücuda getirmiştik.

Yukardan beri bahsettiğim gibi cezayınakdî sistemimizin bulunmasından sonra enstitümüzdeki en belli başlı hizmetim, hiç olmazsa beni en fazla yoranı enstitümüzün binası olmuştur. Zannederim ki efkârıumumiyeyi de yine nakit cezasından sonra hattâ ondan daha fazla meşgul eden şey de bu bina oldu. Bana Beynelmilel Mimarlar Cemiyeti'nin fahrî azalığını temin eden bu bina ile başlangıçta hiç meşgul değildim. Bu cins işlerde daima yapıldığı gibi bir yarışma açmıştık. Bu yarışma için yazdığım şartnameye Halit Ayarcı'nın ısrarı ile "müessesinin modern mahiyetine ve adına uygun bir şekilde orijinal ve yeni üslûpta" kaydını ilâve etmiştik. Daha doğrusu, başlangıçta hiç lüzum görmediğim bu kaydın behemehal konulması hususunda Halit Ayarcı'nın ısrarı üzerine, hiddetimden ve biraz da alay için cümlenin sonunu küçük bir ilâve ile değiştirmiş, "...ve adına dıştan ve içerden uygun şekilde..." hâline sokmuştum.

İşte bu sonradan ilâve ettiğim "dıştan ve içten" şartı beni aylarca plan üzerinde uğraşmağa mecbur etti.

Şartnamemiz gazetelerde ilân edildiği zaman herkes onu gayet tabiî bulmuştu. Bizde üstünkörü okumak âdettir. Kaldı ki, "modern mahiyet", "uygunluk", "içten ve dıştan" gibi tâbirler kullana kullana yıprandırdığımız, yalama hâline gelmiş nesnelerdendir. Bu itibarla gelen projeler, bazı basmakalıp yenilikleri olan bildiğimiz bina planlarından başka bir şey değildi. Hiç kimse Halit Ayarcı gibi söylediği sözü sonuna kadar unutmayan ve mânası üzerinde kendisinden başkasının tefsirine müsaade etmeyen bir insanla karşılaşacağını tahmin etmemişti. Halbuki Halit Ayarcı, projelerin hepsini –bilhassa benim, inadımdan ve sırf alay için koyduğum "içten ve dıştan" tâbirlerine dayanarak– reddediyordu.

– Bunun dışardan neresi saate benziyor?

İlk suali bu idi. Hemen arkasından ikinci sual geliyordu:

– Saat, zaman ve ayar fikrini binanın içinde ne suretle ifade ettiniz?

Ve bittabi gelen mimarlar verecek cevap bulamadan gidiyorlardı. Hiçbir zaman, hattâ müessesemizin lağvedildiği günlerde bile aleyhimizde bu kadar yazı yazılmadı. Koltuğunun altına projesini sıkıştırıp kapıdan çıkan herkes soluğu gazetelerde alıyordu. Sütun sütun makaleler birbirini takip etmeğe başladı. Biz de boş durmuyor, cevap veriyorduk. Halit Ayarcı üst üste yaptığı basın toplantılarında, "Modern adam beyhude konuşmaz. Biz müphemi kabul edemeyiz. Şartname harfi harfine tatbik edilecektir." diyordu.

İkinci yarışmada saat fikrine biraz yanaşanlar oldu. Fakat onlar da alelâde dört dılı'lı bina fikrinde kalıyorlardı. Bu itibarla gelen projelerin hemen hepsi masa veya duvar saatlerini dışardan ilâve süslerle yahut da kaidelerinin darlığı ve katların çokluğu ile telkin ediyorlardı. Bazıları ise daha ileriye gitmişler, yapının ön cephesinde ikinci ve üçüncü katlara genişçe bir saat kadranı şeklini vermişlerdi. Böylece pencerelerin mühim bir kısmı büyükçe bir yuvarlağın içinde bulunuyordu. Halit Ayarcı bunları da beğenmedi. Bir kısmı için:

– Bunlar herhangi bir binada yapılabilecek şeylerdir. Bunun neresi modern? diyordu. Neresi modern ve neresi saat?

Bir kısım için de:

– İyi ama, bu kadran çizgisini cepheden herhangi bir tamirde kaldırırsam pencereler tabiatıyla kendiliklerinden kat çizgisini verirler! O zaman saatliği nerede kalır? diye itiraz ediyordu.

Bittabi bu sualin de cevabı başka taraflardan geliyordu. Bir bina hiçbir zaman saat olamazdı. Saatin kendi çatısı ve karoserisi vardı. Ve bu da herhangi bir binaya zaten kendiliğinden benzerdi. Halit Ayarcı bütün bunlara karşı artık masasının camının altında büyük harflerle yazılmış bir nüshasını bulundurduğu şartnamenin yukardaki cümlesini gösteriyor, yahut yazdırıp tam karşısına duvara astırdığı "içten ve dıştan" kaydını işaret ediyordu.

Bu konkura iştirak edenlerden bir tanesi işi biraz daha ileriye götürmüş, ikinci ve üçüncü katların aydınlığını pencere yerine doğrudan doğruya saat kadranına benzeyen bir boşluktan vermişti. Ayrıca binayı dört genişçe ayak üzerine almıştı. Fakat Halit Ayarcı bunu da reddetmişti:

— Zoraki! diyordu. Pencere, penceredir. Bu pencere değil ki... Kenarındaki işaretleri silerim. Gotik kiliselerin renkli cam gülü olur. Biz başka şey istiyoruz. Saat fikrinin binanın bünyesine girmesini istiyoruz. Onunla birleşmesi lâzım! Lehim ve ek istemiyoruz. Binanın kendisinde pıogramımızı ve gayemizi görmek istiyoruz.

İtiraf edeyim ki beni asıl uyandıran Halit Ayacı'nın bu cümlesi oldu. Kendi kendime, "Saat fikri binanın bünyesine girerse, bina binalıktaı. çıkar" diye düşündüm. Ve zavallı dostuma âdeta acıyarak güldün . Fakat ertesi sabah şöyle bir düşünceye kendiliğimden vardım: "Bıalıktan çıkan, yani onun kanunlarınına riayet etmeyen bir bina, pekâlâ saat fikrini insana verebilir!" Ve ilk rast geldiğim mimara o gün bu fikrimi açtım. Fakat hiç hazırlıklı değildim. Bir türlü lâyıkıyla anlatamadım. Bununla beraber bu konuşmadan kafamda bir "kütle" fikri kaldı. "Bu som kütleyi, saate benzetmek için yıkarsaıı. bu iş olur!" diyғ düşündüm.

Saatleri Ayarlama Enstitüsü'nü sessiz sedasız protesto eden ve ғvimize ancak bayramdan bayrama gelen Ahmet'in nasılsa evde bulunduğu gecelerden biriydi bu. Meseleyi onunla münakaşa ettim. O da mimarın fikrinde idi: "Bir yapı her şeyden evvel kütledir" diyordu. Ertesi günü bir saati baştan aşağı söktüm, tekrar taktım. Hayır, imkânı yoktu. Buradan yürüyemezdim. Belki dahilî tertiplerde bundan istifade edebilirdim. O hâlde elimizde yine kadran kalıyordu. Halit Ayarcı cepheye verilen kadran manzarasını beğenmemişti. O hâlde başka türlü arayacaktım.

Bu arada sık sık Halit Ayarcı ile konuşuyor, kendisini ve müesseseyi bu azaptan kurtarmasını rica ediyor, herhangi bir yapının da pekâlâ bu işi görebileceğini söylüyordum. O katiyen yanaşmıyordu.

— Saatleri Ayarlama Enstitüsü şimdiye kadar vaat ettiği her şeyi yaptı, diyordu. Vâkıa, şehrin saatleri, ne de hususî saatler hâlâ gereği gibi muntazam işlemiyor. Fakat insanlarımız sık sık saate bakmağa ve vakti ölçmeğe alıştılar, köylerimize tamamıyla saati sokmadıksa bile saat zevkini soktuk. Bugün bir milyon köylü çocuğunun kolunda bizim sattığımız oyuncak saatler var! Bu demektir ki büyüdükleri zaman Saatleme Bankamızın gösterdiği kolaylıklar sayesinde hepsi birer saat sahibi olacak. Hiçbir faydası olmasa başları sıkıldığı zaman rehine verebilecekleri veya satabilecekleri az çok para eder bir malları bulunacak demektir. Saat süsünü kadınlarda bilezik şeklinden çıkarttık. Alelumum mücevher süslere tatbik ettik. Bilhassa bizim icadımız olan saatli jartiyerler bütün dünyada rağbet kazandı. Siz bu jartiyerlere pek itiraz etmiştiniz. Ancak müzikhollerde kullanılır, diyordunuz. Halbuki şimdi İstanbul'da böyle saatli jartiyer taşıyan binlerce hanım var. Dünyanın en zarif hareketleriyle yolda eteklerini kaldırıp saatlerine bakıyorlar. Hattâ daha ileriye gidildi. Milletlerarası Saat Sevenler kongresinde bazı devlet nişanlarının saat olması bile benim teklifim üzerine kabul edildi. Bu hususta büyük bir propaganda başlıyor. Hattâ bu yüzden ve sizin son kongrede verdiğiniz izahat üzerine sevdiklerine ve takdir ettiklerine altın saatler hediye eden İkinci Mahmut bütün dünyada alâkayı celbetti. Hakkında kitap üzerine kitap yazılıyor. Bütün bu muvaffakiyetler meydanda iken ne diye sözümden döneyim? Vâkıa bir saat sanayii henüz kuramadık. Amma saat ithalini kolaylaştıran birtakım tedbirlerin alınmasına bile sebep olduk! Yurdun en iyi saat mağazaları bizim inhisarımızda! Bu kadar başarılı çalışan bir müessese, kendini ne hakla ve nasıl tekzip eder? Ve ben nasıl başkalarının oldu bittisini kabul ederim? Her şeyi bırakın, ne diye kendimi mağlup, yahut yanılmış göstereyim? Ben yanılmadım ki!.. Ben bir şart koştum. Yapan yapar!

— Güzel, beyefendi, çok güzel! Fakat görüyorsunuz yapamıyorlar. Tatbik edilmesi güç...

— Edilmesi lâzım!

Ben onu dinlemeden devam ettim:

— Kaldı ki bu sizin kabahatiniz değil! O "içten ve dıştan" tabirini, insan hâli, size kızdığım, bu husustaki ısrarınızı lüzumsuz bulduğum için ben koydum oraya! Binaenaleyh sizin mağlubiyetiniz de sayılmaz!

Yüzümün kızardığını hissediyordum. Başım önüme eğik, cevap bekledim. Halit Ayarcı hafifçe tebessüm etti, daha doğrusu konuşurken âdeta sesi gülümsüyordu.

– Biliyorum, dedi, hepsini biliyorum! Söylediğiniz için de ayrıca teşekkür ederim. Fakat bir teşekkür daha edeceğim. O da, hakkındaki yanlış fikirleriniz, yahut aksi tabiatınız dolayısıyla da olsa, o tâbiri kullandığınız içindir. Onun sayesinde orijinal bir bina sahibi olacağız! Ben netice adamıyım, niyet adamı değilim! Koydunuz, iyi yaptınız! Şimdi sebat edeceğiz. Unutmayın ki bir sonraki yılın nisanında beynelmilel kongre bizde olacak. Ben bu yeni binada olmasını istiyorum. Fikri bizden aldılar, bizi geçtiler. Hiç olmazsa binamızın orijinalliği ile bu işteki kıdemimize lâyık olalım!

Filhakika Ahmet Zamanî'nin doğum tarihi milletlerarası saat bayramı günü olarak kabul edilmişti. Kongreler hep bu tarihlerde yapılıyordu...

– Peki amma, dedim, nasıl yapılacak? Saat bünyeye nasıl girecek? Yani yapının bünyesine...

Başını ellerinin arasına aldı.

– Bilmiyorum, dedi, orasını ben de bilmiyorum. Mimarların işi. Onlar düşünsün. Daha doğrusu sizin işiniz bu. Mademki siz koydunuz o şartı, siz düşünün!

Ayağa kalktı. Gözlerini gözlerimin içine dikti ve en ciddî sesiyle son sözünü söyledi:

– Bu binayı siz yapacaksınız, Hayri Bey, anlaşıldı mı? Bunu sizden katî şekilde bekliyorum. Bu sizin bana şahsî bir borcunuzdur!

Dediği oldu. Fakat ne güçlükle bunu ancak ben bilirim. Sebebi de zihnimin başından itibaren hep cep saatime takılmış olmasıydı. Hayatta uğradığımız bütün güçlükler az çok kafamıza gelen ilk fikirden bir türlü silkinip çıkamayışımız yüzünden değil midir? Hayatım türlü türlü cins ve şekilde saatler içinde geçmiş olmasına rağmen hep cep saatimi düşünüyordum ve mutlaka binamızın sırrını onda arıyordum. İlk önce tıpkı onun gibi yuvarlak bir bina tasavvur ettim. Günün on iki saatini gösteren on iki pavyon daire şeklinde merkezî bir holün etrafına dizilecekti. Fakat, biraz kâğıt üzerinde çalışınca bunun imkânsızlığını gördüm. Bu sefer saatimi dik tutarak düşünmeğe başladım. Sağlam, merdivenleri de içine alan dört blok ayaktan büyük, şişkin, kabarık bir saate benzeyen bir binaya çıkılacaktı. Bittabi saatin yüzü ve arkası asıl cepheler olacaktı ve yan tarafları da bina boyunca inen pencerelerin çizgisi süsleyecekti. Böylece her iki cepheye de on iki saati gösteren büyük işaretler koyacak asıl kadranın bulunduğu büyük cephenin ortasında da ayaklardan çıkılan büyük kapı bulunacaktı.

Fakat bundan da vazgeçmeğe mecbur kaldım. Pakize bu son fikri fazla beğenmişti. Ve itiraf edeyim ki Pakize'nin zevki benim için bir çeşit miyar olmuştu. Onun beğendiği, heyecan duyduğu her şeyden korkmağa başlamıştım. Bununla beraber asıl fikir yine Pakize'den geldi. Ona bu ilk projeyi anlattığım zaman, her zamanki mesut tebessümüyle:

— Ben biliyorum zaten, dün akşam Mübarek'e kurban kestirmiştim. Rûhaniyeti yardım etti.

İlk önce şaşırdım.

— Hangi Mübarek? diye sordum. O da nerden çıktı?

Karım sükûnetle:

— A! Kocacığım, dedi. Mübarek işte! Bizim evliya saatimiz. Hani şimdi halanın evinde bulunan! İşte o yardım etti bize!

İlk önce hiddetten boğulacak gibiydim. Sonra birdenbire karımı kucakladım. Binanın behemehal yuvarlak bir saat olması icap etmediğini, dünyada cep saatinden başka çeşit saatler de bulunduğunu, herhangi bir namuslu bina gibi uzun bir dörtgen olabileceğini bana hatırlatmıştı.

— Karıcığım, dedim, zaten hayatımın her başarısını sana borçluyum. Bak senin sayende Mübarek bize yardım etti. Çok teşekkür ederim.

Filhakika uzun bir dörtgene bir saat manzarası vermek o kadar güç değildi. Ufak tefek çıkıntılarla günün on iki saatini bu dört çizgiye koymaktan başka bir şey kalmıyordu. Aradaki hol de böylece, ilk düşüncemdeki, şaşırtıcı tanzimi imkânsız büyüklüğünü kaybedecekti. Asıl cephe saati on ikiyi gösteren yuvarlak bir bina olacaktı. Sonra iki tarafta dört küçük blok bizi saat altıya ayıracağımız arka cepheye getirecekti. Bu üç katlı olacaktı. Her blokun arasına asma merdivenler, küçük çemen şeritleri koymak gayet kolay bir şeydi. Ortadaki büyük hol camla örtülecekti. Her blokun cephesinde tıpkı saatlerde olduğu gibi geniş bir çember içinde sağdan sola gitmek üzere birden on ikiye kadar Romen rakamları yazılıydı. Yalnız on ikinci dıl'ı, ki asıl cephe olacaktı, biraz geniş tuttum ve onun üzerine rakam koymadım. Saat fikrini tam verebilmek için giriş kapısına da tam bir kadran manzarası verdim. Altı metre irtifaında olan bu kapıda kadranın bu tarzda tanzimi beni epeyce yordu. Herhangi bir dikdörtgenin kenarlarına rakamlar koymakla hiçbir şey elde edemezdim. Başka bir şey bulmak lâzımdı. Bursa'ya Konya'ya kadar gittim. İstanbul camilerini dolaştım. Bütün kapı şekillerine baktım. Fakat hiçbiri benim işime yarayacak şeyler değildi. Daha doğrusu hepsi düzgün, iyi işlenmiş dik dörtgenleriyle harikulâde şeylerdi amma, benim aradığıma cevap vermiyorlardı. Nihayet bir gece küçük İstanbul camilerinden birinin yana doğru kaldırılmış perdesi bana bir fikir verdi. Akreple yelkovandan bir perde gibi istifade edecektim. Şimdi hangi rakamlar üzerinde kapının boşluğunu ayarlayacağım meselesi kalıyordu. İki kanatlı perdesi kaldırılmış kapı fikrini bulduktan sonra gerisi kolaydı.

Yaz aylarıydı. Ahmet tatilini her zaman yaptığı gibi mektepte geçirmek istiyordu. Fakat benim ısrarlı ricam üzerine, sırf bana yardım etmek için evde bizimle kalmağa razı olmuştu. Benim güçlük içinde olduğumu biliyor, ayrıca bu cinsten bir iş üzerinde çalışmak hoşuna gidiyordu. Beni saatlerce, velevki mânasını anlamadığı, hattâ mânasız bulduğu bir iş üzerinde görünce yalnız bırakmağa razı olmamıştı. Hayatında Emine'nin ölümünden sonra ilk defa olarak hakikî saadeti tanıyordum. Oğlum sade beni affetmiş görünmüyordu. Ayrıca bana yardım ediyordu. Onu yanı başımda, yaşı ile hiç münasebeti olmayan birtakım meselelere, sırf güçlükleri için ilgilenmiş, her ihtimalin üstünde ciddî ciddî düşünür gördükçe sevinçten çıldırıyordum. Bu iş denen şeyin fazileti idi.

İş insanı temizliyor, güzelleştiriyor, kendisi yapıyor, etrafıyla arasında bir yığın münasebet kuruyordu. Fakat iş aynı zamanda insanı zaptediyordu. Ne kadar abes ve mânasız olursa olsun bir işin mesuliyetini alan ve benimseyen adam, ister istemez onun dairesinden çıkmıyor, onun mahpusu oluyordu. İnsan kaderinin ve tarihin büyük sırrı burada idi.

Baba oğlu, daha ilk münakaşada kadranla akrebin aynı yüksekliklerde durmamasına karar verdik. Bu çok kolay ve çok alışılmış bir tenazur olacaktı.

Binaenaleyh akreple yelkovanın teşkil edecekleri perdenin iki dıl'ının iniş zaviyelerini tanzim etmek için baba oğul saatlerce elimizde birer saat, ayar değiştirerek en münasip açıklığı aradık. Bu açının hem ilk bakışta göze batmayacak, hem de görür görmez tabiî bir şey gibi kabul edilmeyecek şekilde olması lâzımdı. İnsanı birkaç dakika olsun düşündürmeli, hattâ kapıdan acele geçen yolcu, birdenbire işin gayri tabiîliğini hatırlayarak geriye dönmeli ve kapının beyaz mermerden pervazlarına kakılmış büyük tunçtan rakamlara bakmağa mecbur olmalıydı. Hiç olmazsa, "Aman, çıkarken şuna bir iyi dikkat edeyim!" diye kendi kendine söylenmeliydi. Nihayet dördü kırk iki geçede karar verdik. Böylece altı metre yüksekliği olan kapının kiriş taşından bir buçuk metre aşağıda başlamak üzere, iki tarafın taş perdeleri birbirinden pek az farklı bir nisbetsizlikte asıl kapı boşluğunu yapacaklardı. Bu suretle sağ taraf boşluğu sol taraftan biraz daha yüksekçe olacak, fakat her iki taraf da, somaki taştan kapının perde pervazına en yakın yerde bile insan boyundan biraz yüksekte asılacaktı. Taş perdelerin kenar kıvrımları arasında akreple yelkovanın düz millerini yine işlenmiş, hattâ savatlı tunç, belki de çelik ve tunç karışık kalın çubuklar verecekti. Üstünde, perdenin iki ucunun birleştiği düzlükte de yine böyle bir madenden büyük bir rakkas kalın mihveri etrafında fakat bu sefer ucu yukarıya çevrili, durmadan sağa sola gide-

351

rek ayar fikrini temsil edecekti. Kapının üstüne koyacağımız sayvanın yapacağı gölgede yeşil somaki, beyaz mermer, kararmış tunç iyi bir renk tesiri bırakacaktı. Hiç olmazsa Ahmet böyle düşünüyordu. Bütün bunları kararlaştırdığımız zaman saat on iki idi. Oğluma korka korka:

– Bu rakamı tanıdın mı? diye sordum.

– Hayır, bilmiyorum! diye cevap verdi. Nesi var?

– Senin doğduğun saat...

Birdenbire yüzü kızardı ve gülümsedi. Memnun olduğu belliydi. Sonra kaşları çatıldı, ve önüne bakmağa başladı. Söyleyeceği sözün hatırımı kırmasından çekindiğini anladım. Nihayet dayanamadı.

– Baba! dedi, zayıf tarafımı beyhude arama. Biz henüz, bunu hepimiz için söylüyorum, fikirlerimiz için birbirimizden vazgeçecek seviyeye gelmedik. Fakat şimdiki vaziyette ben daha rahat ediyorum.

Belki de bu sözlere muhatap olmaktan gelen sıkıntı içinde birdenbire yaptığımız işin eksik tarafını gördüm. Bu 720 metrekarelik holü ne yapacaktım? O geceyi sabaha kadar bunu düşünmekle geçirdim. Nihayet sabaha karşı Kahvecibaşı Camii mezarlığının şimdi evimde bulunan parmaklığına benzer bir parmaklıkla ikiye bölmeyi, bu suretle geniş mesafeyi hiç olmazsa ilk gören için daraltmayı düşündüm. Fakat bu da kifayet etmezdi. Bu boşluğu kıracak şeyler lâzımdı. Ahmet'in mektebinden, arkadaşlarından bulup getirttiği mimârî mecmualarında gördüğüm birkaç resim bana bir fikir verdi. Parmaklığın tam orta yerine, her biri başka bir istikamette giden ve tıpkı mazotlu gemilerin bacalarına benzeyen dört büyük sütun koymağa karar verdim. Fakat holün camlı tabanının sütuna ihtiyacı yoktu. İşte o zaman asıl büyük fikir geldi. Mademki sütuna ihtiyaç vardı, o hâlde holün bir üst katı bulunacaktı. Ve böyle bir üst kat, Saatleri Ayarlama Enstitüsü'nün kendisiyle gayet uygun düşüyordu. Nasıl kendimize iş bulmak için bu enstitüyü kurduysak bu üst salonu da öylece, holün büyüklüğünün zarurî kıldığı, dört sütuna iş bulmak için yapacaktık. Sabaha karşı ikinci bir fikir hole ait bu çalışmayı tamamladı. Dört sütun yan yana bulunacaktı ve içlerinden geçilecekti. Sağdan gelecek, sol tarafa geçmek için Sabah sütunun kapısından girecek Öğle sütunundan geçtikten sonra Akşam sütununun merdiveninden çıkarak, Gece sütunundan holün öbür tarafına inmiş olacaktı. Buna mukabil sol taraftan sağa geçmek isteyen ziyaretçi, Gece sütunundan Akşam'a ve Öğle'ye geçerek Sabah sütununun parmaklıklı kapısından çıkacaktı.

Sabah kahvaltısında Ahmet'le biraz konuştuktan sonra bu fikrimi de tamamladım. O bana Üç Şerefeli'nin minarelerini hatırlatmıştı. Üç Şerefeli'nin minarelerine bilindiği gibi, müezzinler birbirini görmeden ayrı ayrı merdivenlerden çıkar. Bizim sütunlar bunun aksi olacaktı.

Dövme bakırdan, geniş kafesli camlarından her iki merdivenden inip çıkanlar görülecekti. Bir yonca yaprağı gibi aynı merkezden yükselen bu dört sütunun yeknesaklığını büsbütün kırmak için holün ortasına diyagonal olarak yerleştirmeği daha münasip bulmuştum. Bittabi, sütunlar hep birbirlerine kaidelerinin biraz yukarısından, inip çıkanların geçebilmesi için, küçük köprülerle birleştirilmişti.

Buraya kadar her şey iyiydi. Fakat üst kattaki salon beni rahatsız ediyordu. Ne sütunlar, ne parmaklık meseleyi halletmemiş, sadece problemi bir kat yukarıya nakletmişti. Burada yine mazim, yani işsizlik zamanlarımda oturduğum kahvelerde hatmetmeğe mecbur kaldığım gazetelerden öğrendiğim şey imdadıma yetişti. Salon yerine tıpkı gökdelenlerde olduğu gibi bir üst kat bahçe yapmak en iyisi olacaktı. Buna karar verdikten sonra dört sütunun arasında ve iki yanda uzun birer kalın camdan, hole ışık vermenin de kabil olacağını düşündüm. Vâkıa bahçemiz çoktu ve gökdelenlerin bahçesi de otuzuncu, otuz beşinci kattaydılar. Fakat çalışacak arkadaşlarımızın pencereden başlarını çevirdiği zaman biraz çiçek görmesi ve hiç olmazsa ikinci katın avluya bakan pencerelerinin ışık alması ancak bununla kabildi. Bu bahçenin de gerek cephe kapısının bahçesi gerek altı numaralı pavyonun önündeki bahçe gibi saat şeklinde tarh edilmesini kararlaştırdım. Yalnız küçük bir fark olarak bir Ahmet Zamanî büstü konacaktı. Böylece holümüz hem eski mimarimizi, hem de modern mimariyi birleştirecekti. Nitekim asıl başarılı tarafımız da bu hol addedildi.

Binanın yalnız dört pavyonunun birden fazla katlı olmasına karar verdim. Asıl cephe pavyonu olan ve saat on ikiyi temsil eden, büyük giriş kapısının bulunduğu pavyonla iki yanındaki 1 ve 11 numaralı pavyonlar ikişer katlı olacaktı. Bu cephe binasının mukabili olan saat altı pavyonunu ise üç katlı düşündüm. Bu pavyonun ilk katını hiçbir daire taksimatı olmayan, iki taraflı geniş pencerelerle aydınlanmış bir salon hâlinde bıraktım. Bunun üstündeki katı birinden öbürüne geçilen iki yuvarlak salon hâlinde tanzim ettim. Daha üstündeki kat ise diğer pavyonlar gibi daire bölmesine tâbi idi. Yalnız her iki katın merdivenini doğrudan doğruya binanın içinden çıkartacağım yerde ikinci katın merdivenini beş numaradan, ve üçüncü katın merdivenini yedi numaralı pavyondan çıkarttım. Böylece altı numaralı pavyon iki tarafındaki boşluktan geçen etrafı camla örtülü, biri nisbeten daha kısa, ikincisi daha uzun ve dolambaçlı iki merdivenle yanındaki pavyonlara bağlı oluyordu. Alt kat ise doğrudan doğruya hole bağlıydı.

Hiçbir mimarî zaruret olmadan, sırf Doktor Mussak'ın hâtırasını yaşatmak için, ve biraz da psikanaliz tedavim esnasında aziz dostum Doktor Ramiz'in insan dimağını ve şuurunu bana anlatırken yaptığı ev benzetmesini düşünerek yaptığım bu lüzumsuz yenilikler de holdeki sütunlar kadar makbule geçti ve ben yukarda söylediğim gibi onların sayesinde Milletlerarası Mimarlık Cemiyeti'nin fahrî azası oldum, birkaç cemiyetten madalya ve galiba iki ecnebî devletten nişan aldım.

Söylemeğe hacet yok ki 6 numaralı pavyonun ilk katı büyük içtima salonumuz olacaktı. Onun üstündeki iç içe küçük daire şeklindeki salonlar küçük toplantılara tahsis edilecekti. En üst kat ise, etrafla münasebetin güçlüğünden Sabriye Hanıma bırakılıyordu. Filhakika arkadaşımızın öğrenmek ve bilmek, tetkik etmek hırsından başka türlü kurtulmak imkânı yoktu.

Yine söylemeğe hacet yok ki bu pavyonun ikinci katındaki iç içe salonların daire şeklinde olmasının sebebi saatin çark ve dişlilerini temsil etmesi içindi. Nitekim dördüncü pavyonda da saniye kadranını hatırlatmak için böyle bir yuvarlak salon tanzim etmiştim.

Böylece sırf Halit Ayarcı'ya inat olsun diye, onu muztar vaziyette bırakmak için şartnameye koyduğum "içten ve dıştan" saate benzemek kaydını bir yığın abes şeyler icat ederek ödemiştim.

Bütün bu çalışma arasında tek kazancım, Ahmet'le beraber olmamdı. Oğluma hakikaten hasrettim. Bu yüzden işler bitecek diye üzülüyordum. Ne çare ki ayrılmamız mukadderdi, Ahmet beni seviyor, fakat hayatıma, gördüğüm işe tahammül edemiyordu. Son geceyi, yine Doktor Mussak'ın hâtırasıyla, yüzlerce kibrit kutusundan yaptığımız acayip maketin karşısında geçirdik. Son değiştirmeleri yaptık.

Oğlum merdivenlere, binaya, sütunlara dair bir yığın fikir söylüyor, benimle alay ediyordu. Ben onun yeni terlemeğe başlamış bıyıklarının yavaş yavaş değiştirdiği yüzüne, siyah üzüm gibi gözlerine, ince dudaklarına bakıyordum. Bana hiç kendisini açmayan, düşüncelerinin üzerinden atlayarak bana dostluk gösteren, yardım eden bu küçücük insanı, bu benden parçayı, benden bu kadar ayrı yapan şeyi düşünüyordum. Bana benzemediği, bütün düşüncesinde beni inkâr ettiği için ona kızmıyordum. Hiç dargınlığım yoktu. Biliyordum ki bana benzememesi tek kurtuluş çaresidir, ve buna razı oluyordum. Hattâ bundan memnundum bile. Fakat bu kuvvetin nereden geldiğini ayrıca merak ediyordum. Takribî Ahmet Efendi ailesinin bu son erkeği hangi düşüncenin peşinden yürüyerek buraya varmıştı? Asıl beni şaşırtan şey, hiçbir nefret ve hiddetin işin içinde bulunmaması idi. Halbuki bu iş bu kadar sükûnetle olacak şey değildi. Demek ki oğlum sadece kendi içinde servetimin hayatına getireceği kolaylıkları, aile bağlarını yenmekle kalmamıştı, daha çetin bir mücadele de yapmıştı. Kendisini de yenmişti.

Birdenbire hatırıma Emine'nin ölümünden sonraki senelerde her gece, âdeta kapı eşiklerinde onun Zehra ile kucak kucağa, birbirine sokularak ağlaya ağlaya beni bekleyişlerini düşündüm. Gözlerim yaşardı. Biraz yüz bulsaydım her şeyi söyleyecek, af dileyecektim. Fakat Ahmet, ciddî, işi bittiği andan itibaren o kadar her türlü mücadeleden uzak, sadece son sınıf lise talebesi olmuştu ki böyle bir bahsi açmama ihtimal yoktu. Bir ara:

– Ablanla aran nasıl? dedim.

Gözlerinde güzel bir ışık parladı.

– Ben Zehra'yı çok severim, dedi.

Sonra elini göğsüne götürdü, yeni süveterini gösterdi.

– Bunu bana o ördü...

Tekrar aynı sükûta düştük. Ben kendi içimden, "Oğlum, karşımda... Fakat düşüncelerimiz yeniden birbirinden ayrıldı, diye düşündüm. Müşterek iş bitince aramızda eski uçurum açıldı. Artık yine ancak hastalandığımı haber alınca, yahut muayyen günlerde gelip göreceği bir adam oldum."

Bu zalim bir düşünce idi. Her tarafından bir çıkmaza benziyordu. "O kendisi olmak için beni unutmağa belki muhtaç! Fakat ben ancak onun sayesinde biraz kendim olabiliyorum. Bu, belki de onun hiç anlamayacağı bir şey. O benim kaderimi bitmiş biliyor ve bunda haklı! Fakat ben onun kaderi üstüne acz içinde titriyorum."

Fakat arada bu uçurum daima kalacaktı. Ara sıra onun üstünden ellerimiz bırbirine uzanacak, sonra ben küskün, o ümitli kendi dünyalarımıza dönecektik. Biliyordum, bu düşünceler sade bu akşamın düşünceleriydi. Yarın sabah ben kibrit kutularımı bir sepete tıkıp enstitüye gittiğim zaman başka adam olacaktım. Daha ertesi günü belki etrafımda müthiş bir alkış tufanı kopacaktı. Halit Ayarcı öldürdüğüm köpeği bana sürükletmiş olmanın kendisine bahşettiği memnuniyeti en cömert şekilde ödeyecekti. Sade bu mu? Yarın akşam Selma'nın gecesiydi. Beraber olunca ben yine her şeyi unutacaktım. Belki bir iki hafta sonra Sabriye Hanımın, üç aydan beri enstitünün içinde tecrit için çare aradığım kadının, sırf Selma'ya ve Pakize'ye inat olsun diye, haftalardır, bana peşkeş çektiği genç kızla yatacaktım. Bu başka türlü değişmek, başka türlü unutmak olacaktı. Dün ikindi vakti Seher Hanım benimle dikkati çekecek kadar mânalı konuşmuştu. Bu kadını bundan sonra ihmal etmeyeceğimi biliyordum. Hulâsa ben kendi bataklığımda durmadan gömülecek, durmadan unutacaktım. Fakat hiçbir zaman bu saati, bu üç ayın lezzetini bulamayacaktım.

Bütün bunlar hayatımda tek bir hâdisenin doğurduğu şeylerdi.

Emine ölmeseydi hiçbiri olmayacaktı. Oğlum bütün bu düşünceleri anlamış gibi yavaşça yerinden kalktı:

– Korkma, dedi, bundan sonra daha sık gelirim. Artık kâfi derecede kuvvetliyim!

Ve ilk defa beni candan öptü. Beni olduğum gibi kabul etmeğe alışmıştı. O odadan çıkarken arkasından baktım. Belki şu anda sevdiği, belki yarın seveceği kızı düşündüm. Bütün talihini düşündüm. Her çocuk babasından bu yaşta kopar. Fakat benimki benden iki defa kopmuştu. O gece yatağımda hep eski fakir evimizi hatırladım. Küçücük Ahmet'in kafesi sarkan cumbadan kırık kenarlı bir saksıda yetiştirdiği sardunya çiçeği sabaha kadar gözümün önünden gitmedi. İkide bir yatağımda silkiniyor, onu sabahleyin kahvaltıda bir kere daha göreceğime seviniyordum.

II

Halit Ayarcı, getirdiğim projeyi, daha doğrusu oğlumun çizdiği çok acemice planla, benim boş kibrit kutularından yaptığım acayip maketi büyük bir heyecanla karşıladı. Verdiğim izahatı dinledikçe memnuniyeti artıyordu. Ben her şeyi anlatıp bitirince ayağa kalktı ve ciddiyetle beni tebrik etti. Kendisine birkaç defa:

– Acele etmeyin! Daha çok eksik, çok sakat tarafı var On, on iki salon, kırk kadar oda, bunu ne yapacağız? diye hatırlatmak istedim.

O dinlemiyordu bile.

– Azizim! dedi, nafile yere yaptığınız işi küçültmeğe çalışmayın. Harikulâde bir iş yaptınız. Asıl büyük müşkülü de halletmişsiniz. Şu ortadaki hol iki aydır beni de meşgul ediyordu. Burada bulduğunuz hâl çaresi en iyisi!

– Fakat ben size bundan bahsetmemiştim...

– Düşüncelerimizi birbirimize söylemeğe ihtiyaç olmadığını, konuşmadan anlaştığımızı artık anlamanız lâzım! diye cevap verdi. İkimizin de hatası cep saatlerimizden harekette ısrar oldu. Fakat vakta ki siz de, ben de cep saatlerimizin yerine Mübarek'i düşünmeğe başladık; mesele değişti. Yalnız siz beni geçtiniz. Odalara ve salonlara gelince bu hususta zerre kadar üzülmeyin! İkimizin de bir yığın yeni akrabası bulunduğu gibi, tavsiye edilenler, ayar ekiplerinden terfi zamanı gelenler var. Demek istiyorum ki nasıl bir memuriyet adı kendi fonksiyonunu yaratırsa, bizimki gibi bir enstitüde boş bir oda ve salon da kendi fonksiyonunu yaratır. Sabriye Hanıma bulduğunuz yer harikulâde. Aziz arkadaşımızı böyle kartal gibi binanın en yüksek tepesinde yuva yapmış görmek beni cidden mesut edecek. Fakat bunlar sonra düşüneceğimiz şeyler! Şimdi ilk yapılacak iş bir basın toplantısı ile efkârıumumiyeye bu muvaffakiyetinizi ilân etmektir...

Kibrit kutularıyla yaptığım bu sökülür, takılır, acayip ve şüphesiz gülünç ve berbat –şimdi ki her şey bitti, niçin itiraf etmeyeyim?– maketin başında çekilen resimlerimizi elbette okuyucularım arasında birçoğu hatırlarlar. Söylemeğe hacet yok ki gerek binanın projesi, gerek maket bir taraftan şiddetle alkışlanırken, öbür taraftan da hemen hemen aynı şiddetle tenkit edilen ben, talihim icabı burada da amatör dâhi ile sahtekâr, şarlatan oldum. Fakat artık vaziyete alışmıştım; holün belli başlı süsü ve buluşu olan dört sütunla, Altıncı pavyonun her iki katına ayrı merdivenlerden ve o kadar görülmemiş şekilde çıkılması yenilik taraftarlarını sevinçten, heyecandan çıldırtmıştı. Bir dostum, günlerce gazetesinde "Yeni, başından sonuna kadar, akıl almayacak kadar yeni! Yaşasın yenilik!" diye bağırdı. Bir başkası, "Kokmuş ve klasik şekillerden ayrıldığımız için" bahtiyar olduğumuzu söylüyordu. Bir üçüncüsü ise bu acayip merdivenleri, onları binaya bağlayan hiç lüzumsuz iki küçük köprüyü –çünkü üç pavyonun arasını sırf bu küçük köprücükler için açık bırakmıştım– bir yığın övdükten sonra, "İşte, diyordu, Türkçe'de yeni sentaksın başladığı devirde yeni mimarî de feyzini verdi. Devrik cümle düşmanları Hayri İrdal'ın muvaffakiyeti karşısında bakalım ne yapacaklar?" Dördüncü eleştirmecinin övmesi daha parlaktı. Ona göre ben, sade devrik cümleye lâyık bir bina yapmamıştım, aynı zamanda soyut mimarî yapmıştım. Kibrit kutularından yapılan maket ise âdeta piyasaya tesir etti. İnhisarlar İdaresi bu yeni mimarlık çalışmalarına lâzım olan maddeyi teminden âciz kaldı. Durmadan gazetelere verdiğimiz beyanat, yapılan münakaşayı her gün biraz daha körüklüyordu. Her pavyonun ayrı şekilde boyanacağını söylediğim zaman münakaşa tekrar alevlendi.

Buna mukabil hakikî mimarlar, bir türlü eserimi kabul etmek istemiyorlardı. Öyle ki binanın inşasına nezaret etmek, betonarme hesaplarını yaptırmak için güçlükle eleman bulduk.

Gerek makette, gerek merdiven meselesinde Doktor Mussak'a neler borçlu olduğumu yukarıda söylemiştim. Niçin aramızda doğmadığını bir türlü anlamadığım bu kafa dengi dostun hâtırasını burada bir kere daha yâdetmek isterim. Bu bina yapıldığı zaman şüphesiz beni tebrik edecekti. Fakat asıl memnun olacağı şey, alelâde bir unutkanlığını o kadar şiddetle cezalandıran bir zihniyetten onun hesabına aldığım intikamdı. Hakikatte bana gelen her alkış ona bir nevi tarziye demekti. Bu bina dolayısıyla gerek Saatleme Bankası'ndan, gerek enstitünün bütçesinden aldığım ikramiyeyi de onunla taksim etmeğe candan razıydım.

Gariptir ki bu parlak muvaffakiyete rağmen, Saat Evleri'ni yaptırmağa başladığımız zaman bütün mahalle için yapılacak planların tarafımdan yapılmasını Halit Ayarcı teklif eder etmez beni o kadar alkışlayan arkadaşların hiçbiri bu işe razı olmadılar. Enstitünün son derece orijinal olduğunu aylarca iddia eden, bundan son derecede mesut görünen, günde değilse bile haftada hiç olmazsa iki defa inşaat yerine gidip seyredenler, dönüşte tebrik için odamın kapısında birbiriyle itişen en yakın dostlarımız buna itiraz ettiler. En insaflıları:

— Bunlar hususî evlerdir. Bizden sonra çoluk çocuğumuza kalacak! Fazla orijinal olmasına ihtiyaç yoktur. Sağlam, ucuz, emniyetli olması kâfidir! diyorlardı.

Bazıları ise daha ileriye giderek:

— Dişimizden tırnağımızdan arttırdığımız para ile tecrübeye girmeyiz. Biz ev istiyoruz, dâhiyane eser değil! diye haykırıyorlardı.

Hattâ beni o kadar iyi anladığını sandığım Doktor Ramiz bile bu fikirde idi.

— Olmaz azizim, olmaz! Diyordu. Bir de bakarsın ki merdivenleri ters taraftan koymuşsun! Olur mu hiç?

Doktor Ramiz'e, dilimin döndüğü kadar bu merdivensiz kat hikâyesinde mesuliyetin biraz da kendisine ait olduğunu, asıl ilhamı bana onun insan zihni hakkında verdiği izahattan aldığımı anlatmağa çalıştım. Her defasında:

– Karıştırma, azizim! Ev başka, insan şuuru ve ilim başka! cevabını aldım.

Yalnız, Yangeldi Asaf Bey bu hususta hiçbir fikir beyan etmiyordu. Elinde sinekliği –yaz sonuydu ve dostumuz bu yeni âdeti çıkartmıştı– üç içtima boyunca münakaşaları hiç anlamadan dinledi, dördüncüsünde yavaşça yanıma geldi:

– Hayriciğim, bu dâvadan sen vazgeç! Dedi. İstersen babadan kalma bir evim var, tamir ettireceğim, sana onu bırakayım! Merakını tatmin edersin!

Karım da bu fikirde idi. Maketin b. şı ucunda otuz beş defa resim çektiren Pakize, evimizin tarafımdan yapılmasını ihtimalini işitince küplere bindi. İlk defa karımla, kızımın ve damadımın aynı fikirde olduklarını gördüm. Karım durmadan:

– Allah göstermesin! diyordu. Hiç senin yapacağın evde oturulur mu?

Zehra ise beni bu fikirden vazgeçirtmek için elinden gelen yosmalığı esirgemiyordu.

Doğrusu istenirse ben de Saat Evleri'ni kendim yapmayı istemiyordum. Benim merakım, zevkim insan ruhunu öğrenmekti. Herkes benim gibi mi, yoksa biraz farklı mı? Bunu öğrenmek için ısrar ediyordum. Hayır, onlar da benim gibiydi, hattâ daha beterdiler. Hiç şüphe etmeden hodbindiler. Umumum parası sarf edilirken o kadar cömert, hasbî, kayıtsız şartsız yenilik taraftarı olan, benim eserimle övünen insanlar, şimdi kendi menfaatleri ortaya konunca birdenbire dönmüşlerdi. Hattâ Halit Ayarcı'yı bile artık dinlemiyorlardı.

"İnsanla bu kadar oynanmaz ki, a canım!.." sözü dillerinden düşmüyordu. Hulâsa herkes kendisi olmuştu. Ve bunun için herkes birbirine benziyordu. Halit Ayarcı bütün bunlardan mustarip, ne yapacağını şaşırmış, ikide bir gelip bana şikâyet ediyordu.

– Nasıl olur? diyordu, nasıl olur? Dünyanın en modern müessesesinde, en mükemmel ve yeni şartlar altında ve bu kadar yenilik içinde çalışan bu insanlar bu işi nasıl anlamazlar? O hâlde enstitüde ne işleri var? Niçin yeni binayı alkışladılar? Niçin bizi tebrik ettiler? Demek yalan söylüyorlar!..

Ben Halit Ayarcı'ya vaziyeti anlatmağa çalışıyordum.

– Hayır, yalan söylemiyorlar, diyordum. İkisinde de samimî idiler. Yeniliği kendilerine ucu dokunmamak şartıyla seviyorlardı. Hâlâ da o şartla severler. Fakat hayatlarında emniyetli ve sağlam olmayı tercih ediyorlar.

– Böyle şey olur mu? Bir insan iki türlü düşünür mü? İki türlü mantık bir kafada bulunur mu?

Halit Ayarcı hakikaten meyustu.

– Tabiî bulunur. Daha doğrusu menfaatler istikametini değiştirirse mantık da değişir.

– Ben anlamıyorum doğrusu bunu!.. Bütün eserim yıkıldı. Bu müessese artık benim değil!

Şakaklarından ter akıyordu. Hiçbir zaman onu bu hâlde görmemiştim. Karşısındaki kalabalıktan daha çetinlerine, çok büyüklerine laf anlatmıştı. Burada, hepsi kendisinin yetiştirmesi bir avuç insan onu şaşırtmıştı. Bir rüyada gibi etrafına bakınıyordu.

– Hiç boks maçına gitmediniz mi? İlk önce bakamayız bile! Sonra birdenbire heyecanlanırız, bir tarafı tutarız. Bir an evvel, kâfi derecede kuvvetli olmamasına kızarız, haykırırız. Haydi! deriz, daha kuvvetli! Daha müthiş! deriz ve öyle olmadığı için üzülürüz. Fakat hangimiz o esnada o adamın yerinde bulunmayı isteriz? Hiçbirimiz, değil mi? Bunlar da öyle işte... Mücadeleyi bizim tarafımızdan seyrettiler. Ve bizi alkışladılar. O anda çok samimî idiler. Fakat şimdi siz, "ringe buyurun!" deyince iş değişti. Burada kendi menfaatleri, kendi emniyetleri var!

– O hâlde bu adamlar bana inanmıyorlar! Beyhude yere buraya toplanmışız! Beyhude yere uğraşmışız!

– Hayır... Yine size inanırlar. Fakat menfaatlerine dokunmamak şartıyla... Zaten niçin inanmalarını istiyorsunuz, onu anlamıyorum...

– Fakat iş, iş!..

Böylece Saat Evleri'nin uzun ve çetin münakaşası hiç farkında olmadan Halit Ayarcı'yı içinden yıkmıştı.

Dördüncü içtima en çetini oldu. Halit Ayarcı işi tehdide kadar götürdü. Fakat heyhat! Sihir bozulmuştu. Karşısındakiler kendilerini kuvvetli buluyorlardı. Sözlerini bile dinletemedi. Saat Evleri herkesin evleri gibi olacaktı. Çoğunluk öyle istiyordu.

Toplantı salonunu yerini bana bırakarak herkesten evvel terk etti. Ben ilk defa olarak enstitü azasına ait bu cins içtimalarda reye müracaat ettim ve mutlak çoğunluğun hakkını teslim ederek çıktım.

Odasına girdiğim zaman büsbütün başka bir Halit Ayarcı ile karşılaştım. Vaktiyle halamı oturttuğu büyük koltukta, ayaklarını masaya dayamış, düşünüyordu. Beni görünce:

– Ben bir yerde aldandım... Nerede? diye sordu. Nerede aldandım? Onu bulsam bana yeter...

– Bilmiyorum... diye cevap verdim. En iyisi düşünmeyin bunu artık! Nihayet kendi evleri... İstedikleri şekilde yaparlar. Güle güle otursunlar, der, geçeriz...

O yüzüme, ısrarla, inatla baktı:

– Niçin, dedi, beni anlamıyorsunuz? Ben bir yerde aldandım!

Gülerek kendisini teselli ettim.

– Belki mimarlık dehamda! dedim. İtiraf edin ki bu işten hiç anlamıyordum, anlıyamazdım da...

Omuzlarını silkti:

– Bundan ne çıkar sanki?

– Fazla oynadık etrafla... Kabul etmiyor musunuz?

Tekrar yüzüme baktı.

– Hayır, dedi, oynamadık. Hiç oynamadık. Bizi aldattılar. Biz fazla inandık onlara...

Sonra ayağa kalktı, odanın içinde dolaşmağa başladı.

– Bu müessese artık benim değil! Bundan sonra ben de herkes

gibiyim burada... dedi.

Ve şapkasını dahi almadan çıkıp gitti.

Bu, Halit Ayarcı'nın kapıldığı ilk yeisti. Bütün meseleyi biraz da hiçten yere alevlendirmişti. Bununla beraber fazla devam etmedi. Milletlerarası Saatleri Ayarlama Enstitüleri'nin umumî kongresi yeni binamızda açıldığı zaman herkes yine eski Halit Ayarcı ile karşılaştı. Mütebessim, kibar, üstün, hakikî centilmen, bütün kongreyi kendisine hayran etti. Kongrenin kapanış merasiminde iki saat konuştu. Ve birbiri ardınca çılgınca alkışlandı.

Bununla beraber kendisine en yakın insan sıfatıyla onun artık eski Halit Ayarcı olmadığını gayet iyi hissediyordum.

Şüphesiz ki, enstitümüzün o kadar âni şekilde lağvında onun bu ruh hâletinin çok tesiri olmuştur. Filhakika eski heyecanı ve hararetı kalsaydı bu hazin akıbetle bu kadar beklenmedik şekilde karşılaşmazdık.

Daima vaziyetleri karşılamasını bildiğine göre, hatta lağva sebep olan hâdisenin vuku bulduğu gün enstitüde bulunmuş olsaydı iş yine değişirdi. Fakat yoktu. Aylardan beri zaten gelmiyordu. Enstitüde, ecnebî heyet geldiği zaman, yalnız ben vardım. Ve yazık ki, ben de bütün tecrübeme rağmen bu heyetin ehemmiyetini takdir edemedim. Kaldı ki, artık eskisi gibi müesseseden şüphe de etmiyordum. Halit Ayarcı'nın itişleriyle yavaş yavaş müessesenin hakikaten lüzumlu bir iş gördüğüne, hakikaten modern bir teşekkül olduğuna inanmıştım. Etraf gerek bina hususunda, gerek diğer meselelerde bizi o kadar beğenmiş, o kadar alkışa garketmişti ki, böyle bir şüphe aklıma bile gelmiyordu. Bu itibarla heyete herkes tarafından beğenilen müessesemizi baştan aşağı gezdirdim. Ve yaptığımız işler hakkında lüzumlu gördüğüm bütün izahatı verdim.

Yazık ki, bu gelen heyet öbürleri gibi değildi. Ne kapının sembolik saati, ne katların acayip ve takma merdivenleri, ne de büyük daktilo salonumuzda elinde değneği bir şef dorkestr gibi işaret veren kalem âmirimizin emri altında son derece ritmik çalışan yetmiş daktilomuzun hep bir anda makinaya basıp yazı yazmaları onları şaşırttı. Öyle ki, dostça başladığımız gezinti hemen hemen tam bir kayıtsızlık içinde bitti.

Tekrar odama döndüğümüz zaman heyetin reisi kendisine ikram ettiğim içkiyi kabul edeceği yerde doğruca telefona koştu ve 0135'i arayarak saatin kaç olduğunu sordu. Aldığı cevap üzerine evvelâ duvardaki saate, sonra yüzüme baktı.

– Böyle bir kolaylık varken bu müesseseye ne lüzum var? diye sordu.

Bu aşağı yukarı kurulduğu günden beri benim Halit Ayarcı'ya sorduğum sualdi. O her defasında bana çok ciddî, mantıkî cevaplar vermiş, tamamiyle ikna edememişse bile hiç olmazsa susturmuştu. Yazık ki, ben Halit Ayarcı değildim. Bende ne onun talâkati ve keskin mantığı vardı, ne de karşımdaki adam behemehal ikna edilmek arzusuyla bu suali sormuştu. Bu itibarla verdiğim cevapların hiçbirini doğru dürüst dinlemedi bile. Her ağzımı açışta:

– Böyle bir müesseseye ne lüzum var? diyordu.

Nihayet bütün dünyada buna benzer müesseseler bulunduğunu söyledim ve tekrar Halit Ayarcı'dan öğrendiğim şekilde mutlak ve muayyen kadroları anlattım. Sonunda adam bana, "Allahaısmarladık!" bile demeden çıkıp gitti.

Bununla beraber bu acayip ziyaretin böyle bir netice vereceğinden hiç de şüphe etmedim. Fakat ne olur ne olmaz Halit Ayarcı'yı aradım. Evinde yoktu. Sağa sola sordum. Hiçbir yerde bulamadım. Üç gün sonra müessesenin lâğvedildiği emri geldi. Bu benim için bir bakıma büyük darbe değildi. Çoktan beri artık bu işin bitmesi lüzumuna kani olmuştum. Hele Amerikalının ziyaretinden sonra büsbütün soğumuştum. Saatleri Ayarlama Enstitüsü rolünü yapmıştı.

Fakat ne olsa hayatıma girmişti. Ona çok emek vermiştik. Planını kendi çizdiğim binadaki odama, onun yanında bazı geceler kaldığım istirahat odama, küçük bar amerikanıma, banyo dairesine, mobilyaya, duvardaki resimlere, her şeye bağlıydım. Kendi elimle ve zevkle tanzim ettiğim bahçesine çıldırıyordum. Diktiğim ağaçların büyümesini artık göremeyecektim.

Emri alır almaz Halit Ayarcı'yı tekrar aradım. Yarım saat sonra eve geleceğini ümit ediyorlardı. Masamın başında, bir elim telefonda, oturup düşünüyordum. Bu müessese belki de bir gün bir işe yarayabilirdi. Halit Bey, "Fonksiyonunu kendisi yaratacak!" diyordu. Bu fırsatın verilmediğine üzülüyordum. Diğer taraftan vaziyeti hiç de bizler gibi olmayan üç yüze yakın müstahdemi, filân vardı.

Onların istikballeri beni sıkıyordu. Bu adamların hayatı ne olacaktı? Nasıl iş bulacaktık? Ne yapacaktık? Abes dahi olsa, bir iş işti. Haydi ben hâtıratımı yazdırdım, onlar ne yapacaklardı?

Yarım saat sonra Halit Ayarcı'yı telefonla buldum. Durumu anlattığım zaman;

— Galiba çok kederlisiniz... diye benimle alay etti.

— Siz üzülmüyor musunuz?

— Hayır, dedi. Biliyorsunuz ki, müessese ile artık eski alâkam kalmadı. O beni inkâr etti.

— Burada olsaydınız belki önüne geçerdiniz...

— Ama, yoktum, dedi. Olmamam da artık eski bağların koptuğunu göstermiyor mu?

— Fakat, dedim, mesele yalnız bizim meselemiz değil! Bu kadar arkadaş, müstahdem var... Üç yüze yakın insan...

Bir müddet düşünür gibi oldu.

— Evet, onlar var!.. dedi.

— Sizi bu akşam görebilir miyim?

— Zannetmem! diye cevap verdi ve telefonu kapadı.

Bu bir cevap değildi. İçimde eski hiddet yine kabardı. Akşama bana geleceğini umdum. Yine ortada yoktu. Ertesi günü evine uğradım. Erkenden seyahate çıktığını söylediler. O haftayı hemen hemen dairenin tasfiyesi işleriyle geçirdim.

Hafta sonunda evimde evvelden kararlaştırılmış büyük bir toplantı vardı. Bu acı havadis üzerine bu davetten vazgeçmek istemiş fakat karımı bir türlü kandıramamıştım.

Villa Saat'teki bu son toplantı hiç de parlak başlamadı. Zaten aynı mahallede yaşamağa başladığından beri yarısından fazlası birbiriyle akraba olan ve eskiden olmayanlar da yeni evlenmelerle birbirine bağlanan bu insanlar, sadece gece gündüz hep bir arada oldukları için daha altıncı ayında birbirine düşman olmuşlardı. Öyle ki, gerek bu cins davetlerde, gerek alelâde ziyaretlerde gelip gidenler bu zahmete, daha ziyade birbirinin ayıbını, kusurunu görmek, tenkit etmek, küçük tarizlerle hırpalamak için katlanıyor gibiydiler. Bunu gittikleri yerde insanın yüzüne karşı söylemezlerse –ki çoğunun nezaketi ve birikmiş kini buna müsaitti– hiç olmazsa arkadan dedikodu yapmak imkanını buluyorlardı.

Bu itibarla çoktan beri bu cins toplantıları istemiyor, davetlerden kaçıyor ve mümkün oldukça kendim de hemen kimseyi davet etmiyordum. Fakat küçük kızım Halide'nin doğum gününü büyük bir davetle kutlamayı üç yıldan beri âdet etmiştik. Pakize bir türlü yeni evimizin bu ananesini bırakmak istemiyordu.

Şurası da var ki karım, tam benim zıddıma olarak bu cins toplantılardan hiç de çekinme itiyadında değildi. O etrafındaki düşmanlık halkasına ehemmiyet vermiyor, hattâ üzerine yürüyordu. Hafif bir tebessümle, küçük bir kahkaha ile taşı gediğine koymaktan hangi kadın kendisini alabilir? Nedense kadın kısmı bu gibi işlerde erkeklerden daha mukavemetli ve daha cesur oluyor. Yeni aldığımız sofra takımı, kendisinin bu gece için yaptırdığı tuvalet varken Pakize'nin bu münasebetsiz davetten vazgeçmesine imkân yoktu. O refahımızla, güzelliğiyle, gençliğiyle, gün boyunca aleyhimizde bulunanları bir kere daha ezmeyi aklına koymuştu.

Şurası da var ki Pakize enstitünün affedilmesinin uyandırdığı ruh hâlini hiç hesaba katmamıştı. O hâlâ, her zamanki gibi tatlı sohbet arasında yapılacak tarizlerle karşılaşacağını sanıyordu. Halbuki hiç de böyle olmadı. Davetlilerimiz âdeta bir kin çıkını hâlinde eve geldiler. Daha yüzlerine bakar bakmaz, bütün gece neler çekeceğimizi anladım. Nitekim biraz sonra hiddet, birikmiş kin, kıskançlık birdenbire infilâk etti. İşin garibi bu çok insanî duygulara, benim tahmin ettiğim gibi sadece biz hedef olmuyorduk. Hemen hemen herkes birbirine düşmandı. Kadınlar kocalarına karşı, nişanlılar birbirine karşı hep aynı hislerle mütehassistiler. Bütün ayıplar, bütün kusurlar ortada idi. Bütün kazançlar biliniyordu. Hulâsa enstitünün lâğvını hiçbiri öbürüne affetmiyordu. Herkes öbürünün nazarında mücrimdi. Bununla beraber müessesenin mesuliyetini taşıdığımız için en fazla mücrim olan tabiatıyla Halit Bey ile bendim. Kadehler arttıkça bu kin ve düşmanlık hissi de artıyordu. Halit Ayarcı'nın ısrarıyla hiç yoktan ortaya çıkarttığımız, etrafımıza topladığımız insanlar şimdi bizden hesap sormakla iktifa etmiyorlar, açıktan açığa bizi itham ediyorlardı.

İlk darbeyi Pakize yedi. Yeni tuvaletini methetmek şöyle dursun, davetlilerimiz alelâde nezaket kaidelerini bile unuttular. O zamana kadar ona kompliman yapmayı belli başlı vazifelerinden bilen genç memurlarımız karımın etrafına yanaşmadılar bile. En yakın dostlarımızın hanımları gözümün önünde onun yaşını hesapladılar. Saçının boyasını sordular.

Sonra yavaş yavaş evimizin büyüklüğünden, mobilyamızın zevksizliğinden, bu masrafı hangi gelirle karşıladığımızdan bahsedildi. Ben üç kişilik bir grupa yaklaşırken, "Sansar..." kelimesiyle kendimden bahsedildiğini duydum.

Bununla beraber, dediğim gibi kin sadece bize karşı değildi. Enstitünün lâğvı ile bir yığın kombinezon ortadan kaybolmuş, bir yığın dostluk âdeta uçmuştu. Bu itibarla hemen her tarafta, her grupta aynı soğukluk, aynı dargınlık havası, aynı çekişme vardı.

Saat ona kadar, yarım saatten beri iki kanadı açık yemek odasının kapısında beklediğim hâlde münakaşaları kesip bir türlü davetlilerimizi içeriye alamamıştım. Biraz evvel etrafa meydan okuyan Pakize âdeta gizlenmek istiyor gibi kardeşlerinin arasına sığınmıştı. Yalnız halam istifini bozmamıştı. Her zamanki hiddetli feveranlarıyla etrafındakilere cevap yetiştiriyordu.

İşte tam bu esnada birdenbire Halit Ayarcı, elinde seyahat çantası, başında şapkası ile göründü. Ve hiç kimseye aldırmadan bana doğru geldi. Onun görünüşü ile birdenbire kesilen homurtu bir saniye sonra ve sanki birdenbire adamakıllı beslenmiş bir ocak gibi parladı. Fakat Halit Ayarcı hiç aldırmadı. Elimi sıkarken:

– Affedersiniz, diye özür diledi. Şimdi dönebildim. Kararı tashih ettirdim. Daha doğrusu ilga kararı duruyor, amma müessesenin muntazam surette tasfiyesi için daimî bir tasfiye komisyonu teşekkül etti. Bütün arkadaşlar orada vazifelidir.

Bunu söyledikten sonra karımın elini öptü. Ve yemek odasına girdi.

Kalabalık birdenbire etrafımızda dalgalandı. Herkes yine eskisi gibi, hattâ eskisinden fazla dosttu. İki gün evvel birbirlerinden boşanacaklarını işittiğim ve iki saattir hep ayrı ayrı gruplarda dolaşan bir karı koca birbirleriyle karşımda öpüşerek barıştılar. Bozulmuş iki nişanın hemen oracıkta yenilendiğini gördüm. Üçüzlerin grubu tekrar teşekkül etti. Hulâsa bir bayram havası içinde herkes sofraya oturdu. Hayır, bu adamlar kinlerinde ve düşmanlıklarında oldukları kadar sevinçlerinde de açık ve samimî idiler.

Sofrada Halit Ayarcı'ya yavaşça sordum:

– Peki ötekiler?.. Küçükler?

Birdenbire yüzü karardı:

– Zaten onlar için yaptım, bu işi... dedi. Fakat ayar istasyonlarında çalışanlar için bir şey yapamayız! Ona da siz çalışın.

– Siz, dedim, siz niye çalışmıyorsunuz?

Yüzüme hayretle baktı:

– Ben, dedi, aldandığımı anladım...

Ve iştiha ile yemeğine başladı.

Gece yarısı, kalabalık dağıldıktan sonra benim çalışma odamda tekrar buluştuk. Fakat aramızda garip bir vaziyet vardı. Hattâ Şehzadebaşı'ndaki kahvede kendisini ilk gördüğüm gün dahi bana karşı bu kadar yabancı değildi. Benimle bir parti tavla oynadı. Oyun bitince, "Allahaısmarladık!" diye ayrıldı. O geceden sonra Halit Ayarcı'yı bir daha ancak, korkunç otomobil kazasından sonra kaldırıldığı evinde, yatağında görebildim.

SON